静がんメソッド

静岡がんセンターから学ぶ
最新化学療法 & **有害事象マネジメント**

電子版付

消化器癌・頭頸部癌編

第**3**版

編著／シリーズ監修 **安井博史** 静岡県立静岡がんセンター副院長
編著 **小野澤祐輔** 静岡県立静岡がんセンター原発不明科部長

日本医事新報社

謹 告

本書に記載されている事項に関しては，発行時点における最新の情報に基づき，正確を期する
よう，著者・出版社は最善の努力を払っております。しかし，医学・医療は日進月歩であり，記載
された内容が正確かつ完全であると保証するものではありません。したがって，実際，診断・治
療等を行うにあたっては，読者ご自身で細心の注意を払われるようお願いいたします。

本書に記載されている事項が，その後の医学・医療の進歩により本書発行後に変更された場合，
その診断法・治療法・医薬品・検査法・疾患への適応等による不測の事故に対して，著者なら
びに出版社は，その責を負いかねますのでご了承下さい。

静がんメソッド 消化器癌・頭頸部癌編 第3版の監修にあたって

　静がんメソッドシリーズは，初版作成時からのコンセプトとして，一般的なガイドラインや説明書とは異なり，当院が臨床現場で培ってきた経験的ポイント，いわゆる治療のこつを中心に，日常の臨床現場に沿い，なるべく具体的にわかりやすく記載することで，初めて使用する化学療法の際の準備や治療ガイド，ならびに悩み時の解決本となることを期待し作成してまいりました。本シリーズが非常に多くの先生方に御好評をいただくことができ，また今回このように静がんメソッド 消化器癌・頭頸部癌編 改訂第3版を作成する運びとなったことは，我々にとっても望外の喜びです。

　第2版を2018年に刊行し4年以上が経過し，この間に化学療法は様々な大規模な試験結果が公表され，消化器癌・頭頸部癌領域のガイドラインも改訂が行われています。特に，抗PD-1抗体，抗PD-L1抗体，抗CTLA-4抗体などのがん免疫療法の単剤の有効性に加え，従来の殺細胞性化学療法との併用においても有効性が認められ，化学療法の世界は大きく変貌を遂げています。これらのがん免疫療法は，まだまだ多くの臨床試験が行われており，今後それらの結果から，周術期の化学療法や切除不能・再発がんにおける使用ラインの拡大が期待されています。それに伴い，多くの患者さんが免疫療法を使用する機会が増え，頻度が比較的低いとはいえ，間質性肺疾患，大腸炎，甲状腺機能低下といったホルモン異常などに遭遇することも多くなっており，有害事象マネジメントも今まで以上に慎重に，かつ速やかな対応が求められるようになってきています。

　有害事象マネジメントは，もちろん免疫療法だけではなく，すべての化学療法で重要であり，あらかじめ生じる可能性のある有害事象を想定し，その時期を見極め，早期に対応することが何より重要です。この点に留意し，より安全にかつ化学療法の効果を最大限得られるように本書がお役に立てれば幸いです。

　初版でも冒頭に書かせていただきましたが，言うまでもなくEBMが医療の根幹であり，まずはしっかりEBMを理解し，それに沿って治療することが大原則です。しかし，EBM外の実臨床で悩む機会は現状多く，その際には本書のような経験から得られた「治療のこつ」が非常に大きな支えになると考えております。我々と同じく癌治療に熱意をもち，最善の治療を提供したいと日々努力しておられる皆様の臨床現場において，少しでもご参考になれば幸いです。

　最後になりますが，日常臨床で多忙な中，本書を出版するにあたり御執筆いただいた静岡県立静岡がんセンター消化器内科，原発不明科の先生方に深謝申し上げます。

静岡県立静岡がんセンター副院長

安井博史

静岡県立静岡がんセンター原発不明科部長

小野澤祐輔

執筆者一覧

編著/シリーズ監修

安井博史　静岡県立静岡がんセンター 副院長

編著

小野澤祐輔　静岡県立静岡がんセンター 原発不明科 部長

執筆者 (執筆順)

横田知哉　静岡県立静岡がんセンター 消化器内科 医長

對馬隆浩　静岡県立静岡がんセンター 消化器内科 医長

戸髙明子　静岡県立静岡がんセンター 消化器内科 医長

山﨑健太郎　静岡県立静岡がんセンター 消化器内科／治験管理室 部長

濵内　諭　静岡県立静岡がんセンター 消化器内科 医長

西村　在　静岡県立静岡がんセンター 消化器内科

川上武志　静岡県立静岡がんセンター 消化器内科 医長

白数洋充　静岡県立静岡がんセンター 消化器内科 医長

森町将司　静岡県立静岡がんセンター 消化器内科
（現・東海大学医学部付属病院 消化器内科）

伏木邦博　静岡県立静岡がんセンター 消化器内科 副医長

大嶋琴絵　静岡県立静岡がんセンター 消化器内科 副医長

目 次

1 SCC院内ガイドライン・補足資料

I SCC院内ガイドライン 1

II 補足資料 27

2 レジメン・有害事象マネジメント

I 頭頸部癌

CDDP＋RT（3週） 30

weekly CDDP＋RT（毎週，術後） 39

split CDDP＋RT 43

CBDCA＋RT 47

Cmab＋RT 52

TPF 60

Cmab＋DTX＋CDDP 68

CBDCA＋PTX＋Cmab 76

FP（or 5-FU＋CBDCA）±Cmab 83

Pembrolizumab 92

FP（or 5-FU＋CBDCA）＋Pembrolizumab 99

Nivolumab 107

weekly PTX 116

weekly PTX＋Cmab 121

DTX 126

S-1 133

Lenvatinib 139

Sorafenib（根治切除不能甲状腺癌） 146

Vandetanib（根治切除不能な甲状腺髄様癌） 149

DTX＋Tmab 152

Ⅱ 食道癌

FP，FP＋RT	158
5-FU＋CDGP	169
weekly PTX	176
Nivolumab	181
Pembrolizumab	188

Ⅲ 胃　癌

S-1＋CDDP	195
SOX	200
XELOX	206
mFOLFOX6	213
XP＋Tmab	220
S-1＋CDDP＋Tmab	227
XELOX＋Tmab	233
SOX＋Tmab	237
Trastuzumab Deruxtecan	241
S-1	247
5-FU＋ℓ-LV	253
weekly PTX	259
weekly nab-PTX	264
weekly PTX＋Tmab	269
weekly PTX＋Rmab	274
CPT-11	280
Nivolumab	285
Trifluridine	292
adj S-1	298
adj S-1＋DTX	302

Ⅳ 胆・膵癌

mFOLFIRINOX（膵） ·· 307

nal-IRI＋5-FU／LV（膵） ······························· 315

GEM＋nab-PTX（膵） ···································· 320

GEM＋CDDP（胆） ··· 326

GEM＋CDDP＋S-1（胆） ······························ 332

GEM＋S-1（胆） ··· 337

術前GEM＋S-1 ··· 341

Gemcitabine（胆・膵） ···································· 346

S-1（胆・膵） ··· 351

S-1＋RT（膵） ·· 357

adj GEM（膵） ··· 363

adj S-1（膵） ··· 368

Olaparib（膵） ·· 372

Pemigatinib（胆） ··· 376

Ⅴ 大腸癌

mFOLFOXIRI ··· 381

FOLFOXIRI＋Bmab ······································ 389

FOLFOX ·· 395

FOLFOX＋Bmab ·· 401

FOLFOX＋Cmab／Pmab ······························ 406

FOLFIRI ··· 416

FOLFIRI＋Bmab ··· 421

FOLFIRI＋Rmab ··· 426

FOLFIRI＋AFL ·· 433

FOLFIRI＋Cmab／Pmab ································ 440

XELOX ·· 447

XELOX＋Bmab ··· 454

SOX + Bmab	458
S-1	464
Capecitabine	469
Capecitabine + Bmab	474
Trifluridine + Bmab	479
CPT-11	484
CPT-11 + Cmab	489
IRIS	494
IRIS + Bmab	500
CAPIRI + Bmab	505
Cmab／Pmab	510
Trifluridine	514
Regorafenib	520
adj Capecitabine	525
adj UFT／LV	529
5-FU + LV, adj 5-FU + LV	534
5-FU + LV + Bmab	541
adj FOLFOX	546
adj XELOX	551
Pembrolizumab	556
Nivolumab	562
Nivolumab + Ipilimumab	568
ENCO + Cmab	575
ENCO + BINI + Cmab	579
索 引	583

1

SCC
（Shizuoka Cancer Center）
院内ガイドライン・補足資料

Ⅰ SCC院内ガイドライン

頭頸部癌―口腔癌（舌癌）

●T1，T2

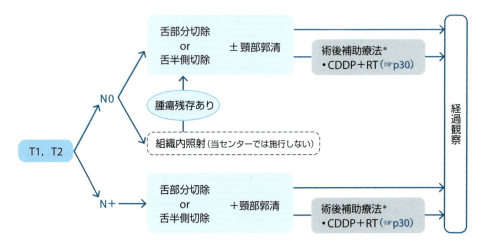

＊：病理学的多発リンパ節転移，節外進展のあるリンパ節転移，または切除断端陽性の場合。

●T3

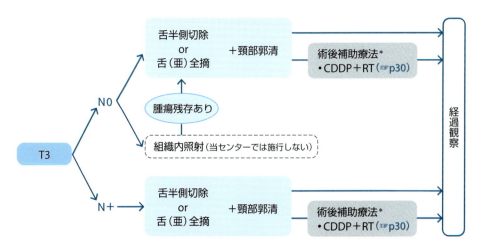

＊：病理学的多発リンパ節転移，節外進展のあるリンパ節転移，または切除断端陽性の場合。

●T4

＊：病理学的多発リンパ節転移，節外進展のあるリンパ節転移，または切除断端陽性の場合。

頭頸部癌―上顎洞癌

●T1

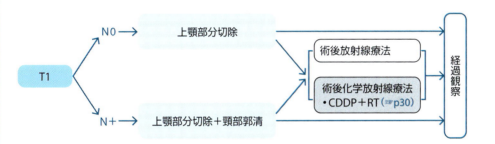

●T2

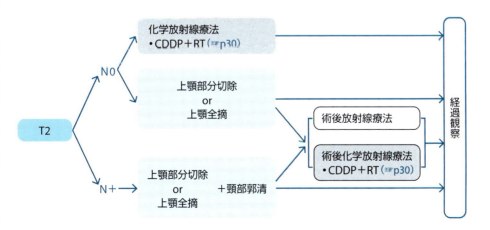

● T3

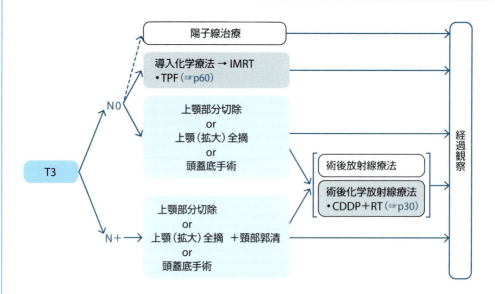

● T4

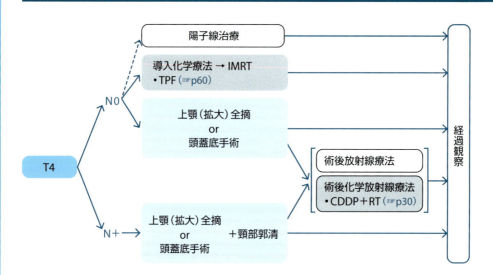

頭頸部癌―上咽頭癌

上咽頭癌のN2以上には，導入化学療法TPF療法もしくはGEM＋CDDP療法を積極的に考慮している。

● T1，T2a

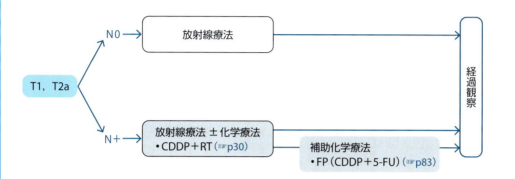

● T2b，T3

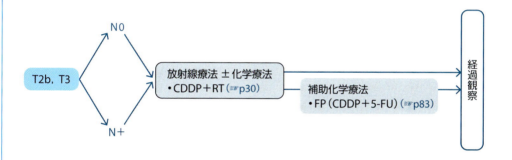

● T4

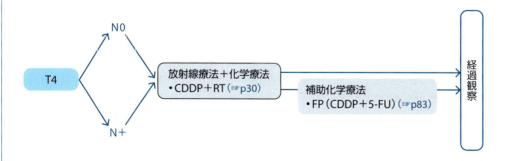

頭頸部癌—中咽頭癌

●T1, T2

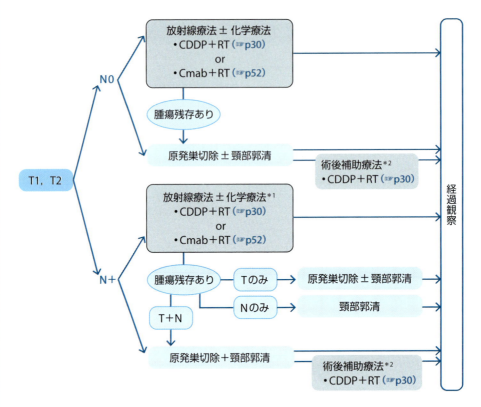

*1：N2c, N3, または鎖骨上リンパ節転移を伴うN2bを有する症例に対しては, CRT前のTPF療法もしくはPCE療法を積極的に考慮している。
*2：病理学的多発リンパ節転移, 節外進展のあるリンパ節転移, または切除断端陽性の場合。

●T3, T4

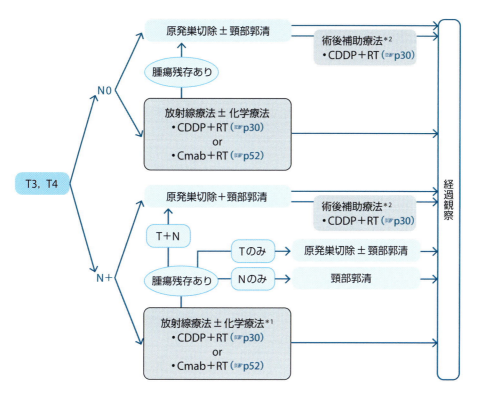

*1：N2c, N3, または鎖骨上リンパ節転移を伴うN2bを有する症例に対しては，CRT前のTPF療法もしくはPCE療法を積極的に考慮している。
*2：病理学的多発リンパ節転移，節外進展のあるリンパ節転移，または切除断端陽性の場合。

頭頸部癌―下咽頭癌

●T1，T2

内視鏡治療

```
                    放射線療法 ± 化学療法
                    ・CDDP＋RT（☞p30）

                    腫瘍残存あり

          N0        喉頭温存・下咽頭部分切除
                           or
                    喉頭摘出・下咽頭部分切除   ± 頸部郭清     術後補助療法*2
                           or                              ・CDDP＋RT
                    下咽頭・喉頭全摘出                         （☞p30）

T1，T2
                    放射線療法 ± 化学療法*1
                    ・CDDP＋RT（☞p30）
                           or
                    ・Cmab＋RT（☞p52）

                    腫瘍残存あり

                            Tのみ  →  原発巣切除 ± 頸部郭清

          N+                Nのみ  →  頸部郭清

                            T＋N   →  原発巣切除＋頸部郭清

                    喉頭温存・下咽頭部分切除
                           or
                    喉頭摘出・下咽頭部分切除   ＋頸部郭清     術後補助療法*2
                           or                              ・CDDP＋RT
                    下咽頭・喉頭全摘出                         （☞p30）
```

経過観察

＊1：N2c，N3，または鎖骨上リンパ節転移を伴うN2bを有する症例に対しては，CRT前のTPF療法もしくはPCE療法を積極的に考慮している。

＊2：病理学的多発リンパ節転移，節外進展のあるリンパ節転移，または切除断端陽性の場合。

●T3，T4

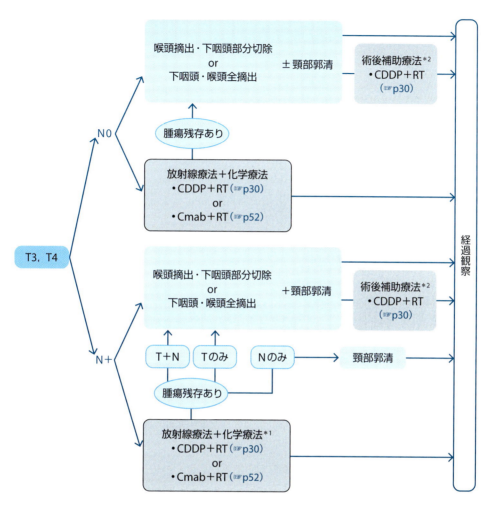

*1：N2c，N3，または鎖骨上リンパ節転移を伴うN2bを有する症例に対しては，CRT前のTPF療法もしくはPCE療法を積極的に考慮している。
*2：病理学的多発リンパ節転移，節外進展のあるリンパ節転移，または切除断端陽性の場合。

頭頸部癌―喉頭癌

●T1

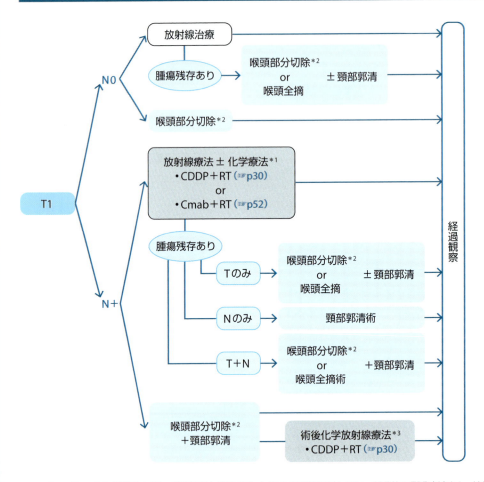

*1：N2c，N3，または鎖骨上リンパ節転移を伴うN2bを有する症例に対しては，CRT前のTPF療法もしくはPCE療法を積極的に考慮している。
*2：喉頭微細手術（レーザー手術），喉頭垂直/水平部分切除術，喉頭亜全摘術を含む。
*3：病理学的多発リンパ節転移または節外進展のあるリンパ節転移を認めた場合。

●T2

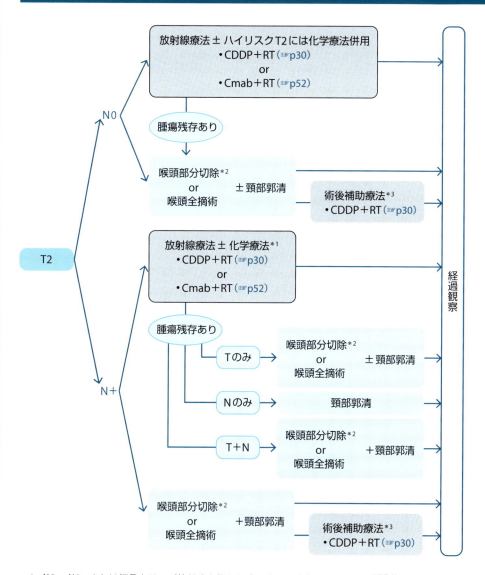

*1: N2c, N3, または鎖骨上リンパ節転移を伴うN2bを有する症例に対しては, CRT前のTPF療法もしくはPCE療法を積極的に考慮している。
*2: 喉頭微細手術(レーザー手術), 喉頭垂直/水平部分切除術, 喉頭亜全摘術を含む。
*3: 病理学的多発リンパ節転移または節外進展のあるリンパ節転移を認めた場合。

●T3

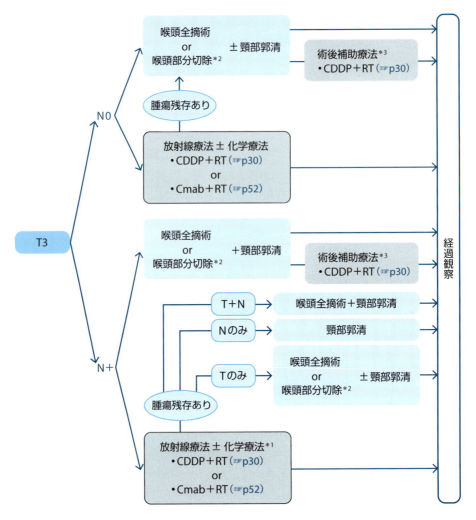

*1：N2c，N3，または鎖骨上リンパ節転移を伴うN2bを有する症例に対しては，CRT前のTPF療法もしくはPCE療法を積極的に考慮している。
*2：喉頭微細手術（レーザー手術），喉頭垂直／水平部分切除術，喉頭亜全摘術を含む。
*3：病理学的多発リンパ節転移または節外進展のあるリンパ節転移を認めた場合，切除断端陽性の場合。

●T4

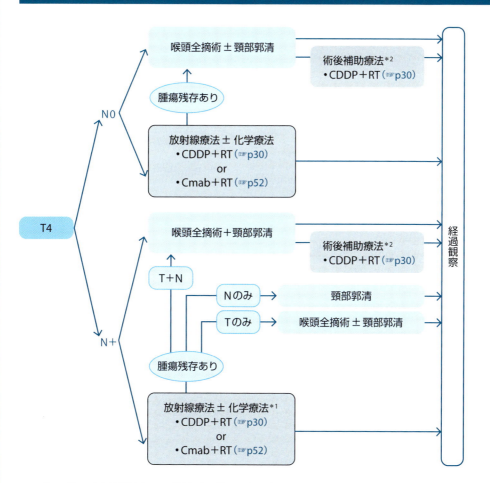

*1：N2c，N3，または鎖骨上リンパ節転移を伴うN2bを有する症例に対しては，CRT前のTPF療法もしくはPCE療法を積極的に考慮している。
*2：病理学的多発リンパ節転移または節外進展のあるリンパ節転移を認めた場合，切除断端陽性の場合。

頭頸部癌―甲状腺乳頭癌

- 切除不能例にはレンバチニブ，ソラフェニブ。
- 切除不能例で*RET*遺伝子ありの場合にはセルペルカチニブ。

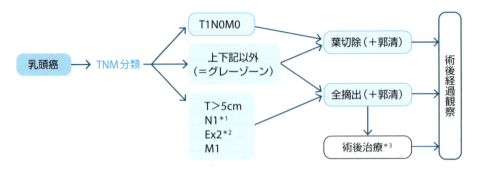

＊1：3cm以上，内頸静脈・頸動脈，主要な神経・椎前筋膜へ浸潤するまたは累々と腫れるリンパ節転移。
＊2：気管，食道粘膜面を超える腫瘍。
＊3：放射性ヨード内用療法またはTSH抑制療法。

頭頸部癌―甲状腺髄様癌

- 切除不能例にはバンデタニブ，レンバチニブを考慮。
- *RET*遺伝子陽性の場合にはセルペルカチニブも考慮する。

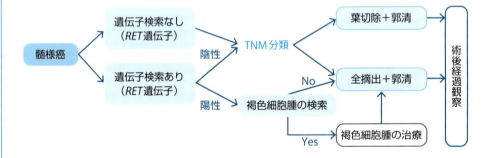

頭頸部癌―甲状腺未分化癌

- 切除不能例にはレンバチニブ，PTXを考慮。

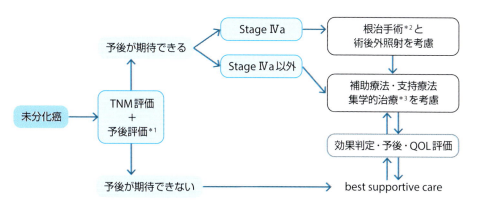

*1：予後を左右する因子として腫瘍径（＞5cm），急性症状，遠隔転移，白血球増多などが報告されている。
*2：隣接臓器を合併切除する拡大手術が明らかに予後を改善するという報告はなく，術後のQOLを考えて手術の方針を立てることが推奨される。
*3：手術，化学療法，放射線外照射療法。

頭頸部癌―唾液腺癌（耳下腺癌）

●T1，T2

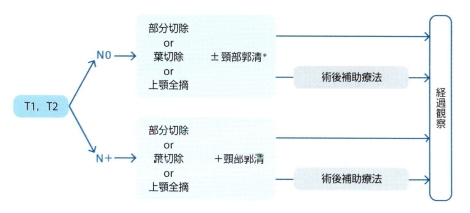

＊：StageⅠでも高悪性度群では頸部郭清を考慮してもよい。

●T3, T4

■ 唾液腺導管癌の転移性・切除不能例にはハーセプチンや抗アンドロゲン療法を検討する。

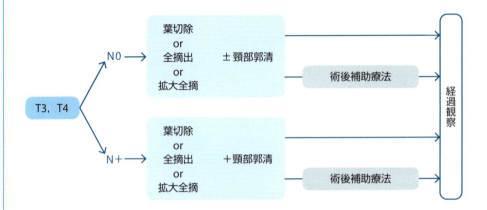

再発・転移頭頸部扁平上皮癌（上咽頭癌を除く）

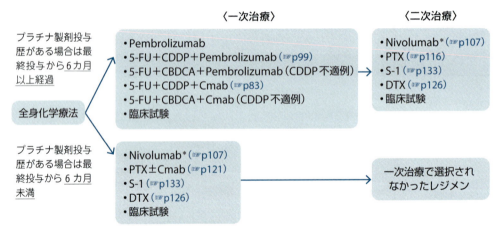

＊：プラチナ製剤を含む化学療法による治療歴のない患者に対する有効性は確立されていない。

（横田知哉）

食道癌

●cT1N0M0

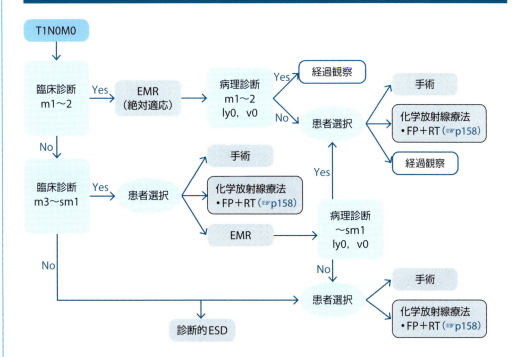

●cT1N1M0, cT2〜3NanyM0

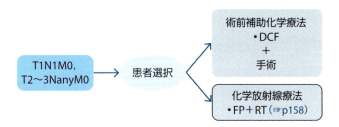

●cT4NanyM0

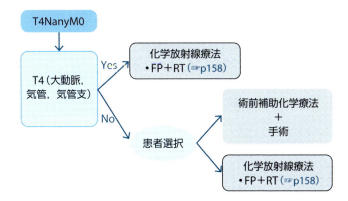

● cM1（鎖骨上LN転移のみ）

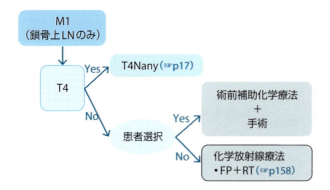

● cM1（鎖骨上LN転移のみを除く）

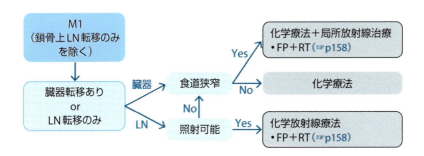

● 術後再発

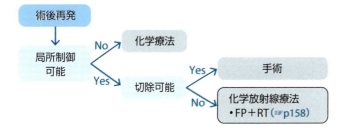

●根治的化学放射線療法後の遺残，再発

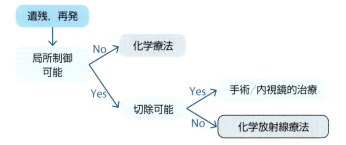

●ESD後再発

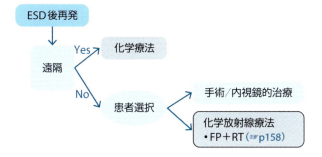

（對馬隆浩）

胃癌

●M0

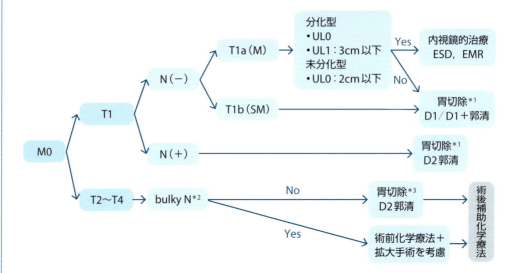

＊1：アプローチは，開腹，腹腔鏡，ロボットのいずれも可能。
＊2：bulky N；総肝動脈／腹腔動脈／脾動脈に沿って長径3cm以上のリンパ節腫大または，隣接する2個以上の長径1.5cm以上のリンパ節腫大を認めるもの。
＊3：アプローチはcStage Ⅱ以下かつT2～T3は腹腔鏡／ロボット手術可能。それ以外は原則開腹手術。

●M1

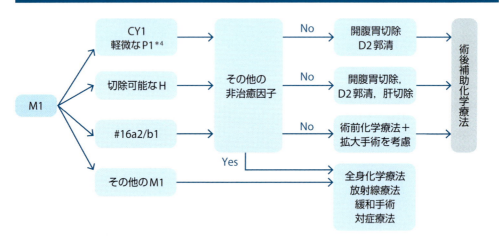

＊4：胃周囲や大網の表面などに少数個存在する結節で，胃切除術の際に容易に切除可能なもの

●全身化学療法

〈一次治療〉

HER2陰性

- S-1＋CDDP（☞p195）
- Cape＋CDDP
または，下記レジメンに
Nivolumabを追加[1]して使用
- S-1＋L-OHP（SOX）（☞p200）
- XELOX（☞p206）
- FOLFOX

HER2陽性[2]

- Cape＋CDDP＋Tmab
- S-1＋CDDP＋Tmab（☞p227）
- XELOX＋Tmab（☞p233）
- SOX＋Tmab（☞p237）

〈二次治療〉

MSI-high

- Pembrolizumab
- wPTX＋Rmab（☞p274）

MSI-high以外

- wPTX＋Rmab（☞p274）

〈三次治療〉

HER2陰性

- Nivolumab
- Trifluridine（☞p292）
- CPT-11（☞p280）

HER2陽性[2]

- T-DXd（☞p241）

〈四次治療以降〉

三次治療までの候補薬のうち，使用しなかった薬剤を，
適切なタイミングで治療を切り替えて使っていくことを
検討する。

＊1：CPS5以上の症例については，Nivolumab併用を推奨する。CPS5未満または検査が不可能な場合は，全身状
　　態や後治療の移行可能性を考慮して使用。
＊2：IHC3＋もしくはIHC2＋かつISH＋
※原則として，胃癌治療ガイドライン（第6版）に準じて行う。ただし，患者の病態，全身状態などを考慮して上記
　以外のレジメンを行うことは許容される。

（安井博史）

胆道癌

- 切除可能胆道癌 → 根治切除術 → 術後補助化学療法
  - S-1（☞p351）
- 切除不能胆道癌／再発性胆道癌 → 化学療法

〈切除不能胆道癌に対する標準治療〉
- GEM＋CDDP＋S-1（☞p332）
- GEM＋CDDP（☞p326）
- GEM＋S-1（☞p337）
- GEM
- S-1（☞p351）

〈特定の胆道癌に対する治療〉

FGFR2 融合遺伝子陽性
- Pemigatinib（☞p376）

MSI-high または TMB-high
- Pembrolizumab

NTRK 融合遺伝子陽性
- Entrectinib

膵癌

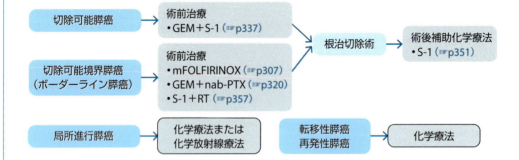

〈切除不能膵癌に対する一次治療〉

	局所進行膵癌	転移性膵癌
good PS	・mFOLFIRINOX（☞p307） ・GEM＋nab-PTX（☞p320） ・S-1＋RT（☞p357）	・mFOLFIRINOX（☞p307） ・GEM＋nab-PTX（☞p320）
poor PS	・GEM ・S-1（☞p351）	・GEM ・S-1（☞p351）

〈切除不能膵癌に対する二次治療〉

前治療	局所進行膵癌
GEM-based レジメン	・nal-IRI＋5-FU／LV（☞p315） ・mFOLFIRINOX（☞p307） ・S-1（☞p351）
5-FU-based レジメン	・GEM＋nab-PTX（☞p320） ・GEM

〈特定の膵癌に対する治療〉

BRCA 融合遺伝子陽性

一次治療
- mFOLFIRINOX（☞p307）
- FOLFOX

維持療法
- Olaparib（☞p372）

MSI-high または TMB-high
- Pembrolizumab

NTRK 融合遺伝子陽性
- Entrectinib

（戸髙明子）

大腸癌

補助化学療法

〈適応〉
- R0切除が行われたStage Ⅲ大腸癌
- 再発リスクが高いと考えられる，R0切除が行われたStage Ⅱ大腸癌
- R0切除が行われたStage Ⅳ，再発大腸癌

〈推奨されるレジメン〉

オキサリプラチン併用療法	・CapeOX（XELOX）（☞ p369） ・FOLFOX（☞ p395）
フッ化ピリミジン単独療法	・Capecitabine（☞ p469） ・5-FU＋ℓ-LV ・UFT＋LV ・S-1（☞ p464）

※Stage Ⅲ結腸癌に対する術後補助化学療法としてオキサリプラチン併用療法（ガイドライン*推奨度1）またはフッ化ピリミジン単独療法（ガイドライン*推奨度2）を行うことを推奨する。ただし，MSI-highにはフッ化ピリミジン単独療法は推奨されない。

*：大腸癌研究会：大腸癌治療ガイドライン医師用2022年版. 金原出版, 2022.

●Stage Ⅳ大腸癌の治療方針

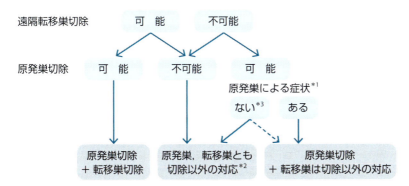

*1：原発巣による症状：腸閉塞，穿孔・穿通，高度貧血，疼痛などによる症状。
*2：切除以外の対応：薬物療法，原発巣緩和手術，放射線療法ならびに血行性転移に対する治療など。
*3：原発巣による症状がない場合の対応：薬物療法を優先するが，狭窄等により早期に症状の出現が予想される場合は切除も考慮する。

●再発大腸癌の治療方針

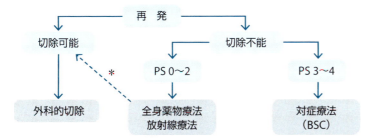

手術療法は原則的に1臓器に限局したものが対象であるが，2臓器以上であっても切除可能であれば考慮する。
*：全身薬物療法の奏効により切除可能となる場合がある。

●一次治療の方針を決定する際のプロセス

■推奨されるレジメン以外の治療を選択することも可能である。

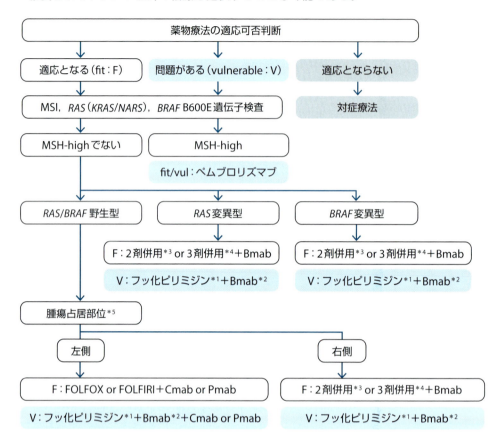

*1：フッ化ピリミジン；5-FU＋ℓ-LV, UFT＋LV, S-1, カペシタビン
*2：Bmabの併用が推奨されるが，適応とならない場合はフッ化ピリミジン単独療法を行う。
*3：2剤併用：FOLFOX（☞p395），XELOX（CapeOX）（☞p447），SOX, FOLFIRI（☞p416），S-1＋CPT-11
*4：3剤併用：FOLFOXIRI（☞p416）
*5：腫瘍占居部位の左側とは下行結腸，S状結腸，直腸，右側とは盲腸，上行結腸，横行結腸を指す。

●切除不能進行・再発大腸癌に対する薬物療法のアルゴリズム

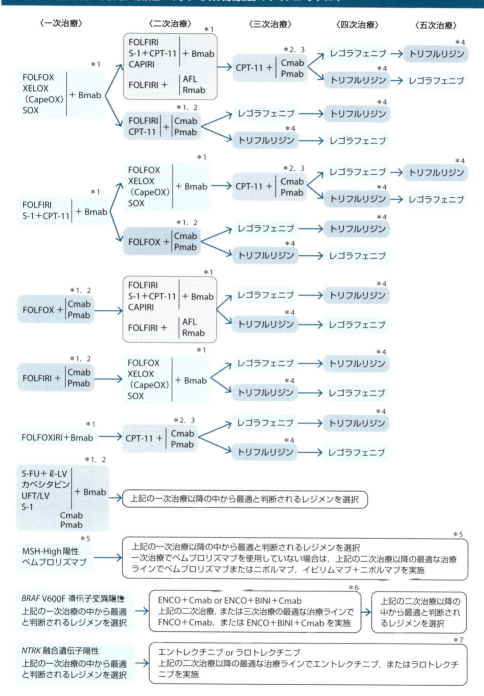

*1：Bmab, Rmab, AFL, Cmab, パニツムマブなどの分子標的治療薬の併用が推奨されるが，適応とならない場合は化学療法単独療法を行う。
*2：Cmab, パニツムマブは RAS（KRAS／NRAS）野生型のみに適応。
*3：CPT-11不耐でなければCPT-11を併用するのが望ましい。
*4：トリフルリジン＋Bmabについては『大腸癌治療ガイドライン（大腸癌研究会）』を参照。
*5：ペムブロリズマブ，ニボルマブはMSI-High陽性例にのみ適応。
*6：ENCO, BINIは BRAF V600E 遺伝子変異陽性例にのみ適応。
*7：エントレクチニブ，ラロトレクチニブはNTRK融合遺伝子陽性例にのみ適応。

（山﨑健太郎）

原発不明癌

　下図に示す通り，原発不明癌の診療としてまず行わなければならないのは原発巣の検索（主に画像診断）と病理診断である。原発巣が推測され特異的な治療法がある場合は，下記のようにその部位に準じた治療を行う。

- 頸部リンパ節転移に限局する扁平上皮癌（鎖骨窩リンパ節転移のみを除く）：頭頸部癌に準じて治療を行い，切除不能の場合はCDDPと放射線治療の同時併用療法（☞ p30）。
- 女性で腋窩リンパ節転移のみを有する腺癌：腋窩リンパ節転移乳癌に準じて治療。
- 低分化癌・未分化癌で正中線上に病変が分布している（縦隔，後腹膜リンパ節，肺転移），AFPもしくはβhCGが上昇している50歳未満の男性：poorリスクの性腺外胚細胞腫瘍に準じて治療。
- 男性，骨転移のみでPSAが上昇している腺癌：進行性前立腺癌に準じて治療。
- 女性で腹膜転移（腺癌）のみ有し，CA125が上昇している：Ⅲ期卵巣癌に準じて治療。
- 神経内分泌細胞癌：肺小細胞癌に準じてCDDP + CPT-11，CDDP + ETP療法を行う。
- 神経内分泌腫瘍：神経内分泌腫瘍に準じて治療。

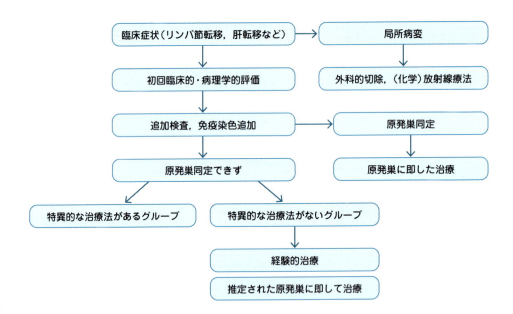

　また，特異的な治療法がない場合は，下記のように経験的治療を行う。

- 経験的な治療（特異的な治療がない原発不明癌。プラチナ製剤との併用療法が行われることが多い）。➡ CBDCA + PTX，CDDP + GEM，S-1 + CDDP（☞胃癌p195），Nivolumab
- 全身状態不良，高齢者は単剤投与を検討する（緩和医療のみも考える）。➡ GEM，VNR，S-1（☞胃癌p247），Nivolumab

（小野澤祐輔）

Ⅱ　補足資料

化学療法開始前のチェック項目

●初回化学療法開始前に必ず行う項目（必須項目）

✓ チェック項目

- 身長，体重，体表面積などの身体測定
- 血圧，体温，脈拍などのバイタルサイン
- 糖尿病（血糖，HbA1cまたはグリコアルブミン，尿検査）
- 血算〔WBC（分画），RBC，Plt〕
- 肝機能（総ビリルビン，GOT／GPT，LDH，γ-GTP，ALPなど）
- 腎機能（Cre，BUN，CcrまたはGFRなど）
- 電解質（Na，K，Clなど）
- HBVチェック（HBsAg，HBsAb，HBcAb）

●必要に応じて追加する項目

✓ チェック項目

- 心機能（大量輸液を要するシスプラチン，ハーセプチン使用時など）
  ⇒心電図，胸部X線，心エコーなど

- 肺機能（薬剤性肺炎が懸念される薬剤使用時など）
  ⇒胸部X線，胸部CT，SpO_2，動脈血，KL-6など

- 血栓，塞栓症，凝固系異常
  ⇒凝固機能，D-ダイマー，胸部造影CT，下肢静脈エコーなど

- HBV-DNA（HBV抗原，HBV抗体陽性時）
- 電解質（Ca，Mgなど）
- 歯科受診（ビスホスホネート製剤，抗RANKL抗体開始前など）：齲歯検査など
- 内分泌（免疫チェックポイント阻害薬）：下垂体・甲状腺ホルモンなど

PDL-1，PD-1 抗体など免疫化学療法を開始する際のチェック項目

●免疫基本セット

- TSH（月1回実施），FT_3，FT_4
- CPK，血糖，アミラーゼ，尿定性（投与ごとに実施）

●免疫肺障害（肺障害を疑う時の追加検討項目）

- KL-6，SP-D，NT-pro BNP
- ※β-D グルカン（細菌 - 迅速抗原）も評価することが望ましい。

●免疫基本セット

- 総コレステロール（T-Chol），抗甲状腺サイログロブリン抗体
- 抗甲状腺マイクロゾーム抗体，ACTH，コルチゾール
- LH，FSH，GH，PRL

免疫チェックポイント阻害薬を使用している患者の夜間救急受診時のトリアージ対応

意識・全身の症状	① ボーっとして，集中力が落ちた感じがある，眠気が強い	ある	なし	
	② 動悸やめまい，ふらつきがある（手足のふるえ）	ある	なし	
	③ だるさを強く感じる，だるくて動けない	ある	なし	
呼吸の症状	④ 明らかに咳が増えた，息切れを強く感じる，発熱がある	ある	なし	
	⑤ ④がある方へ　安静時も息が苦しい	ある	なし	
お腹の症状	⑥ 下痢（水様便）が続いてる（　回程度）7回≧，脱水症状	ある	なし	
	⑦ ⑥がある方へ　腹痛や便の色に変化がある	ある	なし	
高血糖の症状	⑧ 異常にのどが渇く，多飲，多尿である　意識障害（＋）	ある	なし	
皮膚の症状	⑨ 皮膚に発疹がある，目の充血，口腔内の発赤，発熱がある	広範囲	限局性	なし
気になる・心配な症状	⑩ いつもと違う症状，困っている症状がある 　　⑩の症状を教えてください 　　　いつからですか？ _____ 　　　どんどん悪くなっていますか？　はい　　いいえ	ある	なし	

※太字は受診の必要性を検討

（安井博史）

2

レジメン・
有害事象マネジメント

●本文中の 静がん マークは静岡がんセンター独自の取り組みを，注意！ マークは特に注意が必要なことを示しています。

●「効果」の項で使用した略語

CR	完全奏効
DCR	病勢コントロール割合
DFS	無病生存割合
ORR	客観的奏効割合
OS	（全）生存期間
PFS	無増悪生存期間
PR	部分奏効
RFS	無再発生存期間
RR	奏効割合
TTP	無増悪期間

I 頭頸部癌

CDDP＋RT（3週）

投与スケジュール

CDDP 100mg/m², 3時間　　　　　　　　↓
　　　　　　　　　　　　　　　　　1　…　21　（日）

放射線治療と並行して，上記CDDP投与を3週を1コースとし，3コース繰り返す。

投与例

投与日	投与順	投与量	投与方法
1	1	生食 1,000mL ＋ フィジオ®35輸液 1,500mL ＋ 塩化ナトリウム（塩化ナトリウム注10%®）80mL	点滴末梢本管（24時間）
	2	生食 1,000mL	点滴末梢側管（5時間）
	3	アプレピタント（イメンド®）カプセル 125mg	経口（CDDP投与1時間前）
	4	パロノセトロン塩酸塩（アロキシ®）点滴静注 0.75mg/50mL	点滴末梢側管（30分）
	5	シスプラチン［CDDP］（シスプラチン®）注 100mg/m²	点滴末梢側管（3時間）
	6	デキサメタゾンリン酸エステルナトリウム（デキサート®）9.9mg ＋ メトクロプラミド（プリンペラン®）30mg ＋ 生食 100mL	点滴末梢側管（30分）
	7	生食 500mL ＋ 硫酸マグネシウム（硫酸Mg補正液 1mEq/mL®）40mL	点滴末梢側管（2時間）
2 3	1	アプレピタントカプセル 80mg	経口（朝食後）
	2	デキサメタゾンリン酸エステルナトリウム 6.6mg ＋ メトクロプラミド 30mg ＋ 生食 100mL	点滴末梢側管（30分）
	3	生食 1,000mL ＋ フィジオ®35輸液 1,500mL ＋ 塩化ナトリウム注10%® 80mL	点滴末梢本管（24時間）
	4	生食 1,000mL	点滴末梢側管（4時間）

適応・治療開始基準

■ 切除不能・機能温存希望局所進行頭頸部扁平上皮癌への根治治療。

■ 頭頸部扁平上皮癌術後再発高リスク群に対する術後補助療法。

　※再発高リスク群：顕微鏡的断端陽性，リンパ節転移の節外浸潤陽性（ECS）

■ 主要臓器機能が保たれている（以下が目安）。

- 好中球数 $\geq 1,500/\mu L$
- 血小板数 $\geq 10.0 \times 10^4/\mu L$
- ヘモグロビン $\geq 9.0 g/dL$
- 総ビリルビン $\leq 2.0 mg/dL$
- AST, ALT $\leq 100 U/L$
- Cre $\leq 1.2 mg/dL$
- クレアチニンクリアランス推定値（Ccr[*]） $\geq 60 mL/$分

＊：Cockcroft-Gault式による推定値

※ CDDPの標準投与量は $100 mg/m^2$ であり，このレジメンの日本人に対する実施可能性は確認されている[1,2]。しかし，この標準レジメンは臨床試験に適格になるような，全身状態良好，臓器機能良好な患者には十分実施可能であるが，全身状態不良，腎機能低下などの臓器機能障害や合併症のあるケースには，減量が必要になったり，RT単独が推奨されたりする場合があるので，注意する。CDDP $100 mg/m^2$ 投与に際しては，Ccrは70mL/分以上に保たれていることが望ましい。

慎重投与・禁忌

	慎重投与	禁　忌
年　齢	75歳以上	
腎障害	Ccr 60〜70mL/分	Ccr＜60mL/分
心機能障害	心機能低下を有する	不安定狭心症，6カ月以内の心筋梗塞，多量補液に不耐の心機能障害
胸腹水・心囊液	胸腹水・心囊液の貯留を有する	ドレナージを要する胸腹水・心囊液貯留
聴覚障害	聴覚障害を有する	
感　染		治療を要する活動性感染症

効 果

	切除不能局所進行頭頸部癌[1,3,4]	切除可能局所進行頭頸部癌[5,6]
完全奏効割合	40.2～50％	
DFS		2年61％, 5年36％
3年PFS	61.2％	
OS	中央値19.1カ月, 3年37～72.9％	2年74％, 5年55％, 10年28％

	頭頸部癌術後, ECS±断端陽性例に対する補助化学放射線療法[7,8]
完全奏効割合	
DFS	10年18.4％
PFS	中央値55カ月, 5年47％
OS	中央値72カ月, 5年42.5～53％, 10年27.1％

CDDP＋RT（3週）

有害事象マニュアル

有害事象の発現率と発現時期 [1, 3, 5, 6, 9]

有害事象	発現率（%）		発現時期
	all Grade	≧ Grade 3	
白血球減少	10〜95	2〜50	投与14〜21日後
好中球数減少	95	35	投与14〜21日後
貧　血	26〜90	1〜20	
血小板数減少	40	3.2〜5	投与14〜21日後
✓ 粘膜炎	23〜100	5〜45.3	
✓ 悪　心	12〜60	3〜30	投与1〜5日後
咽頭食道障害		25	
上部消化管障害		16	
✓ 口腔乾燥		14	
嚥下障害		12	
✓ 腎・尿生殖器障害		2〜8.4	
皮膚障害	18	2〜7.4	
感　染		4〜6	
神経障害	17	2〜5	
聴覚障害	23	5	
shoulder syndrome		5	
喉頭障害		2〜3	
咽喉頭痛	26	2	
開口障害	17	2	
✓ 口内疼痛	17	2	
食欲不振	13	2	
リンパ排液障害		2	
骨合併症		2	
粘膜壊死		2	
皮膚結合組織の線維化		2	
唾液腺障害	28	1〜2	
肝障害		1	
浮腫（頭頸部）	25	1	
耳　鳴	15	1	
頸部痛	10	1	

☑：「有害事象マネジメントのポイント」（☞ p34）参照。

減量早見表

減量レベル	CDDP
初回投与量	100mg/m²
−1	80mg/m²
−2	60mg/m²

有害事象マネジメントのポイント

✓ 悪心・嘔吐

治療開始前のマネジメント

- 癌薬物療法に起因する悪心・嘔吐は予防が最も重要である。患者が制吐薬を使用するタイミングについても，症状が悪化する前に早めに使うのがコツであることを十分に説明しておくこと。
- CDDPは高度催吐性リスクに分類されている抗癌剤であり，制吐薬適正使用ガイドラインではアプレピタント（イメンド®），5HT₃受容体拮抗薬〔パロノセトロン塩酸塩（アロキシ®）〕，デキサメタゾンリン酸エステルナトリウム（デキサート®）の3剤併用の前投与を推奨している。

有害事象発生時のマネジメント

- 上記の制吐薬を使用した状態で突発性の悪心が出現した場合は，ドパミン受容体拮抗薬〔メトクロプラミド，ドンペリドン（ナウゼリン®），プロクロルペラジン（ノバミン®），ハロペリドール（セレネース®）〕や，オランザピン（ジプレキサ®）を使用する。なお，糖尿病罹患患者では高血糖を引き起こす可能性があるため，オランザピンの投与は禁忌となっている。
- 嚥下困難を有する症例においては，アプレピタント®内服の代わりにホスアプレピタントメグルミン（プロイメンド®）点滴静注150mgを1日目に投与する。中心静脈から投与する際には生食100mLで溶解して使用してよいが，末梢静脈で投与する際には血管痛を認める例が多いため，生食250mLに溶解し，1時間以上かけて投与する。
- 治療開始前から悪心があるなどの予期性嘔吐の場合はベンゾジアゼピン系抗不安薬〔アルプラゾラム（アルプラゾラム®），ロラゼパム（ロラゼパム®）〕など治療開始前に内服するのも有効である。

✓ 腎保護

治療開始前のマネジメント

- 高用量のCDDP投与は腎障害の発症リスクが高く，時に不可逆的な腎障害をきたすこともある。そのため，CDDP投与前には必ずCcrを測定し，CDDP投与が可能かどうかを判断する。特に高用量CDDP（100mg/m²）を投与する場合には，Ccrが70〜80mL/分以上であることが望ましい。また，薬剤性腎障害のリスク因子として，高齢，腎毒性のある抗癌剤の投与歴，糸球体疾患などの腎障害の既往，高血圧，糖尿病などが知られており，これらの因子を有する患者にCDDPを投与する場合には十分な注意が必要である。脱水によってCcrが一時的に低下していることもあり，その場合は事前に十分な補液をする必要がある。腎機能の増悪因子となるNSAIDs，抗真菌薬，ビスホスホネート製剤，造影剤などの併用も腎障害のリスクを高める可能性があるため，これらの薬剤の併用は極力控えるべきである。

治療開始後のマネジメント

- CDDPによる腎障害は主に尿細管傷害によるものであり，尿細管にCDDPが蓄積し，尿細管細胞の壊死を引き起こすためと考えられている。そのため，日常臨床では腎障害予防のために，尿中CDDP濃度の低下を目的とした大量輸液と，CDDPと腎尿細管の接触時間短縮を目的とした強制利尿を行う。補液量に関しては一般的にはCDDP投与日に細胞外液2,000〜3,000mL/日の投与と尿量2,000〜3,000mL/日の確保が必要と考えられている。

- 当センターでは，投与1日目の補液開始時から4時間尿量が300mL以下の時，2〜3日目の朝の体重が化学療法開始前の体重より+2kg以上の時，4〜5日目の体重が化学療法開始前の体重より+5kg以上の時に，それぞれフロセミド（ラシックス®）20mgずつを静脈内投与している。逆に5〜7日目頃には近位尿細管からの電解質・水分喪失，粘膜炎や食欲不振により体液が喪失する傾向にあるため，数日間はナトリウムとともに2,000〜2,500mL/日の輸液を継続することが望ましい。

- 薬剤起因性の急性腎障害と低マグネシウム血症が同時に起こることが知られており，CDDP投与当日にマグネシウムを追加することで，腎障害が軽減される傾向にあることが報告されている[10]。当センターのレジメンでも投与1日目に硫酸マグネシウム補正液40mLを補充している。

有害事象発生時のマネジメント

- 腎障害は一度生じると直接有効な治療法や治療薬はなく，対症療法（主に補液）を行いながら腎機能の回復を待たざるをえない。腎毒性が生じた場合には，その重症度

に応じて抗癌剤投与継続の適否，投与量や投与スケジュールの再考が必要になる。

✓ 口腔粘膜炎・咽頭粘膜炎

治療開始前のマネジメント

- 口腔粘膜炎は頭頸部癌の化学放射線療法において最も重要な毒性のひとつであり，程度の差はあれ，ほぼ全例に発症する有害事象である。口腔粘膜炎の進行に伴う経口摂取障害と，強い疼痛は患者のQOLを低下させ，治療完遂に影響を与える要因となるため，治療開始前から，下記に示す口腔粘膜炎に対する予防の重要性と出現時の対応について患者に説明しておく。
- 口腔～中下咽頭への照射線量が多い症例では，口腔粘膜炎によって長期の経口摂取不能状態となりうるため，治療開始前に胃瘻造設および胃瘻手技指導を開始し，栄養状態を維持しつつ化学放射線療法が完遂できるようにする。
- 口腔衛生状態が不良であると，口腔粘膜炎が発症・重症化しやすくなることが知られている。また治療の進行に伴い，口腔内の細菌を誤嚥することによって，誤嚥性肺炎を発症するリスクも高くなるため，治療開始前に歯科受診し，齲歯や歯周病，義歯のチェック，口腔内セルフケアの指導を行う。

有害事象発生時のマネジメント

- 1回につきアズレンスルホン酸ナトリウム水和物・NaHCO₃配合（含嗽用ハチアズレ®）顆粒2gを常温水100mLに溶解したもので口腔内含嗽を行い，これを1日4～5回行う。咽喉頭粘膜炎が存在すると誤嚥を起こしやすくなる。咽頭を洗浄する「ガラガラうがい」は嚥下性肺炎のリスクとなりうるため，行わないよう患者に十分に説明する。正しくは口腔を洗浄する「ぶくぶくうがい」を行う。
- 口腔内乾燥や，口腔内潰瘍が出現した際にはアズレンスルホン酸ナトリウム水和物・NaHCO₃配合2gにつきグリセリン液12mLを併用し，疼痛がある際にはリドカイン塩酸塩（キシロカイン®）液4％1～2mLを併用する。含嗽薬での鎮痛が困難な場合は，アセトアミノフェン（カロナール®1,200～3,000mg／日）の定期内服から開始し，さらに疼痛が増強した場合にはモルヒネ製剤〔モルヒネ硫酸塩水和物徐放剤（モルペス細粒®），モルヒネ塩酸塩水和物（オプソ®）〕投与を開始する。
- 口腔内潰瘍や口角炎のびらんには，アズレン（アズノール®）軟膏を塗布する。
- 口腔粘膜炎が重症化したり，難治性であったり，診察上は変化がないのに疼痛が急速に悪化する場合には，感染を疑い，血液検査や培養検査を実施することが推奨される。また，感染が確認された場合には，原因菌を特定し適切な抗菌薬や抗ウイルス薬などによる治療を開始する。

症例 59歳男性，下咽頭癌

　身長174cm，体重76kg，PS 0，Ccr 117mL/分。右頸部腫瘤を契機に診断された下咽頭癌（cT2，cN2b，cM0，cStage ⅣA）に対して，喉頭温存希望にて化学放射線療法を施行する方針となった。口腔底の予定総線量70Gyであり，経口摂取不能となる口腔粘膜炎の出現が予測されたため，内視鏡的胃瘻造設を先行し，CDDP 100mg/m^2併用同時化学放射線療法を開始した。1コース目の投与3日目より悪心（Grade 1）を認めたが，ノバミン®頓用でコントロール可能であった。投与11日目より口腔粘膜炎（Grade 1）が出現し，含嗽用ハチアズレ®を開始したが，口腔粘膜炎は徐々に増悪し，投与18日目より咽頭痛に対してカロナール®定期内服およびオプソ®頓用を開始した。2コース前に口腔粘膜炎（Grade 3）にまで増悪したため，疼痛に対してモルペス®細粒定期内服を開始し，経管栄養を開始した。その後，疼痛は改善し，経管栄養にて十分な水分と栄養を確保しながら治療を継続した。放射線治療の休止や化学療法の遅延なく，予定期間内でCDDP 100mg/m^2を3コースと70Gy/35frの照射を完遂可能であった。

文 献

1) Zenda S, et al:Feasibility study of single agent cisplatin and concurrent radiotherapy in Japanese patients with squamous cell carcinoma of the head and neck:preliminary results. Jpn J Clin Oncol. 2007;37:725-9.

2) Kiyota N, et al:Phase Ⅱ feasibility trial of adjuvant chemoradiotherapy with 3-weekly cisplatin for Japanese patients with post-operative high-risk squamous cell carcinoma of the head and neck. Jpn J Clin Oncol. 2012;42:927-33.

3) Adelstein DJ:An intergroup phase Ⅲ comparison of standard radiation therapy and two schedules of concurrent chemoradiotherapy in patients with unresectable squamous cell head and neck cancer. J Clin Oncol. 2003;21:92-8.

4) Ang KK, et al:Randomized phase Ⅲ trial of concurrent accelerated radiation plus cisplatin with or without cetuximab for stage Ⅲ to Ⅳ head and neck carcinoma:RTOG 0522. J Clin Oncol. 2014;32:2940-50.

5) Arlene A, et al:Concurrent chemotherapy and radiotherapy for organ preservation in advanced laryngeal cancer. N Engl J Med. 2003;349:2091-8.

6) Forastiere AA, et al:Long-term results of RTOG 91-11:a comparison of three nonsurgical treatment strategies to preserve the larynx in patients with locally advanced larynx cancer. J Clin Oncol. 2013;31:845-52.

7) Cooper JS, et al:Long-term follow-up of the RTOG 9501/intergroup phase Ⅲ trial:postoperative concurrent radiation therapy and chemotherapy in high-risk squamous cell carcinoma of the head and neck. Int J Radiat Oncol Biol Phys. 2012;84:1198-205.

8) Bernier J, et al:Postoperative irradiation with or without concomitant chemotherapy for locally advanced head and neck cancer. N Engl J Med. 2004;350:1945-52.

9) Jay S, et al:Postoperative concurrent radiotherapy and chemotherapy for high-risk squamous-cell carcinoma of the head and neck. N Engl J Med. 2004;350:1937-44.

10) Kidera Y, et al:Risk factors for cisplatin-induced nephrotoxicity and potential of magnesium supplementation for renal protection. PloS One. 2014;9:e101902.

（濱内　諭）

I 頭頸部癌

weekly CDDP＋RT（毎週，術後）

投与スケジュール

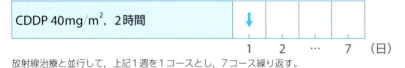

放射線治療と並行して，上記1週を1コースとし，7コース繰り返す。

投与例

投与日	投与順	投与量	投与方法
1	1	生食1,000mL ＋ 硫酸マグネシウム（硫酸Mg補正液1mEq/mL®）20mL	点滴末梢本管（3時間）
	2	デキサメタゾン（デキサート®）9.9mg ＋ グラニセトロン塩酸塩（グラニセトロン®）点滴静注1mg/50mL	点滴末梢本管（15分）
	3	シスプラチン[CDDP]（シスプラチン®）注 40mg/m² ＋ 生食400mL	点滴末梢本管（2時間）
	4	ラクテック®G輸液 500mL	点滴末梢本管（2時間）

適応・治療開始基準

- 頭頸部扁平上皮癌術後再発高リスク群に対する術後補助療法。

  ※再発高リスク群；顕微鏡的断端陽性，リンパ節転移の節外浸潤陽性（ECS）。

- 全身状態および主要臓器機能が保たれている（以下が目安）。

  - ECOG PS 0～1
  - 好中球数≧1,500/μL
  - 血小板数≧10.0×10⁴/μL
  - ヘモグロビン≧9.0g/dL
  - 総ビリルビン≦2.0mg/dL
  - AST，ALT≦100IU/L
  - クレアチニン≦1.2mg/dL
  - クレアチニンクリアランス推定値（Ccr＊）≧60mL/分

＊：Cockcroft-Gault式による推定値

慎重投与・禁忌

	慎重投与	禁 忌
年 齢	75歳以上	
腎障害	Ccr 50〜60mL/分	Ccr＜50mL/分
心機能障害	胸腹水・心囊液の貯留を有する	ドレナージを要する胸腹水・心囊液
胸腹水・心囊液	心機能低下を有する	不安定狭心症，6カ月以内の心筋梗塞，多量補液に不耐の心機能障害
聴覚障害	聴覚障害を有する	
感 染		治療を有する活動性感染症

効 果

	頭頸部癌術後再発高リスク群に対する補助化学放射線療法[1]
3年DFS	64.5％
3年OS	71.6％

weekly CDDP＋RT（毎週，術後）

有害事象マニュアル

有害事象の発現率と発現時期

有害事象	発現率（%）[1] Grade 3/4	発現時期
✓ 悪心・嘔吐		
好中球数減少	35.3	
腎障害	5.7	
聴覚障害	2.5	
✓ 口腔・咽頭粘膜炎	59.0	

減量早見表

減量レベル	CDDP
初回投与量	40mg/m^2
−1	30mg/m^2
−2	20mg/m^2

有害事象マネジメントのポイント

✓ 悪心・嘔吐

治療開始前のマネジメント

- 制吐薬は嘔吐してから飲む薬ではなく，予防として早めに使うのがコツであることを患者に十分説明しておくこと。
- CDDPは用量にかかわらず高度催吐性リスクに分類されているが，40mg/m^{2}のweekly CDDP＋RT療法ではCDDPの1回投与量が少なく，3週ごと投与・80mg/m^{2}のCDDP＋RTと比較して悪心・嘔吐が軽減することが期待できる。当院では，本レジメンに対してはグラニセトロン塩酸塩，デキサメタゾンリン酸エステルナトリウムの前投与を行っているが，アプレピタント®の投与は必要に応じて追加していく。

有害事象発生時のマネジメント

- 突発性の悪心はドパミン受容体拮抗薬〔メトクロプラミド（プリンペラン®）5mg，ドンペリドン（ナウゼリン®）10mg，プロクロルペラジン（ノバミン®）5mg〕，ハロペリドール（セレネース®），オランザピン（ジプレキサ®）などを定時もしくは頓服で使用する。なお，オランザピンは高血糖を引き起こす可能性があるため，糖尿病

患者に対する投与は禁忌となっている。

- ■嚥下困難を有する症例においては，アプレピタント®内服の代わりにホスアプレピタントメグルミン（プロイメンド®）点滴静注150mgを1日目に投与する。中心静脈から投与する際には100mLで溶解して使用してよいが，末梢静脈で投与する際には血管痛を伴うことが多いため，生食250mLに溶解し，CDDPの投与1時間前に30分間かけて点滴静注する。
- ■治療前から悪心があるなどの予期性嘔吐の場合，ベンゾジアゼピン系抗不安薬〔アルプラゾラム（アルプラゾラム®），ロラゼパム（ロラゼパム®）〕などを治療開始前に内服するのも有効である。

✓ 口腔粘膜炎・咽頭粘膜炎

- ■「CDDP＋RT」参照（☞ **p36**）。

症例　71歳男性，喉頭癌，術後再発ハイリスク群

　身長164cm，体重54.8kg，ECOG PS 0。喉頭癌（声門上，扁平上皮癌，cT3N3bM0 cStage IVB）に対し，喉頭全摘出術，両側頸部郭清術を施行された。術後病理所見でpT3N3b，切除断端陰性，リンパ節の節外浸潤を認めた。術後再発ハイリスク群と判断し，術後補助化学放射線療法（weekly CDDP＋RT）を行う方針となった。併存疾患に糖尿病があったため，前投薬のデキサメタゾンの減量を行った。喉頭全摘出術後であったため，胃瘻造設は行わなかった。

　治療開始時より咽頭粘膜炎対策として含嗽用ハチアズレ®を開始した。3コース目投与時には皮膚炎Grade 1，4コース目投与時には好中球減少Grade 2が出現した。4コース目投与時に食欲不振Grade 1と咽頭粘膜炎Grade 2が出現したため，カロナール®500mg 1日4回の定期内服を開始した。7コース目投与時には食欲不振Grade 2，悪心Grade 2を認めたため，経口補助栄養食としてエンシュア®2本/日を追加した。放射線治療の休止や化学療法の遅延，減量を行うことなく，予定期間内でweekly CDDP（40mg/m²）を7コース，70Gy/35frの照射を完遂した。

文献

1) Kiyota N, et al:Phase Ⅱ/Ⅲ trial of post-operative chemoradiotherapy comparing 3-weekly cisplatin with weekly cisplatin in high-risk patients with squamous cell carcinoma of head and neck (JCOG1008). J Clin Oncol. 2020;38:6502.

（西村　在，濵内　諭）

Ⅰ 頭頸部癌

split CDDP + RT

投与スケジュール

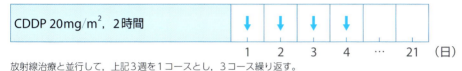

CDDP 20mg/m², 2時間　↓ ↓ ↓ ↓
　　　　　　　　　　　1　2　3　4　…　21（日）

放射線治療と並行して，上記3週を1コースとし，3コース繰り返す。

投与例

投与日	投与順	投与量	投与方法
1～4※	1	生食500mL ＋ 塩化カリウム（KCL®）20mEq/20mL	点滴末梢本管（2時間）
	2	デキサメタゾン（デキサート®）6.6mg ＋ グラニセトロン塩酸塩（カイトリル®）点滴静注バッグ3mg/100mL	点滴末梢本管（30分）
	3	シスプラチン[CDDP] 20mg/m² ＋ 生食500mL	点滴末梢本管（2時間）
	4	生食1,000mL ＋ ラクテック®G輸液500mL ＋ 塩化カリウム（KCL®）20mEq/20mL	点滴末梢本管（6時間）

※連日，同内容を繰り返し4日間投与する。

適応・治療開始基準

- 切除不能・機能温存希望局所進行頭頸部扁平上皮癌への根治治療。
- 高用量CDDP投与が適切ではない症例。
  ※再発高リスク群：顕微鏡的断端陽性，リンパ節転移の節外浸潤陽性（ECS）
- 全身状態および主要臓器機能が保たれている（以下が目安）。

　・ECOG PS 0～1
　・好中球数≧1,500/μL
　・血小板数≧10.0×10⁴/μL
　・ヘモグロビン≧9.0g/dL
　・総ビリルビン≦2.0mg/dL
　・AST，ALT≦100IU/L
　・クレアチニン≦1.2mg/dL
　・クレアチニンクリアランス推定値（Ccr＊）≧60mL/分

＊：Cockcroft-Gault式による推定値

慎重投与・禁忌

	慎重投与	禁　忌
年　齢	75歳以上	
腎障害	Ccr 60〜70mL／分	Ccr＜60mL／分
胸腹水・心嚢液	胸腹水・心嚢液を有する	ドレナージを要する胸腹水・心嚢液貯留
聴覚障害	聴覚障害を有する	
感　染		治療を有する活動性感染症

効　果

	導入化学療法（TPF）後の局所進行頭頸部癌に対する split CDDP＋RT[1,2]
DFS	3年49％，5年52.4％
OS	中央値66.5カ月， 3年OS 60.4〜65.0％， 5年OS 52.9％

split CDDP＋RT

有害事象マニュアル

有害事象の発現率と発現時期 [1, 2]

有害事象	発現率（%）		発現時期
	all Grade	Grade 3／4	
✓ 口内炎	100	48〜53	
嚥下障害	75〜95	21〜33	
食欲不振	65〜100	10〜17	
白血球減少	70〜81	14〜18	投与14〜21日後
好中球減少	90	79	投与14〜21日後
感　染	7	7	
発熱性好中球減少症	7	7	
貧　血	70〜95	3〜15	
血小板減少	10〜86	3〜13	投与14〜21日後
✓ 悪心・嘔気	71〜100	3〜5	
放射線性皮膚炎	100	3〜8	
味覚障害	100	0	
口腔乾燥	100	3	
難　聴	10	3	
神経障害	3	0	
AST／ALT上昇	17	0	
クレアチニン上昇	52	0	

☑：「有害事象マネジメントのポイント」参照。

減量早見表

減量レベル	CDDP
初回投与量	20mg／m^2
−1	
−2	

有害事象マネジメントのポイント

✓ 悪心・嘔吐

- 「CDDP＋RT」参照（☞ p34）。

✓ 腎保護

- 「CDDP＋RT」参照（☞ p35）。

✓ 口腔粘膜炎・咽頭粘膜炎

■「CDDP＋RT」参照（☞ **p36**）。

> **症例** **63歳男性，下咽頭癌，cT4N2cM0**
>
> 身長170cm，体重72kg，ECOG PS 0。下咽頭癌（cT1N2cM0，Stage ⅣA）に対して導入化学療法としてTPF（DTX＋CDDP＋5-FU）療法を3コース施行し，CT検査で原発および転移リンパ節の縮小を認めた。引き続き，高用量CDDPによる毒性を懸念し，根治的治療としてsplit CDDP＋RTを行う方針とした。
>
> 放射性粘膜炎による経口摂取困難が予想されたため，治療開始前に胃瘻造設を行った。治療開始時より口腔粘膜炎対策として含嗽用ハチアズレ®を処方した。2コース目投与後，Grade 1の吃逆が出現したが，自然に軽快した。治療開始40日後，放射線治療が40Gy程度終了した頃には経口摂取は困難となり，経管栄養が栄養摂取の主体となった。有害事象としてGrade 2の好中球減少，Grade 3の口腔粘膜炎を認めた。治療終了後，嚥下機能の低下を認め，時折誤嚥による発熱を生じたものの，経管栄養により外来通院は可能であった。その後，嚥下リハビリにより経口摂取可能となり胃瘻を抜去した。治療効果判定目的のCT検査では腫瘍は消失しており，現在も再発なく経過している。

文　献

1) Yokota T, et al:Feasibility and efficacy of chemoradiotherapy with concurrent split-dose cisplatin after induction chemotherapy with docetaxel/cisplatin/5-fluorouracil for locally advanced head and neck cancer. Mol Clin Oncol. 2020;13:35.

2) Okano S, et al:Induction TPF chemotherapy followed by CRT with fractionated administration of cisplatin in patients with unresectable locally advanced head and neck cancer. Int J Clin Oncol. 2019;24:789-97.

（西村　在，濵内　諭）

Ⅰ 頭頸部癌

CBDCA ＋ RT

投与スケジュール

● weekly CBDCA ＋ RT

CBDCA 100mg/m², 1時間

1 … 7 （日）

放射線療法と併用して，上記1週を1コースとし，7コース繰り返す。
CBDCAの投与量はAUC 1.5〜2.0でも可。

● triweekly CBDCA ＋ RT

CBDCA AUC 5, 2時間

1 … 21 （日）

放射線療法と併用して，上記3週を1コースとし，3コース繰り返す。

投与例

● weekly CBDCA ＋ RT

投与日	投与順	投与量	投与方法
1	1	デキサメタゾンリン酸エステルナトリウム（デキサート®）6.6mg ＋ パロノセトロン塩酸塩（アロキシ®）点滴静注バッグ 0.75mg/50mL	点滴末梢本管（15分）
	2	カルボプラチン［CBDCA］（カルボプラチン®）100mg/m² ＋ 生食 250mL	点滴末梢本管（1時間）

● triweekly CBDCA ＋ RT

投与日	投与順	投与量	投与方法
1	1	デキサメタゾンリン酸エステルナトリウム 6.6mg ＋ パロノセトロン塩酸塩点滴静注バッグ 0.75mg/50mL	点滴末梢側管（15分）
	2	CBDCA AUC 5 ＋ 生食 250mL	点滴末梢本管（2時間）

適応・治療開始基準

■ CDDP投与が適切でない切除不能・機能温存希望局所進行頭頸部扁平上皮癌への根治治療。

■ 全身状態および主要臓器機能が保たれている（以下が目安）。

- PS 0〜1
- 好中球数＞1,500/μL
- 血小板数＞10.0×10^4/μL
- ヘモグロビン＞10.0g/dL
- 総ビリルビン＜1.5mg/dL
- AST，ALT≦100U/L
- クレアチニンクリアランス推定値（Ccr*）＞40mL/分

＊：Cockcroft-Gault式による推定値

※ CDDPの標準投与量は100mg/m²であり，このレジメンの日本人に対する実施可能性は確認されている[1,2]。しかし，この標準レジメンは臨床試験に適格になるような，全身状態良好，臓器機能良好な患者には十分実施可能であるが，全身状態不良，腎機能低下などの臓器機能障害や合併症のあるケースには，減量が必要になったり，RT単独が推奨されたりする場合があるので，注意する。CDDP 100mg/m²投与に際しては，Ccrは70mL/分以上に保たれていることが望ましい。

慎重投与・禁忌

	慎重投与	禁忌
年齢	75歳以上	
骨髄機能	骨髄抑制を有する	重篤な骨髄抑制
腎機能障害	腎機能障害を有する	
感染	感染を疑う症例	治療を要する活動性感染症

効果

	局所進行上咽頭癌 （weekly CBDCA＋RT）[1]		非上咽頭局所進行頭頸部癌 （triweekly CBDCA＋RT）[2]
RR		RR	63％
3年DFS	60.9％	TTP	17.6カ月
3年OS	79.2％	3年OS	42％

CBDCA ＋ RT

有害事象マニュアル

有害事象の発現率と発現時期

◉ weekly CBDCA ＋ RT

有害事象	発現率（%）		発現時期
	all Grade	≧ Grade 3	
☐ 白血球減少	32	10	投与14〜21日後
☐ 貧 血	18	2	
✓ 血小板数減少	12	8	投与14〜21日後
☐ 皮膚障害	100	10	
✓ 口腔粘膜炎	100	5	
☐ 咽頭・食道障害	89	4	
☐ 悪心・嘔吐	34	0	投与1〜3日後

☑：「有害事象マネジメントのポイント」（☞ p50）参照。

◉ triweekly CBDCA ＋ RT（AUC ＝ 7）

有害事象	発現率（%）	発現時期
	≧ Grade 3	
☐ 白血球減少	18	投与14〜21日後
☐ 好中球数減少	3	投与14〜21日後
☐ 貧 血	8	
✓ 血小板数減少	27	投与14〜21日後
✓ 口腔粘膜炎	18	
☐ 悪心・嘔吐	16	投与1〜3日後
☐ 嚥下障害	8	
☐ 体重減少	5	
☐ 神経毒性	3	
☐ 感 染	3	

☑：「有害事象マネジメントのポイント」（☞ p50）参照。

減量早見表

減量レベル	weekly CBDCA
初回投与量	$100mg/m^2$
−1	$80mg/m^2$
−2	$60mg/m^2$

減量レベル	triweekly CBDCA
初回投与量	AUC 5
−1	AUC 4
−2	AUC 3

有害事象マネジメントのポイント

☑ 口腔粘膜炎・咽頭粘膜炎

- 「CDDP＋RT」参照（☞ **p36**）。

☑ 血小板数減少

治療開始前のマネジメント

- CBDCAは骨髄抑制の発現頻度が高く，その中でも血小板数低下が認められる頻度が高い。CBDCAによる血小板数低下はAUCと相関することが知られており，治療開始前の血小板値が低めの症例に対してはweekly CBDCA投与法も検討する。血小板数減少は初期のうちに自覚できる症状はなく，定期的な血液検査で確認する必要があることをあらかじめ患者に説明しておく。

有害事象発生時のマネジメント

- 血小板数減少に対する治療法は血小板輸血のみである。
- 感染やDICの合併を除外できない場合には，急激に血小板数減少や全身状態が悪化する可能性があるため，入院下で経過をみるべきである。

減量・再開のポイント

- Grade 3以上の血小板数減少が認められた際には，次コースのCBDCAを1レベル減量して投与する。

症例　61歳男性，中咽頭癌，心房細動，慢性心不全

　身長159cm，体重48kg，PS 1。舌根部の腫脹を契機に局所進行中咽頭癌（cT4a, cN0, cM0, cStage IVA）と診断されたが，慢性心不全を合併しているため，手術リスクが高く，CDDP投与に伴う大量輸液は困難と判断され，CBDCA併用による化学放射線療法を施行する方針となった。内視鏡的胃瘻造設術および胃瘻手技指導を実施し，triweekly CBDCA（AUC 5）併用化学放射線療法を開始した。あらかじめ含嗽用ハチアズレ®による定期的な含嗽は実施していたが，2コース目の投与1日目より口腔粘膜炎（Grade 2）が出現したため，カロナール®1,200mg/日を開始した。2コース目投与15日目には口腔粘膜炎はGrade 3にまで増悪したため，胃瘻からの栄養剤・水分補助を開始した。その後の全身状態は良好であり，3コースのCBDCA投与と放射線治療（70Gy）を予定されていた期間で完遂可能であった。3コース目投与14日目より38℃台の発熱が出現し，解熱しないため投与17日目に外来受診したところ，好中球数減少（Grade 3）と血小板数

減少（Grade 4）を認めたため，発熱性好中球減少症の診断にて同日入院となり，広域抗菌薬の点滴静注およびレノグラスチム（ノイトロジン®）100μgの皮下注と血小板輸血を開始した。その後，解熱が得られ，骨髄抑制からも回復してきたため，26日目に抗菌薬投与終了となった。

文 献

1) Chitapanarux I, et al:Chemoradiation comparing cisplatin versus carboplatin in locally advanced nasopharyngeal cancer:randomised, non-inferiority, open trial. Eur J Cancer. 2007:43:1399-406.

2) Fountzilas G, et al:Concomitant radiochemotherapy vs radiotherapy alone in patients with head and neck cancer. Med Oncol. 2004;21:95-107.

（濵内　諭）

I 頭頸部癌

Cmab + RT

投与スケジュール

Cmabは1週を1コースとし，放射線治療と併用で8コース投与する。

投与例

投与日	投与順	投与量	投与方法
-7	1	デキサメタゾンリン酸エステルナトリウム（デキサート®）2.0mL（6.6mg）+ d-クロルフェニラミンマレイン酸塩（ポララミン®）1.0mL（5mg）+ 生食 50mL	点滴末梢本管（15分）
	2	セツキシマブ [Cmab]（アービタックス®）400mg/m² + 生食 100mL	点滴末梢本管（2時間）
	3	生食 50mL	点滴末梢側管（5分）
1 8 15 22 29 36 43	1	d-クロルフェニラミンマレイン酸塩 1.0mL（5mg）+ 生食 50mL	点滴末梢本管（15分）
	2	Cmab 250mg/m² + 生食 100mL	点滴末梢本管（1時間）
	3	生食 50mL	点滴末梢側管（5分）

適応・治療開始基準

- 局所進行頭頸部扁平上皮癌である。
- PS 0～1
- 主要臓器が保たれている。

全般的な注意 ─────────────────────

- わが国では皮膚毒性や粘膜毒性などのRTによる急性毒性は，時にCRTと同等以上であることが経験されるため，Cmab＋RTにおいてもこれらに対する十分な管理や栄養管理が望ましい。したがって，Cmab＋RTの適応を考慮する際には，患者の年齢や全身状態だけでなく，毒性に対する支持療法について，特に外来治療の場合には患者や家族の理解とサポートが得られるのかを確認し判断する必要がある。

慎重投与

	慎重投与
年　齢	75歳以上
感　染	感染疑い例
肺疾患	間質性肺炎，高度の慢性閉塞性肺疾患の既往のある症例

効　果

	局所進行頭頸部癌に対する初回治療[1]
局所病勢コントロール期間	24.4カ月
無増悪生存期間	17.1カ月
OS	49.0カ月

Cmab＋RT

有害事象マニュアル

有害事象の発現率と発現時期[2]

有害事象	発現率（％）		発現時期
	all Grade	Grade 3	
✓ 粘膜炎	93	56	
✓ ざ瘡様皮疹	87	17	投与後1〜2週間
✓ 放射線性皮膚炎	86	23	投与後1〜4週間
体重減少	84	11	
口腔内乾燥	72	5	投与後1〜4週間
嚥下障害	65	26	投与後1〜4週間
倦怠感	56	4	
便　秘	35	5	
疼　痛	28	6	
咽頭痛	26	3	投与後1〜4週間
✓ 脱　水	25	6	投与後1〜4週間
✓ infusion reaction（注入に伴う反応）	15	3	投与中

☑：「有害事象マネジメントのポイント」参照。

減量早見表

減量レベル	Cmab
初回投与量	250mg／m^2
−1	200mg／m^2
−2	150mg／m^2

有害事象マネジメントのポイント

✓ infusion reaction（注入に伴う反応）

- Cmabはヒトマウスキメラ型モノクローナル抗体であり，重篤なinfusion reactionが約3％に発症する。

治療開始前のマネジメント

- infusion reactionの90％以上が初回投与時に投与終了1時間以内に発現し，特に重症例は投与後15分以内に発症することが多い。稀に2回目以降や投与終了後数時間

で発症することもある。

- infusion reaction予防のため初回投与は2時間，2回目以降は1時間をかけて投与する。
- 前投薬として初回は抗ヒスタミン剤（d-クロルフェニラミンマレイン酸塩5mg）に加え副腎皮質ステロイド（デキサメタゾンリン酸エステルナトリウム6.6mg）を投与する。

有害事象発生時のマネジメント

- infusion reaction発症時には速やかに原因薬剤の投与を中断する。
- アレルギー発症時の対応に準じて抗ヒスタミン剤〔d-クロルフェニラミンマレイン酸塩5mg＋ラニチジン塩酸塩（ザンタック®）50mg〕と副腎皮質ステロイド剤〔ヒドロコルチゾンリン酸エステルナトリウム（水溶性ハイドロコートン®）100mg〕を点滴で投与する。
- 発症時の症状が重篤な場合や，上記薬剤投与後も症状が遷延する場合は再投与は行わず中止とする。
- 症状が消失した場合は投与速度を半分にして慎重に投与を再開する。
- なお，当センターではアレルギー反応の程度により下記の対応を決めている。

当センターでのinfusion reaction発現時の対応マニュアル（一部改変）

アレルギー反応	治　療	次コースからの対応
薬剤熱だけの場合	・抗癌剤の用量や投与速度は変更しない 　＜38℃：解熱剤を投与せず，悪化がないか経過観察しながら投与 　≧38℃：アセトアミノフェン（カロナール®）400mg投与し経過観察しながら投与	・継続*1
一過性の潮紅あるいは皮疹，38℃未満の薬剤熱	①投与速度を半分にして経過観察しながら投与 ②増悪なければ終了後帰宅	・投与速度を半分のまま投与してIR再発時には投与を中止する*1
皮疹，潮紅，蕁麻疹，呼吸困難，38℃以上の薬剤熱	①抗癌剤の投与を中断 ②M1*2を投与 ③呼吸困難または酸素低下あれば酸素投与開始 ④症状が消失ないしはGrade 1まで改善後に投与速度を半分にして再開 ⑤増悪なければ終了後帰宅	
蕁麻疹の有無によらず症状のある気管支攣縮，非経口的治療を要する，アレルギーによる浮腫／血管性浮腫，血圧低下　　　　　　　　　アナフィラキシー	①抗癌剤の投与を中止 ②（1）アドレナリン（アドレナリン®）0.3mg筋注，（2）ヒドロコルチゾンリン酸エステルナトリウム（水溶性ハイドロコートン®）500mg＋d-クロルフェニラミンマレイン酸塩5mg＋ラニチジン塩酸塩（ザンタック®）50mg＋生食50mL，（3）生食500mL急速投与，酸素投与開始 ③バイタル安定後に入院	・投与中止

＊1：IRの程度と経過および治療効果の兼ね合いから，総合的に継続か中止を判断する。
＊2：ヒドロコルチゾンリン酸エステルナトリウム100mg＋ラニチジン塩酸塩50mg＋d-クロルフェニラミンマレイン酸塩5mg＋生食50mL点滴静注

減量・再開のポイント

■IR発症時の症状と経過および治療効果の兼ね合いから，総合的に継続か中止を判断し，通常は抗EGFR抗体の減量は行わない。

✓ 口腔粘膜炎

治療開始前のマネジメント

■口腔粘膜炎は頭頸部癌に対する放射線治療にほぼ必発の有害事象である。口腔粘膜炎による強い疼痛によりQOLが著しく低下することがあるため，事前に起こりうる症状，対処法を十分に説明しておく。

■口腔粘膜炎により高率に経口摂取が困難となることが予想されるため，頭頸部領域への照射量が多い場合には原則的に治療前に胃瘻造設を行い，経口摂取量が低下した時点で経腸栄養を導入している[3]。また，疼痛がなくても粘膜所見が強いことがあるため，定期的な口腔内，ファイバーによる咽頭腔内の観察を行い，早めの対応を行っている。

■口腔粘膜炎の予防としてアズレンスルホン酸ナトリウム水和物（含嗽用ハチアズレ®）2gを水100mLに溶解して毎日4〜5回の含嗽を行う。

有害事象発生時のマネジメント

■疼痛を伴う口腔粘膜炎に対してはアズレンスルホン酸ナトリウム水和物10gに対してグリセリン液60mLと4％キシロカイン5mLを水500mLに加えて同じく1日4〜5回の含嗽を行う。

■口腔内潰瘍や口角炎に対してはアズレン（アズノール®）軟膏を塗布し，疼痛が強い場合には早期からアセトアミノフェン（カロナール®）（1,200〜3,000mg／日）の定期内服を開始し，無効時はオピオイド製剤〔オキシコドン塩酸塩水和物（オキノーム®），モルヒネ塩酸塩水和物（オプソ®）〕を頓用で使用する。特に食前に予防的に内服することにより経口摂取を維持する。

✓ 皮膚障害

■抗EGFR抗体の皮膚障害としては，投与患者の80％以上に発現するざ瘡様皮疹のほかに皮膚乾燥，そう痒症，脂漏性皮膚炎，爪周囲炎が高頻度に発現する。

治療開始前のマネジメント

■こまめな洗浄とスキンケアで皮膚を清潔に保ち，水仕事，掃除などの際にはゴム手

袋を着用するなどして，手指を保護する。また，刺激性の低い石鹸や化粧品を使用し，直射日光を避ける。
- 保湿剤〔ヘパリン類似物質（ヒルドイド®）〕を顔面，前胸部，背部に1日2回を目安に予防的に塗布する。
- ざ瘡様皮疹に対する予防としてミノサイクリン塩酸塩（ミノマイシン®）カプセル200mg分2（朝夕）食後を治療開始時から内服する。
- 外用ステロイド剤は顔面，頭皮，体幹・四肢の順に吸収率が高く，顔面にアルクロメタゾンプロピオン酸エステル（アルメタ®）軟膏，ヒドロコルチゾン酪酸エステル（ロコイド®）クリーム（薬効強度medium），頭皮にベタメタゾン（リンデロン®）ローション（strong），体幹・四肢にジフルプレドナート（マイザー®）軟膏（very strong）を処方し，皮膚障害発現時から塗布開始するように指導する。

有害事象発生時のマネジメント

- ざ瘡様皮膚炎発現時は事前に処方していた外用ステロイド剤の塗布を自宅で開始する。
- 疼痛，そう痒などを伴う時や，皮膚障害によって日常生活に支障をきたす可能性があると判断した際には皮膚科に紹介し対応を相談する。日常生活に支障をきたす場合はCmabを休薬する。皮膚障害は治療効果と相関しているとされており皮膚科とも相談の上で慎重に判断する。
- そう痒症に対しては中枢神経作用が少なく，肝・腎機能低下例にも使用可能なフェキソフェナジン塩酸塩（アレグラ®）やロラタジン（クラリチン®）を使用する。

✓ 放射線性皮膚炎

- 頭頸部領域の放射線治療では病変が浅く皮膚に近接していることが多いため放射線性皮膚炎が高率に発症する。既報ではGrade 3以上を23％に認めると報告されており，治療継続のために適切な管理が必須である。

有害事象発生時のマネジメント

- 患部の乾燥，刺激を避けこまめに洗浄を行う。
- アズレンスルホン酸ナトリウム水和物軟膏はピーナッツバターを塗るように十分な量を塗布する。
- 滲出液が多い場合，水分の吸収力が高い素材が有用である。Grade 2までは創部に固着しにくく，保湿効果を有するモイスキンシート，Grade 3以上はモイスキンパッドを用いている。
- 患部に感染をきたした場合にはフラジオマイシン硫酸塩（ソフラチュール®），スルファジアジン銀（ゲーベン®クリーム）による管理を行う。

減量・再開のポイント

- 感染がなければ原則的には照射は中止しない。

✓ 電解質異常

治療開始前のマネジメント

- 低マグネシウム血症の原因は遠位尿細管上皮におけるマグネシウム再吸収阻害であるとされており，all Gradeでは28～36％，Grade 3以上では2～27％の発症率と報告されている。

有害事象発生時のマネジメント

- マグネシウム濃度が1.2mg/dL以上（Grade 1以下）で無症状であれば経過観察でよい。
- Grade 2では心電図計測しQTcの著明な延長がなければ，Grade 1に回復するまで，毎週外来で硫酸Mg補正液1mEq/mL®20mL＋生食100mLを30分で投与しながら治療を継続する。治療を要する著明なQTc延長が認められれば抗EGFR抗体の投与は中止して対応を循環器内科に相談する。

- Grade 3以上では投与を中止し，硫酸マグネシウム20mLを週2回～連日投与する。致死的な不整脈を発症するリスクがあり入院での補正も検討する。
- マグネシウム製剤の内服薬は下痢を起こしやすく，内服しづらいなどの難点があるため基本的には静注による補正を行っている。

✓ 間質性肺炎

- 放射線治療併用時のCmab投与により，間質性肺炎の発症率が高くなり，重症化することがあるため，間質性肺炎の既往がある場合や高度の肺気腫例は相対的禁忌となる。

- 労作時呼吸苦，乾性咳嗽，感染徴候のない発熱を自覚した場合には間質性肺炎発症の可能性があり，急速に増悪する恐れがあるため速やかに受診するように指導する。
- 外来では定期的にSpO$_2$を測定し，炎症所見高値時には胸部X線を施行し，異常な間質陰影を認めたら躊躇せずにCT検査を実施し早期に診断する。
- 発症時には呼吸器内科にコンサルトし，感染症，癌性リンパ管症などの鑑別疾患を除外した上で速やかに重症度に応じてステロイド投与を行う。

| 症例 | **65歳女性，下咽頭癌** |

　身長151.7cm，体重34.2kg，PS 0。左顎下部腫瘤を契機に局所進行下咽頭癌（左梨状窩，扁平上皮癌，cT2N1M0 cStage Ⅲ）と診断された。喉頭温存希望があり，腎機能低下（Ccr 45.2mL/分）を伴い，外来通院治療が可能なCmab併用放射線治療の方針となった。全頸部照射となるため治療前に胃瘻造設，胃瘻管理指導および口腔ケア指導を行い，Cmab（初回400mg/m^2，2コース目以降250mg/m^2）併用放射線治療（70Gy/35fr）を開始した。3コース1日目で口腔内乾燥出現，4コース3日目で粘膜炎（Grade 2）出現，嚥下時痛も増強したためカロナール®（1,200mg/日）定期内服，オプソ®5mg頓用による疼痛コントロール，および経腸栄養剤頓用による栄養介入を開始した。5コース1日目に軟口蓋に広範囲な潰瘍が出現し（Grade 3），経口摂取が水分のみとなったため経腸栄養剤定期投与へ変更した。7コース目に頸部の放射線性皮膚炎が増悪したためアズノール®軟膏の塗布とモイスキンパッドによる保湿を開始した。軟口蓋潰瘍は偽膜形成し改善傾向であった。Cmab 8コース，放射線治療70Gyを完遂した。治療終了2カ月後のファイバー検査で腫瘍は消失，CT，PETでも原発巣とリンパ節転移の著明な縮小を認めている。

文　献

1) Bonner JA, et al:Radiotherapy plus cetuximab for locoregionally advanced head and neck cancer:5-year survival data from a phase 3 randomised trial, and relation between cetuximab-induced rash and survival. Lancet Oncol. 2010;11:21-8.

2) Bonner JA, et al:Radiotherapy plus cetuximab for squamous-cell carcinoma of the head and neck. N Engl J Med. 2006;354:567-78.

3) Yokota T, et al:Distinctive mucositis feeding-tube dependency in cetuximab plus radiotherapy for head and neck cancer. Jpn J Clin Oncol. 2015;45:183-8.

（横田知哉）

Ⅰ 頭頸部癌

TPF

投与スケジュール

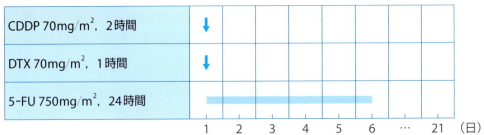

導入化学療法として，上記3週を1コースとし，3コース施行する。

投与例

投与日	投与順	投与量	投与方法
1	1	パロノセトロン塩酸塩（アロキシ®）点滴静注 0.75mg/50mL ＋ デキサメタゾンリン酸エステルナトリウム（デキサート®）9.9mg	点滴末梢本管（15分）
	2	ドセタキセル水和物 [DTX]（ワンタキソテール®）70mg/m² ＋ 生食 250mL	点滴末梢本管（1時間）
	3	乳酸リンゲル液（ラクテック®）500mL ＋ 硫酸マグネシウム（硫酸Mg補正液 1mEq/mL®）40mL	点滴末梢本管（1時間）
		アプレピタント（イメンド®）カプセル 125mg	経口
	4	フルオロウラシル [5-FU]（5-FU®）750mg/m² ＋ ソルデム®3A輸液 1,000mL ＋ 生食 1,000mL	点滴末梢本管（24時間）
		シスプラチン [CDDP]（シスプラチン®）70mg/m² ＋ 生食 500mL	点滴末梢側管（2時間）
	5	メトクロプラミド（プリンペラン®）30mg ＋ 生食 100mL	点滴末梢側管（30分）
	6	生食 500mL	点滴末梢側管（2時間）
2 3	1	アプレピタントカプセル 80mg	経口（朝食後）
	2	デキサメタゾンリン酸エステルナトリウム 6.6mg ＋ メトクロプラミド 30mg ＋ 生食 100mL	点滴末梢側管（30分）
	3	生食 1,000mL	点滴末梢側管（5時間）
	4	5-FU 750mg/m² ＋ ソルデム®3A輸液 1,000mL ＋ 生食 1,000mL	点滴末梢本管（24時間）

4	**1**	デキサメタゾンリン酸エステルナトリウム 6.6mg ＋ メトクロプラミド 30mg ＋ 生食 100mL	点滴末梢側管（30分）
	2	生食 1,000mL	点滴末梢側管（5時間）
	3	5-FU 750mg/m² ＋ ソルデム®3A輸液 1,000mL ＋ 生食 1,000mL	点滴末梢本管（24時間）
5	**1**	メトクロプラミド 30mg ＋ 生食 100mL	点滴末梢側管（30分）
	2	生食 1,000mL	点滴末梢側管（5時間）
	3	5-FU 750mg/m² ＋ ソルデム®3A輸液 1,000mL ＋ 生食 1,000mL	点滴末梢本管（24時間）

適応・治療開始基準

■ 組織学的に扁平上皮癌と診断された，遠隔転移を有さない局所進行（cT4b and/or cN2～3，cStage ⅣA or ⅣB：UICC7版）頭頸部癌。

■ PS 0～1

■ 主要臓器機能が保たれている（以下が目安）。

- 好中球数≧1,500/μL
- 血小板数≧7.5×10^4/μL
- ヘモグロビン≧10.0g/dL
- 総ビリルビン≦1.5mg/dL
- AST，ALT≦100U/L
- クレアチニンクリアランス推定値（Ccr*）≧60mL/分
- SpO_2≧95％（room air）

＊：Cockcroft-Gault式による推定値

慎重投与・禁忌

	慎重投与	禁忌
年齢	70歳以上	
胸腹水・心嚢液	胸腹水・心嚢液を有する	
心疾患	心疾患，またはその既往を有する	多量補液に不耐の心機能障害を有する
腎障害	Ccr 40～60mL/分	Ccr＜40mL/分
肝障害	肝障害を有する	
聴覚障害	聴覚障害を有する	
間質性肺疾患	間質性肺疾患，またはその既往を有する	
感染		活動性の感染を有する

効　果

	局所進行頭頸部癌に対する TPF療法施行例[1,2]
RR	68〜72 %
PFS	
OS	

	局所進行頭頸部癌に対する TPF療法後，放射線療法施行例[1]	局所進行頭頸部癌に対するTPF療 法後，化学放射線療法施行例[2]
RR		
PFS	11.0カ月	36カ月，2年PFS 53 %
OS	18.8カ月	71カ月，3年生存率62 %

TPF

有害事象マニュアル

有害事象の発現率と発現時期 [1, 2]

有害事象	発現率（%）		発現時期
	all Grade	≧ Grade 3	
□ 白血球減少		41.6	8〜14日目
✓ 好中球数減少		76.9〜83	8〜14日目
□ 貧 血		9.2〜12	
□ 血小板数減少		4〜5.2	
✓ 口腔粘膜炎		4.6〜21	
✓ 悪 心		0.6〜14	投与当日〜
□ 食道炎・嚥下障害・嚥下痛		0.6〜13	
✓ 発熱性好中球減少症		5.2〜12	
□ 食欲不振		0.6〜12	投与当日〜
□ 脱毛症		11.6	2〜3週後〜
✓ 嘔 吐		0.6〜8	投与当日〜
□ 下 痢		2.9〜7	
□ 感 染		6〜6.9	
□ 倦怠感		2.9〜5	
□ 神経毒性		0.6	

☑：「有害事象マネジメントのポイント」参照。

減量早見表

減量レベル	DTX	CDDP	5-FU
初回投与量	70mg/m²	70mg/m²	750mg/m²
−1	55mg/m²	55mg/m²	600mg/m²
−2	40mg/m²	40mg/m²	450mg/m²

有害事象マネジメントのポイント

✓ 腎保護

治療開始前のマネジメント

- 目安としてCDDPを70mg/m²以上投与する際には，腎障害予防のために多量輸液が必要である。脱水が懸念される際にはCDDP投与前日から輸液を開始することもあるが，多くは投与当日のCDDP投与前に1,000mL程度の輸液負荷で十分である。体重や尿量をモニターしながら必要時には利尿薬を併用しつつ，多量補液による心

不全の予防を図る。具体的に当センターでは，投与1日目の補液開始時から4時間尿量が300mL以下の時，投与2〜3日目の朝の体重が化学療法開始前の体重より＋2kg以上の時，投与4〜5日目の体重が化学療法開始前の体重より＋5kg以上の時に，それぞれフロセミド（ラシックス®）20mgずつ静脈内投与している。多量補液により5kg以上の体重増加や十分な尿量が確保できない時には，体液貯留による心不全も考慮に入れ，動脈血酸素飽和度や胸部X線像を確認し，必要に応じて利尿薬や酸素の投与を検討すべきである。逆に投与5〜7日目頃には近位尿細管からの電解質・水分喪失，粘膜炎や食欲不振により体液が喪失する傾向にあるため，数日間はナトリウムとともに2,000〜2,500mL／日の輸液を継続することが望ましい。特に著明な低ナトリウム血症がみられた際にはSIADH（抗利尿ホルモン不適合分泌症候群）を疑い，血漿浸透圧，尿浸透圧，尿中電解質を測定し，ナトリウムの補正を行う。ナトリウム補正時には，急激な補正により橋中心髄鞘崩壊症を起こす危険性があるため，血清ナトリウム値補正は1日あたり10mEq/L以下の上昇にとどめるべきである。

- CDDP投与時の腎保護の観点からは，解熱・鎮痛薬は他のNSAIDsよりはアセトアミノフェン（カロナール®など）を選択することが望ましく，必要に応じて麻薬を併用する。またアミノグリコシドやバンコマイシン塩酸塩，アムホテリシンBなどの抗菌薬の併用でも腎障害が増悪するため，治療開始時に併用薬の確認を行うことが肝要である。

- 薬剤起因性の急性腎障害と低マグネシウム血症が同時に起こることが知られており，CDDP投与当日にマグネシウムを追加することで，腎障害が軽減される傾向にあることが報告されている[3]。当センターのレジメンでも1日目に硫酸マグネシウム40mLを補充している。

✓ 好中球数減少・発熱性好中球減少症

治療開始前のマネジメント

- 好中球数減少が最も注意の必要な有害事象である。38℃以上の急な発熱，または37.5℃以上の持続する発熱がある時には病院へ連絡できるような態勢を準備しておく。
- アレルギー歴がなければ5日目からシプロフロキサシン（シプロキサン®）の予防投与を開始し，nadirから脱するまで継続する。
- 発熱性好中球減少症の中間リスクのレジメンである。65歳以上の高齢者や，アレルギーなどの理由で予防的抗菌薬投与が困難な患者，その他，発熱性好中球減少症を発症した際に重篤化する可能性がある際には，予防的G-CSF投与を投与6〜8日目から（化学療法終了後1〜3日目から）開始することを検討してもよい。

有害事象発生時のマネジメント

- Grade 4の好中球数減少が出現した際には，化学療法を休止する。
- 発熱性好中球減少症は，入院にて広域静注抗菌薬の投与を行う。
- 好中球数減少の程度が強い場合（Grade 3以上），臓器障害や合併症を有する場合，高齢者，肺炎，全身状態不良例に対しては，G-CSF製剤の併用を考慮する。全身状態が良好な低リスク群（MASCCスコア21点以上）に対しては，経口抗菌薬〔シプロフロキサシン200～500mg＋アモキシシリン水和物・クラブラン酸カリウム配合（2：1）（オーグメンチン®）125/250～125/500mgを8時間ごと〕による外来治療も選択肢のひとつとなるが，患者に対する十分な説明や理解，近隣病院のサポート態勢などを考慮して対応する必要がある。

減量・再開のポイント

- 前コースで白血球減少（Grade 4），好中球数減少，発熱性好中球減少症（Grade 3以上）を認めた場合，次コースはDTX，CDDP，5-FUのいずれも1レベル減量して投与する。
- ※減量下でも好中球数減少（Grade 4）を認めた場合に，他の有害事象が許容される際には次コースは減量せずに予防的G-CSFを検討してもよい。

✓ 口腔粘膜炎

治療開始前のマネジメント

- 口腔粘膜炎は重症化すると経口摂取が著しく障害されるため，治療開始前から口腔粘膜炎出現時の対応について患者に説明しておく。
- 口腔衛生状態が不良であると，口腔粘膜炎が発症しやすくなるため，治療開始前から歯科口腔外科に診察を依頼し，齲歯や歯周病，義歯のチェック，口腔内セルフケアの指導を行う。
- 口腔粘膜炎が出現する前に口腔内にざらざらとした乾燥感や違和感が出現することがある。違和感出現時から含嗽を励行するなど，早期に含嗽を開始することが口腔粘膜炎の重症化予防にとって肝要である。

有害事象発生時のマネジメント

- 1回につきアズレンスルホン酸ナトリウム水和物・$NaHCO_3$配合（含嗽用ハチアズレ®）顆粒2gを常温水100mLに溶解したもので口腔内含嗽を行い，これを1日4～5回行う。
- 口腔内乾燥や，口腔内潰瘍が出現した際にはアズレンスルホン酸ナトリウム水和物・$NaHCO_3$配合顆粒2gにつきグリセリン液12mLを併用し，疼痛がある際にはリドカ

イン塩酸塩・アドレナリン配合（キシロカイン®）液4％1〜2mLを併用する。疼痛に対する全身投与としては，アセトアミノフェン（カロナール®）1,200〜2,400mg／日や，モルヒネ塩酸塩水和物（オプソ®）を考慮する。

※腎機能が治療継続のカギになるため，原則，他のNSAIDsは使用しない。

- 口腔内潰瘍や口角炎のびらんには，0.033％アズレン（アズノール®）軟膏を塗布する。
- 口腔粘膜炎が重症化したり，難治性であったりした場合には，カンジダなどの感染を合併していることもある。適宜，歯科口腔外科に診察を依頼し，必要時はミコナゾール（フロリード®）ゲル経口用で治療する。
- 口腔粘膜炎（Grade 3）の際にはTPF療法を休止する。Grade 1以下に改善した際には再開可能。

(減量・再開のポイント)

- 前コース中に口腔粘膜炎（Grade 3）が出現した場合は，次コースより5-FU，DTXを1レベル減量して投与する。

✓ 悪心・嘔吐

(治療開始前のマネジメント)

- 制吐薬は嘔吐してから飲む薬ではなく，予防として早めに使うのがコツであることを患者に十分説明しておくこと。
- CDDPは高度催吐性リスクに分類されているため，アプレピタント，パロノセトロン塩酸塩，デキサメタゾンリン酸エステルナトリウムを前投与する。

(有害事象発生時のマネジメント)

- 突発性の悪心はドパミン受容体拮抗薬〔メトクロプラミド5mg，ドンペリドン（ナウゼリン®）10mg，プロクロルペラジン（ノバミン®）5mg〕や，眠気が問題となるがハロペリドール（セレネース®）を定時もしくは頓用で使用する。
- 上記で対応できない場合は，投与4〜5日目のアプレピタント80mg追加を考慮する。
- 悪心が強い場合や，治療前から悪心があるなどの予期性嘔吐の場合，オランザピン（ジプレキサ®）やベンゾジアゼピン系抗不安薬〔アルプラゾラム（アルプラゾラム®），ロラゼパム（ロラゼパム®）〕などを治療開始前に内服するのも有効である。なお，糖尿病罹患者では高血糖を引き起こす可能性があるためオランザピンを使用しない。

| 症例 | **73歳男性，局所進行喉頭癌** |

　　身長171.8cm，体重68.75kg，PS 0。嚥下痛を契機に診断された局所進行喉頭癌（cT2，cN2c，cM0，cStage ⅣA）に対して，喉頭温存希望にて化学放射線療法を施行する方針となり，臓器温存と遠隔転移予防目的[4]に導入化学療法としてTPF療法（DTX 70mg/m^2，CDDP 70mg/m^2，5-FU 750mg/m^2）を先行した。1コース目投与5日目から投与15日目までシプロキサン®600mg/日の予防投与を行った。投与10日目に好中球数減少（Grade 4）（好中球数 298/μL）を認めたため，投与10〜12日目にG-CSFを投与し，発熱なく経過した。1コース後のCTでの評価は縮小傾向のIR/SDであり，投与22日目には好中球数減少は改善し，全身状態も良好であったため，DTX 55mg/m^2，CDDP 55mg/m^2，5-FU 600mg/m^{2}に減量して2コース目を開始した。2コース目でも予防的シプロキサン®内服を行い，予防的G-CSFは使用しなかったが，投与8日目に好中球数減少（Grade 4）（好中球数 420/μL）を認めたため，投与8〜9日目にG-CSFを投与したところ，投与10日目には好中球数は改善した。2コース後のCTでは病変はさらに縮小しており，全身状態も良好であったため，投与22日目に3コース目を開始した。2コース目までの非血液毒性はGrade1〜2で許容範囲内と考え，予防的シプロキサン®内服に加え，投与6〜7日目に予防的G-CSF投与を併用し，抗癌剤の減量は行わずに3コース目を施行したところ，好中球数減少や発熱，その他の目立った有害事象も認めず経過した。3コース後のCTでも病変縮小を維持しており，引き続き根治的化学放射線療法に移行した。

文　献

1) Jan B, et al:Cisplatin, fluorouracil, and docetaxel in unresectable head and neck cancer. N Engl J Med. 2007;357:1695-704.

2) Marshall R, et al:Cisplatin and fluorouracil alone or with docetaxel in head and neck cancer. N Engl J Med. 2007;357:1705-15.

3) Kidera Y, et al:Risk factors for cisplatin-induced nephrotoxicity and potential of magnesium supplementation for renal protection. PloS One. 2014;9:e101902.

4) Izawa N, et al:Efficacy and feasibility of docetaxel, cisplatin, and 5-fluorouracil induction chemotherapy for locally advanced head and neck squamous cell carcinoma classified as clinical nodal stage N2c, N3, or N2b with supraclavicular lymph node metastases. Int J Clin Oncol. 2015;20:455-62.

（横田知哉）

Ⅰ 頭頸部癌

Cmab＋DTX＋CDDP

投与スケジュール

DTX 75mg/m^2，1時間	↓					
CDDP 75mg/m^2，2時間	↓					
（初回のみ）Cmab 400mg/m^2，2時間	↓					
（2回目以降）Cmab 250mg/m^2，1時間			↓		↓	
	1	…	8	…	15	… 21 （日）

導入化学療法として，上記3週を1コースとし，3コース施行する。

投与例

投与日	投与順	投与量	投与方法
1	1	生食1,000mL ＋ 硫酸マグネシウム（硫酸Mg補正液1mEq/mL®）40mL	点滴末梢本管（4時間）
		パロノセトロン塩酸塩（アロキシ®）点滴静注 0.75mg/50mL ＋ デキサメタゾンリン酸エステルナトリウム（デキサート®）6.6mg ＋ d-クロルフェニラミンマレイン酸塩（ポララミン®）5mg	点滴末梢側管（15分）
	2	セツキシマブ[Cmab]（アービタックス®）400mg/m^2* ＋ 生食250mL	点滴末梢側管（2時間。2コース目以降1時間）
	3	塩酸メトクロプラミド（プリンペラン®）30mg ＋ 生食250mL	点滴末梢側管（1時間）
	4	ドセタキセル水和物[DTX]（ワンタキソテール®）75mg/m^2 ＋ 生食250mL	点滴末梢側管（1時間）
	5	ソルデム®3A輸液1,000mL ＋ 生食1,000mL	点滴末梢本管（20時間）
	6	ラクテック®G輸液500mL	点滴末梢側管（1時間）
		アプレピタント（イメンド®）カプセル125mg	経口
	7	シスプラチン[CDDP]（シスプラチン®）75mg/m^2 ＋ 生食300mL	点滴末梢側管（2時間）
	8	D-マンニトール（マンニットール®）注300mL	点滴末梢側管（1.5時間）

2 3	1	アプレピタントカプセル 80mg	経口（朝食後）
	2	ソルデム®3A輸液 1,500mL ＋ 生食 1,500mL	点滴末梢本管 （12時間）
	3	デキサメタゾンリン酸エステルナトリウム 1mL ＋ 塩酸メトクロプラミド 30mg ＋ 生食 100mL	点滴末梢側管 （30分）
4	1	ソルデム®3A輸液 1,500mL ＋ 生食 1,500mL	点滴末梢本管 （12時間）
	2	デキサメタゾンリン酸エステルナトリウム 1mL ＋ 塩酸メトクロプラミド 30mg ＋ 生食 100mL	点滴末梢側管 （30分）

＊：2コース目以降 250mg/m^2

◉ 投与8, 15日目Cmab投与例

投与日	投与順	投与量	投与方法
8 15	1	d-クロルフェニラミンマレイン酸塩 5mg ＋ 生食 50mL	点滴末梢本管 （15分）
	2	Cmab 250mg/m^2 ＋ 生食 100mL	点滴末梢本管 （1時間）
	3	生食 50mL	点滴末梢本管 （5分）

適応・治療開始基準

■組織学的に扁平上皮癌と確定診断されている，遠隔転移を有さない局所進行（cT4b and/or cN2～3，cStage ⅣA or ⅣB：UICC7版）中咽頭，下咽頭，喉頭癌。

■ECOG PS 0～1

■主要臓器機能が保たれている（以下が目安）。

- 好中球数≧1,500/μL
- 血小板数≧7.5×10^4/μL
- ヘモグロビン≧10.0g/dL
- 総ビリルビン≦1.5mg/dL
- AST，ALT≦100U/L（肝転移例は200U/Lを目安とする）
- クレアチニンクリアランス推定値（Ccr＊）≧60mL/分

＊：Cockcroft-Gault式による推定値

慎重投与・禁忌

	慎重投与	禁　忌
年　齢	75歳以上	
胸腹水・心嚢液	胸腹水・心嚢液を有する	
心疾患	心疾患，またはその既往を有する	多量補液に不耐の心機能障害を有する
腎障害	Ccr 40〜60mL／分	Ccr＜40mL／分
肝障害	肝障害を有する	
聴覚障害	聴覚障害を有する	
間質性肺疾患	間質性肺疾患，またはその既往を有する	
感　染		活動性の感染を有する

効　果[1]

	DTX＋CDDP＋Cmabの導入化学療法による治療成績	DTX＋CDDP＋Cmab後のCDDP＋Cmab＋RT 70Gyおよびその後のCmab維持療法による治療成績
RR	86％	100％
DFS		36カ月
PFS		2〜3年PFS 70％
OS		3年OS 74％

Cmab + DTX + CDDP
有害事象マニュアル

有害事象の発現率と発現時期[1]

有害事象	発現率(%) all Grade	発現率(%) Grade 3	発現時期
✓ 好中球数減少		77	8～14日目
✓ 低マグネシウム血症		15	
低カリウム血症		13	
✓ 発熱性好中球減少症		10	
感染		5	
下痢		5	
嚥下障害		5	
疲労		5	
✓ infusion reaction（注入に伴う反応）			
Cmab		5	1, 8, 15日
DTX		3	1日目
皮疹		3	
腎不全		3	
悪心		2.5	投与当日～
嘔吐		2.5	投与当日～
口内炎		2.5	
貧血		2.5	
血小板数減少		2.5	
出血		2.5	

☑：「有害事象マネジメントのポイント」参照。

減量早見表

減量レベル	DTX	CDDP	Cmab
初回投与量	75mg/m²	75mg/m²	250mg/m²
−1	60mg/m²	60mg/m²	200mg/m²
−2	48mg/m²	48mg/m²	150mg/m²

有害事象マネジメントのポイント

 腎保護

- 「TPF」参照（☞ p63）。

✓ 好中球数減少・発熱性好中球減少症

治療開始前のマネジメント

- 本レジメンは高率に好中球数減少をきたすため，頻回に血液検査による確認を行い，抗菌薬やG-CSFでの適切な対応をとる必要がある。あらかじめ発熱時の抗菌薬を処方しておき，症状が持続する場合は病院へ連絡できる体制をつくっておく。

有害事象発生時のマネジメント

- 好中球数1,000/μL未満で38℃以上の発熱が出現するか，好中球数500/μL未満が確認された時点からG-CSF投与を考慮する。
- 10日目を過ぎ，好中球数≧5,000/μLとなった際にG-CSF製剤を中止する。
- 好中球数1,000/μL未満で38℃以上の発熱が出現した際には，発熱性好中球減少として，入院にてG-CSF製剤および静注抗菌薬の投与を行う。全身状態が良好な低リスク群（MASCCスコア21点以上）に対しては，経口抗菌薬〔シプロフロキサシン（シプロキサン®）200～500mg＋アモキシシリン水和物クラブラン酸カリウム配合（2:1）（オーグメンチン®）125/250～125/500mgを8時間ごと〕による外来治療も選択肢のひとつとなるが，患者に対する十分な教育や理解，近隣病院のサポート体制などを考慮して対応する必要がある。

減量・再開のポイント

- 前コースでGrade 4の白血球減少，好中球数減少，発熱性好中球減少症（Grade 3以上）を認めた場合，次コースはDTX，CDDPのいずれも1レベル減量して施行する。

✓ 低マグネシウム血症

治療開始前のマネジメント

- 低マグネシウム血症の症状には，倦怠感，悪心・嘔吐，脱力感，痙攣，動悸があり，これらの症状が出現していないか注意して観察する。低マグネシウム血症の初期段階には症状が観察されない場合もあるため，1～2週ごとに血液検査で確認する。

有害事象発生時のマネジメント

- Grade 3以上の場合，不整脈や痙攣の原因となるため，Cmabの休薬およびマグネシウム補正が必要となる。
- Grade 2以下でも低マグネシウム血症による症状が疑われる場合にはマグネシウム補正を考慮してもよい。

■マグネシウム補正は硫酸マグネシウム補正液20mLを生食などの輸液に溶解し，60〜120分で点滴静注する。厳密に補正するためには週に2回〜連日の投与が必要となることもある。

✓ infusion reaction（注入に伴う反応）

治療開始前のマネジメント

■DTXによるアレルギー反応，Cmabによるinfusion reactionが起こりうるレジメンである。あらかじめその危険性と，症状が出現した際には医療スタッフへ直ちに報告することを説明しておく。

■皮膚症状（そう痒感を伴う蕁麻疹，皮膚潮紅），呼吸器症状（咳嗽，息切れ，咽喉〜胸部の絞扼感・閉塞感，喘鳴），循環器症状（動悸，めまい，低血圧，頻脈，徐脈）が主な徴候である。ほかに，発熱や消化器症状（下痢，悪心），精神・神経症状（意識消失，痙攣，視野狭窄）なども伴うことがある。

■投与例に示すように，前投薬として副腎皮質ステロイド薬，抗ヒスタミン薬を投与しておく。

■救急カートに必要な器材，薬剤を備えておき，発症時に直ちに対応できるようにしておく。

有害事象発生時のマネジメント

DTXのアレルギー反応

■直ちに投与薬剤を中止する。

■副腎皮質ステロイド薬，抗ヒスタミン薬を投与する。具体的にはヒドロコルチゾンリン酸エステルナトリウム（水溶性ハイドロコートン®）100〜200mg＋ラニチジン塩酸塩（ザンタック®）50mg＋d-クロルフェニラミンマレイン酸塩5mg＋生食50mLを全開投与し，重症化の徴候の有無を観察し，難治性の際には入院での対応を考慮する。

■呼吸器症状や循環器症状を認める際にはアドレナリン注0.3mgの筋肉注射を考慮する。

■症状改善後も基本的には投与を再開しない。

Cmabのinfusion reaction

■皮膚症状がなく，薬剤熱だけの場合はそのまま投与を続行する。38℃台の発熱の際にはアセトアミノフェン（カロナール®）400mgを内服し，症状の悪化がないか経過観察する。

■Grade 1：皮膚の潮紅があり，体温＜38℃の場合には，Cmabの投与速度を50％にして，症状の悪化がないか経過観察しながら投与を継続する。

- Grade 2：皮膚潮紅かつ体温≧38℃の薬剤熱を有するか，蕁麻疹，呼吸苦を認める場合には，Cmabの投与を直ちに中止し，ヒドロコルチゾンリン酸エステルナトリウム100〜200mg＋ラニチジン塩酸塩50mg＋d-クロルフェニラミンマレイン酸塩5mg＋生食50mLを全開投与する。症状がなかなか改善しない際には投与継続を断念する。速やかに症状が改善すれば，Cmabの投与速度を50％にして投与を再開し，症状の悪化がないか経過観察し，次コースも投与速度50％で投与する。再開後に再度infusion reactionが出現した際にはCmab投与を中止する。
- Grade 3〜4：気管支痙攣や血圧低下など，強い呼吸器症状，循環器症状が出現した際には直ちにCmab投与を中止し，酸素投与，ヒドロコルチゾンリン酸エステルナトリウム100〜200mg＋ラニチジン塩酸塩50mg＋d-クロルフェニラミンマレイン酸塩5mgを生食に溶解せずに静注する。重症アレルギーやアナフィラキシーに準じて，アドレナリン注0.3mgの筋肉注射など必要な処置を行い，状態が落ちつき次第，入院下で治療・経過観察とする。
- なお，当センターではアレルギー反応の程度により対応を決めている。「Cmab＋RT」参照（☞ p55）。

症例　56歳男性，局所進行中咽頭癌

　身長169cm，体重72.95kg，PS 0，Ccr 128.68mL/分。嚥下時痛を契機に診断された局所進行中咽頭癌（cT4N0M0，cStage ⅣA；UICC7版）で，構音機能温存希望のため導入化学療法＋根治的化学放射線療法を行う方針となり，導入化学療法としてCDDP＋DTX＋Cmab療法を開始した。投与8日目に悪心（Grade 3），食欲不振（Grade 3），倦怠感（Grade 2）にて入院で補液，デキサート®6.6mg投与を行ったところ，症状は改善した。投与10日目に好中球数減少（Grade 4）（122/μL）を認めたため，G-CSF製剤を投与し，投与15日目には改善を確認した。全身状態良好であったため，投与22日目にDTX 60mg/m²，CDDP 60mg/m²に減量して2コース目を開始した。2コース目はイメンド®を投与5日目まで延長投与，ジプレキサ®ザイディスを併用し，悪心はコントロール可能であった。投与7日目に口内炎（Grade 3）となり，口腔カンジダ症も合併していたため，ハチアズレ®＋キシロカイン液＋グリセリン液の含嗽，アズノール®軟膏およびフロリード®ゲル塗布にて対応した。また投与5〜11日目にCPFXによる予防投与を併用しており，投与14日目に好中球数減少（Grade 3）（888/μL）を認めたが，発熱なく経過した。投与17日目より口内炎が消失して食事摂取良好となったため，投与21日目よりDTX 48mg/m²に減量して3コース目を開始した。食欲不振（Grade 2）が出現したが補液にて対応し，投与10日目には補液終了し，口内炎はGrade 2までで経過した。3コース施行後のCTでは原発巣の軽度縮小を認め，新規病変を認めなかったため，引き続いてCmab＋放射線療法へ移行する方針となった。

文 献

1) Argiris A, et al:Induction docetaxel, cisplatin, and cetuximab followed by concurrent radiotherapy, cisplatin, and cetuximab and maintenance cetuximab in patients with locally advanced head and neck cancer. J Clin Oncol. 2010;28:5294-300.
2) Kidera Y, et al:Risk factors for cisplatin-induced nephrotoxicity and potential of magnesium supplementation for renal protection. PloS One. 2014;9:e101902.

（横田知哉）

Ⅰ 頭頸部癌

CBDCA + PTX + Cmab

投与スケジュール

CBDCA AUC 2.5，1時間	↓		↓			
PTX 100mg/m^2，2時間	↓		↓			
（初回のみ）Cmab 400mg/m^2，2時間	↓					
（2回目以降）Cmab 250mg/m^2，1時間			↓		↓	
	1	…	8	…	15	… 21 （日）

上記3週を1コースとする。導入化学療法の場合は3コース繰り返す。

投与例

投与日	投与順	投与量	投与方法
1 2 8 9	1	デキサメタゾンリン酸エステルナトリウム（デキサート®）6.6mg ＋ ファモチジン（ガスター®）20mg ＋ d-クロルフェニラミンマレイン酸塩（ポララミン®）5mg ＋ グラニセトロン塩酸塩（グラニセトロン®）点滴静注 1mg／50mL	点滴末梢本管（15分）
	2	セツキシマブ [Cmab]（アービタックス®）400mg/m^2* ＋ 生食 250mL	点滴末梢本管（2時間）
	3	生食 50mL	点滴末梢本管（5分）
	4	パクリタキセル [PTX] 100mg／m^2 ＋ 生食 500mL	点滴末梢本管（6時間）
	5	カルボプラチン [CBDCA]（カルボプラチン®）AUC 2.5 ＋ 生食 250mL	点滴末梢本管（1時間）
	6	生食 50mL	点滴末梢本管（5分）
3 10	1	d-クロルフェニラミンマレイン酸塩 5mg ＋ 生食 50mL	点滴末梢本管（15分）
	2	Cmab 250mg/m^2 ＋ 生食 250mL	点滴末梢本管（1時間）
	3	生食 50mL	点滴末梢本管（5分）

*：2コース目以降 250mg/m^2

● 投与15日目Cmab投与例

投与日	投与順	投与量	投与方法
15	1	d-クロルフェニラミンマレイン酸塩 5mg ＋ 生食 50mL	点滴末梢本管（15分）
	2	Cmab 250mg/m²* ＋ 生食 100mL	点滴末梢本管（1時間）
	3	生食 50mL	点滴末梢本管（5分）

適応・治療開始基準

■ TPF療法の実施が困難な，遠隔転移のない局所進行（cT4b and/or cN2～3, cStage IV A or IV B：UICC第8版）頭頸部扁平上皮癌。

■ TPF療法の実施が困難な，再発・転移頭頸部扁平上皮癌。

■ ECOG PS 0～1

■ 主要臓器機能が保たれている（以下が目安）。

- 好中球数≧1,500/μL
- 血小板数≧$10.0 \times 10^4/\mu$L
- ヘモグロビン≧9.0g/dL
- 総ビリルビン≦2.4mg/dL
- AST，ALT≦100IU/L
- クレアチニンクレアランス推定値（Ccr*）＞40mL/分

＊：Cockcroft-Gault式による推定値

慎重投与・禁忌

	慎重投与	禁忌
年齢	75歳以上	
骨髄抑制	骨髄抑制を有する	重篤な骨髄抑制
腎機能障害	腎機能障害を有する	
アルコール	アルコール過敏（無水エタノールを含有するため）	
内服薬		ジスルフィラム，シアナミド，プロカルバジン塩酸塩
アレルギー		ポリオキシエチレンヒマシ油含有製剤（シクロスポリン注射薬）
間質性肺疾患	間質性肺疾患，またはその既往を有する	
感染		治療を有する活動性感染症

効　果

	TPF療法実施困難な局所進行頭頸部扁平上皮癌に対する導入化学療法[1]	CDDP投与不適または困難な再発・転移頭頸部扁平上皮癌[2]
ORR	87 %	40.0 %
PFS		中央値5.2カ月
OS		中央値14.7カ月

CBDCA + PTX + Cmab

有害事象マニュアル

有害事象の発現率と発現時期 [1]

有害事象	発現率（%）		発現時期
	all Grade	Grade 3/4	
好中球数減少	75～93	58～68	8～14日目
ざ瘡様皮疹	75～83	0～4	
皮疹（ざ瘡様皮疹以外）	87	15	
発熱性好中球減少症	4～9	4～9	
貧　血	4～94	4～6	
食欲不振	29～56	4～6	
低ナトリウム血症	40	4	
✓ 低マグネシウム血症	64	4	
下　痢	12～22	2～4	
悪心・嘔気	17～	2～4	
✓ 末梢神経障害	4～58	0～2	
✓ 粘膜炎	33～42	2～8	
低アルブミン血症	82	2	
低カルシウム血症	22	2	
脱毛症	84	0	
便　秘	51	0	
味覚障害	29	0	
低カリウム血症	24	0	
血小板減少	64	0	
ビリルビン上昇	22	0	
✓ infusion reaction （注入に伴う反応）		4～5	1，8，15日目

☑：「有害事象マネジメントのポイント」（☞ p80）参照。

減量早見表

減量レベル	PTX	CBDCA
初回投与量	100mg/m^2	AUC 2.5
−1	80mg/m^2	AUC 2
−2	60mg/m^2	AUC 1.6

有害事象マネジメントのポイント

✓ 低マグネシウム血症

- 「Cmab + DTX + CDDP」参照（☞p72）。

✓ infusion reaction（注入に伴う反応）

- 「Cmab + DTX + CDDP」参照（☞p73）。

✓ 末梢神経障害

治療開始前のマネジメント

- PTXによる末梢神経障害は感覚神経障害が主であるが，運動神経障害が出現することもある。
- 末梢神経障害は治療継続に大きく関わる因子であり，PTXを用いた別レジメンの臨床試験では6.9％が末梢神経障害により治療中止となっている[3]。
- PTXの使用が長期にわたると末梢神経障害の頻度が高くなる。症状発現までの期間の中央値は34日，PTX投与量の中央値は500mg/m^{2}と報告されている[3]。

有害事象発生時のマネジメント

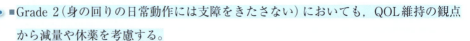

- Grade 3の末梢性感覚ニューロパチー（ボタンが留めにくい，手に持ったものを落としてしまうなど）が発現した場合には休薬を実施し，次回投与から減量を行う。
- Grade 2（身の回りの日常動作には支障をきたさない）においても，QOL維持の観点から減量や休薬を考慮する。

✓ 過敏反応

治療開始前のマネジメント

- タキサン系抗癌剤では95％が1～2回目の投与時に過敏反応を生じ，80％が投与開始10分以内に症状が出現するとされる[4]。
- 過敏反応予防のため前投薬としてデキサメタゾンリン酸エステルナトリウム，ファモチジン，d-クロルフェニラミンマレイン酸塩の投与を行う。
- 前投薬として抗ヒスタミン薬が投与されること，溶媒として無水エタノールを含むことから，投与当日は自動車の運転などを行わないことを患者に説明する。

有害事象発生時のマネジメント

- 直ちに薬剤投与を中止し，状態に応じて酸素投与や補液などを行う。

- Grade 2（皮疹，潮紅，蕁麻疹，呼吸困難，38℃以上の薬剤熱）までの場合は，ヒドロコルチゾンリン酸エステルナトリウム（水溶性ハイドロコートン®）＋*d*-クロルフェニラミンマレイン酸塩（ポララミン®）＋ファモチジンの追加投与を行い，さらなる状態の悪化を防ぐ。
- Grade 3（症状のある気管支痙攣，血管性浮腫，血圧低下）やGrade 4（アナフィラキシー）の場合には，上記に加えてアドレナリン（ボスミン®）0.3mgを筋注する。
- 症状改善後も基本的には投与を再開しない。

✓ 口腔粘膜炎・咽頭粘膜炎

治療開始前のマネジメント

- 口腔粘膜炎は頭頸部癌の化学放射線治療において最も重要な毒性のひとつであり，程度の差はあれ，ほぼ前例に発症する有害事象である。口腔粘膜炎の進行に伴う経口摂取障害と強い疼痛は，患者のQOLを低下させ，治療完遂に影響を与える要因となるため，治療開始前から下記に示す口腔粘膜炎に対する予防の重要性と出現時の対応について患者に説明しておく。

症例 77歳女性，HPV陰性中咽頭扁平上皮癌，舌根部原発，T4aN0M0

　身長145.3cm，体重38.5kg，ECOG PS 1。HPV陰性中咽頭癌（cT4aN0M0，Stage ⅣA）に対し，喉頭温存を希望されたため化学放射線療法を計画した。局所進行癌であったため，臓器温存と遠隔転移予防目的に導入化学療法としてTPF療法を検討したが高齢であること，腎機能障害（Ccr 28.6mL/分）があることを考慮し，PCE（PTX＋CBDCA＋Cmab）療法を行う方針となった。年齢を考慮し，PTX，CBDCAは1レベル減量（80mg/m^2，AUC 2.0）での投与を計画した。Cmabによるざ瘡様皮疹の予防処置としてミノサイクリン塩酸塩（ミノマイシン®）100mgと3％ヒルドイド軟膏®の処方を行った。1コース目開始後5日目には食欲不振Grade 1，倦怠感Grade 1が出現した。2コース目投与前のMRIでは腫瘍の20％以上の縮小が認められた。2コース目開始後7日目には皮疹Grade 1，悪心Grade 1，疲労Grade 2。ざ瘡様皮疹Grade 2が出現したため，休薬期間を4週間とし，3コース目はPTXを2レベル減量（60mg/m^2）とした。3コース目開始後14日目，倦怠感と食欲不振がGrade 3となったため入院とし，栄養補液（ビーフリード®）とデキサメタゾンリン酸エステルナトリウムの投与を行ったところ，症状の改善が見られた。3コース目の休薬期間終了までの間にはGrade 3以上の血液毒性は出現しなかった。その後は予定通り，化学放射線療法を行い現在も再発なく経過中である。

文　献

1) Shirasu H, et al:Efficacy and feasibility of induction chemotherapy with paclitaxel, carboplatin and cetuximab for locally advanced unresectable head and neck cancer patients ineligible for combination treatment with docetaxel, cisplatin, and 5-fluorouracil. Int J Clin Oncol. 2020;25:1914-20.

2) Tahara M, et al:Phase Ⅱ trial of combination treatment with paclitaxel, carboplatin and cetuximab (PCE) as first-line treatment in patients with recurrent and/or metastatic squamous cell carcinoma of the head and neck (CSPOR-HN02). Ann Oncol. 2018;29:1004-9.

3) Hitt R, et al:Phase Ⅱ study of the combination of cetuximab and weekly paclitaxel in the first-line treatment of patients with recurrent and/or metastatic squamous cell carcinoma of head and neck. Ann Oncol. 2012;23:1016-22.

4) Lenz HJ, et al:Management and preparedness for infusion and hypersensitivity reactions. Oncologist. 2007;12:601-9.

5) アービタックス®添付文書.

6) アービタックス®適正使用ガイド－頭頸部.

（西村　在，小野澤祐輔）

I 頭頸部癌

FP (or 5-FU + CBDCA) ± Cmab

投与スケジュール

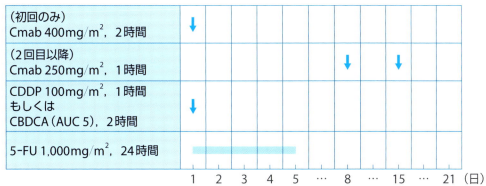

上記3週を1コースとする。

投与例

●投与1～4日目 CDDP使用レジメン例[*1]

投与日	投与順	投与量	投与方法
1	1	パロノセトロン塩酸塩（アロキシ®）点滴静注 0.75mg/50mL ＋ デキサメタゾンリン酸エステルナトリウム（デキサート®）9.9mg ＋ d-クロルフェニラミンマレイン酸塩（ポララミン®）5mg	点滴末梢本管（15分）
		生食500mL ＋ 硫酸マグネシウム（硫酸Mg補正液1mEq/mL®）20mL	点滴末梢側管（2時間）
	2	セツキシマブ[Cmab]（アービタックス®）400mg/m² ＋ 生食250mL	点滴末梢本管（2時間）
	3	アプレピタント（イメンド®）カプセル 125mg	経口
	4	シスプラチン[CDDP]（シスプラチン®）100mg/m² ＋ 生食300mL	点滴末梢本管（1時間）
	5	フルオロウラシル[5-FU]（5-FU®）1,000mg/m² ＋ ソルデム®3A輸液 1,000mL ＋ 生食 1,000mL	点滴末梢本管（24時間）
	6	D-マンニトール（マンニットール®）300mL	点滴末梢側管（1.5時間）
	7	フィジオ®35輸液 500mL	点滴末梢側管（5時間）
2 3	1	アプレピタント 80mg	経口（朝食後）

投与日	投与順	投与量	投与方法
2〜4	**1**	デキサメタゾンリン酸エステルナトリウム 6.6mg ＋ 生食 50mL	点滴末梢側管（15分）
	2	5-FU 1,000mg/m² ＋ ソルデム®3A輸液 1,000mL ＋ 生食 1,000mL	点滴末梢本管（24時間）
	3	生食 1,000mL	点滴末梢側管（5時間）

◉投与1〜4日目CBDCA使用レジメン例*2

投与日	投与順	投与量	投与方法
1	**1**	パロノセトロン塩酸塩点滴静注 0.75mg/50mL ＋ デキサメタゾンリン酸エステルナトリウム 6.6mg ＋ d-クロルフェニラミンマレイン酸塩 5mg	点滴末梢本管（15分）
	2	Cmab 400mg/m² ＋ 生食 250mL	点滴末梢本管（2時間）
	3	生食 100mL	点滴末梢本管（1時間）
	4	カルボプラチン [CBDCA]（カルボプラチン®）AUC 5 ＋ 生食 500mL	点滴末梢本管（2時間）
	5	5-FU 1,000mg/m² ＋ ソルデム®3A輸液 500mL ＋ 生食 1,000mL	点滴末梢本管（24時間）
2〜4	**1**	5-FU 1,000mg/m² ＋ ソルデム®3A輸液 500mL ＋ 生食 1,000mL	点滴末梢本管（24時間）

◉投与8，15日目Cmab投与例

投与日	投与順	投与量	投与方法
8 15	**1**	d-クロルフェニラミンマレイン酸塩 5mg ＋ 生食 50mL	点滴末梢本管（15分）
	2	Cmab 250mg/m² ＋ 生食 100mL	点滴末梢本管（1時間）
	3	生食 50mL	点滴末梢本管（5分）

＊1：5-FU＋CDDP療法レジメンの用量はCDDP 100mg/m²，5-FU 1,000mg/m²であるが，このレジメンの日本人に対する実施可能性も確認されている。しかしこの標準レジメンは臨床試験に適格となるような，全身状態良好で腎機能をはじめとする臓器機能が保たれている患者には十分実施可能であるが，そうでないケースには減量が必要である。特にCDDP 100mg/m²投与に際しては，Ccrは少なくとも70mL/分以上に保たれていることが望ましい。

＊2：CBDCAとCDDPを有効性において直接比較した試験はないが，CDDPがkey drugと解釈されているため，CBDCAの使用は腎障害悪化の懸念がある場合，あるいは支持療法として必要な多量輸液が不適な場合に限るべきである。

適応・治療開始基準

■組織学的に扁平上皮癌と確定診断されている，局所療法ではコントロールできない再発・転移頭頸部癌。

※上咽頭癌での有効性は確認されていない。

■主要臓器機能が保たれている（以下が目安）。

- 好中球数≧1,500/μL
- 血小板数≧7.5×10^4/μL
- ヘモグロビン≧9.0g/dL
- 総ビリルビン≦$2.0 \times$ upper limit of normal（ULN）
- AST，ALT≦$3 \times$ ULN
- CDDP使用時：クレアチニンクリアランス推定値（Ccr*）＞60mL/分

＊：Cockcroft-Gault式による推定値

慎重投与・禁忌

	慎重投与	禁 忌
年 齢	75歳以上	
聴覚障害	聴覚障害を有する	
心機能障害	心機能低下を有する →CBDCAへの変更を考慮する	不安定狭心症，6カ月以内の心筋梗塞 CDDP：多量補液に不耐の心機能障害
胸腹水・心嚢液	胸腹水・心嚢液を有する →CBDCAへの変更を考慮する	CDDP：ドレナージを要する胸腹水・心嚢液貯留
腎障害	CDDP：Ccr 40～60mL/分 →CBDCAへの変更を考慮する	CDDP：Ccr＜40mL/分
肝障害		重度の肝機能障害を有する
感 染		治療を要する活動性感染症

効 果

	切除不能頭頸部癌に対する 治療例[1, 2]
RR	36 %
PFS	4.1～5.6カ月
OS	10.1～14.1カ月

FP (or 5-FU + CBDCA) ± Cmab

有害事象マニュアル

有害事象の発現率と発現時期[1, 2]

有害事象	発現率（%）		発現時期
	all Grade	≧ Grade 3	
✓ 好中球数減少		22〜64	7〜28日
✓ 白血球減少		9〜52	10〜28日
✓ 貧　血		13〜33	6〜20日
✓ 血小板数減少		11〜18	6〜20日
食欲不振		5〜21	
リンパ球減少		18	6〜20日
低マグネシウム血症		5〜15	
✓ 下　痢		15	
低カリウム血症		7〜12	
疲　労		12	
皮膚反応		6〜9	
✓ 悪心・嘔吐		5〜9	1〜7日
低ナトリウム血症		9	
失　神		9	
心疾患イベント		7	
高カリウム血症		6	
無力症		5	
発熱性好中球減少症		5	
呼吸不全		4	
肺　炎		4	
敗血症		4	
低カルシウム血症		4	

☑：「有害事象マネジメントのポイント」（☞ p87）参照。

減量早見表

減量レベル	CDDP	CBDCA	5-FU	Cmab
初回投与量	100mg/m²	AUC 5	1,000mg/m²	250mg/m²
−1	80mg/m²	AUC 4	800mg/m²	200mg/m²
−2	60mg/m²	AUC 3	600mg/m²	150mg/m²

86

有害事象マネジメントのポイント

✓ 腎保護

- 「TPF」参照（☞p63）。

✓ 悪心・嘔吐

治療開始前のマネジメント

- 制吐薬は嘔吐してから飲む薬ではなく，予防として早めに使うのがコツであることを患者に十分説明しておくこと。
- CDDPは高度催吐性リスクに分類されているため，投与例に示すようにアプレピタント，パロノセトロン塩酸塩，デキサメタゾンリン酸エステルナトリウムを前投与する。
- CBDCAは中等度催吐性リスクに分類されているが，AUC 5の高用量の際にはアプレピタント（投与1日目 125mg，投与2，3日目 80mg）の併用を考慮してもよい。

有害事象発生時のマネジメント

- 突発性の悪心はドパミン受容体拮抗薬〔メトクロプラミド（プリンペラン®）5mg，ドンペリドン（ナウゼリン®）10mg，プロクロルペラジン（ノバミン®）5mg〕や，眠気が問題となるがハロペリドール（セレネース®）を定時もしくは頓用で使用する。
- 上記で対応できない場合は，投与4，5日目のアプレピタント80mg追加を考慮する。
- 上記でも悪心が強い場合や，治療前から悪心がするなどの予期性嘔吐の場合，オランザピン（ジプレキサ®）やベンゾジアゼピン系抗不安薬〔アルプラゾラム（アルプラゾラム®），ロラゼパム（ロラゼパム®）〕などを治療開始前に内服するのも有効である。なお，オランザピンは高血糖を引き起こす可能性があるため，糖尿病患者には使用しない。

✓ 下痢

治療開始前のマネジメント

- 事前に下痢が起こる可能性を患者に十分説明し，初回治療開始前にあらかじめ止痢薬としてロペラミド塩酸塩を渡しておき，下痢時の対処法について説明しておく。

有害事象発生時のマネジメント

- 下痢が出現した際にはロペラミド塩酸塩1〜2mgを内服し，その後も2〜3時間ごとに下痢が改善するまで頓用で内服する（計16mg/日まで）。

- 上記のマネジメントをもってしても下痢が止まらない際や，十分な経口摂取ができない際には外来受診し，入院加療，補液での脱水・電解質補正を考慮する。
- 下痢が2日以上増悪傾向にある際には感染性腸炎や好中球数減少の合併も考え，血液検査で確認し，抗菌薬の併用（ニューキノロン系薬，第3世代セフェムなど）を考慮する。

減量・再開のポイント

- Grade 3以上の下痢が出現した場合は，次コースより5-FUを1レベル減量して投与する。

✓ 口腔粘膜炎

治療開始前のマネジメント

- 口腔粘膜炎は重症化すると経口摂取が著しく障害されるため，治療開始前から口腔粘膜炎出現時の対応について患者に説明しておく。
- 口腔衛生状態が不良であると，口腔粘膜炎が発症しやすくなるため，治療開始前から歯科口腔外科に診察を依頼し，齲歯や歯周病，義歯のチェック，口腔内セルフケアの指導を行う。
- 口腔粘膜炎が出現する前に口腔内にざらざらとした乾燥感や違和感が出現することがある。違和感出現時から含嗽を励行するなど，早期に含嗽を開始することが口腔粘膜炎の重症化予防にとって肝要である。

有害事象発生時のマネジメント

- 1回につきアズレンスルホン酸ナトリウム水和物・$NaHCO_3$配合（含嗽用ハチアズレ®）顆粒2gを常温水100mLに溶解したもので口腔内含嗽を行い，これを1日4〜5回行う。
- 口腔内乾燥や，口腔内潰瘍が出現した際には含嗽用ハチアズレ2gにつきグリセリン液12mLを併用し，疼痛がある際にはリドカイン塩酸塩・アドレナリン配合（キシロカイン®）液4％1〜2mLを併用する。疼痛に対する全身投与としては，アセトアミノフェン（カロナール®）1,200〜2,400mg／日や，モルヒネ塩酸塩水和物（オプソ®）を考慮する。
※腎機能が治療継続のカギになるため，原則，他のNSAIDsは使用しない。
- 口腔内潰瘍や口角炎のびらんには，0.033％アズレン（アズノール®）軟膏を塗布する。
- 口腔粘膜炎が重症化したり，難治性であったりした場合には，カンジダなどの感染を合併していることもある。適宜，歯科口腔外科に診察を依頼し，必要時はミコナゾール（フロリード®ゲル）経口用で治療する。
- 口腔粘膜炎（Grade 3）の際にはCDDP／CBDCA＋5-FU療法を休止する。Grade 1以下に改善した際には1レベル減量して再開可能。

減量・再開のポイント

- 前コース中に口腔粘膜炎（Grade 3）が出現した場合は，次コースより5-FU，CDDPをいずれも1レベル減量する。

✓ 白血球減少・好中球数減少

治療開始前のマネジメント

- 好中球数減少は有害事象として実際に目に見えないが，いかに注意が必要かを患者に十分説明してから投与を開始する。あらかじめ発熱時の抗菌薬を処方しておき，症状が持続する場合は病院へ連絡できる体制をつくっておく。
- 通常，投与後7〜10日頃に発現し，多くは次コース開始までに回復するが，骨髄抑制には個人差があるため，定期的に血液検査で確認する。

有害事象発生時のマネジメント

- 好中球数1,000/μL未満で38℃以上の発熱が出現するか，好中球数500/μL未満が確認された時点からG-CSF投与を考慮する。
- 10日目を過ぎ，好中球数≧5,000/μLとなった際にG-CSF製剤を中止する。
- 好中球数1,000/μL未満で38℃以上の発熱が出現した際には，発熱性好中球減少として，入院にてG-CSF製剤および静注抗菌薬の投与を行う。全身状態が良好な低リスク群（MASCCスコア21点以上）に対しては，経口抗菌薬〔シプロフロキサシン（シプロキサン®）200〜500mg＋アモキシシリン水和物・クラブラン酸カリウム配合（2:1）（オーグメンチン®）125/250〜125/500mgを8時間ごと〕による外来治療も選択肢のひとつとなるが，患者に対する十分な教育や理解，近隣病院のサポート態勢などを考慮して対応する必要がある。

減量・再開のポイント

- 白血球減少，好中球数減少（Grade 4），発熱性好中球減少症（Grade 3以上）を認めた場合，次コースは5-FU，CDDP/CBDCAともに1レベル減量で行う。

✓ 貧 血

治療開始前のマネジメント

- 高度な貧血になるまでは自覚症状に乏しい場合があり，定期的な血液検査でのフォローが必要である。動悸，息切れ，易疲労感，起立性低血圧などの症状が出現した際には早めの受診を指示しておく。

✓ 血小板数減少

治療開始前のマネジメント

- CDDPでは少ないが，CBDCAにおいて血小板数減少をきたしやすい。
- 血小板数減少は初期のうちに自覚できる症状はなく，定期的な血液検査で確認する必要があることをあらかじめ患者に説明しておく。

有害事象発生時のマネジメント

- 血小板数減少に対する治療法は血小板輸血のみである。
- 感染やDICの合併を除外できない場合には，急激に血小板数減少や全身状態が悪化する可能性があるため，入院下で経過をみるべきである。

減量・再開のポイント

- Plt＜5万/μLが認められた際には，次コースの5-FU，CDDP/CBDCAをともに1レベル減量する。

症例　62歳男性，舌癌術後多発肺転移

　身長171.8cm，体重61.15kg，PS 0。舌異常知覚と頸部腫瘤を契機に診断された舌癌に対して舌亜全摘，頸部リンパ節郭清を施行し，切除断端陽性および転移リンパ節の節外進展を認めたため，術後にCDDP併用の化学放射線療法を施行したが，1年8カ月後のCTで多発肺転移再発を認めた。CDDP最終投与から1年8カ月後の再発であり，CDDP感受性ありと考え，5-FU 800mg/m^2，CDDP 80mg/m^{2}でFP＋Cmab療法を開始した。1コース目投与3日目より悪心（Grade 2），食欲不振（Grade 2）が出現したため，投与4，5日目にイメンド®80mgを追加，ジプレキサ®ザイディス5mgを併用したところ，投与14日目には悪心は消失した。また口内炎（Grade 1）が出現したため，投与8日目より含嗽用ハチアズレ®，アズノール®軟膏塗布を開始した。投与22日目には食事摂取良好で全身状態良好であったが，好中球数1,080/μLと好中球数減少（Grade 2）を認めたため，FP療法は延期し，Cmabのみ投与した。投与29日目には好中球数1,400/μLまで改善していたため，投与1日目からジプレキサ®ザイディス5mgを投与し，イメンド®を投与5日目まで延長投与して2コース目を施行したところ，悪心を認めなかった。しかし口内炎はGrade 3にまで増悪したため，含嗽用ハチアズレ®にキシロカイン®液，グリセリン液を併用しつつ，ラコール®内服による経口栄養補助で対応した。投与22日目には口内炎はGrade 1にまで改善したが，好中球数減少（Grade 3）（560/μL）を認めたため，FP療法を延期しCmabのみ投与した。投与29日目には好中球数1,259/μLまで改善していたため，5-FU 600mg/m^2，CDDP 60mg/m^{2}に減量して3コース目を開始したところ，口内炎はGrade 2までで経過した。3コース後のCTではSDの判定であったが，累積CDDP 470mg/m^{2}となったため，以後はCmab維持療法に移行した。

文　献

1) Jan B, et al:Platinum-based chemotherapy plus cetuximab in head and neck cancer. N Engl J Med. 2008;359:1116-27.
2) Yoshino T, et al:Platinum-based chemotherapy plus cetuximab for the first-line treatment of Japanese patients with recurrent and/or metastatic squamous cell carcinoma of the head and neck: results of a phase II trial. Jpn J Clin Oncol. 2013;43:524-31.
3) Kidera Y, et al:Risk factors for cisplatin-induced nephrotoxicity and potential of magnesium supplementation for renal protection. PloS One. 2014;9:e101902.

（横田知哉）

I 頭頸部癌

Pembrolizumab

投与スケジュール

- 免疫チェックポイント阻害薬の投与を開始する前には，p27の補足資料に従って必ずチェックを行うこと。

◉3週投与法

上記3週を1コースとする。
投与においてはインラインフィルター（0.2～5μm）を使用する。

◉6週投与法

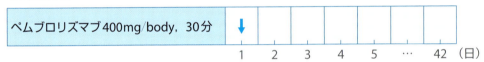

上記6週を1コースとする。
投与においてはインラインフィルター（0.2～5μm）を使用する。

投与例

◉3週投与法

投与日	投与順	投与量	投与方法
1	1	ペムブロリズマブ（キイトルーダ®）200mg/body ＋ 生食100mL	点滴末梢本管（30分）
	2	生食50mL	点滴末梢本管（10分）

◉6週投与法

投与日	投与順	投与量	投与方法
1	1	ペムブロリズマブ 400mg/body ＋ 生食100mL	点滴末梢本管（30分）
	2	生食50mL	点滴末梢本管（10分）

適応・治療開始基準 [1,2]

- 再発または遠隔転移を有する頭頸部癌。

- ECOG PS 0～1
- 局所進行例に対するプラチナ製剤ベースの化学放射線療法後，または術後補助化学放射線療法後，あるいは再発・遠隔転例に対するプラチナ製剤ベースの全身化学療法の最終投与後6カ月以上経過後に再発・転移を認めている。
- 主要臓器機能が保たれている。
- ペムブロリズマブの投与に際しては，腫瘍組織を用いた免疫組織化学法で，CPS（combined positive score）によるPD-L1発現を確認することが望ましい（保険承認済）。
- KEYNOTE-048試験では1＜CPSの患者において，ペムブロリズマブ単独療法のCmab＋プラチナ製剤＋5-FU療法（EXTREMEレジメン）に対する優越性が示された。しかし，ペムブロリズマブ単独療法とペムブロリズマブ＋プラチナ製剤＋5-FU療法を比較すると，ペムブロリズマブ＋プラチナ製剤＋5-FU療法のほうがOSのハザード比が小さく，かつ高い奏効割合が期待できる。したがって，ペムブロリズマブ単独療法の選択にあたっては，高度な腫瘍随伴症状を有する場合や腫瘍増大速度が速い場合，または主要血管へ近接している場合や気道閉塞のリスクが高い場合など，速やかな腫瘍縮小が必要な症例では注意を要する。
- また，CPS＜1の症例では，ペムブロリズマブ単独療法により早期に増悪する可能性があることに留意する。
- 3週ごと200mg投与法と6週ごと400mg投与法に関しては明確な選択基準はない。当院では治療開始時には3週ごと投与法で開始し，有害事象や治療効果が安定している場合には，6週ごと投与法への切り替えを考慮している。

慎重投与 [2)]

	慎重投与
年　齢	高齢者
間質性肺疾患	間質性肺疾患，またはその既往を有する
自己免疫性疾患	自己免疫性疾患，またはその既往を有する
過敏症	

効　果

	KEYNOTE-048試験 [1)]	
	CPS≧20	CPS≧1
ORR	23.3％	19.1％
PFS	中央値3.4カ月 6カ月生存割合32％ 12カ月生存割合23％	中央値3.2カ月 6カ月生存割合28％ 12カ月生存割合20％
OS	中央値14.9カ月 12カ月生存割合56.9％ 18カ月生存割合46.1％	中央値12.3カ月 12カ月生存割合51.0％ 18カ月生存割合39.5％

Pembrolizumab

有害事象マニュアル

有害事象の発現率と発現時期[1, 2]

免疫関連有害事象	発現率（％）		発現日中央値（範囲）
	all Grade	≧ Grade 3	
貧　血	21	5	
✓間質性肺疾患	＜1	＜1	148（16〜611）
✓甲状腺機能低下	18	0	86（2〜685）
便　秘	20	＜1	
✓下痢（腸炎）	15	＜1	138（41〜645）
悪　心	16	0	
嘔　吐	11	＜1	
倦怠感	28	3	
粘膜炎	4	1	
発　熱	13	＜1	
体重減少	15	1	
皮膚炎	10	＜1	346*

＊：1例のみ。
☑：「有害事象マネジメントのポイント」参照。

減量・休薬・中止基準

■有害事象の発現頻度や重篤度には，免疫チェックポイント阻害薬（ペムブロリズマブ）の用量依存性が認められない。したがって有害事象発生時は減量ではなく，有害事象の対処法アルゴリズムに従い，休薬，中止を判断する。

■有害事象の対処法アルゴリズムは発生した有害事象により休薬・中止基準が異なることに注意が必要である。

■免疫関連有害事象（irAE）はステロイドに対する治療効果が高いので，重症度に応じて速やかにステロイドによる治療を開始することで，多くのirAEがコントロール可能である。しかし症状が重篤化すると死亡に至るケースも報告されており，早期診断，早期治療開始が重要である。

有害事象マネジメントのポイント[3〜5]

■以下のirAEのほかに，稀ではあるが，重症筋無力症，心筋炎，筋炎，横紋筋融解症，ニューロパチー，腎障害，脳炎，重度の皮膚障害，静脈血栓塞栓症などにも留意する。

※irAEに対する薬剤，対処法については，ガイドラインや適正使用ガイドにより常に最新の情報を確認することが望ましい。

✓ 間質性肺疾患

治療開始前のマネジメント

- 呼吸器疾患の有無を問診で確認しておく。
- 投与開始前に咳嗽や呼吸困難感の有無，胸部聴診（ラ音の聴取），胸部単純X線検査，SpO_2のモニタリングチェックを行う。
- 投薬前の診察時には，少なくともSpO_2の確認を必ず行うようにする。

有害事象発生時のマネジメント

- 乾性咳嗽，息切れ，呼吸困難感，ラ音の聴取等の臨床症状が出現し，間質性肺疾患が疑われた場合は，速やかに胸部単純X線検査，胸部CT検査，血液検査（血算，血液像，CRP，KL-6，SP-D）等の検査を実施し，必要に応じて呼吸器内科医へ相談する。
- 感染症との鑑別（喀痰，β-Dグルカン，サイトメガロウイルス抗原など）も同時に行う。

肺関連有害事象の対処法アルゴリズム

肺臓炎のGrade（CTCAE v5.0）	対処法とフォローアップ
Grade 1（画像的変化のみ）	・ペムブロリズマブの投与を中止し3週ごとに画像評価を行う。 ・回復した場合はペムブロリズマブの投与再開を検討する。 ・症状が悪化した場合はGrade 2～4の対処法で治療を行う。
Grade 2（軽度～中等度の新たな症状）	・ペムブロリズマブ投与を中止し，入院，ステロイド投与[*1]，1～3日ごとの画像評価を行う。 ・症状が改善した場合は1カ月以上かけてステロイドを漸減する。 ・症状が改善しない場合はGrade 3～4の対処法で治療する。
Grade 3～4（重度の新たな症状；生命を脅かす）	・ペムブロリズマブ投与を中止し，入院，ステロイドパルス[*2]療法を行う。 ・症状が改善した場合は6週間以上かけてステロイドを漸減する。 ・症状が改善しない場合は免疫抑制剤[*3]を追加投与する。

[*1]：1mg／kg／日の静注メチルプレドニゾロンコハク酸エステルナトリウムまたはその等価量の経口薬。

[*2]：2～4mg／kg／日の静注メチルプレドニゾロンコハク酸エステルナトリウムまたはその等価量の副腎皮質ステロイドを静注する。

[*3]：インフリキシマブ，シクロホスファミド，静注免疫グロブリン，ミコフェノール酸モフェチル等（いずれも保険未収載）。

✓ 内分泌障害（甲状腺機能異常・下垂体機能異常・副腎障害）

治療開始前のマネジメント

- 問診にて甲状腺機能障害の既往の有無を確認する。
- スクリーニング時にTSH，FT_3，FT_4，コルチゾール・ACTH（いずれも早朝空腹時）を測定する。

有害事象発生時のマネジメント

■倦怠感，浮腫，悪寒，動作緩慢，発汗過多，体重減少，眼球突出，動悸，振戦，不眠などの症状を認めた場合は，速やかにTSH，FT_3，FT_4，コルチゾール，ACTH，また必要に応じてT-Chol，抗甲状腺サイログロブリン抗体，抗甲状腺マイクロゾーム抗体やその他の下垂体ホルモン（LH，FSH，GH，プロラクチン）も測定する。

内分泌障害の対処法アルゴリズム

無症候性のTSH増加	・ペムブロリズマブ投与を継続する。
症候性の内分泌障害	・内分泌機能の評価を行う。 ・下垂体炎，下垂体機能低下が疑われる場合は，頭部MRI検査による下垂体撮影を検討する。 ・症候性であり，臨床検査値あるいは頭部MRI検査で下垂体に異常を認めた場合は，ペムブロリズマブ投与を中止し，ステロイド投与[*1]，ホルモン補充[*2]を行う。 ・臨床検査値および頭部MRI検査で異常は認めないが症状が持続する場合は，1〜3週ごとの臨床検査または1カ月ごとに頭部MRI検査を継続する。
症状が改善した場合（ホルモン補充療法の有無は問わない）	・ホルモン補充療法を継続しながらペムブロリズマブ投与を継続する[*2]。 ・副腎不全を有する患者は鉱質コルチコイド作用を有するステロイド投与継続を必要とする場合がある。
副腎クリーゼ疑い（原疾患および合併症から想定しにくい程度の重度の脱水，低血圧，ショックなど）	・ペムブロリズマブ投与は中止し，輸液，ストレス用量の鉱質ステロイド作用を有するステロイド静注を開始する。 ・内分泌専門医に相談する。

＊1：1mg/kg/日の静注メチルプレドニゾロンコハク酸エステルナトリウムまたはその等価量の経口薬。
＊2：ホルモン補充に際して甲状腺・副腎機能がともに障害されている場合に甲状腺ホルモンの補充のみを行うとかえって副腎不全が悪化するため，ステロイド投与を先行させる。

✓ 大腸炎・重度の下痢

治療開始前のマネジメント

■治療開始前に，制酸薬，エリスロマイシンやペニシリン系薬剤などの抗菌薬，鉄剤，メフェナム酸，非ステロイド性抗炎症薬（NSAIDs），ビグアナイド系薬剤やスルホニル尿素系薬剤などの血糖降下薬といった，下痢の原因となりうる薬剤の使用状況を把握しておく。

■下痢が生じることで，電解質バランスが崩れたり，腸管粘膜が傷害され感染が起こりうるため，排便回数や便の性状などを患者自身で観察し，早期に下痢を認識できるように指導しておく。また，下痢が持続する際には，必ず病院に連絡するように指導しておく。

■感染源となりうるため，肛門周囲の清潔を保つように指導する。

- 下痢が出現した際には，乳製品や香辛料の強い食べ物，アルコール，カフェイン，高脂肪食などの下痢をきたしやすい食物を避け，電解質が含まれた糖液を摂取するように指導する。

有害事象発生時のマネジメント

- Grade 1の下痢が出現した場合には，整腸剤などの対症療法を行いながらペムブロリズマブの投与を継続する。ロペラミド塩酸塩（ロペミン®）などの止痢薬を投与することで，治療開始が遅れ，重症化する可能性があるため，当センターでは，基本的に止痢薬は使用していない。
- Grade 2以上となった場合には，ペムブロリズマブの投与を中止し，全身性副腎皮質ホルモンの投与を検討する。また，便中白血球検査や便培養検査などの便検査，血算や電解質などの血液検査，腹部単純X線検査や腹部造影CT検査，下部内視鏡検査などの画像検査を行い，偽膜性腸炎や大腸菌感染などの細菌感染やノロウイルスなどのウイルス感染，虚血性腸炎，炎症性腸疾患など下痢をきたしうる疾患の評価も同時に行い，必要に応じて消化器専門医への相談を行う。
- Grade 2の下痢では，0.5〜1.0mg/kg/日のプレドニン®の投与，Grade 3〜4の下痢では，1.0〜2.0mg/kg/日の静注メチルプレドニゾロンの投与を行い，症状がGrade 1に改善した後に1カ月以上かけてステロイドの漸減を行う。ニボルマブの投与は，プレドニン®が10mg/日以下まで減量した後に検討する。

胃腸関連有害事象の対処法アルゴリズム

下痢または大腸炎のGrade （CTCAE v5.0）	対処法とフォローアップ
Grade 1 下痢：ベースラインと比べて4回未満/日の排便回数の増加 大腸炎：無症状	・ペムブロリズマブ投与を継続し，対症療法を行う。 ・症状が悪化した場合は直ちに連絡するように患者に伝え，悪化した場合はGrade 2〜4の対処法で治療する。
Grade 2 下痢：ベースラインと比べて4〜6回/日の排便回数の増加，身の回り以外の日常生活動作の制限 大腸炎：腹痛，血便	・ペムブロリズマブ投与を中止し，対症療法を行う。 ・症状が5〜7日間を超えて持続あるいは再発した場合はステロイド内服[*1]を開始する。 ・症状がGrade 1まで改善した場合は，1カ月以上かけてステロイドを漸減し，ペムブロリズマブ投与再開を検討する。 ・症状が悪化した場合は，Grade 3〜4の対処法で治療する。
Grade 3〜4 下痢：ベースラインと比べて7回以上/日の排便回数の増加 大腸炎Grade 3：重度の腹痛；腹膜刺激症状あり 大腸炎Grade 4：生命を脅かす，穿孔	・ペムブロリズマブ投与を中止し，入院の上ステロイドパルス[*2]療法を行う。 ・症状がGrade 1に改善するまでステロイド投与を継続した後，1カ月以上かけてステロイドを漸減する。 ・症状が改善しない場合は免疫抑制薬[*3]を追加投与する。

[*1]：0.5〜1mg/kg/日の経口メチルプレドニゾロンコハク酸エステルナトリウムまたはその等価量の経口薬。

＊2：1〜2mg/kg/日の静注メチルプレドニゾロンコハク酸エステルナトリウムまたはその等価量の
副腎皮質ステロイドを静注する。
＊3：インフリキシマブ5mg/kg（注：インフリキシマブは消化管穿孔または敗血症の症例へは
使用すべきではない）（保険未収載）

症 例 **65歳女性，舌癌術後，補助化学放射線治療後再発，肺転移**

PS 1。舌癌cT2N0M0 cStage Ⅱに対し舌部分切除術を施行した。手術から3カ月
後に頸部リンパ節再発をきたし，頸部郭清術と術後化学放射線治療（weekly CDDP＋
RT）を施行した。術後化学放射線治療から10カ月後，孤立性肺転移を認め，肺腫瘍切
除を行ったが，そのさらに4カ月後，新たに多発肺転移を認めた。肺切除検体におけ
るCPSは100であり，臨床症状は認めず肺転移の腫瘍量も少なかったため，ペムブロ
リズマブ単独療法を行う方針とした。ペムブロリズマブを4回投与後，甲状腺機能低
下が出現したため，レボチロキシンナトリウム50μgの投与を開始した。治療開始か
ら20カ月が経過し，現在も病変の増大や新規遠隔転移の出現なく経過している。な
お，本症例では，現時点で甲状腺機能障害以外の免疫関連有害事象は認めていない。

文 献

1) Burtness B, et al:Pembrolizumab alone or with chemotherapy versus cetuximab with chemotherapy for recurrent or metastatic squamous cell carcinoma of the head and neck (KEYNOTE-048): a randomized, open-label, phase 3 study. Lancet. 2019;394:1915-28.
2) MSD製薬：キイトルーダ®irAEナビ.
3) オプジーボ®・ヤーボイ®適正使用ガイド.
4) キイトルーダ®適正使用ガイド.
5) 日本臨床腫瘍学会，編：がん免疫療法ガイドライン. 第2版. 金原出版, 2019.

（西村　在，横田知哉）

I 頭頸部癌

FP(or 5-FU+CBDCA) + Pembrolizumab

投与スケジュール

- 免疫チェックポイント阻害薬の投与を開始する前には，p27 の補足資料に従って必ずチェックを行うこと。

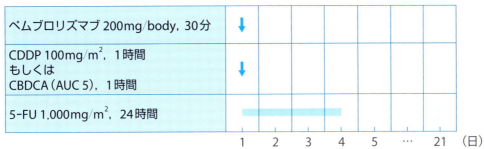

上記3週を1コースとし，6コースまで繰り返す。
7コース目以降はペムブロリズマブ単独療法（☞ p92）を継続する。
ペムブロリズマブ投与においてはインラインフィルター（0.2〜5μm）を使用する。

投与例

◉ Day1〜4 CDDP使用レジメン例

投与日	投与順	投与量	投与方法
1	1	ペムブロリズマブ（キイトルーダ®）200mg/body + 生食100mL	点滴末梢本管（30分）
	2	生食50mL	点滴末梢本管（10分）
	3	生食1,000mL	点滴末梢本管（4時間）
	4	パロノセトロン（アロキシ®）点滴静注0.75mg/50mL + デキサメタゾンリン酸エステルナトリウム（デキサート®）9.9mg + メトクロプラミド注（プリンペラン®）10mg/2mL	点滴末梢本管（30分）
	5	アプレピタント（イメンド®）カプセル125mg	経口
	6	シスプラチン®［CDDP］100mg/m² + 生食500mL	点滴末梢本管（1時間）
	7	フルオロウラシル［5-FU］（5-FU®）1,000mg/m² + ソルデム®3A 1,000mL + 生食1,000mL	点滴末梢本管（24時間）
	8	D-マンニトール（マンニットール®20%）	点滴末梢側管（1.5時間）
	9	ソルデム®3A G輸液	点滴末梢側管（5時間）

99

2～3	1	アプレピタント80mg	経口（朝食後）
2～4	1	デキサメタゾンリン酸エステルナトリウム6.6mg ＋ メトクロプラミド注10mg／2mL ＋ 生食100mL	点滴末梢側管（60時間）
	2	5-FU 1,000mg／m² ＋ ソルデム®3A G輸液 1,000mg ＋ 生食1,000mL	点滴末梢本管（24時間）
	3	ソルデム®3A G輸液 1,000mL	点滴末梢側管（5時間）

◉ Day1～4 CBDCA使用レジメン例

投与日	投与順	投与量	投与方法
1	1	ペムブロリズマブ200mg／body ＋ 生食100mL	点滴末梢本管（30分）
	2	生食50mL	点滴末梢本管（10分）
	3	パロノセトロン点滴静注0.75mg／50mL ＋ デキサメタゾンリン酸エステルナトリウム6.6mg	点滴末梢本管（15分）
	4	カルボプラチン[CBDCA]（カルボプラチン®）AUC 5 ＋ 生食500mL	点滴末梢本管（1時間）
	5	5-FU 1,000mg／m² ＋ ソルデム®3A G輸液 1,000mL ＋ 生食1,000mL	点滴末梢本管（24時間）
2～4	1	5-FU 1,000mg／m² ＋ ソルデム®3A G輸液 1,000mg ＋ 生食1,000mL	点滴末梢本管（24時間）

適応・治療開始基準[1, 2]

- 再発または遠隔転移を有する頭頸部癌。
- ECOG PS 0～1
- 局所進行例に対するプラチナ製剤ベースの化学放射線療法後，または術後補助化学放射線療法後，あるいは再発・遠隔転例に対するプラチナ製剤ベースの全身化学療法の最終投与後6カ月以上経過後に再発・転移を認めている。
- 主要臓器機能が保たれている（以下が目安）。

> - 好中球数≧ 1,500／μL
> - 血小板数≧ 10.0 × 10⁴／μL
> - ヘモグロビン≧ 9.0g／dL
> - 総ビリルビン≦ 2.0 × ULN
> - AST，ALT ≦ 3 × ULN
> - CDDP使用時：クレアチニンクリアランス推定値（Ccr*）＞60mL／分

＊：Cockcroft-Gault式による推定値

※CDDP使用レジメンの用量はCDDP 100mg/m^2, 5-FU 1,000mg/m^{2}であり, この用量の日本人に対する実施可能性も確認されている。しかし, この標準用量は臨床試験に適格となるような全身状態良好で臓器機能が保たれている患者には実施可能であるが, そうでないケースには減量が必要である。特にCDDP 100mg/m^{2}投与に際しては, Ccrは少なくとも70mL/分以上に保たれていることが望ましい。

※CBDCAとCDDPを有効性において直接比較した試験はないが, CDDPがkey drugと解釈されているため, CBDCAの使用は腎障害, 聴器障害, 神経障害の懸念がある場合や大量補液が不適な場合に限るべきである。

- ペムブロリズマブの投与に際しては腫瘍組織を用いた免疫組織化学法で, CPS（combined positive score）によるPD-L1発現を確認することが望ましい（保険承認済）。

- KEYNOTE-048試験ではITT集団において, ペムブロリズマブ＋プラチナ製剤＋5-FU療法のCmab＋プラチナ製剤＋5-FU療法（EXTREMEレジメン）に対する優越性が示されている。CPS別の解析では, CPS≧1の場合にはペムブロリズマブ＋プラチナ製剤＋5-FU療法群はEXTREMEレジメン群と比べてOSの有意な延長が認められた。一方, CPS＜1の場合にはペムブロリズマブ＋プラチナ製剤＋5-FU療法群とEXTREMEレジメン群の有効性はほぼ同等であり, EXTREMEレジメンとペムブロリズマブ＋プラチナ製剤＋5-FU療法との使い分けは不明である。

- ペムブロリズマブ単独療法とペムブロリズマブ＋プラチナ製剤＋5-FU療法の選択について, ペムブロリズマブ＋プラチナ製剤＋5-FU療法のほうがOSのハザード比が小さく, かつ高い奏効割合が期待できる。したがって, 高度な腫瘍随伴症状を有する場合や腫瘍増大速度が速い場合, または主要血管へ近接している場合や気道閉塞のリスクが高い場合など, すみやかな腫瘍縮小が必要な症例ではペムブロリズマブ単独療法よりペムブロリズマブ＋プラチナ製剤＋5-FU療法のほうが推奨される。

慎重投与・禁忌 [2)]

	慎　重　投　与	禁　忌
年　齢	≧71歳	
聴覚障害	聴覚障害を有する	
心機能障害	心機能低下を有する→CBDCAへの変更を考慮する	不安定狭心症，6カ月以内の心筋梗塞
胸腹水・心囊液	胸腹水・心囊液を有する→CBDCAへの変更を考慮する	CDDP：大量補液に不耐の心機能障害
腎障害	CDDP：Ccr 40〜60mL/分→CBDCAへの変更を考慮する	CDDP：ドレナージを要する胸腹水・心囊液貯留
肝障害		CDDP：Ccr＜40mL/分
感　染		重度の肝機能障害を有する
間質性肺疾患	間質性疾患，またはその既往を有する	
自己免疫性疾患	自己免疫性疾患，またはその既往を有する	
過敏症		

効　果

	KEYNOTE-048試験 [1)]		
	CPS≧20	CPS≧1	ITT集団
ORR	42.9%	36.4%	35.6%
PFS	中央値3.4カ月 ハザード比0.73	中央値3.2カ月 ハザード比0.82	中央値4.9カ月 ハザード比0.92
OS	中央値14.7カ月 12カ月生存割合57.1% 18カ月生存割合43.5% ハザード比0.69	中央値13.6カ月 12カ月生存割合55.0% 18カ月生存割合39.1% ハザード比0.71	中央値13.0カ月 12カ月生存割合53.0% 18カ月生存割合37.6% ハザード比0.77

FP（or 5-FU+CBDCA）+Pembrolizumab

有害事象マニュアル

有害事象の発現率と発現時期 [1, 2]

有害事象	発現率（%）		発現時期
	all Grade	Grade 3/4	
✓ 好中球減少	33.0	18.1	7〜28日
✓ 白血球減少	12.3	2.9	10〜28日
✓ 貧　血	48.2	18.8	6〜20日
✓ 血小板数減少	27.2	8.7	6〜20日
甲状腺機能低下	12.7		中央値70.5日（1〜677日）
便　秘	10.1		中央値93日（6〜319日）
✓ 下　痢	17.8	1.1	
✓ 悪　心	44.9	5.4	1〜7日
✓ 口内炎	24.3	8.0	
✓ 嘔　吐	27.2	2.5	1〜7日
無力症	12.0	2.9	
倦怠感	6.5		
✓ 粘膜炎	27.9	9.4	
発　熱	5.8		
食欲不振	22.5	4.3	
低カリウム血症	5.4	2.9	
低マグネシウム血症	10.5	1.4	
✓ 急性腎障害	5.4	1.4	
肝機能障害	19.2	NR	中央値53日（1〜688日）
間質性肺疾患	5.4	NR	中央値154日（14〜461日）
皮　疹	8.0	0.4	346日*

☑：「有害事象マネジメントのポイント」（☞ p104）参照。

NR：報告なし

＊：1例のみ

　KEYNOTE-048試験では上記以外に，頻度は低いものの，心筋炎，1型糖尿病の発現もみられた。

減量早見表

減量レベル	CDDP	CBDCA	5-FU
0	100mg/m²	AUC 5	1,000mg/m²
−1	80mg/m²	AUC 4	800mg/m²
−2	60mg/m²	AUC 3	600mg/m²

有害事象マネジメントのポイント[2, 3]

　殺細胞性抗癌剤（CDDP，CBDCA，5-FU）と免疫チェックポイント阻害薬（ペムブロリズマブ）の併用療法で有害事象が生じた際は，殺細胞性抗癌剤によるものか免疫関連有害事象（irAE）なのかを区別する必要がある。両者は発生する臓器障害や発現時期が異なるため，両者に共通して起こる有害事象について鑑別の要点を以下に示す。また免疫関連に特有の有害事象については，「Pembrolizumab」（☞**p97**）参照。

殺細胞性抗癌剤と免疫チェックポイント阻害薬に共通して起こる有害事象

✓ 下 痢

　下痢は5-FUとペムブロリズマブのどちらでも起こりうる。5-FUによる下痢は投与開始から7〜10日頃に発現することが多いが，ペムブロリズマブによる下痢の発現時期は予測が困難であり，投与から間隔があいていたとしてもirAE腸炎の可能性を考慮する必要がある。また，irAE腸炎では，粘液便や血便を伴うこともある。

治療開始前のマネジメント

- ■事前に下痢が起こる可能性を患者に十分説明し，初回治療開始前にあらかじめ止痢薬としてロペラミド®を渡しておき，下痢時の対処法について説明しておく。ロペラミドを内服しても2〜3日以内に下痢が治まらない時や，5-FUによる下痢の発現時期（7〜10日頃）と乖離している時は，ペムブロリズマブによる下痢を念頭に置き，早めに受診するよう指示しておく。

有害事象発生時のマネジメント

- ■レジメン投与から7〜10日頃に下痢が出現した場合には，まず5-FUによる下痢を疑いロペラミド®1〜2mgを内服し，その後も2〜3時間ごとに下痢が改善するまで頓用で内服する（計16mg／日まで）。
- ■止痢薬を内服しても下痢が2〜3日以内に治まらない場合，または上記から乖離したタイミングで下痢が出現した場合には，irAE腸炎の可能性を考慮する。入院の上，補液による脱水・電解質補正と，血液・便培養，CT検査を行う。irAE腸炎を疑う場合には，下部消化管内視鏡検査を積極的に検討する（「Pembrolizumab」☞**p97**参照）。
- ■細菌や*Clostridium difficile*（CD），サイトメガロウイルス腸炎などの感染性腸炎の可能性を除外することも重要である。

減量・再開のポイント

- ■Grade 2以上の下痢が出現した場合にはペムブロリズマブは休薬し，副腎皮質ホルモン剤の投与を行う（「Pembrolizumab」☞**p97**参照）。

- Grade 3以上 の下痢が出現した場合は，次コースより5-FUを1レベル減量して投与する。ペムブロリズマブについては，Grade 3以上の下痢が出現した場合の再投与について，安全性は確認されていない。

✓ 口腔粘膜炎

口腔粘膜炎は5-FUとペムブロリズマブのどちらでも起こりうる。5-FUによる口腔粘膜炎は投与開始から10日以内に発現することが多いが，腸炎同様にペムブロリズマブの口腔粘膜炎の発症時期は明らかではない。そのため，治療終了後も発現の可能性に留意する必要がある。

治療開始前のマネジメント

- 口腔粘膜炎は重症化すると経口摂取を著しく障害する。治療開始前から口腔粘膜炎出現時の対応について患者に説明しておく。経口摂取が困難となった場合には，早期に外来受診をするよう説明しておく。
- 口腔衛生状態に留意する。

有害事象発生時のマネジメント

- 治療開始から10日以内に口腔粘膜炎が発現した場合，まずは5-FUによるものを疑い，含嗽薬，鎮痛薬，軟膏等による一般的なケアを行う。
- 上記の対応でも改善がなく重症化する場合には，カンジダなど感染症の合併や，ペムブロリズマブによるirAE口腔粘膜炎の可能性を考慮する必要がある。口腔カンジタの場合には擦過による培養検体の採取，歯科口腔外科に口腔ケアを依頼し，必要時はフロリードゲル®経口用で治療する。感染症が否定的な場合，irAE口腔粘膜炎と判断する。Grade 2以下の場合，ペムブロリズマブは休薬せず継続し，Grade 3以上の場合は副腎皮質ホルモン剤の全身投与を行う（「Pembrolizumab」☞ p97 参照）。
- 口腔粘膜炎Grade 3の際にはペムブロリズマブ+プラチナ製剤+5-FU療法を休止する。

減量・再開のポイント

- Grade 3以上の口腔粘膜炎が出現し，5-FUによる場合には，次コースより5-FUを1レベル減量する。ペムブロリズマブによる場合には，ベースラインまたはGrade 1以下に改善すれば，次コースよりペムブロリズマブの再開を検討する。

殺細胞性抗癌剤により生じる有害事象

✓ 腎保護 (CDDP)

- 「TPF」参照（☞ p63）。

✓ 悪心・嘔吐 (CDDP)，白血球数・好中球数減少，貧血，血小板数減少

- 「FP (or 5-FU+CBDCA) ± Cmab」参照（☞ p87）。

| 症 例 | **28歳男性，舌癌 術後多発肺転移** |

身長169.8cm 体重44.0kg ECOG PS 0。舌癌に対し，舌全摘，下顎辺縁切除，両側頸部郭清，腹直筋皮弁による再建術を施行。術後CDDP併用化学放射線療法を計画していたが，術後療法開始前のCTで肺転移を認め腫瘍増大速度が早いと判断し，5-FU（800mg/m^2）＋CDDP（80mg/m^2）＋ペムブロリズマブ療法を行う方針とした。1コース目から4コース目までに出現した有害事象は食欲不振Grade 1のみであった。5コース目開始時，腎機能の低下を認めたため，6コース目はCDDPを60mg/m^{2}に減量した。6コース目終了時点のCT検査で治療効果はPRであった。7コース目以降はペムブロリズマブ単独で治療を継続した。9コース目終了後，左股関節・左膝関節の疼痛，関節の腫脹を伴い歩行困難であった。抗核抗体，抗CCP抗体は陰性であり，irAE関節炎Grade 3と判断しペムブロリズマブは中止した。プレドニゾロン50mgの内服により疼痛は軽減し，以降，プレドニン®を漸減し，最終的に関節炎発症から3カ月後にプレドニン®は中止可能となった。

文 献

1) Burtness B, et al:Pembrolizumab alone or with chemotherapy versus cetuximab with chemotherapy for recurrent or metastatic squamous cell carcinoma of the head and neck (KEYNOTE-048): a randomized, open-label, phase 3 study. Lancet. 2019;294:1915-28.

2) MSD製薬：キイトルーダ®irAEナビ.

3) 厚生労働省：最適使用推進ガイドライン ペムブロリズマブ（遺伝子組換え）〜頭頸部癌〜, 2020.

（西村 在，横田知哉）

Ⅰ 頭頸部癌

Nivolumab

投与スケジュール

■免疫チェックポイント阻害薬の投与を開始する前には，**p27** の補足資料に従って必ずチェックを行うこと。

ニボルマブ 240mg／body，1時間	↓			
	1	2	…	14　（日）

上記2週を1コースとする。
投与においてはインラインフィルター（0.2μmまたは0.22μm）を使用する。

投与例

投与日	投与順	投与量	投与方法
1	**1**	ニボルマブ（オプジーボ®）240mg／body ＋ 生食100mL	点滴末梢本管（1時間）
	2	生食 50mL	点滴末梢本管（5分）

適応・治療開始基準[1, 2]

■再発または遠隔転移を有する頭頸部扁平上皮癌（口腔，咽頭，喉頭）。

■PS 0〜1

■局所進行例に対するプラチナ製剤ベースの化学放射線療法または術後補助化学（放射線）療法，あるいは再発・遠隔転移例に対するプラチナ製剤ベースの全身化学療法の最終投与後6カ月以内に進行または再発を認めている。

■主要臓器機能が保たれている。

※ニボルマブの投与に際しては免疫組織化学法によりPD-L1発現率を確認することが望ましいが（保険承認済み），PD-L1発現がニボルマブの効果予測因子であるとは示されていない。よって現時点ではPD-L1発現率のみでニボルマブの適応を判断すべきではない。

慎重投与[2]

	慎重投与
年　齢	高齢者
間質性肺疾患	間質性肺疾患，またはその既往を有する
自己免疫性疾患	自己免疫性疾患，またはその既往を有する
過敏症	
相互作用	生ワクチン，弱毒化ワクチン，不活化ワクチン（接種したワクチンに対する過度の免疫反応を生じる可能性がある）

効　果

	CheckMate 141試験
RR	13.3 %
PFS	2.0カ月
OS	7.49カ月

Nivolumab

有害事象マニュアル

有害事象の発現率と発現時期[1]

免疫関連有害事象	発現率（%）		発現時期中央値（範囲）
	all Grade	≧ Grade 3	
✓ 甲状腺機能障害	7.2	0	投与67日後（15〜176日）
✓ infusion reaction（注入に伴う反応）	1.3	0	投与15日後（15〜16日）
✓ 下痢（大腸炎）	6.8	0*	投与34日後（2〜476日）
✓ 肝機能障害	1.7	0.8*	投与73日後（50〜134日）
✓ 肺臓炎	2.1	0.8	投与58日後（21〜312日）
腎障害	0.4	0	投与400日後*
神経障害	3.0	0.4	投与29日後（2〜168日）
✓ 副腎障害	0.4	0.4	投与36日後*
静脈血栓塞栓症	0.4	0.4	投与44日後*
✓ 下垂体機能異常			
✓ 糖尿病			

☑：「有害事象マネジメントのポイント」（☞ p110）参照。

＊：1例のみ

※CheckMate 141試験では上記以外に発疹，そう痒症，皮膚乾燥といった皮膚障害が多くみられた。

減量・休薬・中止基準

- 有害事象の発現頻度や重篤度には，ニボルマブの用量依存性が認められない。したがって有害事象発生時は減量ではなく，有害事象の対処法アルゴリズムに従い，休薬，中止を判断する。

- 有害事象の対処法アルゴリズムは発生した有害事象により休薬・中止基準が異なることに注意が必要である。

- 免疫関連有害事象（irAE）はステロイドに対する治療効果が高いので，重症度に応じて速やかにステロイドによる治療を開始することで，多くのirAEがコントロール可能である。しかし症状が重篤化すると死亡に至るケースも報告されており，早期診断，早期治療開始が重要である。

有害事象マネジメントのポイント[2, 3]

- 以下に記載されているirAEのほかに，稀ではあるが，重症筋無力症，心筋炎，筋炎，横紋筋融解症，ニューロパチー，腎障害，脳炎，重度の皮膚障害，静脈血栓塞栓症などにも留意する。

✓ 肺臓炎

治療開始前のマネジメント

- 呼吸器疾患の有無を問診にて明らかにしておく。
- 投与開始前に咳嗽や呼吸困難感の有無，胸部聴診（ラ音の聴取），胸部単純X線検査，SpO_2のモニタリングチェックを行う。

有害事象発生時のマネジメント

- 乾性咳嗽，息切れ，呼吸困難感，ラ音の聴取等の臨床症状が疑われた場合は，速やかに胸部単純X線検査，胸部CT検査，血液検査（血算，血液像，CRP，KL-6，SP-D）等の検査を実施し，必要に応じて呼吸器内科医へ相談する。
- 感染症との鑑別（喀痰，β-Dグルカン，サイトメガロウイルス抗原など）も同時に行う。

肺関連有害事象の対処法アルゴリズム

肺臓炎のGrade （CTCAE v4.0）	対処法とフォローアップ
Grade 1 （画像的変化のみ）	• ニボルマブ投与を中止し3週ごとに画像評価を行う。 • 回復した場合はニボルマブの投与再開を検討する。 • 症状が悪化した場合はGrade 2〜4の対処法で治療する。
Grade 2 （軽度〜中等度の新たな症状）	• ニボルマブ投与を中止し，入院，ステロイド投与[*1]，1〜3日ごとの画像評価を行う。 • 症状が改善した場合は1カ月以上かけてステロイドを漸減する。 • 症状が改善しない場合はGrade 3〜4の対処法で治療する。
Grade 3〜4 （重度の新たな症状：生命を脅かす）	• ニボルマブ投与を中止し，入院，ステロイドパルス[*2]療法を行う。 • 症状が改善した場合は6週間以上かけてステロイドを漸減する。 • 症状が改善しない場合は免疫抑制剤[*3]を追加投与する。

*1：1mg/kg/日の静注メチルプレドニゾロンコハク酸エステルナトリウム（メチルプレドニゾロンコハク酸エステルNa）またはその等価量の経口薬。

*2：2〜4mg/kg/日の静注メチルプレドニゾロンコハク酸エステルナトリウムまたはその等価量の副腎皮質ステロイドを静注する。

*3：インフリキシマブ（レミケード®），シクロホスファミド（エンドキサン®），静注免疫グロブリン（献血ベニロン®-I，献血ヴェノグロブリン®IH），ミコフェノール酸モフェチル（セルセプト®）等（いずれも保険未収載）。

（文献2をもとに作成）

✓ 大腸炎・重度の下痢

治療開始前のマネジメント

- 治療開始前に，制酸薬，エリスロマイシンやペニシリン系薬剤などの抗菌薬，鉄剤，メフェナム酸，非ステロイド性抗炎症薬（NSAIDs），ビグアナイド系薬剤やスルホニル尿素系薬剤などの血糖降下薬といった，下痢の原因となりうる薬剤の使用状況を把握しておく。
- 下痢が生じることで，電解質バランスが崩れたり，腸管粘膜が傷害され感染が起こりうるため，排便回数や便の性状などを患者自身で観察し，早期に下痢を認識できるように指導しておく。また，下痢が持続する際には，必ず病院に連絡するように指導しておく。
- 感染源となりうるため，肛門周囲の清潔を保つように指導する。
- 下痢が出現した際には，乳製品や香辛料の強い食べ物，アルコール，カフェイン，高脂肪食などの下痢をきたしやすい食物を避け，電解質が含まれた糖液を摂取するように指導する。

有害事象発生時のマネジメント

- Grade 1の下痢が出現した場合には，整腸剤などの対症療法を行いながらニボルマブの投与を継続する。ロペラミド塩酸塩（ロペミン®）などの止痢薬を投与することで，治療開始が遅れ，重症化する可能性があるため，当センターでは，基本的に止痢薬は使用していない。
- Grade 2以上となった場合には，ニボルマブの投与を中止し，全身性副腎皮質ホルモンの投与を検討する。また，便中白血球検査や便培養検査などの便検査，血算や電解質などの血液検査，腹部単純X線検査や腹部造影CT検査，下部内視鏡検査などの画像検査を行い，偽膜性腸炎や大腸菌感染などの細菌感染やノロウイルスなどのウイルス感染，虚血性腸炎，炎症性腸疾患など下痢をきたしうる疾患の評価も同時に行い，必要に応じて消化器専門医への相談を行う。
- Grade 2の下痢では，0.5～1.0mg/kg/日のプレドニン®の投与，Grade 3～4の下痢では，1.0～2.0mg/kg/日の静注メチルプレドニゾロンの投与を行い，症状がGrade 1に改善した後に1カ月以上かけてステロイドの漸減を行う。ニボルマブの投与は，プレドニン®が10mg/日以下まで減量した後に検討する。

胃腸関連有害事象の対処法アルゴリズム

下痢または大腸炎のGrade （CTCAE v4.0）	対処法とフォローアップ
Grade 1 下痢：ベースラインと比べて4回未満／日の排便回数の増加 大腸炎：無症状	・ニボルマブ投与を継続し，対症療法を行う。 ・症状が悪化した場合は直ちに連絡するように患者に伝え，悪化した場合はGrade 2〜4の対処法で治療する。
Grade 2 下痢：ベースラインと比べて4〜6回／日の排便回数の増加 大腸炎：腹痛，血便	・ニボルマブ投与を中止し，対症療法を行う。 ・症状が5〜7日間を超えて持続あるいは再発した場合はステロイド内服[*1]を開始する。 ・症状がGrade 1まで改善した場合は，1カ月以上かけてステロイドを漸減し，ニボルマブ投与再開を検討する。 ・症状が悪化した場合は，Grade 3〜4の対処法で治療する。
Grade 3〜4 下痢（Grade 3）：ベースラインと比べて7回以上／日の排便回数の増加 大腸炎（Grade 3）：重度の腹痛，腹膜刺激症状あり 大腸炎（Grade 4）：生命を脅かす，穿孔	・ニボルマブ投与を中止し，入院の上ステロイドパルス[*2]療法を行う。 ・症状がGrade 1に改善するまでステロイド投与を継続した後，1カ月以上かけてステロイドを漸減する。 ・症状が3〜5日間を超えて改善しない場合は免疫抑制剤[*3]を追加投与する。

[*1]：0.5〜1mg/kg/日の経口メチルプレドニゾロン（メドロール®）またはその等価量の経口薬。

[*2]：1〜2mg/kg/日の静注メチルプレドニゾロンコハク酸エステルナトリウムまたはその等価量の副腎皮質ステロイドを静注する。

[*3]：インフリキシマブ5mg/kg（注意：インフリキシマブは消化管穿孔または敗血症の症例へは使用すべきではない）（本剤に起因する大腸炎に対しては保険未収載）。

（文献2をもとに作成）

✓ 1型糖尿病（劇症1型糖尿病を含む）

治療開始前のマネジメント

■ スクリーニング時にHbA1c，毎回投与時に血糖値や尿糖の有無を確認する。治療中に随時血糖値が200mg/dL以上の時は，入院にて経過観察を考慮する。

有害事象発生時のマネジメント

■ 投与後に，口渇，多飲，多尿，倦怠感，悪心，嘔吐，急な体重減少，意識混濁等の臨床症状や血糖値の上昇を認めた場合は，血清Cペプチドや抗GAD抗体などの膵島関連自己抗体検査，尿ケトン体検査等を行う。

■ 劇症1型糖尿病はケトアシドーシス（DKA）を伴って数日単位で非常に急激に進行し，またインスリンの枯渇により急激に高血糖となるため，発症時のHbA1cはあまり上昇しないこと，糖尿病関連自己抗体（抗GAD抗体など）が陰性であるため注意が必要である。

■ 劇症1型糖尿病が疑われる場合は，早急に内分泌科専門医に相談し治療を開始する。治療はDKAに準じてインスリンの持続静注と補液（脱水と電解質の補正）を中心に

行い，血糖値，電解質などを頻回に測定する。臨床症状や血糖が安定した後のニボルマブ投与再開の報告は限られており，その安全性は不明である[3]。

✓ 肝機能障害・肝炎

治療開始前のマネジメント

- 定期受診の際に毎回血液検査で肝機能を確認する。
- 問診にて倦怠感の有無，嘔気，嘔吐，食欲不振の有無を確認する。

有害事象発生時のマネジメント

- 肝機能障害の除外診断として，HBV・HCV関連の検査，抗核抗体，抗ミトコンドリア抗体，腹部超音波検査，腹部CT検査などを行っておく。

肝関連有害事象の対処法アルゴリズム

肝機能検査値上昇のGrade （CTCAE v4.0）	対処法とフォローアップ
Grade 1 ASTまたはALTが施設正常値上限～3倍以下，総ビリルビンが施設正常値上限～1.5倍以下，またはその両方	• ニボルマブ投与および肝機能検査を継続する。 • 肝機能が悪化した場合はGrade 2～4の対処法で治療する。
Grade 2 ASTまたはALTが施設正常値上限値の3～5倍以下，総ビリルビンが施設正常値の1.5～3倍以下，またはその両方	• ニボルマブ投与を中止し，肝機能検査を3日ごとに行う。 • 肝機能が改善した場合はニボルマブ投与再開を検討する。 • 肝障害が5～7日間を超えて持続または悪化した場合はステロイド内服[*1]を開始する。 • 肝障害がGrade 1まで改善した場合は，1カ月以上かけてステロイドを漸減し，ニボルマブ投与再開を検討する。
Grade 3～4 ASTまたはALTが施設正常値上限値の5倍超，総ビリルビンが施設正常値の3倍超，またはその両方	• ニボルマブ投与を中止し，入院の上ステロイドパルス[*2]療法，1～2日ごとの肝機能検査を行う。 • 肝機能がGrade 2に改善した場合は1カ月以上かけてステロイドを漸減する。 • 肝障害が3～5日間を超えて改善しない場合は免疫抑制剤[*3]を追加投与する。

*1：0.5～1mg/kg/日の経口メチルプレドニゾロンまたはその等価量の経口薬。
*2：1～2mg/kg/日の静注メチルプレドニゾロンコハク酸エステルナトリウムまたはその等価量の副腎皮質ステロイドを静注する。
*3：ミコフェノール酸モフェチル1gを1日2回投与（注：インフリキシマブによる肝障害のため，薬剤性肝炎に対してはインフリキシマブを使用しない）（本剤に起因する肝機能障害に対してはいずれも保険未収載）。

（文献2をもとに作成）

✓ 内分泌障害（甲状腺機能障害・下垂体機能異常・副腎障害）

治療開始前のマネジメント

- 問診にて甲状腺機能障害の既往の有無を確認する。
- スクリーニング時に TSH，FT_3，FT_4，コルチゾール・ACTH（いずれも早朝空腹時）を測定する。

有害事象発生時のマネジメント

- 倦怠感，浮腫，悪寒，動作緩慢，発汗過多，体重減少，眼球突出，動悸，振戦，不眠などの症状を認めた場合は速やかに TSH，FT_3，FT_4，コルチゾール，ACTH，また必要に応じて T-Chol，抗甲状腺サイログロブリン抗体，抗甲状腺マイクロゾーム抗体やその他の下垂体ホルモン（LH，FSH，GH，プロラクチン）も測定する。

内分泌障害の対処法アルゴリズム

無症候性のTSH増加	・ニボルマブ投与を継続する。
症候性の内分泌障害	・内分泌機能の評価を行う。 ・下垂体炎，下垂体機能低下が疑われる場合は，頭部MRI検査による下垂体撮影を検討する。 ・症候性であり，臨床検査値あるいは頭部MRI検査で下垂体に異常を認めた場合は，ニボルマブ投与を中止し，ステロイド投与*1，ホルモン補充*2を行う。 ・臨床検査値および頭部MRI検査で異常は認めないが症状が持続する場合は，1〜3週ごとの臨床検査または1カ月ごとに頭部MRI検査を継続する。
症状が改善した場合 （ホルモン補充療法の有無は問わない）	・1カ月以上かけてステロイドを漸減し，ニボルマブ投与再開を検討する。 ・ホルモン補充療法を継続しながらニボルマブ投与を継続する*3。 ・副腎不全を有する患者は鉱質コルチコイド作用を有するステロイド投与継続を必要とする場合がある。
副腎クリーゼの疑い （原疾患および合併症から想定しにくい程度の重度の脱水，低血圧，ショックなど）	・ニボルマブ投与は中止し，輸液，ストレス用量の鉱質コルチコイド作用を有するステロイド静注を開始する。 ・内分泌科専門医に相談する。

*1：1〜2mg/kg/日の静注メチルプレドニゾロンコハク酸エステルナトリウムまたはその等価量の経口薬を投与する。

*2：ホルモン補充に際して甲状腺・副腎機能がともに障害されている場合に甲状腺ホルモンの補充のみを行うとかえって副腎不全が悪化するため，ステロイド投与を先行させる。

*3：副腎不全を有する患者は鉱質コルチコイド作用を有するステロイド投与継続を必要とする場合がある。またホルモン補充療法を継続しながらニボルマブ投与を継続することは可能である。

（文献2をもとに作成）

✓ infusion reaction（注入に伴う反応）

- 「Cmab + DTX + CDDP」参照（☞**p73**）。

| 症例 | 69歳男性，下咽頭癌，リンパ節・肺転移 |

　PS 1。下咽頭癌cT4N2cM0 cStage Ⅳに対して2014年9月よりTPFによる導入化学療法を先行し，その後Cmab併用放射線療法を施行した。2015年7月にリンパ節転移再発に対して頸部郭清を施行したが，4カ月後に皮膚・肺・縦隔リンパ節に再発を認めたため，2016年2月より5-FU＋CDDP（FP）療法，PTX，S-1などの治療を行うも不応となった。2017年6月8日よりニボルマブ投与を開始した。7月25日の初回評価時のCT検査では治療開始前に認めた両腋窩リンパ節転移，縦隔リンパ節，肺門部リンパ節は著明に縮小し，現在も縮小維持を認めている。なお，本症例では現時点で免疫関連有害事象は認めていない。

文献

1) Ferris RL, et al:Nivolumab for Recurrent Squamous-Cell Carcinoma of the Head and Neck. N Engl J Med. 2016;375:1856-67.
2) オプジーボ®・ヤーボイ®適正使用ガイド．
3) 日本臨床腫瘍学会，編：がん免疫療法ガイドライン．第2版．金原出版，2019．

（横田知哉，川上武志）

I 頭頸部癌

weekly PTX

投与スケジュール

PTX 80～100mg/m², 1時間

上記7週を1コースとする。

投与例

投与日	投与順	投与量	投与方法
1 8 15 22 29 36	1	デキサメタゾンリン酸エステルナトリウム（デキサート®）6.6mg ＋ ラニチジン塩酸塩（ザンタック®）50mg ＋ d-クロルフェニラミンマレイン酸塩（ポララミン®）5mg ＋ 生食 50mL	点滴末梢本管（15分）
	2	生食 100mL	点滴末梢本管（15分）
	3	パクリタキセル［PTX］（タキソール®）80～100mg/m² ＋ 生食 250mL	点滴末梢本管（1時間）
	4	生食 50mL	点滴末梢本管（5分）

適応・治療開始基準

- 再発もしくは遠隔転移を有する頭頸部扁平上皮癌。
- 全身状態および主要臓器機能が保たれている（以下が目安）。

  - ECOG PS 0～2
  - 好中球数≧2,000/μL
  - 血小板数≧10.0×10⁴/μL
  - ヘモグロビン≧9.0g/dL
  - 総ビリルビン≦1.5mg/dL
  - AST, ALT≦100U/L
  - クレアチニン≦1.5mg/dL

慎重投与・禁忌

	慎重投与	禁 忌
年　齢	75歳以上	
腎障害	クレアチニン＞1.5mg/dL	
肝障害	総ビリルビン＞1.5mg/dL， またはAST，ALT＞100U/L （減量または中止を考慮）	
感　染	感染を疑う症例	活動性の感染症を合併している症例
アルコール	アルコール過敏 （無水エタノールを含有するため）	
内服薬		ジスルフィラム，シアナミド，プロカルバジン塩酸塩
アレルギー		ポリオキシエチレンヒマシ油含有製剤（シクロスポリン注射液など）
既往歴	間質性肺疾患の既往	

効　果

	再発/遠隔転移を有する頭頸部癌に対する初回治療例[1]	再発/遠隔転移を有する頭頸部癌に対する二次治療以降（プラチナ系薬剤不応例）[2]
RR	29.0％	43.3％
TTP	3.4カ月	
OS	14.3カ月	5.2カ月

weekly PTX
有害事象マニュアル

有害事象の発現率と発現時期

有害事象	発現率(%)[1,2] all Grade	発現率(%)[1,2] Grade 3/4	発現時期
☐ 白血球減少	27〜90	3〜38	投与7〜10日後
✓ 好中球数減少	83	31	投与7〜10日後
✓ 末梢性感覚ニューロパチー	76	6	投与数週間後（用量依存的に頻度は増加）
☐ 肺臓炎[*1]	11	6	
☐ 食欲不振	26	6	投与4〜7日後
☐ 悪心	31	3	投与1〜7日後
☐ 倦怠感	37〜65	0〜3	投与4〜7日後
☐ 関節痛・筋肉痛[*2]	4〜10	0〜2	投与2〜3日後
✓ 過敏反応[*2]	2〜4	0	多くが投与開始10分以内
☐ 脱毛	94		投与2〜3週間後から抜け始める

✓：「有害事象マネジメントのポイント」参照。
*1：国内安全性評価対象181例における間質性肺炎の発現率は2.2％[3]
*2：進行胃癌症例を対象としたPTX 80mg/m[2]のデータ[4,5]

減量早見表

減量レベル	PTX
初回投与量	100mg/m[2]
−1	80mg/m[2]
−2	60mg/m[2]

有害事象マネジメントのポイント

✓ 好中球数減少

治療開始前のマネジメント

- weekly PTX（以下，wPTX）では重篤な好中球数減少の頻度は比較的低いが，抗癌剤既治療例や全身状態不良例が対象となる場合には注意が必要である。
- 好中球数減少の発症初期は自覚症状が乏しいため，定期的な血液検査が必要であることを患者に説明する。
- wPTX（6週投与1週休薬）では好中球数減少の最低値（nadir）までの期間中央値は投与開始後22日とされる[3]。

有害事象発生時のマネジメント

- 好中球数減少（Grade 3以上）では休薬し，次回投与からの減量を考慮する。
- コース内の投与予定日に好中球数減少（Grade 2）を認めた場合，それまでの経過から，nadir時期を脱していないと判断されれば休薬を考慮する。

✓ 末梢神経障害

治療開始前のマネジメント

- PTXによる末梢神経障害は感覚神経障害が主であるが，運動神経障害が出現することもある。
- 末梢神経障害は治療継続に大きく関わる因子であり，臨床試験では6.9％（5/72例）が末梢神経障害により治療中止となっている[1]。
- PTXの使用が長期にわたると末梢神経障害の頻度が高くなる。症状発現までの期間中央値は34日，PTX投与量中央値は500mg/m^2と報告されている[1]。

有害事象発生時のマネジメント

- Grade 3の末梢性感覚ニューロパチー（ボタンが留めにくい，手に持ったものを落としてしまうなど）が発現した場合は休薬を実施し，次回投与からの減量を行う。
- Grade 2（身の回りの日常生活動作には支障をきたさない）においてもQOL維持の観点から減量や休薬を考慮する。

✓ 過敏反応

治療開始前のマネジメント

- タキサン系では95％が1～2回目の投与時に生じ，80％が投与開始10分以内に症状が出現するとされる[6]。
- 過敏反応予防のため前投薬としてデキサメタゾンリン酸エステルナトリウム，ラニチジン塩酸塩（ザンタック®），d-クロルフェニラミンマレイン酸塩（ポララミン®）の投与を行う。
- 前投薬として抗ヒスタミン薬が投与されること，溶媒として無水エタノールを含むことから，投与当日は自動車の運転などを行わないことを患者に説明する。

有害事象発生時のマネジメント

- 直ちに薬剤投与を中止し，状態に応じて酸素投与や補液などを行う。
- Grade 2（皮疹，潮紅，蕁麻疹，呼吸困難，38℃以上の薬剤熱）までの場合は，ヒド

ロコルチゾンリン酸エステルナトリウム（水溶性ハイドロコートン®）＋d-クロルフェニラミンマレイン酸塩＋ラニチジン塩酸塩の追加投与を行い，さらなる状態の悪化を防ぐ。

■Grade 3（症状のある気管支痙攣，血管性浮腫，血圧低下）やGrade 4（アナフィラキシー）の場合には，上記に加えてアドレナリン（ボスミン®）0.3mgを筋注する。

症例　51歳女性，下咽頭癌，根治的放射線化学療法後，肺転移再発

　身長159cm，体重49kg，ECOG PS 1。下咽頭癌（cT2N2bM0，Stage Ⅳ）に対してCDDPを併用した根治的放射線化学療法を施行した。完全奏効（CR）が得られたが，その後の経過観察中のCTにて肺転移を認め，5-FU＋CBDCA＋Cmabの投与を行った。4コース施行後のCTで肺転移の増大を認めたため，プラチナ系薬剤，フッ化ピリミジン系薬剤，抗EGFR抗体薬の3剤に不応と判断し，二次治療としてwPTXを開始した。

　1コース目は毎週PTX投与前に血液検査を行い，毒性の評価を行った。有害事象として悪心（Grade 1）と食欲不振（Grade 1）を認めたが，6週投与1週休薬のスケジュールで投与が可能であった。2コース目を開始したころより指先と足先のしびれが出現したが，Grade 1であったため減量は行わずに治療を継続した。治療開始後2カ月のCTにて肺転移の増大を認めたため治療を中止した。

文献

1) Tahara M, et al:Weekly paclitaxel in patients with recurrent or metastatic head and neck cancer. Cancer Chemother Pharmacol. 2011;68:769-76.

2) Grau JJ, et al:Weekly paclitaxel for platin-resistant stage Ⅳ head and neck cancer patients. Acta Otolaryngol. 2009;129:1294-9.

3) タキソール® 添付文書.

4) Kodera Y, et al:A phase Ⅱ study of weekly paclitaxel as second-line chemotherapy for advanced gastric cancer (CCOG0302 Study). Anticancer Res. 2007;27:2667-762.

5) Emi Y, et al:Phase Ⅱ study of weekly paclitaxel by one-hour infusion for advanced gastric cancer. Surg Today. 2008;38:1013-20.

6) Lenz HJ:Management and preparedness for infusion and hypersensitivity reactions. Oncologist. 2007;12:601-9.

（濱内　諭）

Ⅰ 頭頸部癌

weekly PTX + Cmab

投与スケジュール

(初回) Cmab 400mg/m², 2時間 (2回目以降) Cmab 250mg/m², 1時間	↓		
PTX 80mg/m², 1時間	↓		
	1	…	7　(日)

上記1週を1コースとする。

投与例

投与日	投与順	投与量	投与方法
1	1	デキサメタゾンリン酸エステルナトリウム(デキサート®) 6.6mg ＋ ラニチジン塩酸塩(ザンタック®) 50mg ＋ d-クロルフェニラミンマレイン酸塩(ポララミン®) 5mg ＋ 生食 50mL	点滴末梢本管 (15分)
	2	セツキシマブ[Cmab](アービタックス®) 初回 400mg/m²，2回目以降 250mg/m² ＋ 生食 100mL	点滴末梢本管 (初回2時間，2回目以降1時間)
	3	生食 50mL	点滴末梢本管 (5分)
	4	パクリタキセル[PTX](タキソール®) 80mg/m² ＋ 生食 250mL	点滴末梢本管 (1時間)
	5	生食 50mL	点滴末梢本管 (5分)

適応・治療開始基準

- 再発もしくは遠隔転移を有する頭頸部扁平上皮癌。
- 全身状態および主要臓器機能が保たれている（以下が目安）。

- ECOG PS 0～2
- 好中球数≧2,000/μL
- 血小板数≧$10.0 \times 10^4/\mu$L
- ヘモグロビン≧9.0g/dL
- 総ビリルビン≦1.5mg/dL
- AST，ALT≦100U/L
- クレアチニン≦1.5mg/dL

慎重投与・禁忌

	慎重投与[1,2]	禁忌[1]
年齢	75歳以上	
腎障害	クレアチニン＞1.5mg/dL	
肝障害	総ビリルビン＞1.5mg/dL， またはAST，ALT＞100U/L （減量または中止を考慮）	
感染	感染を疑う症例	活動性の感染症を合併している症例
アルコール	アルコール過敏 （無水エタノールを含有するため）	
内服薬		ジスルフィラム，シアナミド，プロカルバジン塩酸塩
アレルギー		ポリオキシエチレンヒマシ油含有製剤 （シクロスポリン注射液など）
既往歴	間質性肺疾患の既往 心疾患の既往	

効 果

	再発/遠隔転移を有する頭頸部癌 に対する初回治療例[3]
RR	54％
PFS	4.2カ月
OS	8.1カ月

weekly PTX + Cmab

有害事象マニュアル

有害事象の発現率と発現時期

有害事象	発現率（%）[3]		発現時期
	all Grade	Grade 3/4	
✓ ざ瘡様皮疹	NR	24	投与1〜3週後
倦怠感	NR	17	投与4〜7日後
✓ 好中球数減少	NR	13	投与7〜10日後
末梢性感覚ニューロパチー	NR	11	投与数週間後（用量依存的に頻度は増加）
口腔粘膜炎	NR	7	投与2〜10日後
✓ 過敏反応	NR	4	ほとんどが投与後1時間以内
下 痢	22	2	投与2〜10日後
発熱性好中球減少症	2	2	投与7〜10日後
低マグネシウム血症	15	0	投与数カ月後
脱 毛	13		投与2〜3週間後から抜け始める
間質性肺疾患*	1.2	1.2	投与1カ月以降*

☑：「有害事象マネジメントのポイント」参照。

＊：結腸・直腸癌患者を対象としたCmab単独療法の国内第Ⅱ相試験データ[4]

NR：not reported

減量早見表

減量レベル	PTX	Cmab（2回目以降）
初回投与量	80mg/m²	250mg/m²
−1	60mg/m²	200mg/m²
−2		150mg/m²

有害事象マネジメントのポイント

✓ 皮膚障害

治療開始前のマネジメント

■投与後1週間程度でざ瘡様皮疹が生じることが多く，その数週間後より皮脂欠乏性皮膚炎，さらに遅れて爪囲炎が生じる。

■皮膚障害に対してはスキンケアの有効性が報告されている。具体的には，低刺激性の石鹸や洗浄剤を使用し皮膚を清潔に保つ，ヘパリン類似物質（ヒルドイドソフト®）軟膏などの保湿剤を1日に5回以上塗布する，外出時には日焼け止めを使用する，爪

- は深く切り過ぎないなどの指導を行う。
- 抗炎症目的に予防的にミノサイクリン塩酸塩（ミノマイシン®）の内服を行う。また，皮疹出現時にすぐに使用できるようあらかじめジフルプレドナート（マイザー®）軟膏などのステロイド外用薬を処方しておく。

有害事象発生時のマネジメント

- 皮疹出現時は発生部位に合わせたステロイド外用薬の塗布を行う。具体的には，顔にはmedium〔ヒドロコルチゾン酪酸エステル（ロコイド®）軟膏など〕，頭部にはローション〔ベタメタゾン（リンデロン®ローション）など〕，それ以外の手足・体幹にはvery strong（ジフルプレドナート軟膏など）やstrongest〔クロベタゾールプロピオン酸エステル（デルモベート®軟膏）など〕のステロイド外用薬を用いる。
- 重症例では皮膚科医と連携して治療を行い，Cmabの減量・休薬を検討する。

✓ 好中球数減少

治療開始前のマネジメント

- wPTX + Cmabでは重篤な好中球数減少の頻度は比較的低いが，抗癌剤既治療例や全身状態不良例が対象となる場合には注意が必要である。
- 好中球数減少の発症初期は自覚症状が乏しいため，定期的な血液検査が必要であることを患者に説明する。

有害事象発生時のマネジメント

- 好中球数減少（Grade 3以上）では休薬を実施し，次回投与からの減量を考慮する。
- コース内の投与予定日に好中球数減少（Grade 2）を認めた場合，それまでの経過から，nadir時期を脱していないと判断されれば休薬を考慮する。

✓ 過敏反応

治療開始前のマネジメント

- wPTX + CmabではPTXはアレルギー反応，Cmabは輸注反応の頻度が高い。
- 予防的にデキサメタゾンリン酸エステルナトリウム，d-クロルフェニラミンマレイン酸塩，ラニチジン塩酸塩の投与を行う。

- 前投薬として抗ヒスタミン薬が投与されること，溶媒として無水エタノールを含むことから，投与当日は自動車の運転などを行わないことを患者に説明する。
- 輸注反応はほとんどが投与終了後1時間以内に発現するため，それまではバイタルサインの測定などの経過観察を行う。投与後24時間までは輸注反応が発現する可能

性があるため，患者にその旨の説明を行う。

有害事象発生時のマネジメント

- 直ちに薬剤投与を中止し，状態に応じて酸素投与や補液などを行う。
- Grade 2（皮疹，潮紅，蕁麻疹，呼吸困難，38℃以上の薬剤熱）までの場合は，症状に応じて解熱鎮痛薬の投与や，ヒドロコルチゾンリン酸エステルナトリウム（水溶性ハイドロコートン®），d-クロルフェニラミンマレイン酸塩，ラニチジン塩酸塩の追加投与を行い，点滴速度を減速しての投与再開を考慮する。
- Grade 3（症状のある気管支痙攣，血管性浮腫，血圧低下）やGrade 4（アナフィラキシー）の場合には，上記に加えてアドレナリン0.3mgを筋注する。

症例 67歳男性，中咽頭癌，根治的放射線化学療法後，肺転移再発

　身長161cm，体重45kg，ECOG PS 1。下咽頭癌（cT1N2cM0，Stage Ⅳ）に対して導入化学療法としてTPF（CDDP＋DTX＋5-FU）療法を施行後，CDDPを併用した根治的放射線化学療法を施行した。画像検査上，原発巣は消失したが頸部リンパ節腫大の残存を認めたことから，頸部郭清術を追加した。術後2年のCTにて肺転移再発を認めたため，5-FU＋CBDCA＋Cmabの投与を開始した。有害事象として口内炎（Grade 3），食欲不振（Grade 2）が出現したため5-FUの減量を行ったが，消化器毒性が再燃したことから5-FU不耐と判断し，wPTX＋Cmabに変更した。

　治療開始時より保湿剤としてヒルドイド®ソフト軟膏，皮疹出現時に使用するステロイド外用薬としてマイザー®軟膏，予防的抗菌薬としてミノマイシン®を処方した。有害事象として好中球数減少（Grade 2），倦怠感（Grade 1）と食欲不振（Grade 1）を認めたが耐容可能であり，6週投与1週休薬のスケジュールで投与を行った。治療開始2週間後ほどからざ瘡様皮疹，手掌の発赤・乾燥・疼痛，手指の皮膚の亀裂を認め，前述の軟膏に加えて，手指にはフルドロキシコルチド（ドレニゾン®）テープを用いて対応した。治療開始後2カ月のCTにて肺転移の増大を認めたため治療を中止した。

文献

1) タキソール® 添付文書.
2) アービタックス® 添付文書.
3) Hitt R, et al:Phase Ⅱ study of the combination of cetuximab and weekly paclitaxel in the first-line treatment of patients with recurrent and/or metastatic squamous cell carcinoma of head and neck. Ann Oncol. 2012;23:1016-22.
4) アービタックス® 適正使用ガイド-頭頸部癌.

（濵内　諭）

I 頭頸部癌

DTX

投与スケジュール

DTX 70mg/m², 1.5時間

上記3週を1コースとする。

投与例

投与日	投与順	投与量	投与方法
1	1	デキサメタゾンリン酸エステルナトリウム（デキサート®）6.6mg ＋ 生食 50mL	点滴末梢本管（15分）
	2	ドセタキセル水和物[DTX]（ワンタキソテール®）70mg/m² ＋ 生食 250mL	点滴末梢本管（1.5時間）

適応・治療開始基準

- 組織学的に確定診断されている，標準治療に不応の転移・再発頭頸部癌。
- 主要臓器機能が保たれている（以下が目安）。

  - 好中球数 $\geq 1,500/\mu L$
  - 血小板数 $\geq 7.5 \times 10^4/\mu L$
  - ヘモグロビン $\geq 10.0 g/dL$
  - 総ビリルビン $\leq 1.5 mg/dL$
  - AST，ALT $\leq 2 \times ULN$（肝転移例は $3 \times ULN$）

慎重投与・禁忌

	慎重投与	禁　忌
年　齢	75歳以上	
胸水・腹水・浮腫	胸水・腹水・浮腫を有する	
心疾患	心疾患を有する	
間質性肺疾患	間質性肺炎，肺線維症を有する	
肝障害	肝障害を有する	
腎障害	腎障害を有する	
感　染		活動性の感染症を有する

効　果

	標準治療不応の切除不能頭頸部癌に対する治療例[1,2]
RR	10〜22.2％
PFS	1.9カ月
OS	4.6〜11.7カ月

DTX

有害事象マニュアル

有害事象の発現率と発現時期 [1, 2]

有害事象	発現率（%）		発現時期
	all Grade	Grade 3	
✓ 白血球減少	90〜95.2	59.7〜65	8〜14日目
✓ 好中球数減少	90〜90.3	70〜79	8〜14日目
✓ 貧　血	40.3〜70	1.6〜25	
血小板数減少	8.1〜10	0〜3.2	
発熱性好中球減少症		10	
✓ 口腔粘膜炎（機能／症状）	45	10	
✓ 口腔粘膜炎（診察）	30	5	
食欲不振	62.9	9.7	投与当日〜
脱　毛	80.6	3.2	
倦怠感	66.1	3.2	
悪心・嘔吐	43.5	3.2	投与当日〜
下　痢	25.8	3.2	
呼吸困難	4.8	3.2	
発　熱	59.7	1.6	
AST上昇	30.6	1.6	
✓ 浮　腫	14.5	1.6	
✓ 間質性肺炎	3.2〜5	1.6〜5	
乏　尿	1.6	1.6	
血圧低下	1.6	1.6	
心不全	1.6	1.6	
昏　迷	1.6	1.6	

☑：「有害事象マネジメントのポイント」（☞ 129）参照。

減量早見表

減量レベル	DTX
初回投与量	70mg／m²
−1	60mg／m²
−2	50mg／m²

有害事象マネジメントのポイント

✓ 白血球減少・好中球数減少

治療開始前のマネジメント

- 好中球数減少が最も注意の必要な有害事象である。38℃以上の急な発熱，または37.5℃以上の持続する発熱がある時には病院へ連絡できる体制をつくっておく。
- 1コース目は1～2週に1回の血液検査を行い，骨髄抑制のパターンを確認する。2コース目以降はnadirの時期に合わせて血液検査を確認し，減量の要否を判断する。

有害事象発生時のマネジメント

- 好中球数1,000/μL未満で38℃以上の発熱が出現するか，好中球数500/μL未満が確認された時点からG-CSF投与を考慮する。
- 発熱性好中球減少症は，入院にてG-CSFおよび広域静注抗菌薬の投与を行う。全身状態が良好な低リスク群（MASCCスコア21点以上）に対しては，経口抗菌薬〔シプロフロキサシン（シプロキサン®）200～500mg＋アモキシシリン水和物・クラブラン酸カリウム配合（2：1）（オーグメンチン®）125/250～125/500mgを8時間ごと〕による外来治療も選択肢のひとつとなるが，患者に対する十分な説明と理解，近隣病院のサポート体制などを考慮して対応する必要がある。

減量・再開のポイント

- Grade 4の白血球減少，好中球数減少，Grade 3以上の発熱性好中球減少症を認めた場合，次コースは1レベル減量を行う。

✓ 貧血

治療開始前のマネジメント

- 高度な貧血になるまでは自覚症状に乏しい場合があり，定期的な血液検査でのフォローが必要である。動悸，息切れ，易疲労感，起立性低血圧などの症状が出現した際には早めの受診を指示しておく。

有害事象発生時のマネジメント[3]

- ヘモグロビン（Hb）値が，ベースラインから2g/dL以上の低下を認めた場合，網状赤血球を確認して，喪失・破壊なのか，産生障害なのかを鑑別する。さらに，喪失・破壊としては，出血，溶血性貧血，産生障害としては必須栄養素の欠乏（鉄，葉酸，ビタミンB_{12}欠乏），腎性貧血，放射線性骨髄抑制などを鑑別し，これらが除外でき

た際には慢性炎症による貧血や化学療法の骨髄抑制による貧血を考える。
- 慢性炎症による貧血や化学療法による骨髄抑制に対しては輸血で対応することとなる。無症状の場合，Hb 7〜9g/dL を目標とする。症状のある場合（頻脈，頻呼吸，起立性低血圧を含む），Hb 8〜10g/dL を目標とする。

減量・再開のポイント

- 一般的に，輸血で対応可能な貧血の場合は，減量せずに継続可能であることが多い。

✓ 口腔粘膜炎

治療開始前のマネジメント

- 口腔粘膜炎は重症化すると経口摂取を著しく障害するため，治療開始前から口腔粘膜炎出現時の対応について患者に説明しておく。
- 口腔衛生状態が不良であると，口腔粘膜炎が発症しやすくなるため，治療開始前から歯科口腔外科に診察を依頼し，齲歯や歯周病，義歯のチェック，口腔内セルフケアの指導を行う。
- 口腔粘膜炎が出現する前に口腔内にざらざらとした乾燥感や違和感が出現することがある。違和感出現時から含嗽を励行するなど，早期に含嗽を開始することが口腔粘膜炎の重症化予防にとって肝要である。

有害事象発生時のマネジメント

- 1回につきアズレンスルホン酸ナトリウム水和物・$NaHCO_3$配合（含嗽用ハチアズレ®）顆粒2gを常温水100mLに溶解したもので口腔内含嗽を行い，これを1日4〜5回行う。
- 口腔内乾燥や，口腔内潰瘍が出現した際にはアズレンスルホン酸ナトリウム水和物・$NaHCO_3$配合顆粒2gにつきグリセリン液12mLを併用したり，疼痛がある際にはリドカイン塩酸塩・アドレナリン配合（キシロカイン®）液4％1〜2mLを併用したりする。
- 口腔内潰瘍や口角炎のびらんには，0.033％アズレン（アズノール®）軟膏を塗布する。
- 口腔粘膜炎が重症化，難治性である場合には，カンジダなどの感染を合併していることもある。適宜，歯科口腔外科に診察を依頼していく〔歯科口腔外科受診が困難な場合には，ミコナゾール（フロリード®）ゲル2％1日4回塗布・含嗽を考慮する〕。
- 口腔粘膜炎 Grade 3 の際には DTX 療法を休止する。Grade 1 以下に改善した際には再開可能。

減量・再開のポイント

- 前コース中に口腔粘膜炎（Grade 3）が出現した場合は，次コースより DTX を1レベル減量する。

✓ 間質性肺炎

治療開始前のマネジメント

- 治療開始前から，間質性肺炎またはその既往を有する場合は，DTXの投与を避けることが望ましい。
- 間質性肺炎は稀な有害事象ではあるが，重症化すると死亡に至る可能性があり，早期発見・早期対応が重要である。
- 息切れ，呼吸困難感，空咳，発熱などの症状が，急に出現したり，持続したりする場合には病院に連絡できる態勢をつくっておく。

有害事象発生時のマネジメント

- 酸素飽和度，聴診所見，血液検査，胸部X線写真を確認する。疑わしい場合には胸部CT検査を追加する。
- 血液検査では，動脈血ガス分析，CRP，LDH，肝逸脱酵素，KL-6，SP-Dなどの項目を確認する。鑑別のために，好酸球数やβ-Dグルカン，サイトメガロ抗原，BNPなどを計測することも有用である。
- 直ちにDTXは中止する。そのほか，疑わしい薬剤の投与歴があれば中止する。
- 急性間質性肺炎に準じてステロイドパルス療法（メチルプレドニゾロンコハク酸エステルナトリウム）注1g/日を3日間投与を行い，その後，維持療法〔プレドニゾロンコハク酸エステルナトリウム（水溶性プレドニン®）0.5〜1.0mg/kg/日〕を行う。症状が安定したら，2割ずつ2〜4週ごとに漸減していくが，再燃に注意して慎重に行う。

✓ 浮　腫[4]

- 浮腫や体液貯留が出現することが知られている。
- 特に累積投与量が489.7mg/m^{2}を超えると頻度が高まり，投与中止により徐々に改善する。
- DTX投与前日から3日間のステロイド経口投与〔デキサメタゾンリン酸エステルナトリウム（デキサート®）16mg/日〕が予防に有効とする報告がある。

症例	**67歳男性，右上顎洞癌，リンパ節・肺・肝・骨転移**

　身長166.5cm，体重61.4kg，PS 0。右頬部の腫脹を契機に診断された右上顎洞癌cT4a，cN2c，cM1（LYM，PUL，HEP，OSS），cStage ⅣCに対してFP療法を導入し，1コース後でほぼ腫瘍を指摘できないまでに腫瘍縮小効果が得られた。以後縮小維持しており，FP療法5コース，引き続いて5-FU単独療法5コース施行したが，右頸部リンパ節および肝転移再発を認めた。二次治療としてDTX療法を行う方針となり，DTX 70mg/m^{2}を投与した。1コース目10日目には好中球数減少（Grade 4）（好中球220/μL）を認めた。また口腔粘膜炎（Grade 1）を認めており，ハチアズレ®含嗽を開始した。1コース目22日目には好中球数減少は改善していたため，2コース目をDTX 60mg/m^{2}に減量して投与した。口腔粘膜炎（Grade 1）は認めたものの，骨髄抑制を認めず，全身状態は著変なく経過した。2コース目22日目に3コース目DTX 60mg/m^{2}を投与後も，明らかな有害事象を認めなかったが，3コース後のCTではリンパ節転移，肝転移はいずれも増大しており，PDと判断し，DTX療法は終了となった。

文　献

1) 犬山征夫，他:Late phase Ⅱ clinical study of RP56976(docetaxel) in patients with advanced/recurrent head and neck cancer. 癌と化学療法. 1999;26:107-16.

2) Zenda S, et al:Single-agent docetaxel in patients with platinum-refractory metastatic or recurrent squamous cell carcinoma of the head and neck(SCCHN). Jpn J Clin Oncol. 2007;37:477-81.

3) National Comprehensive Cancer Network®:Cancer- and Chemotherapy-Induced Anemia. version 2. NCCN Clinical Practice Guidelines in Oncology, 2018.

4) タキソテール®添付文書.

（横田知哉）

I 頭頸部癌

S-1

投与スケジュール

S-1 80〜120mg/日, 分2*(朝, 夕食後)

上記6週を1コースとし, 1日2回(朝, 夕食後)を4週間連日内服し, 2週間休薬する。

*：S-1初回基準投与量

体表面積	S-1投与量
1.25m² 未満	80mg/日, 分2
1.25m² 以上, 1.50m² 未満	100mg/日, 分2
1.50m² 以上	120mg/日, 分2

投与例

投与日	投与量	投与方法
1〜28	テガフール・ギメラシル・オテラシルカリウム配合(1:0.4:1)[S-1] (ティーエスワン®) 80〜120mg/日, 分2	経口 (朝, 夕食後)
29〜42	休薬	

適応・治療開始基準

- 切除不能または再発頭頸部癌に対する緩和的化学療法。
- 経口摂取が可能で全身状態が保たれている (PS 2以下)。
- 以下のような主要臓器機能が保たれている (以下が目安)。

  - 白血球数 ≧3,500/μL かつ <1万2,000/μL を基本とする。
  - 血小板数 ≧10.0×10⁴/μL
  - 総ビリルビン ≦1.5mg/dL
  - AST, ALT ≦150U/L
  - クレアチニンクリアランス (Ccr) ≧80mL/分
  (ただし, 実臨床においては上記基準外などで開始することもあるが, その際は事前の十分な患者説明と, こまめな外来観察を行うなど配慮が必要)

慎重投与・禁忌

- 下記の「慎重投与」に該当する場合は，S-1を1レベル減量して投与を開始することが望ましい。

	慎重投与	禁忌
年齢，PS	75歳以上，PS 2	PS 3以上 80歳以上の高齢者は，全身状態や理解力，合併症，家族のサポート体制など，総合的に判断が必要。
骨髄機能	ヘモグロビン：8.0～9.0未満	左記以上の骨髄機能低下
	白血球数：2,000～3,500未満，1万2,000以上	
	血小板数：7.5～10万未満	
腎障害	80＞Ccr≧60mL/分[*1] 60＞Ccr≧30mL/分[*2]	Ccr 30mL/分未満
肝障害	AST，ALT：施設基準値の2.5倍を超えて150U/L未満	左記以上の肝障害
	総ビリルビン：1.5～3mg/dL未満	
感染	感染疑い	活動性感染を有する
その他（併用薬）	ワルファリンカリウム，フェニトイン使用症例	抗真菌薬フルシトシン使用症例

*1：必要に応じて1レベル減量
*2：原則として1レベル減量（30～40未満は2レベル減量が望ましい）

効果

	進行・再発頭頸部癌に対するS-1単剤療法の効果[1, 2]	
PFS	4.9カ月	2.3～7.2
OS	13.2カ月	6.0～17.9
ORR	24～28.8%	
DCR	63.2～67.8%	

※ サブグループ解析において，中咽頭癌は他の頭頸部癌より有意に延長したOS（14.9 vs 4.7カ月，$p=0.035$）を認めた[1]。
※ 前治療がある場合，プラチナ製剤最終投与から6カ月以上経過して再発をきたした症例のほうが，6カ月未満で再発をきたした症例より，有意に奏効割合が高く（40% vs 13%, $p=0.0102$），PFSも良好な傾向にあった（6.0カ月 vs 2.8カ月，$p=0.055$）[1]。

S-1

有害事象マニュアル

有害事象の発現率と発現時期[1, 2]

有害事象	発現率（%）all Grade	発現率（%）Grade 3/4	発現時期
✓ 食欲不振	23〜37	5.1〜6.8	投与2週目以降〜5週目
血小板数減少	8.5〜16	0〜5.1	投与2〜3週目
✓ 感　染	16	5.1	
貧　血	46〜61	2.6〜6.8	投与2週目以降〜5週目
倦怠感	18〜22	1.7〜2.6	投与2週目以降〜5週目
✓ 口腔粘膜炎	12〜29	0〜1.7	投与2〜3週目
✓ 下　痢	10〜18	0	投与2〜3週目
✓ 悪心・嘔吐	12〜16	0	投与2週目以降〜5週目

☑：「有害事象マネジメントのポイント」参照。

減量早見表

減量レベル	S-1		
初回投与量	80mg／日	100mg／日	120mg／日
−1	（50mg／日）	80mg／日	100mg／日
−2		（50mg／日）	80mg／日

有害事象マネジメントのポイント

✓ 悪心・嘔吐，食欲不振

治療開始前のマネジメント

- 初回治療開始前にあらかじめ制吐薬を処方しておき，対処法について説明しておく。また，制吐薬は嘔吐してから飲む薬ではなく，予防として早めに使うのがコツであることを患者に十分説明しておくこと。

- 食欲不振でかつ水分摂取もできない場合は自己判断せず必ず病院へ連絡するように説明しておく。S-1内服中の脱水は，有害事象が重篤化する可能性があるため十分注意する。

有害事象発生時のマネジメント

- 悪心・嘔吐，食欲不振が続く場合は，ドパミン受容体拮抗薬〔メトクロプラミド（プリ

ンペラン®）5mg，ドンペリドン（ナウゼリン®）10mg，プロクロルペラジン（ノバミン®）5mg〕や5-HT$_3$受容体拮抗制吐薬〔オンダンセトロン塩酸塩水和物（ゾフラン®）ザイディス〕などを頓用または副作用発現時期の定期内服（投与後1週間のみ定時内服など）で対応する。

■治療前から嘔気がするなどの予期性嘔吐の場合は，ベンゾジアゼピン系抗不安薬〔アルプラゾラム（アルプラゾラム®）〕など治療開始前に内服させるのも有効である。

（減量・再開のポイント）

■制吐薬を使用しても持続するGrade 2以上の悪心・嘔吐が出現した場合は，減量を考慮する。

✓ 感 染

治療開始前のマネジメント

■治療開始前に感染のリスクを説明し，解熱薬としてアセトアミノフェン（カロナール®），経口抗菌薬としてレボフロキサシン水和物（クラビット®）やシプロフロキサシン（シプロキサン®）＋アモキシシリン水和物・クラブラン酸カリウム配合（2：1）（オーグメンチン®）などを処方しておく。経過中，38℃以上の発熱を認めた場合，アセトアミノフェンを頓用で使用し，併せて経口抗菌薬の内服を開始する。解熱しない場合は，病院へ連絡をしてもらい受診を指示する。

有害事象発生時のマネジメント

■発熱で受診した際には，血液検査のほか，末梢血の血液培養を2セット，胸部X線検査，尿沈査，尿培養などの諸検査を施行する。感染巣が同定できれば，それに応じた抗菌薬投与を行う。感染巣が不明の場合は，入院の上，経静脈的に抗菌薬の投与を行い，経過を観察する。

✓ 下 痢

治療開始前のマネジメント

■治療開始前にS-1による腸管粘膜障害として下痢が起こる可能性を説明し，止痢薬としてロペラミド塩酸塩を頓服として処方しておく。ロペラミド塩酸塩を内服しても改善を認めない場合は，S-1を休薬し，病院へ連絡をすることとする。

有害事象発生時のマネジメント

- 止痢薬を頓用で使用しても改善を認めない場合は，便培養を提出し，感染性腸炎を必ず除外した上で，止痢薬の定期内服を行う。
- 水分摂取が困難だったり，血液検査上，電解質異常や腎機能障害を認めたりする場合は，入院の上，補液を行う必要がある。

減量・再開のポイント

- 止痢薬を使用してもGrade 2以上の下痢を認めた場合，原則として次コースより1レベル減量する。

✓ 口腔粘膜炎

治療開始前のマネジメント

- 治療開始前にS-1による粘膜障害として口腔粘膜炎が起こる可能性を説明し，口腔ケアに努め，含嗽薬としてアズレンスルホン酸ナトリウム水和物・$NaHCO_3$配合（含嗽用ハチアズレ®），アズレン（アズノール®）軟膏などを処方しておく。アズレンスルホン酸ナトリウム水和物・$NaHCO_3$配合を使用しても改善を認めない場合は，S-1を休薬し，病院へ連絡をすることとする。

有害事象発生時のマネジメント

- 口腔粘膜炎による疼痛で水分摂取が困難な場合は，S-1を休薬し，入院の上，補液を行う必要がある。

- S-1は4週投与2週休薬が基本スケジュールである。減量を必要とする有害事象が出現した場合，S-1を休止し，次コースより1レベル減量することで4週投与2週休薬のスケジュールをキープすることを基本としている。しかし，有害事象の発現の仕方（投与3週目になると吐き気や下痢がコントロールできない，など）を考慮し，2週投与1週休薬でのS-1投与も考慮される。

| 症 例 | **66歳男性，下咽頭癌，肺転移，縦隔リンパ節転移** |

　身長168cm，体重40kg，体表面積1.417m^2，Ccr 50.26mL/分。20XX年8月31日よりティーエスワン® 100mg/日で投与を開始した。1コースの4週目に舌縁に口腔粘膜炎（Grade 1）を認めたが，休薬期間中に改善した。10月21日より2コース目を開始したところ，2週目に食事がしみるとの訴えがあり，食事内容に工夫を要した。舌縁に潰瘍を認め，口腔粘膜炎（Grade 2）と診断した。ティーエスワン®は継続しながら，ハチアズレ®，グリセリン含有含嗽薬を開始するとともに，毎食前にアセトアミノフェン500mgを内服することで症状の改善を認めた。3コース目以降は口腔粘膜炎の出現なく，同一用量でティーエスワン®内服を継続できている。

文 献

1) Yokota T, et al：S-1 Monotherapy for recurrent or metastatic squamous cell carcinoma of the head and neck after progression on platinum-based chemotherapy. Jpn J Clin Oncol. 2011;41:1351-7.
2) 犬山征夫，他，S-1 Cooperative Study Group（Head and Neck Cancer Working Group）：進行・再発頭頸部癌に対するティーエスワンの後期臨床第Ⅱ相試験．癌と化学療法．2001;28:1381-90.

〈安井博史〉

Ⅰ 頭頸部癌

Lenvatinib

投与スケジュール

1日1回連日内服する。

投与例

投与日	投与量	投与方法
連日	レンバチニブメシル酸塩（レンビマ®）24mg/日	経口（朝食後）

適応・治療開始基準

- 根治切除不能な甲状腺癌*。
- 経口摂取が可能で全身状態が保たれている（PS 0〜2）。
- 主要臓器および骨髄機能が保たれている。

　※対象について：わが国では分化型甲状腺癌（乳頭癌，濾胞癌，および低分化癌），未分化癌などの組織型にかかわらず保険承認されている[1〜3]。放射性ヨウ素治療抵抗性が確認されていない症例に対する有効性は確立されていないため投与は推奨できないが，病勢の急速進行例や有症状例に対しては投与を考慮する[4]。

慎重投与

	慎重投与
高血圧	高血圧を合併している
肝機能障害	肝機能障害を有する
脳転移	脳転移を有する
血栓塞栓症	血栓塞栓症またはその既往歴を有する
尿蛋白	尿蛋白陽性
創傷治癒	外科的処置後創傷が治癒していない
頸動脈・静脈浸潤	頸動脈・静脈への腫瘍浸潤を有する
年　齢	高齢者

効　果

	放射性ヨウ素治療抵抗性の根治切除不能甲状腺癌	
	分化型[1]	未分化型[2]
RR	64.7％	23.5％
DCR	87.7％	94.1％
PFS	18.3カ月	7.4カ月
OS	2年生存割合58.2％	10.6カ月

Lenvatinib

有害事象マニュアル

有害事象の発現率と発現時期 [1]

| 有害事象 | 発現率（%） | | | | 発現時期 |
| | all Grade | ≧ Grade 3 | 日本人 [5] * | | |
			all Grade	≧ Grade 3	
✓ 高血圧	67.8	41.8	86.7	80.0	投与1〜2週後
✓ 下　痢	59.4	8.0	60.0	0	
疲　労	59.0	9.2	60.0	13.3	
食欲不振	50.2	5.4	56.7	13.3	
体重減少	46.4	9.6	33.3	3.3	
悪　心	41.0	2.3	43.3	0	
粘膜炎	35.6	4.2	50.0	0	
✓ 手足症候群	31.8	3.4	70.0	3.3	投与5〜6週後
✓ 蛋白尿	31.0	10.0	63.3	20.0	投与6週後
血栓症　動脈／静脈	5.4／5.4	2.7／3.8			
✓ 頸動静脈・腫瘍出血					

☑：「有害事象マネジメントのポイント」（☞ p142）参照。

＊：SELECT試験の日本人サブグループの解析 (n=30)

減量早見表

減量レベル	レンバチニブメシル酸塩
初回投与量	24mg／日
−1	20mg／日
−2	14mg／日
−3	10mg／日
−4	8mg／日
−5	4mg／日

※表に示した用量調整が推奨されているが，4mgと10mgの製剤があり，実際は2剤の組み合わせにより可能な投与量（18mg，16mg，12mgなど）も適宜用いている。

減量・休薬・中止基準

副作用	程　度	処　置
高血圧	Grade 2	投与を継続し，降圧薬による治療を行う。
	Grade 3	収縮期血圧150mmHg以下および拡張期血圧95mmHg以下になるまで休薬し，降圧薬による治療を行う。投与再開時は1レベル減量する。
	Grade 4	中止
その他	忍容性がない Grade 2または Grade 3	本剤投与開始前の状態またはGrade 1になるまで休薬する（悪心・嘔吐・下痢の際は適切な処置を行っても制御不能な時に休薬する）。投与再開時は1レベル減量する。
	Grade 4	中止

有害事象マネジメントのポイント

- 投与開始直後から急速な血圧上昇などの副作用が出現する例があり，開始後1カ月間は毎週の診察と血液検査を行う。
- 有効性の高い薬剤であるため，適切な休薬と減量により継続することが重要である。

✓ 高血圧

治療開始前のマネジメント

- 最も高頻度にみられる有害事象である。高血圧の既往の有無をあらかじめ確認し，降圧薬内服中であれば血圧コントロールの状況を確認する。
- 治療開始前に血圧コントロール不良であれば降圧薬を導入もしくは追加し，正常血圧（血圧130mmHg/85mmHg程度）を目標にコントロールを行う。
- 治療開始後は自宅で毎日血圧測定を行い記録するように指導する。
- 自宅での血圧測定で常時Grade 3以上を認める場合は適宜連絡し，レンバチニブメシル酸塩（以下，レンバチニブ）継続の可否について判断する。高血圧を放置すると高血圧緊急症を発症し致命的になる可能性を説明する。

有害事象発生時のマネジメント

- 降圧薬の選択に関する明確な指針はなく，通常の高血圧と同様，個々の症例の心血管イベントリスク，腎機能などを考慮して選択する。尿蛋白陽性例では，腎保護作用のあるアンジオテンシン変換酵素阻害薬やアンジオテンシンⅡ受容体拮抗薬（ARB）が有効との報告がある。
- 自宅での血圧を参考にして早期から積極的な降圧を行う。

✓ 蛋白尿

治療開始前のマネジメント

- レンバチニブによる蛋白尿の多くは可逆的であり，休薬により改善することが多い。しかし，稀に不可逆的なネフローゼ症候群や腎不全を発症することもあり，定期的に尿蛋白の検査を行う。
- 腎保護療法として降圧薬の積極的投与による十分な血圧コントロールを行う。

有害事象発生時のマネジメント

- 尿蛋白定性検査で2＋以上の場合は，蛋白定量検査もしくは尿蛋白/クレアチニン比*を測定し1日尿蛋白の目安として2g/日未満であればレンバチニブの投与を継続する。ただし，腎機能，尿蛋白出現からの期間，全身状態等を考慮して総合的に判断する。

2g/日以上であれば休薬を考慮し，尿蛋白が1＋以下に回復したら1レベル減量して再開する。ネフローゼ症候群を発症した場合は中止する。

＊：随時尿の尿蛋白定量（mg/dL）/尿中クレアチニン濃度（mg/dL）で計算され，1日尿蛋白排泄量（g/日）と相関するとされている。

✓ 頸動静脈・腫瘍出血

治療開始前のマネジメント

■頸動静脈への腫瘍浸潤を有する場合，レンバチニブ投与中に腫瘍縮小・壊死に伴い，頸動静脈や腫瘍から大量出血をきたすことがあり，投与前に頸動静脈への腫瘍浸潤の有無を十分に評価する。特に未分化型では頸動静脈への浸潤例が多いとされており，注意が必要である。

■事前に頸動静脈への腫瘍浸潤を認めた場合は，治療開始前に本人・家族に治療もしくは腫瘍増大に伴い大量出血をきたした場合，止血が困難で救命できない可能性があることを十分に説明する。

■腫瘍内科と頭頸部外科で情報を共有し緊急時の対応を決めておく。

有害事象発生時のマネジメント

■腫瘍出血を認めた場合には，状況に応じて投与を中止するが，大量出血時は多くの場合止血困難である。

✓ 手足症候群

治療開始前のマネジメント

■レンバチニブにおいて頻度の高い副作用のひとつである。手足症候群（hand-foot syndrome：HFS）の発現・重症化によりQOLを損ねるため，手足症候群に関する症状と予防法を治療開始前にあらかじめ患者に教育することが重要である。

■角質肥厚の生じている手，足，爪の四肢末端部位などで刺激を契機に発症しやすい。

■手足の状態をチェックし胼胝腫（たこ），鶏眼（うおのめ）などの角質病変や白癬（みずむし）があれば，皮膚科を受診しレンバチニブメシル酸塩の開始前に治療してもらう。

■圧迫・刺激を避けるため，長時間の歩行や立位，激しい運動や締めつけの強い靴は避ける。手に圧のかかる作業や刺激のかかる作業はできるだけ避ける。

■入浴は40℃以下，10分以内を目安にしてもらい刺激がかからないようにする。

■保湿剤の塗布により角質化を防止することが重要である。保湿剤としては，当センターでは主にヘパリン類似物質（ヒルドイド®ソフト軟膏0.3％）を予防的に使用する。特に手洗いの後や入浴の後にはかかさず塗布するようにする。

有害事象発生時のマネジメント

- レンバチニブを投与後28日までに多くが発症すると報告されている。
- Grade 1〔疼痛を伴わないわずかな皮膚の変化または皮膚炎（例：紅斑，浮腫，角質増殖症）〕：レンバチニブは減量せずに継続し，症状が悪化してくるようであれば外用ステロイド薬〔ジフルプレドナート（マイザー®）軟膏〕を1日2回で開始する。
- Grade 2〔疼痛を伴う皮膚の変化（例：角層剝離，水疱，出血，浮腫，角質増殖症）〕：身の回り以外の日常生活動作の制限を伴う状態である。レンバチニブを1レベル減量し外用ステロイド薬（ジフルプレドナート軟膏）の回数を増量する，もしくはクロベタゾールプロピオン酸エステル（デルモベート®）軟膏1日2回へ変更する。この対応で1週間たっても改善しない場合には休薬する。Grade 0〜1に軽快するまで休薬し，再開時には前回投与量より1レベル減量する。
- Grade 3〔疼痛を伴う高度の皮膚の変化（例：角層剝離，水疱，出血，浮腫，角質増殖症）〕：身の回りの日常生活動作の制限される状態である。直ちに休薬しGrade 0〜1に改善するまで休薬する。前回投与量より1レベル減量してから再開する。
- 休薬でも改善が乏しい場合やGrade 3の時には適宜皮膚科に診察を依頼する。

✓ 下 痢

治療開始前のマネジメント

- 治療開始前に止痢薬としてロペラミド塩酸塩（ロペラミド®錠）を頓服として処方しておく。止痢薬を使用しても下痢が改善しない場合は，レンバチニブを休薬し病院に連絡するように指導する。

有害事象発生時のマネジメント

- 止痢薬を頓服で使用しても改善しない場合，便培養を提出し，感染性腸炎を否定した上で，止痢薬の定期内服を開始する。
- 水分摂取が困難な場合や，電解質異常や腎機能障害を認めるなどの重度の脱水をきたした場合は，入院の上で適切な補液を行う。

症例	**63歳女性，甲状腺癌**

前医にて甲状腺乳頭癌多発肺転移に対して甲状腺全摘後にヨード内用療法を行ったが，肺転移増大をきたし当センターに紹介となった。PS 0，脂質異常症以外に既往歴はなし。血圧126/74mmHg，SpO_2 98％（室内気）。ヨード治療不応の切除不能甲状腺乳頭部癌に対してレンバチニブ24mg/日を開始した。2週目に血圧164/90mmHgと上昇を認めレンバチニブを休薬し，アムロジピンベシル酸塩（アムロジピン®）2.5mg/日を開始した。3週目に血圧134/80mmHgまで改善したためレンバチニブを20mg/日に減量して再開した。5週目に尿蛋白定性1＋，6週目に2＋と増悪したが，同日の尿蛋白/クレアチニン比が1.2であったため継続した。8週目に尿蛋白定性3＋となりレンバチニブを休薬し，9週目に尿蛋白定性が1＋に改善したためレンバチニブを14mg/日に減量し再開した。3カ月目のCTで多発肺転移の著明な縮小を認め，現在レンバチニブを14mg/日で継続中。

文 献

1) Schlumberger M, et al:Lenvatinib versus placebo in radioiodine−refractory thyroid cancer. New Engl J Med. 2015;372:621−30.
2) Tahara M, et al:Lenvatinib for Anaplastic Thyroid Cancer. Front Oncol. 2017;7:25.
3) Schlumberger M, et al:A Phase II Trial of the Multitargeted Tyrosine Kinase Inhibitor Lenvatinib (E7080) in Advanced Medullary Thyroid Cancer. Clin Cancer Res. 2016;22:44−53.
4) 日本臨床腫瘍学会，他:甲状腺癌診療連携プログラム.
5) Kiyota N, et al:Subgroup analysis of Japanese patients in a phase 3 study of lenvatinib in radioiodine−refractory differentiated thyroid cancer. Cancer Sci. 2015;106:1714−21.

（横田知哉）

Ⅰ 頭頸部癌

Sorafenib
（根治切除不能甲状腺癌）

投与スケジュール

| ソラフェニブトシル酸塩 800mg/日，1日2回 |  |

投与例

投与日	投与量	投与方法
連日	ソラフェニブトシル酸塩（ネクサバール®）400mg/回	経口（朝，夕食後）

適応・治療開始基準

- 局所進行性，または転移性の甲状腺癌（乳頭癌，濾胞癌，ヒュルトレ細胞癌）。
- 放射性ヨウ素治療抵抗性[1]。
- 主要臓器機能が保たれている。

慎重投与[2]

	慎重投与
肝機能障害	重度（Child-Pugh分類C）の患者
高血圧症	高血圧を有する
血栓塞栓症	血栓塞栓症を有する
脳転移	脳転移を有する
年　齢	高齢者

効　果[3]

	放射性ヨウ素治療抵抗性の局所進行性，または転移性の分化型甲状腺癌での治療成績
RR	12.2 %
PFS	16.2カ月
OS[4] *	34.5カ月

＊：Phase 2での全生存期間中央値（MST）。ヨード不応分化型甲状腺癌に対するソラフェニブトシル酸塩とプラセボとを比較したPhase 3であるDECISION試験ではソラフェニブトシル酸塩群でのMSTは未到達であった。

※保険適用は「根治切除不能な甲状腺癌」であるが，甲状腺未分化癌に対する有効性は確立していない。

Sorafenib（根治切除不能甲状腺癌）

有害事象マニュアル

有害事象の発現率と発現時期[2, 3]

有害事象[4]	発現率（%）				発現時期
	all Grade	≧ Grade 3	日本人[2]		
			all Grade	≧ Grade 3	
✓ 手足症候群	76.3	20.3	100	50	投与1〜28日後
✓ 下 痢	68.6	5.8	58.3	8.3	
脱 毛	67.1		91.7	16.7	投与28〜56日後
✓ 皮疹・落屑	50.2	4.8	58.3	0	投与1〜28日後
疲 労	49.8	5.8	58.3	0	
体重減少	46.9	5.8			
✓ 高血圧	40.6	9.7	33.3	0	投与28〜56日後
口腔粘膜炎	23.2	1.0	16.7	0	
TSH増加	33.3	0			
低カルシウム血症	18.8	9.2	8.3	0	投与28〜56日後
ALT増加	12.6	2.9	41.7	0	投与1〜56日後
AST増加	11.1	1.0	41.7	0	投与1〜56日後

☑：「有害事象マネジメントのポイント」参照。

減量早見表[2]

減量レベル	ソラフェニブトシル酸塩
初回投与量	400mg，1日2回
−1	1回400mgと1回200mgを交互に12時間間隔

減量レベル	ソラフェニブトシル酸塩
−2	200mg，1日2回
−3	200mg，1日1回

有害事象マネジメントのポイント

✓ 手足症候群

- 「Lenvatinib」参照（☞ p143）。

✓ 皮疹・落屑

治療開始前のマネジメント

- 手足症候群（hand-foot syndrome：HFS）以外にも皮膚症状が出現する。多くは一過性のものであり減量せずに継続できるが，稀に中毒性表皮壊死融解症（TEN），皮膚粘膜眼症候群（SJS），多形紅斑を引き起こす。このため口腔や眼球結膜などの粘膜病変を伴

う全身性の発疹の場合には，投与を中止しすぐに来院してもらうように患者に説明する。

有害事象発生時のマネジメント

- 低Gradeの皮疹であればソラフェニブトシル酸塩（以下，ソラフェニブ）を減量せずに継続できるが，多形紅斑の場合は再投与により高率に再発する。このため皮膚科にコンサルトし継続可能な皮疹か判断してもらうことが望ましい。
- 粘膜症状を伴う全身性の皮疹の場合には早急に処置が必要であるためソラフェニブを中止し速やかに皮膚科にコンサルトする。

✓ 下　痢

- 「Lenvatinib」参照（☞ p144）。

✓ 高血圧

- 「Lenvatinib」参照（☞ p142）。

症例 69歳女性，甲状腺癌，多発肺転移，胸膜転移

　前医にて甲状腺左葉峡切除術。病理診断は濾胞癌と低分化癌の混在型。その後放射性ヨードによるアブレーションを行ったが，術後6年目に多発肺転移，左胸膜転移再発し，当センターに紹介となった。PS 0，血圧96/59mmHg，SpO_2 92％（室内気）。ヨード治療不応の低分化型甲状腺癌に対してソラフェニブ800mg/日で治療を開始したが，治療開始2週間後に全身に多形紅斑（Grade 3）が出現した。直ちに休薬しマイザー® 軟膏，d-クロルフェニラミンマレイン酸塩・ベタメタゾン配合（セレスターナ® 配合錠）を投与すると皮疹はGrade 1まで改善した。休薬期間中に原疾患の進行により胸水が増悪。当時はソラフェニブしか承認されていなかったため600mg/日へ減量しソラフェニブを再開したが，投与再開3日後に多形紅斑が再燃しソラフェニブ投与は断念した。多形紅斑はソラフェニブ中止で改善を認めた。

文　献

1) 日本臨床腫瘍学会，他：甲状腺癌診療連携プログラム．
2) ネクサバール® 適正使用ガイド．
3) Brose MS, et al:Sorafenib in radioactive iodine-refractory, locally advanced or metastatic differentiated thyroid cancer:a randomised, double-blind, phase 3 trial. Lancet. 2014; 384:319-28.
4) Schneider TC, et al:Long-term analysis of the efficacy and tolerability of sorafenib in advanced radio-iodine refractory differentiated thyroid carcinoma:final results of a phase II trial. Eur J Endocrinol. 2012;167:643-50.

（横田知哉）

Ⅰ 頭頸部癌

Vandetanib
（根治切除不能な甲状腺髄様癌）

投与スケジュール

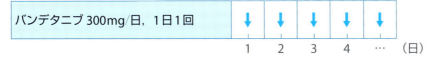

投与例

投与日	投与量	投与方法
連日	バンデタニブ（カプレルサ®）300mg/日	経口（朝食後）

適応・治療開始基準

- 根治切除不能な甲状腺髄様癌。
- 主要臓器機能が保たれている。

慎重投与・禁忌[1]

	慎重投与	禁忌
心疾患	QT間隔延長の恐れまたはその既往歴を有する 心不全症状を有するまたはその既往歴を有する	先天性QT延長症候群を有する
妊娠		妊婦または妊娠している可能性を有する
間質性肺疾患	間質性肺疾患を有するまたはその既往歴を有する	
高血圧	高血圧症を有する（高血圧が増悪する恐れがある）	
腎機能障害	腎機能障害を有する（減量を考慮する）	
その他		バンデタニブの成分に対し過敏症の既往歴を有する

効果[2,3]

	根治切除不能な甲状腺髄様癌での治療成績
ORR[2,3]	38〜45%
12カ月時点でのPFS[3]	85%
OS	データなし

Vandetanib（根治切除不能な甲状腺髄様癌）
有害事象マニュアル

- バンデタニブは，チロシンキナーゼの中でも主にVEGFR，EGFR，RETに対して阻害作用を示し，特にVEGFRに対して高い選択的阻害作用を示す。下痢，発疹，高血圧，光線過敏症，肺障害，角膜障害などに注意が必要であり，半減期が長いため，早めの休薬と減量が治療継続のコツである。

有害事象の発現率と発現時期[2, 3]

有害事象	発現率（%）海外[2] all Grade	発現率（%）海外[2] ≧Grade 3	発現率（%）日本人[3] all Grade	発現率（%）日本人[3] ≧Grade 3
✓ 下痢	56	11	79	
✓ 皮疹	45	4	43	
□ 悪心	33	2％以下		
✓ 高血圧	32	9	64	
□ 疲労	24	6	43	
□ 頭痛	26	2％以下		
□ 食欲不振	21	4		
□ ざ瘡	20	2％以下		
□ 無力症	14	3		
✓ 心電図QT補正間隔延長	14	8	28.6	0
✓ 蛋白尿	10	2％以下	36	
□ 角膜混濁	5.2	不明	42.9	
✓ 霧視等				

☑：「有害事象マネジメントのポイント」参照。

減量早見表

減量レベル	バンデタニブ
初回投与量	300mg，1日1回
-1	200mg，1日1回
-2	100mg，1日1回

※腎機能障害患者では，バンデタニブの血中濃度が上昇することが報告されているため，減量を考慮する。

有害事象マネジメントのポイント

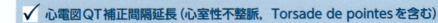
✓ 心電図QT補正間隔延長（心室性不整脈，Torsade de pointesを含む）

治療開始前のマネジメント

- 心電図検査および電解質検査（カリウム，マグネシウム，カルシウム等）を行っておく。

有害事象発生時のマネジメント

■投与中は定期的に心電図検査および電解質検査（カリウム，マグネシウム，カルシウム等）を行い，患者の状態を十分に観察すること。また，必要に応じて電解質を補正するとともに，心電図QT補正間隔延長，不整脈等が現れた場合には，本剤の休薬，減量または中止を考慮すること。

✓ 霧視等

■角膜障害による羞明などの眼症状が現れることがあるので，投与中は定期的に眼の異常の有無を確認し，異常が認められた場合には適宜眼科専門医を受診する。自動車の運転等，危険を伴う機械の操作に従事する際には注意するよう患者に十分に説明すること。

✓ 高血圧

■「Lenvatinib」参照（☞ p142）。

✓ 間質性肺炎

■「DTX」参照（☞ p131）。

✓ 下 痢

■「Lenvatinib」参照（☞ p144）。

✓ 皮疹・落屑

■「Sorafenib」参照（☞ p147）。

✓ 蛋白尿

■「Lenvatinib」参照（☞ p142）。

文 献

1) カプレルサ®添付文書.
2) Wells SA Jr., et al:Vandetanib in patients with locally advanced or metastatic medullary thyroid cancer:a randomized, double-blind phase Ⅲ trial. J Clin Oncol. 2012;30:134-41.
3) Uchino K, et al:Safety and tolerability of vandetanib in Japanese patients with medullary thyroid cancer:a PHASE Ⅰ/Ⅱ Open-Label Study. Endocr Pract. 2017;23:149-56.

（横田知哉）

I 頭頸部癌

DTX + Tmab

投与スケジュール

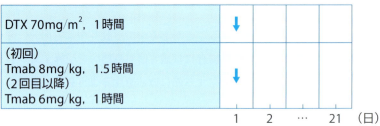

上記3週を1コースとする。
DTXは毒性を考慮し、原則として6コースまで施行。以後はTmabのみ継続。

投与例

投与日	投与順	投与量	投与方法
1	1	デキサメタゾンリン酸エステルナトリウム（デキサート®）2.0mL（6.6mg）＋ 生食 50mL	点滴末梢本管（15分）
	2	ドセタキセル水和物[DTX]（ワンタキソテール®）70mg/m² ＋ 生食 250mL	点滴末梢本管（1時間）
	3	トラスツズマブ[Tmab]（ハーセプチン®）初回 8mg/kg、2回目以降 6mg/kg ＋ 生食 250mL	点滴末梢本管（1.5時間→30分）*
	4	生食 50mL	点滴末梢本管（5分）

＊：Tmabの初回投与時に忍容性を認めた場合、2回目以降の投与時間は30分まで短縮が可能である。

適応・治療開始基準

- HER2陽性の根治切除不能な進行・再発の唾液腺癌。
- PS 0〜1
- 主要臓器機能が保たれている（以下が目安）。

  - 白血球数 ≧ 3,000/μL
  - 好中球数 ≧ 2,000/μL
  - 血小板数 ≧ 7.5×10⁴/μL
  - ヘモグロビン ≧ 9.0g/dL
  - 総ビリルビン ≦ 正常上限値
  - AST、ALT ＜ 1.5×正常上限値
  - ALP ＜ 2.5×正常上限値
  - クレアチニン ＜ 1.5mg/dL×正常上限値

慎重投与・禁忌

	慎重投与	禁　忌
年　齢	75歳以上	
胸腹水・心嚢液	胸腹水・心嚢液の貯留を有する	
心機能障害	・駆出分画（ejection fraction：EF）55%以下 ・心筋梗塞，狭心症の既往がある ・コントロール不良の高血圧	EF 30%以下
間質性肺疾患	間質性肺疾患または肺線維症の既往，または合併症がある	胸部X線写真で，明らかに間質性肺炎または肺線維症がある
肝障害	肝障害（肝転移，肝炎，肝硬変など）アルコール依存症の既往または合併症がある	
感　染		治療を有する活動性感染症
アレルギー		タキサン製剤，Tmabに対して重篤な過敏症がある

効　果

	HER2陽性の切除不能局所進行，または再発・転移唾液腺導管癌[1]
ORR	70.2%
PFS	中央値8.9カ月 1年生存割合25.6%
OS	中央値39.7カ月 3年生存割合58.3%

DTX + Tmab

有害事象マニュアル

有害事象の発現率と発現時期 [1]

	発現率（%）		発現時期
	all Grade	Grade 3/4	
✓ 白血球減少	89	44	8〜14日
✓ 好中球減少	88	18	8〜14日
✓ 発熱性好中球減少症	14	14	
✓ 貧 血	91	4	
血小板減少	32	0	
✓ 悪 心	16	2	
✓ 四肢浮腫	49	2	
ALT上昇	25	0	
AST上昇	26	0	
倦怠感	35	2	
発 熱	35	0	
食欲不振	37	2	投与当日から
下 痢	19	0	
便 秘	33	0	
脱 毛	30		
infusion reaction	18	0	投与24時間以内
心毒性	0	0	開始1カ月以降

☑：「有害事象マネジメントのポイント」参照。

減量早見表

減量レベル	DTX
初回投与量	70mg/m^2
−1	55mg/m^2
−2	45mg/m^2

Tmabは減量を行わず，中止する。

有害事象マネジメントのポイント

✓ 白血球減少・好中球減少

治療開始前のマネジメント

■好中球数減少が最も注意の必要な有害事象である。38℃以上の急な発熱，または37.5℃以上の持続する発熱がある時には病院へ連絡できる体制を整えておく。

- 1コース目は1〜2週に1回の血液検査を行い，骨髄抑制のパターンを確認する。2コース目以降はnadirの時期に合わせて血液検査を確認し，減量の要否を判断する。

有害事象発生時のマネジメント

- 発熱性好中球減少症は，入院で広域静注抗菌薬の投与を行う。
- Grade 3以上の好中球数減少を認め，臓器障害や合併症をベースに有する場合や高齢者，肺炎，全身状態不良例に対しては，G-CSF製剤の二次予防的投与を考慮してもよい。
- 全身状態が良好な低リスク群（MASCCスコア21点以上）に対しては，経口抗菌薬〔シプロフロキサシン（シプロキサン®）200〜500mg＋アモキシシリン水和物・クラブラン酸カリウム配合（2:1）（オーグメンチン®）125/250〜125/500mgを8時間ごと〕による外来治療も選択肢のひとつとなるが，患者に対する十分な説明と理解，近隣病院のサポート体制などを考慮して対応する必要がある。

減量・再開のポイント

- Grade 4の白血球減少，好中球減少やGrade 3以上の発熱性好中球減少症を認めた場合，次コースはDTXを1レベル減量して投与する。

✓ 貧 血

治療開始前のマネジメント

- 高度な貧血になるまで自覚症状に乏しい場合があり，定期的な血液検査でのフォローが必要である。動悸，息切れ，易疲労感，起立性低血圧などの症状が出現した場合には早めの受診を指示しておく。

有害事象発生時のマネジメント

- ヘモグロビン（Hb）値が，ベースラインから2g/dL以上の低下を認めた場合，網状赤血球を確認して，喪失・破壊なのか，産生障害なのかを鑑別する。さらに，喪失・破壊としては出血，溶血性貧血，産生障害としては必須栄養素の欠乏（鉄，葉酸，ビタミンB$_{12}$欠乏），腎性貧血，放射線製骨髄抑制などを鑑別し，これらが場外で来た場合には慢性炎症による貧血や化学療法の骨髄抑制による貧血を考える。
- 慢性炎症による貧血や化学療法による骨髄抑制に対しては輸血で対応することとなる。無症状の場合，Hb 7〜9g/dLを目標とする。症状がある場合（頻脈，頻呼吸，起立性低血圧を含む），Hb 8〜10g/dLを目標とする。

> 減量・再開のポイント

- 一般的に，輸血で対応可能な貧血の場合は，減量せずに継続可能であることが多い。

✓ 悪心・嘔吐

- 「TPF」参照（☞ **p66**）。

✓ 消化器毒性

治療開始前のマネジメント

- Grade 3以上の消化器毒性は目立たないが，食欲不振や悪心，便秘がしばしばみられる。投与後4日目ごろまでは便秘になりやすく，排便困難などを起こすことがあるため早い段階で緩下薬を使用するように説明する。

有害事象発生時のマネジメント

- 上記で便秘等の改善を認めない場合には減量または休薬を検討する。

✓ 心機能障害（EF低下）

治療開始前のマネジメント

- アンスラサイクリン系薬剤の使用歴・胸部への放射線照射歴を確認する。
- 循環器系疾患の病歴を十分に聴取する。
- 心不全徴候（動悸，息切れ，咳嗽，むくみ）を説明する。
- Tmab投与開始前に必ず心臓超音波検査（UCG）を実施し，心機能〔左室駆出率（left ventricular ejection fraction：LVEF）〕を確認する。
- 以後は3～6カ月ごとにUCGによるフォローアップを行う。
- 治療中の循環器系疾患がある場合は循環器内科との連携が必要である。

有害事象発生時のマネジメント

- きわめて稀に治療開始直後に発生することがあるが，多くは蓄積性（数カ月後以降に発生）である。
- 有症状の場合は直ちにTmabの投与を中止し，循環器内科にコンサルトする。
- 無症状のEF低下に関しては，以下を参考に対応する。

LVEF値とトラスツズマブ休薬の規準

LVEFの低下		処　置
40％≦LVEF≦45％	ベースラインからの絶対値＜10％	継続。3週間以内にLVEF再測定。
	ベースラインからの絶対値≧10％	休薬。3週間以内にLVEF再測定。ベースラインからの絶対値＜10％に回復しない場合は投与を中止。
LVEF＜40％		休薬。3週間以内にLVEF再測定。再測定時LVEF＜40％で投与を中止。
症候性うっ血性心不全		中止（再投与は行わない）。

減量・再開のポイント

- 量により対処することはない（休薬または永久的中止）。
- 無症候性のEF低下において投与を中止した場合，3週ごとのEF測定を行い，ベースラインまたはLVEF＞50％への回復を認めた際には投与の再開を検討する。
- EF低下による中止例では，その後のEF測定は頻回（6〜9週ごと）に行う。

✓ **涙道障害**

治療開始前のマネジメント

- 患者に対し，DTXによる涙道障害という有害事象があることの情報提供を行う。

有害事象発生時のマネジメント

- 眼科的処置が必要となる。

減量・再開のポイント

- 通常，本事象による減量・休薬は行わない。

文　献

1) Takahashi H, et al:Phase Ⅱ Trial of Trastuzumab and Docetaxel in Patients With Human Epidermal Growth Factor Receptor 2-Positive Salivary Duct Carcinoma. J Clin Oncol. 2019;37:125-34.

（西村　在，小野澤祐輔）

II 食道癌

FP, FP＋RT

投与スケジュール

◉ FP (700/70) ＋放射線治療

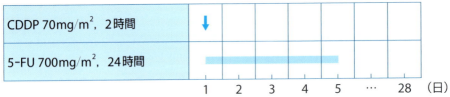

放射線治療と並行して，上記4週を1コースとし，2コース行う。

◉ FP (1,000/75) ＋放射線治療

放射線治療と並行して，上記4週を1コースとし，2コース行う。

◉ FP (800/80) 療法

上記4週を1コースとする。

投与例

◉ FP (700/70) ＋放射線療法

投与日	投与順	投与量	投与方法
1	1	フルオロウラシル [5-FU] (5-FU®) 700mg/m² ＋ ソルデム®3A G輸液 1,000mL ＋ ラクテック®G輸液 1,000mL	点滴末梢本管 (24時間)
		ラクテック®注 500mL ＋ 硫酸マグネシウム (硫酸Mg補正液 1mEq/mL®) 20mL	点滴末梢側管 (2時間)
		アプレピタント (イメンド®) カプセル 125mg	開始時内服
	2	パロノセトロン塩酸塩 (アロキシ®) 点滴静注 0.75mg/50mL ＋ デキサメタゾンリン酸エステルナトリウム (デキサート®) 9.9mg	点滴末梢側管 (15分)

1	3	シスプラチン［CDDP］（シスプラチン®）70mg／m² ＋ 生食 300mL	点滴末梢側管（2時間）
	4	生食 500mL	点滴末梢側管（2時間）
2 3	1	アプレピタントカプセル 80mg	朝食後内服
	2	デキサメタゾンリン酸エステルナトリウム 6.6mg ＋ 生食 100mL	点滴末梢側管（15分）
		5-FU 700mg／m² ＋ ソルデム®3A G輸液 1,000mL ＋ ラクテック®G輸液 1,000 mL	点滴末梢本管（24時間）
	3	生食 1,000mL	点滴末梢側管（5時間）
4	1	デキサメタゾンリン酸エステルナトリウム 6.6mg ＋ 生食 100mL	点滴末梢側管（15分）
		5-FU 700mg／m² ＋ ソルデム®3A G輸液 1,000mL ＋ ラクテック®G輸液 1,000 mL	点滴末梢本管（24時間）
	2	生食 1,000mL	点滴末梢側管（5時間）

●FP（1,000／75）＋放射線療法

投与日	投与順	投与量	投与方法
1	1	5-FU 1,000mg／m² ＋ ソルデム®3A G輸液 1,000mL ＋ ラクテック®G輸液 1,000mL	点滴末梢本管（24時間）
		ラクテック®注 500mL ＋ 硫酸マグネシウム 20mL	点滴末梢側管（2時間）
		アプレピタントカプセル 125mg	開始時内服
	2	パロノセトロン塩酸塩点滴静注 0.75mg／50mL ＋ デキサメタゾンリン酸エステルナトリウム 9.9mg	点滴末梢側管（15分）
	3	CDDP 75mg／m² ＋ 生食 300mL	点滴末梢側管（2時間）
	4	生食 500mL	点滴末梢側管（2時間）
2 3	1	アプレピタントカプセル 80mg	朝食後内服
	2	デキサメタゾンリン酸エステルナトリウム 6.6mg ＋ 生食 100mL	点滴末梢側管（15分）
		5-FU 1,000mg／m² ＋ ソルデム®3A G輸液 1,000mL ＋ ラクテック®G輸液 1,000 mL	点滴末梢本管（24時間）
	3	生食 1,000mL	点滴末梢側管（5時間）
4	1	デキサメタゾンリン酸エステルナトリウム 6.6mg ＋ 生食 100mL	点滴末梢側管（15分）
		5-FU 1,000mg／m² ＋ ソルデム®3A G輸液 1,000mL ＋ ラクテック®G輸液 1,000 mL	点滴末梢本管（24時間）
	2	生食 1,000mL	点滴末梢側管（5時間）

● FP (800/80)療法

投与日	投与順	投与量	投与方法
1	1	5-FU 800mg/m^2 ＋ ソルデム®3A G輸液 500mL ＋ ラクテック®G輸液 1,000mL	点滴末梢本管（24時間）
		ラクテック®注 500mL ＋ 硫酸マグネシウム 20mL	点滴末梢側管（2時間）
		アプレピタントカプセル 125mg	開始時内服
	2	パロノセトロン塩酸塩点滴静注 0.75mg/50mL ＋ デキサメタゾンリン酸エステルナトリウム 9.9mg	点滴末梢側管（15分）
	3	CDDP 80mg/m^2 ＋ 生食 300mL	点滴末梢側管（2時間）
	4	生食 500mL	点滴末梢側管（2時間）
2 3	1	アプレピタントカプセル 80mg	朝食後内服
	2	デキサメタゾンリン酸エステルナトリウム 6.6mg ＋ 生食 100mL	点滴末梢側管（15分）
		5-FU 800mg/m^2 ＋ ソルデム®3A G輸液 500mL ＋ ラクテック®G輸液 1,000mL	点滴末梢本管（24時間）
	3	生食 1,000mL	点滴末梢側管（5時間）
4	1	デキサメタゾンリン酸エステルナトリウム 6.6mg ＋ 生食 100mL	点滴末梢側管（15分）
		5-FU 800mg/m^2 ＋ ソルデム®3A G輸液 500mL ＋ ラクテック®G輸液 1,000mL	点滴末梢本管（24時間）
	2	生食 1,000mL	点滴末梢側管（5時間）
5	1	5-FU 800mg/m^2 ＋ ソルデム®3A G輸液 500mL ＋ ラクテック®G輸液 1,000mL	点滴末梢本管（24時間）
	2	生食 1,000mL	点滴末梢側管（5時間）

適応・治療開始基準

■食道扁平上皮癌，類基底細胞癌，腺扁平上皮癌，腺癌。

■主要臓器機能が保たれている（以下が目安）。

- 好中球数 ≧ 1,500/μL
- 血小板数 ≧ 10.0×10^4/μL
- ヘモグロビン ≧ 10.0g/dL
- 総ビリルビン ≦ 1.5mg/dL
- AST，ALT ≦ 2.0 × upper limit of normal（ULN）
- クレアチニン ≦ 1.2mg/dL かつ クレアチニンクリアランス（Ccr*）≧ 60mL/分

＊：Cockcroft-Gault 式による推定値

慎重投与・禁忌

	慎重投与	禁　忌
胸腹水・心嚢液	胸腹水・心嚢液を有する	
腎機能障害	Ccr＜60mL／分	重篤な腎機能障害
肺疾患	間質性肺疾患，慢性閉塞性肺疾患を有する	
心機能障害	心機能低下を有する，心筋梗塞，狭心症	
肝機能障害	肝機能障害を有する	
感　染	感染症を有する	

効　果

	Stage Ⅰの切除可能食道癌に対するFP＋RT[1]	Stage Ⅱ～Ⅲ（T4を除く）の切除可能食道癌に対する術前FP[2]
CR	87.3％	2.4％
RR		38％
PFS／RFS	5年PFS 71.6％	5年PFS 44％
OS	5年生存率85.5％	5年生存率55％

	Stage Ⅱ～Ⅲ（T4を除く）の切除可能食道癌に対するFP＋RT（5-FU：1,000mg／m^2，CDDP：75mg／m^2）[3]	Stage Ⅲ（T4）／Ⅳ M1（LYM）の切除不能食道癌に対するFP＋RT（5-FU：700mg／m^2，CDDP：70mg／m^2）[4,5]
CR	58.5％	15％
RR		68.3％
PFS	3年PFS 57.0％	
OS	3年生存率74.2％	中央値10.2～13.1カ月 2年OS 32％，3年OS 25.9％

	切除不能再発・進行食道癌に対するFP（5-FU：1,000mg／m^2，day 1～5，CDDP：100mg／m^2，day 1）[6]	切除不能再発・進行食道癌に対するFP（5-FU：800mg／m^2，day 1～5，CDDP：20mg／m^2，day 1～5）[7]
CR	3％	2.8％
RR	35％	33.3％
PFS	6.2カ月	
OS	7.6カ月，1年OS 34％，2年OS 18％	6.6カ月，1年OS 27.8％

FP，FP＋RT

有害事象マニュアル

有害事象の発現率と発現時期

●FP＋RT療法[1, 3〜7]

有害事象	発現率（%）		発現時期
	all Grade	≧ Grade 3	
✓ 白血球減少	94.7〜98.0	8.3〜82.3	7〜14日目以降
✓ 好中球数減少	73.3〜98.0	2.8〜78.4	7〜14日目以降
貧　血	34.7〜100	6.7〜28	
✓ 血小板数減少	23.6〜90.2	1.4〜19.6	
食欲不振	90.2	20〜45	7〜14日目以降
食道炎	51.7〜80.4	3.3〜35	
嚥下困難	78.4	23〜31	
FN		1.3〜19.6	
✓ 悪心・嘔吐	56.9〜84.3	5.0〜17	数時間〜数日目
低ナトリウム血症	73.7〜88.2	15.9〜17	
感　染	23.3〜31.6	1.7〜12	
ALT増加	41.2〜69.7	1.4〜10	
瘻孔形成		9	
✓ 口腔粘膜炎	18.3〜43.1	3.9〜8.0	5〜10日目
AST増加	34.7〜55.3	1.4〜5.9	
呼吸困難	1.4〜5.0	3.3	
クレアチニン増加	13.3〜70.6	1.3〜2.0	
✓ 下　痢	16.7〜21.1	1.3〜2	10日目以降
腎障害		2	
肺障害		2	
血中ビリルビン増加	18.3〜30.6	1.7	

☑：「有害事象マネジメントのポイント」（☞ p163）参照。

●FP療法[2, 8, 9]

有害事象	発現率（%）		発現時期
	all Grade	≧ Grade 3	
✓ 白血球減少	57.5	2.5〜14	7〜14日目以降
✓ 好中球数減少	65	15	7〜14日目以降
貧　血	87.5	5	
✓ 血小板数減少	37.5	1〜14	7〜14日目以降
✓ 悪心・嘔吐		27	数時間〜数日目
静脈血栓症		9	
口腔粘膜炎		3〜4	5〜10日目

☐ 血中ビリルビン増加	12.5	2.5	
☐ 下　痢		1〜2	10日目以降

☑：「有害事象マネジメントのポイント」参照。

減量早見表

● FP (700/70)

減量レベル	5-FU	CDDP
初回投与量	700mg/m²	70mg/m²
−1	500mg/m²	50mg/m²
−2	350mg/m²	35mg/m²

● FP (1,000/75)

減量レベル	5-FU	CDDP
初回投与量	1,000mg/m²	75mg/m²
−1	750mg/m²	60mg/m²
−2	500mg/m²	37.5mg/m²

● FP (800/80)

減量レベル	5-FU	CDDP
初回投与量	800mg/m²	80mg/m²
−1	600mg/m²	60mg/m²
−2	400mg/m²	40mg/m²

※5-FUは50mg/body単位で，CDDPは1mg/body単位で用量を調整する。

有害事象マネジメントのポイント

✓ 白血球減少・好中球数減少

治療開始前のマネジメント

- 好中球数減少が最も注意の必要な有害事象である。38℃以上の発熱を認める時には病院へ連絡できる体制を整えておく。
- 1コース目で1〜2週に1回の血液検査を行い，骨髄抑制のパターンを確認する。2コース目以降はnadirの時期に合わせて血液検査を確認し，次コース以降での減量の要否を判断する。
- FP＋放射線治療では骨髄抑制がより強く，期間も遷延することがある。化学放射線療法中は週に1回以上の血液検査で定期的に経過を観察することを原則とする。
- 化学放射線療法におけるFP療法では，2コース目開始予定日もしくは前日の血液検査において，好中球数≧1,000/μLを満たさなかった場合は，日単位で2コース目開

始を延期する。放射線治療を予定通り完遂することを第一に考え，化学療法が予定通り投与できない場合でも放射線治療は可能な限り継続する。

有害事象発生時のマネジメント

- Grade 4の好中球数減少が出現した際には，放射線治療，化学療法ともに休止し，Grade 3以下に改善したら放射線治療を，Grade 2以下の改善で化学療法を再開する。
- Grade 3以上の好中球数減少を認め，発熱性好中球減少症を発症するリスクが高い（化学療法歴を有する，白血球数低値，肝機能障害・腎機能障害などの臓器障害を有する[8]）場合，G-CSF製剤の使用を考慮してもよい。ただし，G-CSF投与中は化学放射線療法，化学療法を休止する。
- 発熱性好中球減少症を発症した際には，入院にて広域静注抗菌薬の投与を行う。全身状態が良好な低リスク群（MASCCスコア21点以上）に対しては，経口抗菌薬〔シプロフロキサシン［CPFX］（シプロキサン®）200〜500mg＋アモキシシリン水和物・クラブラン酸カリウム配合（2：1）（オーグメンチン®）125/250〜125/500mgを8時間ごと〕による外来治療も選択肢のひとつとなるが，患者に対する十分な説明と理解，近隣病院のサポート体制などを考慮して対応する必要がある。

減量・再開のポイント

- 前コースでGrade 4の白血球減少，好中球数減少，Grade 3以上の発熱性好中球減少症を認めた場合，次コースは5-FU，CDDPともに1レベル減量して投与する。

✓ 肝機能障害

治療開始前のマネジメント

- 化学療法によって発症するB型肝炎再活性化の予防のため，HBs抗原，HBs抗体，HBc抗体を開始前に検査し，いずれかが陽性であるならHBV-DNA（リアルタイムPCR法）も確認する。HBV-DNAでウイルス量が検出感度以上であったことがわかった場合，化学療法開始前から核酸アナログ製剤であるエンテカビル（バラクルード®），もしくはテノホビル（テノゼット®，ベムリディ®）内服を開始する。検出感度以上でない場合は1〜3カ月ごとにHBV-DNAを計測して，検出感度以上になった時点で上述の核酸アナログ製剤の内服を開始する。
- 化学療法開始前に肝疾患の既往や肝転移などにより，既に肝機能障害がある場合，5-FUの減量を検討する。

有害事象発生時のマネジメント

- 薬剤性肝障害に対する効果が証明された薬剤はないが，遷延する際には経験的にウ

ルソデオキシコール酸(ウルソ®)やグリチルリチン製剤(グリチロン®配合錠，強力ネオミノファーゲンシー®静注)，プレドニゾロンが用いられる。
- 肝障害のその他の原因として，肝転移や腹腔リンパ節転移がある場合には，肝転移進行，閉塞性黄疸，肝血流障害などを想定する。またHBV-DNAが検出感度以上である場合にはB型肝炎再活性化も鑑別となりうる。

減量・再開のポイント

- AST＞200U/L，ALT＞200U/L，Bil＞3.0mg/dLを目安として，肝機能障害が認められた際には，次コースでは5-FUを1レベル減量して投与する。

✓ 血小板数減少

治療開始前のマネジメント

- 血小板数減少は初期のうちに自覚できる症状はなく，定期的な血液検査で確認する必要があることをあらかじめ患者に説明しておく。

有害事象発生時のマネジメント

- 血小板数減少に対する治療法は化学療法や化学放射線療法の休止と，血小板輸血のみである。
- 感染や播種性血管内凝固症候群の合併を除外できない場合には，急激に血小板数減少や全身状態が悪化する可能性があるため，入院下で経過をみるべきである。

減量・再開のポイント

- 血小板数＜2万5,000/μL(Grade 4)が認められた際には，次コースの5-FU，CDDPをともに1レベル減量して投与する。

✓ 悪心・嘔吐

治療開始前のマネジメント

- 制吐薬は嘔吐してから飲むのではなく，予防として早めに使うのがコツであることを患者に十分説明しておくこと。
- CDDPは高度催吐性リスクに分類されているため，アプレピタント(イメンド®)，パロノセトロン塩酸塩(アロキシ®)，デキサメタゾンリン酸エステルナトリウム(デキサート®)を前投与する。さらに，禁忌となる合併症がない場合にはオランザピン(ジプレキサ®)の併用も検討する。なお，オランザピンは糖尿病罹患者に対しては高血糖のリスクがあるため注意を要する。

有害事象発生時のマネジメント

- 突発性の悪心の際はドパミン受容体拮抗薬〔メトクロプラミド（プリンペラン®）5mg，ドンペリドン（ナウゼリン®）10mg，プロクロルペラジン（ノバミン®）5mg〕のほか，ハロペリドール（セレネース®）を定時もしくは頓用で使用する。
- 上記で対応できない場合は，4，5日目のアプレピタント80mg追加を考慮する。
- 悪心が強い場合や，治療前から悪心があるなどの予期性嘔吐の場合，オランザピン（ジプレキサ®）やベンゾジアゼピン系抗不安薬〔アルプラゾラム（アルプラゾラム®），ロラゼパム（ロラゼパム®）〕などを治療開始前から定期内服するのも有効である。

✓ 下痢

治療開始前のマネジメント

- 事前に下痢が起こる可能性を患者に十分説明し，下痢時の対処法を説明しておく。

有害事象発生時のマネジメント

- 下痢が出現した際にはロペラミド塩酸塩1～2mgを内服し，その後も2～3時間ごとに下痢が改善するまで頓用で内服する（計16mg/日まで）。
- 上記のマネジメントをもってしても下痢が止まらない時や，十分な経口摂取ができない時には外来受診し，入院加療，補液での脱水・電解質補正を考慮する。
- Grade 3以上の下痢を認めた場合には，好中球数減少に伴う感染症や，*Clostridium difficile*，*C. perfringens*，*Salmonella* species，*Shigella* species などの細菌性腸炎，カンジダ腸炎，ロタウイルス腸炎も鑑別に挙げ，血液検査および便培養を提出して確認する。下痢が2日以上持続し増悪傾向にある時にはさらにCTや内視鏡検査を検討する[9]。

減量・再開のポイント

- 下痢（Grade 3以上）が出現した場合は，次コースより5-FUを1レベル減量して投与する。

✓ 口腔粘膜炎

治療開始前のマネジメント

- 口腔粘膜炎は重症化すると経口摂取を著しく障害するため，治療開始前から口腔粘膜炎出現時の対応について患者に説明しておく。
- 口腔内衛生状態が不良であると，口腔粘膜炎が発症しやすくなるため，治療開始前

から歯科口腔外科に診察を依頼し，齲歯や歯周病，義歯のチェック，口腔内ケアの指導を行うことが望ましい。

■口腔粘膜炎が出現する前に口腔内にざらざらとした乾燥感や違和感が出現することがある。違和感出現時から含嗽を励行するなど，早期に含嗽を開始することが口腔粘膜炎の重症化予防にとって肝要である。

有害事象発生時のマネジメント

■1回につきアズレンスルホン酸ナトリウム水和物 $NaHCO_3$ 配合（含嗽用ハチアズレ®）顆粒2gを常温水100mLに溶解したもので口腔内含嗽を行い，これを1日4～5回行う。

■口腔内乾燥や，口腔内潰瘍が出現した際には，アズレンスルホン酸ナトリウム水和物 $NaHCO_3$ 配合2gにつきグリセリン液12mLを併用するほか，疼痛がある際にはキシロカイン液4％ 1～2mLを併用する。

■口腔内潰瘍や口角炎のびらんには，0.033％アズレン（アズノール®）軟膏を塗布する。

■口腔粘膜炎が重症化，難治性である場合には，カンジダなどの感染を合併していることもある。適宜，歯科口腔外科に診察を依頼する〔歯科口腔外科診察が困難な場合にはミコナゾール（フロリード®）ゲル2％ 1日4回口内塗布・含嗽を考慮する〕。

■口腔粘膜炎（Grade 3）の際には5-FU＋CDDP療法を休止する。Grade 1以下に改善した際には再開可能である。

症例 **73歳男性，胸部中部食道癌**

身長162.4cm，体重46.7kg，PS 0。嚥下困難を契機に胸部中部食道癌（cT3N1M0, cStage ⅢA；UICC7版）と診断されたが，手術を希望せず，根治的化学放射線療法を行う方針となった。化学放射線療法後に遺残した際の救済手術も希望しないとのことであり，放射線治療60Gy/30frを行う方針とし，併用する化学療法としてFP療法（5-FU 700mg/m^2，CDDP 70mg/m^2）を同時に開始した。1コース目4日目に悪心（Grade 3）が出現したため，補液継続およびノバミン®頓用にて対応し，8日目に悪心は改善した。22日目に白血球減少，好中球数減少，いずれもGrade 2となり，28日目まで遷延したため，29日目にFP療法2コース目を5-FU 350mg/m^2，CDDP 35mg/m^{2}に減量して開始した。放射線治療を休止することなく化学放射線療法を完遂した。

文　献

1) Kato K, et al:Parallel-group controlled trial of surgery versus chemoradiotherapy in patients with stage I esophageal squamous cell carcinoma. Gastroenterology. 2021;161:1878-86.

2) Ando N, et al:A randomized trial comparing postoperative adjuvant chemotherapy with cisplatin and 5-fluorouracil versus preoperative chemotherapy for localized advanced squamous cell carcinoma of the thoracic esophagus (JCOG9907). Ann Surg Oncol. 2012;19:68-74.

3) Ito Y, et al:A single-arm confirmatory study of definitive chemoradiotherapy (dCRT) including salvage treatment in patients (pts) with clinical (c) stage II/III esophageal carcinoma (EC) (JCOG0909). J Clin Oncol. 2018;36.suppl.4051.

4) Ishida K, et al:Phase II study of cisplatin and 5-fluorouracil with concurrent radiotherapy in advanced squamous cell carcinoma of the esophagus:a Japan Esophageal Oncolugy Group (JEOG)/Japan Clinical Oncology Group trial (JCOG9516). Jpn J Clin Oncol. 2004;34:615-9.

5) Shinoda M, et al:Randomized study of low-dose versus standard-dose chemoradiotherapy for unresectable esophageal squamous cell carcinoma (JCOG0303). Cancer Science. 2015.

6) Bleiberg H, et al:Randomised phase II study of cisplatin and 5fluorouracil(5fu) versus cisplatin alone in advanced squamous cell oesophageal cancer. Eur J Cancer. 1997;33:1216-20.

7) Hayashi KA, et al:Phase II evaluation of protracted infusion of cisplatin and 5-fluorouracil in advanced squamous cell carcinoma of the esophagus: a Japan Esophageal Oncology Group (JEOG) Trial (JCOG9407). Jpn J Clin Oncol. 2001;31:419-23.

8) Lyman GH, et al:Predicting individual risk of neutropenic complications in patients receiving cancer chemotherapy. Cancer. 2011;117:1917-27.

9) Andreyev J, et al:Guidance on the management of diarrhoea during cancer chemotherapy. Lancet Oncol. 2014;15:447-60.

（對馬隆浩）

II 食道癌

5-FU + CDGP

投与スケジュール

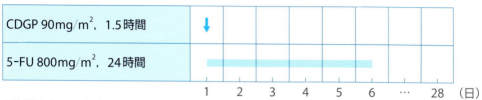

上記4週を1コースとする。

投与例

投与日	投与順	投与量	投与方法
1	1	フルオロウラシル［5-FU］（5-FU®）800mg/m² ＋ ソルデム®3A輸液 500mL ＋ ラクテック®G輸液 500mL	点滴末梢本管（24時間）
		パロノセトロン塩酸塩（アロキシ®）点滴静注 0.75mg/50mL ＋ デキサメタゾンリン酸エステルナトリウム（デキサート®）9.9mg	点滴末梢側管（15分）
	2	ネダプラチン［CDGP］（アクプラ®）90mg/m² ＋ 生食 10mL ＋ 5％ブドウ糖液 250mL	点滴末梢側管（1.5時間）
2 3	1	5-FU 800mg/m² ＋ ソルデム®3A輸液 500mL ＋ ラクテック®G輸液 500mL	点滴末梢本管（24時間）
		メトクロプラミド（プリンペラン®）20mg ＋ 生食 100mL ＋ デキサメタゾンリン酸エステルナトリウム 6.6mg	点滴末梢側管（30分）
4 5	1	5-FU 800mg/m² ＋ ソルデム®3A輸液 500mL ＋ ラクテック®G輸液 500mL	点滴末梢本管（24時間）
		メトクロプラミド 20mg ＋ 生食 100mL	点滴末梢側管（30分）

適応・治療開始基準

- 組織学的に扁平上皮癌，類基底細胞癌，腺扁平上皮癌，腺癌と診断されている，切除不能食道癌。
- 主要臓器機能が保たれている（以下が目安）。

- 好中球数≧1,500/μL
- 血小板数≧10.0×10^4/μL
- ヘモグロビン≧10.0g/dL
- 総ビリルビン≦1.5mg/dL
- AST，ALT≦2.0×upper limit of normal（ULN）
- クレアチニン≦1.2mg/dL，
  かつクレアチニンクリアランス（Ccr*）≧60mL/分

＊：Cockcroft-Gault式による推定値
※ CDDPと比較してCDGPの腎毒性は軽度であり，腎機能低下例においても投与を検討しうる。ただし，腎機能低下例における安全性について，十分なデータはない。

慎重投与・禁忌

	慎重投与	禁　忌
胸腹水・心嚢液	胸腹水・心嚢液を有する	
腎障害	腎機能障害を有する	
肝機能障害	肝機能障害を有する	
感　染		活動性感染症を有する

効　果

	切除不能食道癌に対する 初回治療例[1]
RR	39.5％
PFS	2.5カ月
OS	8.8カ月

5-FU + CDGP

有害事象マニュアル

有害事象の発現率と発現時期

有害事象	発現率（%）		発現時期
	all Grade	≧ Grade 3	
✓ 白血球減少	48.8	7.3	7〜14日目
✓ 好中球数減少	58.5	19.5	7〜14日目
✓ 貧　血	90.2	4.9	
✓ 血小板数減少	9.8	4.9	7〜14日目
✓ 悪　心	63.4	14.6	数時間〜数日
✓ 口腔粘膜炎	48.8	2.4	5〜10日目
✓ 下　痢	22	2.4	10日目以降
☐ クレアチニン上昇	9.8	0	

☑：「有害事象マネジメントのポイント」参照。

減量早見表

減量レベル	CDGP	5-FU
初回投与量	90mg/m²	800mg/m²
−1	70mg/m²	600mg/m²
−2	50mg/m²	400mg/m²

有害事象マネジメントのポイント

✓ 白血球減少・好中球数減少

治療開始前のマネジメント

- 好中球数減少が最も注意の必要な有害事象である。38℃以上の急な発熱を認める時には病院へ連絡できる体制を整えておく。
- 1コース目は1〜2週に1回の血液検査を行い，骨髄抑制のパターンを確認する。2コース目以降はnadirの時期に合わせて血液検査を確認し，次コース以降での減量の要否を判断する。

有害事象発生時のマネジメント

- 発熱性好中球減少症を発症した際には，入院にて広域静注抗菌薬の投与を行う。
- Grade 3以上の好中球数減少を認め，臓器障害や合併症をベースに有する場合や，

高齢者，肺炎，全身状態不良例に対しては，G-CSF製剤の併用を考慮してもよい。
- 全身状態が良好な低リスク群（MASCCスコア21点以上）に対しては，経口抗菌薬〔シプロフロキサシン［CPFX］）（シプロキサン®）200〜500mg＋アモキシシリン水和物・クラブラン酸カリウム配合（2：1）（オーグメンチン®）125/250〜125/500mgを8時間ごと〕による外来治療も選択肢のひとつとなるが，患者に対する十分な説明と理解，近隣病院のサポート体制などを考慮して対応する必要がある。

減量・再開のポイント

- Grade 4の好中球数減少や発熱性好中球減少症を認めた場合，次コースは5-FU，CDGPともに1レベル減量して投与する。

✓ 悪心・嘔吐

治療開始前のマネジメント

- 制吐薬は嘔吐してから飲むのではなく，予防として早めに使うのがコツであることを患者に十分説明しておくこと。
- CDGPは中等度催吐性リスクに分類されている。投与例の通り，急性期嘔吐の予防としてデキサメタゾンリン酸エステルナトリウム，パロノセトロン塩酸塩を使用する。

有害事象発生時のマネジメント

- 突発性の悪心の際はドパミン受容体拮抗薬（メトクロプラミド）5mg，ドンペリドン（ナウゼリン®）10mg，プロクロルペラジン（ノバミン®）5mgやハロペリドール（セレネース®）を定時もしくは頓用で使用する。
- 上記で対応できない場合は，高度催吐性リスクの薬剤に準じ，アプレピタント（イメンド®）（1日目 125mg，2〜3日目 80mg）や，4日目のデキサメタゾンリン酸エステルナトリウム6.6mgの追加を考慮する。
- 上記でも悪心が強い場合や，治療前から悪心があるなどの予期性嘔吐の場合，オランザピン（ジプレキサ®）やベンゾジアゼピン系抗不安薬〔アルプラゾラム（アルプラゾラム®），ロラゼパム（ロラゼパム®）〕など治療開始前に内服するのも有効である。なお，オランザピンは糖尿病罹患者に対しては高血糖のリスクがあるため注意を要する。

✓ 貧　血

治療開始前のマネジメント

- 高度な貧血になるまでは自覚症状に乏しい場合があり，定期的な血液検査でのフォ

ローが必要である。動悸，息切れ，易疲労感，起立性低血圧などの症状が出現した際には早めの受診を指示しておく。

有害事象発生時のマネジメント[2]

- ヘモグロビン（Hb）値が，ベースラインから2g/dL以上の低下を認めた場合，網状赤血球を確認して，喪失・破壊なのか，産生障害なのかを鑑別する。さらに，喪失・破壊としては出血，溶血性貧血，産生障害としては必須栄養素の欠乏（鉄，葉酸，ビタミンB$_{12}$欠乏），腎性貧血，放射線性骨髄抑制などを鑑別し，これらが除外できた際には慢性炎症による貧血や化学療法の骨髄抑制による貧血を考える。
- 慢性炎症による貧血や化学療法による骨髄抑制に対しては輸血で対応することとなる。無症状の場合，Hb 7〜9g/dLを目標とする。症状のある場合（頻脈，頻呼吸，起立性低血圧を含む），Hb 8〜10g/dLを目標とする。

減量・再開のポイント

- 一般的に，輸血で対応可能な貧血の場合は，減量せずに継続可能であることが多い。

✓ 血小板数減少

- 「FP，FP + RT」参照（☞ **p165**）。

✓ 下 痢

治療開始前のマネジメント

- 事前に下痢が起こる可能性を患者に十分説明し，下痢時の対処法を説明しておく。

有害事象発生時のマネジメント

- 下痢が出現した際にはロペラミド塩酸塩1〜2mgを内服し，その後も2〜3時間ごとに下痢が改善するまで頓用で内服する（計16mg/日まで）。
- 上記のマネジメントをもってしても下痢が止まらない時や，十分な経口摂取ができない時には外来受診し，入院加療，補液での脱水・電解質補正を考慮する。
- Grade 3以上の下痢を認めた場合には好中球数減少に伴う感染症や，*Clostridium difficile*，*C. perfringens*，*Salmonella* species，*Shigella* species などの細菌性腸炎，カンジダ腸炎，ロタウイルス腸炎も鑑別に挙げ，血液検査および便培養を提出して確認する。下痢が2日以上持続し増悪傾向にある時にはさらにCTや内視鏡検査を検討する[3]。

減量・再開のポイント

■下痢（Grade 3以上）が出現した場合は，次コースより5-FUを1レベル減量して投与する。

✔ 口腔粘膜炎

治療開始前のマネジメント

有害事象発生時のマネジメント

■「FP，FP＋RT」参照（☞ p167）。

減量・再開のポイント

■前コース中に口腔粘膜炎（Grade 3）が出現した場合は，次コースより5-FUを1レベル減量して投与する。

症例 64歳男性，食道癌

　身長174.3cm，体重61.7kg，PS 1。嚥下困難を契機に胸部下部食道癌（cT3N1M0，cStage ⅢA；UICC 7版）と診断され，術前化学療法を施行後，食道切除術を施行された。術後，腹部リンパ節の増大を認め再発と診断，全身化学療法を行う方針とした。術後腎機能障害（Ccr 44.9mL/分）を認めたためCDDPを避け，5-FU＋CDGP療法（5-FU 800mg/m^2，CDGP 90mg/m^2）を選択した。1コース目5日目に下痢（Grade 1）が出現したため，6日目にロペラミド塩酸塩を処方し，コントロール可能であった。また，19日目に血小板数減少（Grade 4，1.3万/μL）を認め，血小板輸血を施行，22日目には好中球数減少（Grade 4，199/μL）を認めた。骨髄抑制改善を確認後，36日目に5-FU 600mg/m^2，CDGP 70mg/m^{2}と減量して2コース目を施行した。3コース目を同用量で施行したところ，14日目に血小板数減少（Grade 4，1.8万/μL）を認めたため，血小板輸血を施行した。16日目には発熱性好中球減少症（Grade 3）を認めた。MASCCスコア21点以上の低リスク群であり，自宅からの通院も容易であったため，外来にて抗菌薬内服および，遷延する好中球数減少に対するG-CSF製剤投与を開始した。いったん解熱したものの，22日目に再度発熱性好中球減少症（Grade 3，好中球数402/μL）を認めた。外来治療は困難と判断し，同日入院してG-CSF製剤投与を継続しつつ，広域抗菌薬の点滴静注による治療を行った。26日目に改善を認め退院となった。CDGPは不耐と判断し，4コース目以降は5-FU単独療法に変更し，7コース後にPDとなるまで化学療法を継続した。

文 献

1) Kato K, et al:A phase Ⅱ study of nedaplatin and 5-fluorouracil in metastatic squamous cell carcinoma of the esophagus:The Japan Clinical Oncology Group (JCOG) Trial (JCOG 9905-DI). Esophagus. 2014;11:183-8.

2) National Comprehensive Cancer Network®:Cancer- and Chemotherapy-Induced Anemia. version 2. NCCN Clinical Practice Guidelines in Oncology, 2018.

3) Andreyev J, et al:Guidance on the management of diarrhoea during cancer chemotherapy. Lancet Oncol. 2014;15:447-60.

（對馬隆浩）

II 食道癌

weekly PTX

投与スケジュール

PTX 80〜100mg/m^2, 1時間

1 … 8 … 15 … 22 … 29 … 36 … 43 （日）

上記7週を1コースとする。

投与例

投与日	投与順	投与量	投与方法
1 8 15 22 29 36	1	デキサメタゾンリン酸エステルナトリウム（デキサート®）6.6mg ＋ ラニチジン塩酸塩（ザンタック®）50mg ＋ d-クロルフェニラミンマレイン酸塩（ポララミン®）5mg ＋ 生食 50mL	点滴末梢本管 （15分）
	2	生食 100mL	点滴末梢本管 （15分）
	3	パクリタキセル [PTX]（タキソール®）80〜100mg/m^2 ＋ 生食 250mL	点滴末梢本管 （1時間）
	4	生食 50mL	点滴末梢本管 （5分）

適応・治療開始基準

- 切除不能または再発食道癌。
- 全身状態および主要臓器機能が保たれている（以下が目安）。

  - ECOG PS 0〜2
  - 好中球数 ≧ 1,500/μL
  - 血小板数 ≧ 10.0 × 10^4/μL
  - 総ビリルビン ≦ 1.5mg/dL
  - AST, ALT ≦ ULN × 3
  - クレアチニン ≦ ULN × 1.5

慎重投与・禁忌

	慎重投与	禁　忌
アレルギー	アルコール過敏（無水エタノールを含有するため）	ポリオキシエチレンヒマシ油含有製剤（シクロスポリン注射液など）
内服薬		ジスルフィラム，シアナミド，プロカルバジン塩酸塩
既往歴	間質性肺炎，肺線維症	
肝機能障害	総ビリルビン＞1.5mg/dL AST，ALT＞ULN×3	
腎機能障害	クレアチニン＞ULN×1.5	
感　染	感染を疑う症例	活動性の感染症を合併している症例

効　果

	切除不能／再発食道癌に対する 二次治療以降 （プラチナ製剤前治療歴を有する患者）[1]
RR	25.6～44.2％
PFS	3.9～4.4カ月
OS	8.8～10.4カ月

weekly PTX

有害事象マニュアル

有害事象の発現率と発現時期[2]

有害事象	発現率（%）[1]		発現時期
	all Grade	Grade 3	
✓ 好中球数減少	64〜79	28〜53	投与7〜10日後
発熱性好中球減少症		0〜4	投与7〜10日後
疲　労	56〜72	3〜9	投与4〜7日後
食欲不振	49〜59	5〜9	投与4〜7日後
✓ 末梢性感覚ニューロパチー	72〜81	6〜8	投与数週間後（用量依存的に頻度は増加）
間質性肺疾患	3〜6	3〜4	
✓ 過敏反応	3〜4	2〜3	多くが投与開始10分以内
悪　心	28〜43	0〜2	投与1〜7日後
関節痛・筋肉痛	3〜59	0	投与2〜3日後
脱　毛	64〜83		投与2〜3週間後から抜け始める

☑：「有害事象マネジメントのポイント」参照。

減量早見表

減量レベル	PTX
初回投与量	100mg/m^2
−1	80mg/m^2
−2	60mg/m^2

有害事象マネジメントのポイント

✓ 好中球数減少

治療開始前のマネジメント

- weekly PTXでは重篤な好中球数減少の頻度は比較的低いが，抗癌剤既治療例や全身状態不良例が対象となる場合には注意が必要である。
- 好中球数減少の発症初期は自覚症状が乏しいため，定期的な血液検査が必要であることを患者に説明する。
- weekly PTX（6週投与1週休薬）では好中球数減少の最低値（nadir）までの期間中央値は投与開始後22日とされる[2]。

有害事象発生時のマネジメント

- Grade 3以上の好中球数減少では休薬し，次回投与からの減量を考慮する。
- コース内の投与予定日にGrade 2の好中球数減少を認めた場合，それまでの経過から，nadir時期を脱していないと判断されれば休薬を考慮する。

✓ 末梢神経障害

治療開始前のマネジメント

- PTXによる末梢神経障害は感覚神経障害が主であるが，運動神経障害が出現することもある。
- PTXの使用が長期になると末梢神経障害の頻度が高くなることを患者に説明する。

有害事象発生時のマネジメント

- Grade 3の末梢性感覚ニューロパチー（ボタンが留めにくい，手に持ったものを落としてしまうなど）が発現した場合は改善を認めるまで休薬する。
- Grade 2（身の回りの日常生活動作には支障をきたさない）においてもQOL維持の観点から減量や休薬を考慮する。

✓ 過敏反応

治療開始前のマネジメント

- タキサン系では95％が1〜2回目の投与時に生じ，80％が投与開始10分以内に症状が出現するとされる[3]。
- 過敏反応予防のため前投薬としてデキサメタゾンリン酸エステルナトリウム，ラニチジン塩酸塩，d-クロルフェニラミンマレイン酸塩の投与を行う。
- 前投薬として抗ヒスタミン薬が投与されること，溶媒として無水エタノールを含むことから，投与当日は自動車の運転などを行わないよう患者に説明する。

有害事象発生時のマネジメント

- 直ちに薬剤投与を中止し，状態に応じて酸素投与や補液などを行う。
- Grade 2（皮疹，潮紅，蕁麻疹，呼吸困難，38℃以上の薬剤熱）までの場合は，ヒドロコルチゾンリン酸エステルナトリウム（水溶性ハイドロコートン®），d-クロルフェニラミンマレイン酸塩，ラニチジン塩酸塩の追加投与を行い，さらなる状態の悪化を防ぐ。
- Grade 3（症状のある気管支痙攣，血管性浮腫，血圧低下）やGrade 4（アナフィラキシー）の場合には，上記に加えてアドレナリン0.3mgを筋注する。

症例 **75歳男性，胸部食道癌，根治的放射線化学療法後，肝転移再発**

　身長160cm，体重56kg，PS 1。胸部食道癌（cT3N1M0，Stage ⅢA）に対して5-FU＋CDDP療法を併用した根治的化学放射線療法を施行したところ，原発巣とリンパ節転移の縮小を認め，追加化学療法を2コース行った。しかし，その後の経過観察中のCTにて肝転移を認めたため，wPTXを開始した。

　75歳と高齢であることからPTX 80mg/m^{2}で治療を開始した。1コース目15日目に好中球数減少（Grade 4）を認めたため同日の治療はスキップとした。発熱はなかったものの，前治療歴を有しかつCcr 36mL/分と腎機能障害を合併していたため，好中球数減少に伴う合併症発症リスクが高い[4]と判断した。ノイトロジン® 100μgを皮下注，クラビット® 500mg/分1，5日分を処方し，発熱時には病院に連絡するように説明して外来フォローとした。1コース目22日目の血液検査では好中球数減少は改善しており，PTX 60mg/m^{2}に減量の上2コース目1日目として投与を再開した。2コース目15日目には好中球数減少（Grade 3）を認めたため同日の治療はスキップし，次コースからは2週投与1週休薬のスケジュールに変更した。治療開始後3カ月のCTでは肝転移の縮小を認めた。

文献

1) Kato K, et al: A phase Ⅱ study of paclitaxel by weekly 1-h infusion for advanced or recurrent esophageal cancer in patients who had previously received platinum-based chemotherapy. Cancer Chemother Pharmacol. 2011;67:1265-72.
2) タキソール®添付文書．
3) Yamamoto S, et al: Randomized phase Ⅱ study of docetaxel versus paclitaxel in patients with esophageal squamous cell carcinoma refractory to fluoropyrimidine- and platinum-based chemotherapy: OGSG1201. Eur J Cancer. 2021;154:307-15.
4) Lyman GH, et al: Predicting individual risk of neutropenic complications in patients receiving cancer chemotherapy. Cancer. 2011;117:1917-27.

　　　　　　　　　　　　　　　　　　　　　　　　　　　　　　　　　　　（對馬隆浩）

II 食道癌

Nivolumab

投与スケジュール

- 免疫チェックポイント阻害薬の投与を開始する前には，p27の補足資料に従って必ずチェックを行うこと。

◉ 2週ごと投与法

上記2週を1コースとする。
術後補助療法の場合，投与期間は12カ月間までとする。
投与においてはインラインフィルター（0.2または0.22μm）を使用する。

◉ 4週ごと投与法

上記4週を1コースとする。
術後補助療法の場合，投与期間は12カ月間までとする。
投与においてはインラインフィルター（0.2または0.22μm）を使用する。

投与例

◉ 2週ごと投与法

投与日	投与順	投与量	投与方法
1	1	ニボルマブ（オプジーボ®）240mg/body ＋ 生食100mL	点滴末梢本管（30分）
	2	生食50mL	点滴末梢本管（10分）

◉ 4週ごと投与法

投与日	投与順	投与量	投与方法
1	1	ニボルマブ480mg/body ＋ 生食100mL	点滴末梢本管（30分）
	2	生食50mL	点滴末梢本管（10分）

適応・治療開始基準 [1~3]

- 化学療法後に増悪した根治切除不能な進行・再発の食道癌。
- 食道癌における補助化学療法。
- ECOG PS 0~1
- 主要臓器機能が保たれている。
- 2週ごと240mg投与法と4週ごと480mg投与法に関しては明確な選択基準はない。当院では治療開始時には2週ごと投与法で開始し，有害事象や治療効果が安定している場合には，4週ごと投与法への切り替えを考慮している。

慎重投与 [3]

	慎重投与
年　齢	高齢者
間質性肺疾患	間質性肺疾患またはその既往を有する
自己免疫性疾患	自己免疫性疾患またはその既往を有する
過敏症	
相互作用	生ワクチン，弱毒化ワクチン，不活化ワクチン（摂取したワクチンに対する過度の免疫反応を生じる可能性がある）

効　果 [1, 2]

	ATTRACTOION-3試験 [1]
	化学療法後に増悪した 根治切除不能な進行・再発の食道癌
ORR	19.0 %
PFS	中央値1.7カ月 6カ月24 %，12カ月12.0 %
OS	中央値10.9カ月 6カ月47 %，12カ月31.0 %

	CheckMate 577試験 [2]
	術前化学放射線療法後にR0切除された pStage Ⅱ／Ⅲの食道および食道胃接合部癌 に対する術後補助化学療法
DFS	中央値22.4カ月
無再発 生存期間	中央値28.3カ月

Nivolumab

有害事象マニュアル

有害事象の発現率と発現時期[1, 2]

免疫関連有害事象	発現率（%）		発現日中央値（範囲）
	all Grade	≧ Grade 3	
貧 血	21	5	
✓ 間質性肺疾患	＜1	＜1	148日（16〜611）
✓ 甲状腺機能低下	9〜18	0	86日（2〜685）
便 秘	20	＜1	
✓ 下痢（腸炎）	15〜17	＜1	138日（41〜645）
悪 心	9〜16	0	
嘔 吐	11	＜1	
倦怠感	17〜28	1〜3	
粘膜炎	4	1	
発 熱	13	＜1	
体重減少	15	1	
皮膚炎	10	＜1	346*
関節炎	6	＜1	

☑：「有害事象マネジメントのポイント」参照。

＊：1例のみ

減量・休薬・中止基準

- 有害事象の発現頻度や重篤度には，免疫チェックポイント阻害薬（ニボルマブ）の用量依存性が認められない。したがって有害事象発生時は減量ではなく，有害事象の対処法アルゴリズムに従い，休薬，中止を判断する。
- 有害事象の対処法アルゴリズムは発生した有害事象により休薬・中止基準が異なることに注意が必要である。
- 免疫関連有害事象（irAE）はステロイドに対する治療効果が高いので，重症度に応じて速やかにステロイドによる治療を開始することで，多くのirAEがコントロール可能である。しかし症状が重篤化すると死亡に至るケースも報告されており，早期診断，早期治療開始が重要である。

有害事象マネジメントのポイント[4〜6]

- 以下のirAEのほかに，稀ではあるが，重症筋無力症，心筋炎，筋炎，横紋筋融解症，ニューロパチー，腎障害，脳炎，重度の皮膚障害，静脈血栓塞栓症などにも留意する。

※irAEに対する薬剤，対処法については，ガイドラインや適正使用ガイドにより常に最新の情報を確認することが望ましい。

✓ 間質性肺疾患

治療開始前のマネジメント

- 呼吸器疾患の有無を問診で確認しておく。
- 投与開始前に咳嗽や呼吸困難感の有無，胸部聴診（ラ音の聴取），胸部単純X線検査，SpO_2のモニタリングチェックを行う。
- 投薬前の診察時には，少なくともSpO_2の確認を必ず行うようにする。

有害事象発生時のマネジメント

- 乾性咳嗽，息切れ，呼吸困難感，ラ音の聴取等の臨床症状が出現し，間質性肺疾患が疑われた場合は，速やかに胸部単純X線検査，胸部CT検査，血液検査（血算，血液像，CRP，KL-6，SP-D）等の検査を実施し，必要に応じて呼吸器内科医へ相談する。
- 感染症との鑑別（喀痰，β-Dグルカン，サイトメガロウイルス抗原など）も同時に行う。

肺関連有害事象の対処法アルゴリズム

肺臓炎のGrade（CTCAE v5.0）	対処法とフォローアップ
Grade 1（画像的変化のみ）	・ニボルマブの投与を中止し3週ごとに画像評価を行う。 ・回復した場合はニボルマブの投与再開を検討する。 ・症状が悪化した場合はGrade 2〜4の対処法で治療を行う。
Grade 2（軽度〜中等度の新たな症状）	・ニボルマブ投与を中止し，入院，ステロイド投与[*1]，1〜3日ごとの画像評価を行う。 ・症状が改善した場合は1カ月以上かけてステロイドを漸減する。 ・症状が改善しない場合はGrade 3〜4の対処法で治療する。
Grade 3〜4（重度の新たな症状；生命を脅かす）	・ニボルマブ投与を中止し，入院，ステロイドパルス[*2]療法を行う。 ・症状が改善した場合は6週間以上かけてステロイドを漸減する。 ・症状が改善しない場合は免疫抑制薬[*3]を追加投与する。

[*1]：1mg/kg/日の静注メチルプレドニゾロンコハク酸エステルナトリウムまたはその等価量の経口薬。

[*2]：2〜4mg/kg/日の静注メチルプレドニゾロンコハク酸エステルナトリウムまたはその等価量の副腎皮質ステロイドを静注する。

[*3]：インフリキシマブ，シクロホスファミド，静注免疫グロブリン，ミコフェノール酸モフェチル等（いずれも保険未収載）

✓ 内分泌障害（甲状腺機能異常・下垂体機能異常・副腎障害）

治療開始前のマネジメント

- 問診にて甲状腺機能障害の既往の有無を確認する。
- スクリーニング時にTSH，FT_3，FT_4，コルチゾール・ACTH（いずれも早朝空腹時）を測定する。

有害事象発生時のマネジメント

■倦怠感，浮腫，悪寒，動作緩慢，発汗過多，体重減少，眼球突出，動悸，振戦，不眠などの症状を認めた場合は，速やかにTSH，FT₃，FT₄，コルチゾール，ACTH，また必要に応じてT-Chol，抗甲状腺サイログロブリン抗体，抗甲状腺マイクロゾーム抗体やその他の下垂体ホルモン（LH，FSH，GH，プロラクチン）も測定する。

内分泌障害の対処法アルゴリズム

無症候性のTSH増加	・ニボルマブ投与を継続する。
症候性の内分泌障害	・内分泌機能の評価を行う。 ・下垂体炎，下垂体機能低下が疑われる場合は，頭部MRI検査による下垂体撮影を検討する。 ・症候性であり，臨床検査値あるいは頭部MRI検査で下垂体に異常を認めた場合は，ニボルマブ投与を中止し，ステロイド投与*¹，ホルモン補充*²を行う。 ・臨床検査値および頭部MRI検査で異常は認めないが症状が持続する場合は，1〜3週ごとの臨床検査または1カ月ごとに頭部MRI検査を継続する。
症状が改善した場合 （ホルモン補充療法の有無は問わない）	・1カ月以上かけてステロイドを漸減し，ニボルマブ投与を再開する。 ・ホルモン補充療法を継続しながらニボルマブ投与を継続する*²。 ・副腎不全を有する患者は鉱質コルチコイド作用を有するステロイド投与継続を必要とする場合がある。
副腎クリーゼ疑い （原疾患および合併症から想定しにくい程度の重度の脱水，低血圧，ショックなど）	・ニボルマブ投与は中止し，輸液，ストレス用量の鉱質ステロイド作用を有するステロイド静注を開始する。 ・内分泌専門医に相談する。

＊1：1〜2mg/kg/日の静注メチルプレドニゾロンコハク酸エステルナトリウムまたはその等価量の経口薬。
＊2：ホルモン補充に際して甲状腺・副腎機能がともに障害されている場合に甲状腺ホルモンの補充のみを行うとかえって副腎不全が悪化するため，ステロイド投与を先行させる。

✓ 大腸炎・重度の下痢

治療開始前のマネジメント

■治療開始前に，制酸薬，エリスロマイシンやペニシリン系薬剤などの抗菌薬，鉄剤，メフェナム酸，非ステロイド性抗炎症薬（NSAIDs），ビグアナイド系薬剤やスルホニル尿素系薬剤などの血糖降下薬といった，下痢の原因となりうる薬剤の使用状況を把握しておく。

■下痢が生じることで，電解質バランスが崩れたり，腸管粘膜が傷害され感染が起こりうるため，排便回数や便の性状などを患者自身で観察し，早期に下痢を認識できるように指導しておく。また，下痢が持続する際には，必ず病院に連絡するように指導しておく。

■感染源となりうるため，肛門周囲の清潔を保つように指導する。

- 下痢が出現した際には，乳製品や香辛料の強い食べ物，アルコール，カフェイン，高脂肪食などの下痢をきたしやすい食物を避け，電解質が含まれた糖液を摂取するように指導する。

有害事象発生時のマネジメント

- Grade 1の下痢が出現した場合には，整腸薬などの対症療法を行いながらニボルマブの投与を継続する。ロペラミド塩酸塩（ロペミン®）などの止痢薬を投与することで，治療開始が遅れ，重症化する可能性があるため，当センターでは，基本的に止痢薬は使用していない。
- Grade 2以上となった場合には，ニボルマブの投与を中止し，全身性副腎皮質ホルモンの投与を検討する。また，便中白血球検査や便培養検査などの便検査，血算や電解質などの血液検査，腹部単純X線検査や腹部造影CT検査，下部内視鏡検査などの画像検査を行い，偽膜性腸炎や大腸菌感染などの細菌感染やノロウイルスなどのウイルス感染，虚血性腸炎，炎症性腸疾患など下痢をきたしうる疾患の評価も同時に行い，必要に応じて消化器専門医への相談を行う。
- Grade 2の下痢では，0.5〜1.0mg/kg/日のプレドニン®の投与，Grade 3〜4の下痢では，1.0〜2.0mg/kg/日の静注メチルプレドニゾロンの投与を行い，症状がGrade 1に改善した後に1カ月以上かけてステロイドの漸減を行う。ニボルマブの投与は，プレドニン®が10mg/日以下まで減量した後に検討する。

胃腸関連有害事象の対処法アルゴリズム

下痢または大腸炎のGrade （CTCAE v5.0）	対処法とフォローアップ
Grade 1 下痢：ベースラインと比べて4回未満／日の排便回数の増加 大腸炎：無症状	・ニボルマブ投与を継続し，対症療法を行う。 ・症状が悪化した場合は直ちに連絡するように患者に伝え，悪化した場合はGrade 2〜4の対処法で治療する。
Grade 2 下痢：ベースラインと比べて4〜6回／日の排便回数の増加，身の回り以外の日常生活動作の制限 大腸炎：腹痛，血便	・ニボルマブ投与を中止し，対症療法を行う。 ・症状が5〜7日間を超えて持続あるいは再発した場合はステロイド内服[*1]を開始する。 ・症状がGrade 1まで改善した場合は，1カ月以上かけてステロイドを漸減し，ニボルマブ投与再開を検討する。 ・症状が悪化した場合は，Grade 3〜4の対処法で治療する。
Grade 3〜4 下痢：ベースラインと比べて7回以上／日の排便回数の増加 大腸炎Grade 3：重度の腹痛；腹膜刺激症状あり 大腸炎Grade 4：生命を脅かす，穿孔	・ニボルマブ投与を中止し，入院の上ステロイドパルス[*2]療法を行う。 ・症状がGrade 1に改善するまでステロイド投与を継続した後，1カ月以上かけてステロイドを漸減する。 ・症状が改善しない場合は免疫抑制薬[*3]を追加投与する。

[*1]：0.5〜1mg/kg/日の経口メチルプレドニゾロンコハク酸エステルナトリウムまたはその等価量の経口薬。
[*2]：1〜2mg/kg/日の静注メチルプレドニゾロンコハク酸エステルナトリウムまたはその等価量の副腎皮質ステロイドを静注する。
[*3]：インフリキシマブ5mg/kg（注：インフリキシマブは消化管穿孔または敗血症の症例へは使用すべきではない）（保険未収載）

| 症例 | **63歳男性，切除不能進行・再発食道癌　傍腹腔大動脈リンパ節，鎖骨上リンパ節転移** |

身長174.0cm，体重60.1kg，ECOG PS 1。胸部中部食道扁平上皮癌（cT2N3M1，cStage ⅣB）に対して，一次治療FP療法を施行した。最良効果判定はSD，19コース投与後にPDとなり，二次治療はニボルマブ療法の方針とした。4コース終了後のCTではSDであった。5コース目以降，ニボルマブ投与後に口腔粘膜炎が出現したが，Grade 1の範疇であり，嗽用ハチアズレ®の含嗽で対応，改善を得た。ニボルマブ投与中に繰り返し出現しており，免疫関連有害事象と考えられたが，Grade 1であったため，ニボルマブ療法を継続した。9コース投与後のCTで腹腔内リンパ節の増大を認めたため，PDと判断しweekly PTX療法へと治療変更を行った。

文献

1) Kato K, et al:Nivolumab versus chemotherapy in patients with advanced oesophageal squamous cell carcinoma refractory or intolerant to previous chemotherapy (ATTRACTION-3): a multicentre, randomised, open-label, phase 3 trial. Lancet Oncol. 2019;20:1506-17.
2) Kelly RJ, et al:Adjuvant Nivolumab in Resected Esophageal or Gastroesophageal Junction Cancer. N Engl J Med. 2021;384:1191-203.
3) 小野薬品工業:irAEアトラス®.
4) オプジーボ®・ヤーボイ®適正使用ガイド.
5) キイトルーダ®適正使用ガイド.
6) 日本臨床腫瘍学会，編:がん免疫療法ガイドライン. 第2版. 金原出版, 2016.

（西村　在，川上武志）

II 食道癌

Pembrolizumab

投与スケジュール

- 免疫チェックポイント阻害薬の投与を開始する前には，**p27** の補足資料に従って必ずチェックを行うこと。

● 3週ごと投与法

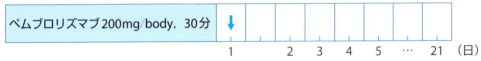

上記3週を1コースとする。
投与においてはインラインフィルター（0.2〜5μm）を使用する。

● 6週ごと投与法

上記6週を1コースとする。
投与においてはインラインフィルター（0.2〜5μm）を使用する。

投与例

● 3週ごと投与法

投与日	投与順	投与量	投与方法
1	1	ペムブロリズマブ（キイトルーダ®）200mg/body ＋ 生食100mL	点滴末梢本管（30分）
	2	生食50mL	点滴末梢本管（10分）

● 6週ごと投与法

投与日	投与順	投与量	投与方法
1	1	ペムブロリズマブ400mg/body ＋ 生食100mL	点滴末梢本管（30分）
	2	生食50mL	点滴末梢本管（10分）

適応・治療開始基準 [1, 2]

- 化学療法後に増悪したPD-L1陽性の根治切除不能な進行・再発食道扁平上皮癌。
- ECOG PS 0〜1
- 主要臓器機能が保たれている。
- ペムブロリズマブの投与に際しては，腫瘍組織を用いた免疫組織化学法で，CPS（combined positive score）によるPD-L1発現を確認する（保険承認済）。
- KEYNOTE-181試験ではCPS≧10の根治切除不能な進行・再発食道扁平上皮癌において，ペムブロリズマブ単剤療法の化学療法（PTX，DTXまたはCPT-11）に対する有効性が示されている。
- 3週ごと200mg投与法と6週ごと400mg投与法に関しては明確な選択基準はない。当院では治療開始時には3週ごと投与法で開始し，有害事象や治療効果が安定している場合には，3週ごと投与法への切り替えを考慮している。

慎重投与 [2]

	慎重投与
年　齢	高齢者
間質性肺疾患	間質性肺疾患，またはその既往を有する
自己免疫性疾患	自己免疫性疾患，またはその既往を有する
過敏症	

効　果 [1, 2]

	KEYNOTE-181試験 [1]
	CPS≧10，一次治療中に増悪を認めた根治切除不能な再発・転移食道扁平上皮癌
PFS	中央値3.2カ月 6カ月生存割合35.3%
OS	中央値10.3カ月 6カ月生存割合65.9%

Pembrolizumab

有害事象マニュアル

有害事象の発現率と発現時期 [1, 2]

免疫関連有害事象	発現率（%）		発現日中央値（範囲）
	all Grade	≧ Grade 3	
貧 血	2.5	1.3	
✓ 間質性肺疾患	1.2	0	67（23〜188）
✓ 甲状腺機能低下	10.5		65（43〜127）
便 秘	20.0	< 1	
✓ 下痢（腸炎）	5.4	< 1	
悪 心	7.0	0	
嘔 吐	3.2	< 1	
倦怠感	11.8	0.6	
粘膜炎	1.3	0	
発 熱	4.5	0	
食欲不振	8.6	0.6	
皮膚炎	13.1	< 1	98*

☑：「有害事象マネジメントのポイント」参照。

＊：1例のみ

減量・休薬・中止基準

- 有害事象の発現頻度や重篤度には，免疫チェックポイント阻害薬（ペムブロリズマブ）の用量依存性が認められない。したがって有害事象発生時は減量ではなく，有害事象の対処法アルゴリズムに従い，休薬，中止を判断する。

- 有害事象の対処法アルゴリズムは発生した有害事象により休薬・中止基準が異なることに注意が必要である。

- 免疫関連有害事象（irAE）はステロイドに対する治療効果が高いので，重症度に応じて速やかにステロイドによる治療を開始することで，多くのirAEがコントロール可能である。しかし症状が重篤化すると死亡に至るケースも報告されており，早期診断，早期治療開始が重要である。

有害事象マネジメントのポイント

✓ 間質性肺疾患

治療開始前のマネジメント

- 呼吸器疾患の有無を問診で確認しておく。

- 投与開始前に咳嗽や呼吸困難感の有無，胸部聴診（ラ音の聴取），胸部単純X線検査，SpO_2のモニタリングチェックを行う。
- 投薬前の診察時には，少なくともSpO_2の確認を必ず行うようにする。

有害事象発生時のマネジメント

- 乾性咳嗽，息切れ，呼吸困難感，ラ音の聴取等の臨床症状が出現し，間質性肺疾患が疑われた場合は，速やかに胸部単純X線検査，胸部CT検査，血液検査（血算，血液像，CRP，KL-6，SP-D）等の検査を実施し，必要に応じて呼吸器内科医へ相談する。
- 感染症との鑑別（喀痰，β-Dグルカン，サイトメガロウイルス抗原など）も同時に行う。

肺関連有害事象の対処法アルゴリズム

肺臓炎のGrade（CTCAE v5.0）	対処法とフォローアップ
Grade 1（画像的変化のみ）	・ペムブロリズマブの投与を中止し3週ごとに画像評価を行う。 ・回復した場合はペムブロリズマブの投与再開を検討する。 ・症状が悪化した場合はGrade 2〜4の対処法で治療を行う。
Grade 2（軽度〜中等度の新たな症状）	・ペムブロリズマブ投与を中止し，入院，ステロイド投与[*1]，1〜3日ごとの画像評価を行う。 ・症状が改善した場合は1カ月以上かけてステロイドを漸減する。 ・症状が改善しない場合はGrade 3〜4の対処法で治療する。
Grade 3〜4（重度の新たな症状；生命を脅かす）	・ペムブロリズマブ投与を中止し，入院，ステロイドパルス[*2]療法を行う。 ・症状が改善した場合は6週間以上かけてステロイドを漸減する。 ・症状が改善しない場合は免疫抑制薬[*3]を追加投与する。

[*1]：1mg/kg/日の静注メチルプレドニゾロンコハク酸エステルナトリウムまたはその等価量の経口薬。
[*2]：2〜4mg/kg/日の静注メチルプレドニゾロンコハク酸エステルナトリウムまたはその等価量の副腎皮質ステロイドを静注する。
[*3]：インフリキシマブ，シクロホスファミド，静注免疫グロブリン，ミコフェノール酸モフェチル等（いずれも保険未収載）

✓ 内分泌障害（甲状腺機能異常・下垂体機能異常・副腎障害）

治療開始前のマネジメント

- 問診にて甲状腺機能障害の既往の有無を確認する。
- スクリーニング時にTSH，FT_3，FT_4，コルチゾール・ACTH（いずれも早朝空腹時）を測定する。

有害事象発生時のマネジメント

- 倦怠感，浮腫，悪寒，動作緩慢，発汗過多，体重減少，眼球突出，動悸，振戦，不眠などの症状を認めた場合は，速やかにTSH，FT_3，FT_4，コルチゾール，ACTH，また必要に応じてT-Chol，抗甲状腺サイログロブリン抗体，抗甲状腺マイクロゾーム抗体やその他の下垂体ホルモン（LH，FSH，GH，プロラクチン）も測定する。

内分泌障害の対処法アルゴリズム

無症候性のTSH増加	・ペムブロリズマブ投与を継続する。
症候性の内分泌障害	・内分泌機能の評価を行う。 ・下垂体炎，下垂体機能低下が疑われる場合は，頭部MRI検査による下垂体撮影を検討する。 ・症候性であり，臨床検査値あるいは頭部MRI検査で下垂体に異常を認めた場合は，ペムブロリズマブ投与を中止し，ステロイド投与*1，ホルモン補充*2を行う。 ・臨床検査値および頭部MRI検査で異常は認めないが症状が持続する場合は，1～3週ごとの臨床検査または1カ月ごとに頭部MRI検査を継続する。
症状が改善した場合（ホルモン補充療法の有無は問わない）	・ホルモン補充療法を継続しながらペムブロリズマブ投与を継続する*2。 ・副腎不全を有する患者は鉱質コルチコイド作用を有するステロイド投与継続を必要とする場合がある。
副腎クリーゼ疑い（原疾患および合併症から想定しにくい程度の重度の脱水，低血圧，ショックなど）	・ペムブロリズマブ投与は中止し，輸液，ストレス用量の鉱質ステロイド作用を有するステロイド静注を開始する。 ・内分泌専門医に相談する。

*1：1mg/kg/日の静注メチルプレドニゾロンコハク酸エステルナトリウムまたはその等価量の経口薬。
*2：ホルモン補充に際して甲状腺・副腎機能がともに障害されている場合に甲状腺ホルモンの補充のみを行うとかえって副腎不全が悪化するため，ステロイド投与を先行させる。

✓ 大腸炎・重度の下痢

治療開始前のマネジメント

■ 治療開始前に，制酸薬，エリスロマイシンやペニシリン系薬剤などの抗菌薬，鉄剤，メフェナム酸，非ステロイド性抗炎症薬（NSAIDs），ビグアナイド系薬剤やスルホニル尿素系薬剤などの血糖降下薬といった，下痢の原因となりうる薬剤の使用状況を把握しておく。

■ 下痢が生じることで，電解質バランスが崩れたり，腸管粘膜が傷害され感染が起こりうるため，排便回数や便の性状などを患者自身で観察し，早期に下痢を認識できるように指導しておく。また，下痢が持続する際には，必ず病院に連絡するように指導しておく。

■ 感染源となりうるため，肛門周囲の清潔を保つように指導する。

■ 下痢が出現した際には，乳製品や香辛料の強い食べ物，アルコール，カフェイン，高脂肪食などの下痢をきたしやすい食物を避け，電解質が含まれた糖液を摂取するように指導する。

有害事象発生時のマネジメント

- Grade 1の下痢が出現した場合には，整腸薬などにより対症療法を行いながらペムブロリズマブの投与を継続する。ロペラミド塩酸塩（ロペミン®）などの止痢薬を投与することで，治療開始が遅れ，重症化する可能性があるため，当センターでは，基本的に止痢薬は使用していない。
- Grade 2以上となった場合には，ペムブロリズマブの投与を中止し，全身性副腎皮質ホルモンの投与を検討する。また，便中白血球検査や便培養検査などの便検査，血算や電解質などの血液検査，腹部単純X線検査や腹部造影CT検査，下部内視鏡検査などの画像検査を行い，偽膜性腸炎や大腸菌感染などの細菌感染やノロウイルスなどのウイルス感染，虚血性腸炎，炎症性腸疾患など下痢をきたしうる疾患の評価も同時に行い，必要に応じて消化器専門医への相談を行う。
- Grade 2の下痢では，0.5〜1.0mg/kg/日のプレドニン®の投与，Grade 3〜4の下痢では，1.0〜2.0mg/kg/日の静注メチルプレドニゾロンの投与を行い，症状がGrade 1に改善した後に1カ月以上かけてステロイドの漸減を行う。ニボルマブの投与は，プレドニン®が10mg/日以下まで減量した後に検討する。

胃腸関連有害事象の対処法アルゴリズム

下痢または大腸炎のGrade（CTCAE v5.0）	対処法とフォローアップ
Grade 1 下痢：ベースラインと比べて4回未満/日の排便回数の増加 大腸炎：無症状	・ペムブロリズマブ投与を継続し，対症療法を行う。 ・症状が悪化した場合は直ちに連絡するように患者に伝え，悪化した場合はGrade 2〜4の対処法で治療する。
Grade 2 下痢：ベースラインと比べて4〜6回/日の排便回数の増加，身の回り以外の日常生活動作の制限 大腸炎：腹痛，血便	・ペムブロリズマブ投与を中止し，対症療法を行う。 ・症状が5〜7日間を超えて持続あるいは再発した場合はステロイド内服[*1]を開始する。 ・症状がGrade 1まで改善した場合は，1カ月以上かけてステロイドを漸減し，ペムブロリズマブ投与再開を検討する。 ・症状が悪化した場合は，Grade 3〜4の対処法で治療する。
Grade 3〜4 下痢：ベースラインと比べて7回以上/日の排便回数の増加 大腸炎 Grade 3：重度の腹痛；腹膜刺激症状あり 大腸炎 Grade 4：生命を脅かす，穿孔	・ペムブロリズマブ投与を中止し，入院の上ステロイドパルス[*2]療法を行う。 ・症状がGrade 1に改善するまでステロイド投与を継続した後，1カ月以上かけてステロイドを漸減する。 ・症状が改善しない場合は免疫抑制薬[*3]を追加投与する。

*1：0.5〜1mg/kg/日の経口メチルプレドニゾロンコハク酸エステルナトリウムまたはその等価量の経口薬。
*2：1〜2mg/kg/日の静注メチルプレドニゾロンコハク酸エステルナトリウムまたはその等価量の副腎皮質ステロイドを静注する。
*3：インフリキシマブ5mg/kg（注：インフリキシマブは消化管穿孔または敗血症の症例へは使用すべきではない）（保険未収載）

| 症 例 | **72歳男性，食道癌術後，肺転移，縦隔リンパ節転移** |

　身長173.6cm，体重62.5kg，ECOG PS 1。食道癌（扁平上皮癌cT3N1M0，Stage Ⅲ）に対し，術前FP療法後，食道亜全摘＋D3郭清を施行した。術後18カ月後に肺，縦隔リンパ節転移を認めた。一次治療としてFP療法を4コース行ったが，肺転移の増悪と頸椎転移を認めPDと判断した。頸椎転移による右上肢のしびれと頸部痛を認めたため，症状緩和目的の放射線治療を行った。手術検体におけるCPSは18％であり，二次治療としてペムブロリズマブ療法を行う方針とした。ペムブロリズマブを2回投与後，10日目に39.0℃の発熱と胸部X線，CT画像で肺に多発のすりガラス陰影の出現を認めた。irAEによる間質性肺臓炎Grade 2と判断し，プレドニゾロン1mg/kgの投与を開始した。その後，画像検査所見，症状ともに肺臓炎の改善を認めた。間質性肺臓炎はGrade 2であり，ペムブロリズマブ再投与のベネフィットは少ないと判断した。ペムブロリズマブ療法中止後，weekly PTX療法へと治療変更を行った。

文　献

1) Kojima T, et al:Randomized Phase Ⅲ KEYNOTE-181 Study of Pembrolizumab Versus Chemotherapy in Advanced Esophageal Cancer. J Clin Oncol. 2020;38:4138-48.
2) MSD製薬:キイトルーダ®irAEナビ.
3) オプジーボ®・ヤーボイ®適正使用ガイド.
4) キイトルーダ®適正使用ガイド.
5) 日本臨床腫瘍学会，編:がん免疫療法ガイドライン. 第2版. 金原出版, 2019.

（西村　在，横田知哉）

Ⅲ 胃 癌

S-1 + CDDP

投与スケジュール

CDDP 60mg/m², 2時間				↓						
S-1 80〜120mg/日, 分2* （朝, 夕食後）	↓	↓↓	↓↓	↓↓	↓↓	↓↓	↓			
	1	2	…	8	9	…	22	…	35	（日）

上記5週を1コースとする。
S-1は1日2回（朝, 夕食後）を3週間連日内服し, 2週間休薬する。

＊：S-1初回基準投与量

体表面積	S-1投与量
1.25m²未満	80mg／日, 分2
1.25m²以上, 1.50m²未満	100mg／日, 分2
1.50m²以上	120mg／日, 分2

投与例

投与日	投与順	投与量	投与方法
1夕〜 22朝	1	テガフール・ギメラシル・オテラシルカリウム配合（1：0.4：1）[S-1]（ティーエスワン®）80〜120mg／日, 分2	経口 （朝, 夕食後）
8	1	ラクテック®注1,000mL ＋ ソルデム®3A G輸液 1,000mL	点滴末梢本管 （24時間）
	2	ラクテック®注1,000mL ＋ 硫酸マグネシウム（硫酸Mg補正液 1mEq／mL®）20mEq	点滴末梢側管 （2時間）
	3	デキサメタゾンリン酸エステルナトリウム（デキサート®）9.9mg ＋ パロノセトロン塩酸塩（アロキシ®）0.75mg点滴静注バッグ	点滴末梢側管 （15分）
	4	シスプラチン[CDDP]（シスプラチン®）60mg／m² ＋ 生食 400mL	点滴末梢側管 （2時間）
	5	ソルデム®3A G輸液 500mL	点滴末梢側管 （2時間）
9 10	1	ラクテック®注1,000mL ＋ソルデム®3A G輸液 1,000mL	点滴末梢本管 （24時間）
	2	デキサメタゾンリン酸エステルナトリウム 6.6mg ＋ 生食 50mL	点滴末梢側管 （15分）
	3	ラクテック®注500mL	点滴末梢側管 （2.5時間）

※8日目から3日間アプレピタント（イメンド®）の内服を行う。

適応・治療開始基準

- 切除不能または再発胃癌。

- 全身状態および主要臓器機能が保たれている（以下が目安）。

  - ECOG PS 0〜2
  - 好中球数 $\geq 1,500/\mu L$
  - 血小板数 $\geq 10.0 \times 10^4/\mu L$
  - ヘモグロビン $\geq 8.0g/dL$
  - 総ビリルビン $\leq 1.5mg/dL$
  - AST，ALT $\leq 100U/L$
  - クレアチニンクリアランス（Ccr）$\geq 80mL/$分

慎重投与・禁忌

- 下記の「慎重投与」に該当する場合は，S-1を1レベル減量して投与を開始することを考慮する。

	慎重投与	禁忌
年齢	75歳以上	
腎障害	80＞Ccr≧60mL/分 [1]	Ccr＜60mL/分 [1]
肝障害	総ビリルビン＞1.5mg/dL，またはAST，ALT＞100U/L（減量または中止を考慮）	
感染	感染を疑う症例	活動性の感染症を合併している症例
薬剤	フェニトイン［PHT］（アレビアチン®），ワルファリンカリウム（ワーファリン®）[2]	フルシトシン［5-FC］（アンコチル®），他のフッ化ピリミジン系抗癌剤 [2]
合併症	下痢，大量腹水・胸水，心不全	
既往歴	間質性肺疾患，心疾患，消化性潰瘍の既往 [2]	

効果

	切除不能/再発胃癌に対する初回治療例 [3, 4]
RR	54〜56％
PFS	5.4〜6.0カ月
OS	13.0〜13.1カ月

S-1 + CDDP

有害事象マニュアル

有害事象の発現率と発現時期

有害事象	発現率(%)[3, 4] all Grade	発現率(%)[3, 4] Grade 3/4	発現時期
✓ 好中球数減少	74〜79	40〜42	投与7〜10日後
発熱性好中球減少症		3〜7	投与7〜10日後
貧血	68〜74	26〜33	多くは治療開始2カ月後以降
血小板数減少	49〜69	5〜10	多くは治療開始2カ月後以降
食欲不振	72〜81	19〜30	投与4〜7日後
低ナトリウム血症	9〜46	3〜13	投与3〜10日後
✓ 悪心	67〜69	4〜11	投与1〜7日後
疲労	57〜61	4〜9	投与4〜7日後
下痢	34〜59	4〜8	投与3〜10日後
✓ 嘔吐	36	2〜4	投与1〜7日後
✓ クレアチニン増加	22〜39	2	投与3〜10日後
口腔粘膜炎	29〜41	1	投与3〜10日後
涙目	18	0	投与数週間後
末梢性感覚ニューロパチー	4〜24	0	用量依存的に頻度・程度ともに増加

☑:「有害事象マネジメントのポイント」参照。

減量早見表

減量レベル	CDDP	S-1		
初回投与量	60mg/m²	80mg/日	100mg/日	120mg/日
−1	50mg/m²	60mg/日*	80mg/日	100mg/日
−2	40mg/m²	50mg/日	60mg/日*	80mg/日

*：1日のS-1投与量が60mgの場合は，朝40mg，夕20mgに分割して投与する。

有害事象マネジメントのポイント

✓ 好中球数減少

治療開始前のマネジメント

- 好中球数減少の発症初期は自覚症状が乏しいため，定期的な血液検査が必要であることを患者に説明する。
- 特に好中球数減少と粘膜障害が重複すると，重篤な感染症から致死的となりうるため注意が必要である。

有害事象発生時のマネジメント

- コース内にGrade 3以上の好中球数減少を認めた場合はS-1を休薬する。
- 8日目に好中球数1,200/μL未満の場合は，CDDPの投与を延期する。15日目までにCDDPが投与できなかった場合は投与をスキップし，次回からS-1の減量を行う。

✓ 悪心・嘔吐

治療開始前のマネジメント

- 高度催吐性リスクとして，アプレピタント（イメンド®），パロノセトロン塩酸塩（アロキシ®），デキサメタゾンリン酸エステルナトリウム（デキサート®）の予防的投与を行う。必要に応じて制酸薬〔ラベプラゾールナトリウム（パリエット®）など〕の投与を行う。
- 初回治療開始前に，あらかじめ悪心時に内服できるようドンペリドン（ナウゼリン®）やプロクロルペラジン（ノバミン®）などを処方しておく。
- 悪心・嘔吐が強く食事や水分摂取ができない状態が続く場合には，病院に連絡するよう指導し，S-1の内服を休薬することを説明する。

有害事象発生時のマネジメント

- Grade 2以上の悪心・嘔吐ではS-1を休薬し，制吐薬の投与や必要に応じて補液を行う。また，十分な制吐療法を行ってもGrade 2の症状が持続する場合にも減量を考慮すべきである。
- Grade 3以上の悪心・嘔吐では次回から減量を行う。

✓ クレアチニン増加

治療開始前のマネジメント

- CDDPによる腎障害を予防するため，十分な補液を行い尿量を確保することが重要である。
- 疼痛・発熱に対してはNSAIDs〔ロキソプロフェンナトリウム水和物（ロキソニン®）など〕よりも腎保護の観点から，アセトアミノフェン（カロナール®）の使用が望ましい。
- エビデンスレベルは低いが，当センターではCDDP投与前に硫酸マグネシウムの投与を行っている。
- 5～7日目は腎尿細管からの電解質・水分喪失に加え，粘膜炎，食欲不振の影響から脱水となることもあるため注意が必要である。

有害事象発生時のマネジメント

- 十分量の補液（2,000〜2,500mL／日）を継続し，腎障害の改善を待つ。
- 次回治療開始時には必ずクレアチニンクリアランスを計算し，必要に応じてS-1，CDDPの適切な減量を行う。

症例　69歳女性，胃癌，肝・肺・骨・リンパ節転移

　身長149cm，体重46kg，ECOG PS 0。スクリーニング目的の腹部エコーにて多発肝腫瘤を指摘され，当院紹介となった。上部消化管内視鏡検査・CT検査から，胃癌，肝・肺・骨・リンパ節転移と診断。HER2陰性であったためS-1＋CDDP療法を開始した。
　8日目のCDDP投与後，悪心（Grade 1）を認めたが，ノバミン®の投与で対応可能であった。20日目より下痢が出現，21日目に浴室で一過性の意識消失発作を認めたため緊急入院となった。血液検査では低ナトリウム血症（129mEq/L）とBUN/Cr比の上昇を認め，下痢に伴う脱水が意識消失の原因と考えられた。点滴投与などの保存的治療で全身状態は改善したが，2コース目開始予定日に好中球数減少（Grade 3）を認めたため治療開始を延期した。また，入院を要する脱水（Grade 3）を認めたことから，2コース以降はS-1とCDDPの1レベル減量を行った。2コース終了後のCTでは肝転移などの縮小を認め，PRと判断し治療を継続した。しかし，4コース終了後のCTでは肝に新病変を認めたため，PDと判断し本治療は中止した。

文献

1) ティーエスワン®適正使用ガイド．
2) ティーエスワン®添付文書．
3) Koizumi W, et al：S-1 plus cisplatin versus S-1 alone for first-line treatment of advanced gastric cancer(SPIRITS trial)：a phase Ⅲ trial. Lancet Oncol. 2008;9:215-21.
4) Yamada Y, et al．Phase Ⅲ study comparing oxaliplatin plus S-1 with cisplatin plus S-1 in chemotherapy-naive patients with advanced gastric cancer. Ann Oncol. 2015;26:141-8.

（川上武志）

III 胃　癌

SOX

投与スケジュール

上記3週を1コースとする。
S-1は1日2回（朝，夕食後）を2週間連日内服し，1週間休薬する。

＊：S-1初回基準投与量

体表面積	S-1投与量
1.25m^{2}未満	80mg／日，分2
1.25m^{2}以上，1.50m^{2}未満	100mg／日，分2
1.50m^{2}以上	120mg／日，分2

投与例

投与日	投与順	投与量	投与方法
1夕〜15朝	1	テガフール・ギメラシル・オテラシルカリウム配合（1：0.4：1）[S-1]（ティーエスワン®）80〜120mg／日，分2	経口（朝，夕食後）
1	1	デキサメタゾンリン酸エステルナトリウム（デキサート®）6.6mg ＋ パロノセトロン塩酸塩（アロキシ®）0.75mg点滴静注バッグ	点滴末梢側管（15分）
	2	オキサリプラチン[L-OHP]（エルプラット®）100 or 130mg／m^2 ＋ 5％ブドウ糖液 250〜500mL	点滴末梢本管（2時間）
	3	生食 50mL	点滴末梢本管（5分）

適応・治療開始基準

■切除不能または再発胃癌。

■全身状態および主要臓器機能が保たれている（以下が目安）。

- ECOG PS 0〜2
- 好中球数≧1,500/μL
- 血小板数≧$10.0 \times 10^4/\mu$L
- ヘモグロビン≧8.0g/dL
- 総ビリルビン≦1.5mg/dL
- AST，ALT≦100U/L
- クレアチニン≦1.2mg/dL
- クレアチニンクリアランス（Ccr）≧60mL/分

慎重投与・禁忌

	慎重投与	禁　忌
年　齢	75歳以上	
腎障害	60＞Ccr≧30mL/分（1レベル以上の減量を考慮）[1]	Ccr＜30mL/分[1]
肝障害	総ビリルビン＞1.5mg/dL，またはAST, ALT＞100U/L（減量または中止を考慮）	
感　染	感染を疑う症例	活動性の感染症を合併している症例
薬　剤	フェニトイン［PHT］（アレビアチン®），ワルファリンカリウム（ワーファリン®）[2]	フルシトシン［5-FC］（アンコチル®），他のフッ化ピリミジン系抗癌剤[2]
合併症	下痢，感覚異常，知覚不全[3]	
既往歴	間質性肺疾患，心疾患，消化性潰瘍の既往[2]	

効　果

	切除不能/再発胃癌に対する初回治療例[4]
RR	55.7％
PFS	5.5カ月
OS	14.1カ月

SOX

有害事象マニュアル

有害事象の発現率と発現時期 [1, 2]

有害事象	発現率(%) [4, 5]		発現時期
	all Grade	Grade 3/4	
✓ 好中球数減少	59〜69	9〜20	投与7〜10日後
発熱性好中球減少症		1	投与7〜10日後
✓ 血小板数減少	70〜78	4〜10	多くは治療開始2カ月後以降
食欲不振	64〜75	5〜15	投与4〜7日後
下　痢	48〜53	6〜9	投与3〜10日後
✓ 末梢性感覚ニューロパチー	86〜91	5〜10	用量依存的に頻度・持続時間・程度ともに増加
疲　労	56〜58	3〜7	投与4〜7日後
✓ 悪　心	52〜62	2〜4	投与1〜7日後
口腔粘膜炎	32〜41	2	投与3〜10日後
✓ 嘔　吐	20〜35	1	投与1〜7日後
過敏反応	4	0	多くは投与直後
涙　目	5	0	投与数週間後

☑：「有害事象マネジメントのポイント」参照。

減量早見表

減量レベル	L−OHP	S−1		
初回投与量	130mg/m²	80mg/日	100mg/日	120mg/日
−1	100mg/m²	60mg/日*	80mg/日	100mg/日
−2	75mg/m²	50mg/日	60mg/日*	80mg/日

＊：1日のS-1投与量が60mgの場合は，朝40mg，夕20mgに分割して投与する。

有害事象マネジメントのポイント

✓ 好中球数減少

治療開始前のマネジメント

- 好中球数減少の発症初期は自覚症状が乏しいため，定期的な血液検査が必要であることを患者に説明する。
- 初回コースでは8〜15日目に少なくとも1回は有害事象の確認を行うことが望ましい。

有害事象発生時のマネジメント

- コース内に Grade 3 以上の好中球数減少を認めた場合は S-1 を休薬する。
- 次コース開始予定日に Grade 2 以上の好中球数減少を認めた場合は，次コース開始を延期し，S-1 と L-OHP の減量も考慮する。
- 発熱性好中球減少症は，入院にて G-CSF 製剤および静注抗菌薬の投与を行う。好中球数 $1,000/\mu L$ 未満で 38℃以上の発熱が出現するか，好中球数 $500/\mu L$ 未満が確認された時点から G-CSF 投与を考慮する。全身状態が良好な低リスク群（MASCC スコア 21 点以上）に対しては，経口抗菌薬レボフロキサシン水和物（クラビット®など）による外来治療も選択肢のひとつとなるが，患者に対する十分な教育や理解，近隣病院のサポート体制などを考慮して対応する必要がある。

✓ 血小板数減少

治療開始前のマネジメント

有害事象発生時のマネジメント

- G-SOX 試験（L-OHP 初回用量：$100\,mg/m^2$）では，Grade 3 以上の血小板数減少を 10.1％に認め，血小板数減少を理由とした薬剤減量が 15％で行われていた[4]。高度の血小板数減少は 4 コース目以降に発現することが多い。
- 大腸癌を対象とした SOFT 試験（L-OHP 初回用量：$130\,mg/m^2$）では，Grade 3 以上の血小板数減少は 3.6％であった[5]。この違いは，SOFT 試験では次コース開始予定日に血小板数が 7.5 万〜10 万$/\mu L$ の場合でも L-OHP の減量を行うという"早めの"減量基準が設定されたことが原因と考えられている。

- 胃癌においてどちらの初回用量・減量基準がよいかは明らかではなく現在臨床試験が進行中である。現段階では症例に応じて L-OHP の用量設定を行い，特に L-OHP $130\,mg/m^2$ を用いる場合には，血小板数減少に対して慎重な対応を行うことが必要と考えられる。

✓ 末梢神経障害

治療開始前のマネジメント

- 寒冷刺激により末梢性感覚ニューロパチーが誘発されるため，冷たい飲み物や氷を避けるよう指導する。また，冷たい空気の吸い込みにより咽頭喉頭の絞扼感が現れることがある。
- 胃癌二次化学療法の標準治療である PTX＋Rmab（サイラムザ®）においても末梢性感覚ニューロパチーが出現するため，一次治療における毒性管理が重要となる。

有害事象発生時のマネジメント

- 症状はL-OHP投与後しばらく持続し回復することが多いが，L-OHPの累積投与量が多くなると症状の持続期間が長くなり（1週間以上持続するなど），症状の程度も強くなる（痛みを伴う，機能障害を伴うなど）ことが多い。
- Grade 2の症状（身の回りの日常生活動作には支障をきたさない）が2週間以上持続する場合や，Grade 3の症状（機能障害；ボタンが留めにくい，手に持ったものを落としてしまうなど）の出現時には，L-OHPの減量休薬を積極的に検討する。

✓ 悪心・嘔吐

治療開始前のマネジメント

- 制吐薬として，投与例のように1日目にパロノセトロン塩酸塩とデキサメタゾンリン酸エステルナトリウム（以下，デキサメタゾン）の投与を行う。悪心・嘔吐のリスクが高いと判断される場合や，L-OHP 130mg/m^{2}を用いる場合は，2, 3日目にデキサメタゾンの内服を行う。
- 初回治療開始前に，あらかじめ悪心時に内服できるようドンペリドン（ナウゼリン®）やプロクロルペラジン（ノバミン®）などを処方しておく。
- 悪心・嘔吐が強く食事や水分摂取ができない状態が続く場合には，病院に連絡するよう指導し，S-1の内服を続けるべきではないことを説明する。

有害事象発生時のマネジメント

- Grade 2以上の悪心・嘔吐ではS-1を休薬し，制吐薬の投与や必要に応じて補液を行う。次回よりアプレピタント（イメンド®）の併用を考慮するが，その際はデキサメタゾンの減量（3.3mg，1日目）が必要である。
- Grade 3以上の悪心・嘔吐では次回から減量を行う。また，十分な制吐療法を行ってもGrade 2の症状が出現する場合にも減量を考慮すべきである。

| 症 例 | 70歳男性，胃癌，幽門側胃切除術後，腹膜播種再発 |

　　身長170cm，体重64kg，ECOG PS 0。胃癌に対して幽門側胃切除術を施行後，術後補助化学療法としてS-1内服を1年間行ったが，術後3年目のCTにて腹膜播種再発と診断した。大量腹水を認めたため，腎保護のために大量輸液を必要とするCDDPの投与は困難と判断した。また，S-1は投与終了後6カ月以上を経過しており，不応ではないと判断した。全身状態は良好であったため，胃癌においてL-OHP 130mg/m^{2}を初回用量で使用した場合のSOX療法の有効性と安全性は十分に証明されているわけではないことを患者に十分説明した上でSOX（L-OHP 130mg/m^2）療法を開始した。治療開始後下痢（Grade 1）を認めたが，ロペミン®錠2錠の頓用内服にて対応可能であった。3コース終了後のCTでは腹水の消失を認めた。5コースより末梢性感覚ニューロパチーの増悪を認めたがGrade 1であったため治療を継続した。血小板数減少は認めなかった。6コース終了後のCTにて腹水の明らかな増悪を認めたためPDと判断し，本治療を中止した。

文 献

1) ティーエスワン® 適正使用ガイド.
2) ティーエスワン®添付文書.
3) エルプラット®添付文書.
4) Yamada Y, et al:Phase Ⅲ study comparing oxaliplatin plus S-1 with cisplatin plus S-1 in chemotherapy-naïve patients with advanced gastric cancer. Ann Oncol. 2015;26：141-8.
5) Yamada Y, et al:Leucovorin, fluorouracil, and oxaliplatin plus bevacizumab versus S-1 and oxaliplatin plus bevacizumab in patients with metastatic colorectal cancer（SOFT）：an open-label, non-inferiority, randomised phase 3 trial. Lancet Oncol. 2013：14：1278-86.

（白数洋充）

III 胃癌

XELOX

投与スケジュール

上記3週を1コースとする。
カペシタビンは1日2回（朝，夕食後）を2週間連日内服し，1週間休薬する。

投与例

投与日	投与順	投与量	投与方法
1	1	デキサメタゾンリン酸エステルナトリウム（デキサート®）3.0mL（9.9 mg）＋ パロノセトロン塩酸塩（アロキシ®）0.75mg ＋ 生食 50mL	点滴末梢本管（15分）
	2	オキサリプラチン[L-OHP]（エルプラット®）130mg/m² ＋ 5％ブドウ糖液 500mL	点滴末梢本管（2時間）
	3	5％ブドウ糖液 50mL	点滴末梢本管（5分）
2, 3	1	デキサメタゾン（デカドロン®）8mg	経口（朝食後）
1夕〜15朝	1	カペシタビン（ゼローダ®）2,000mg/m²/日，分2	経口（朝，夕食後）

適応・治療開始基準

- 組織学的に腺癌と確定診断されている，切除不能・再発胃癌。
- 非血液毒性 Grade 1以下（例外あり）。
- 主要臓器機能が保たれている（以下が目安）。

    - 好中球数≧1,200/μL（適正使用ガイドでは好中球数≧1,500/μL）
    - 血小板数≧7.5×10^4/μL
    - 総ビリルビン≦2.0mg/dL
    - AST，ALT≦100U/L（肝転移例は200U/Lを目安とする）
    - クレアチニン≦1.5mg/dL

慎重投与・禁忌

	慎重投与	禁 忌
年 齢	70歳以上	
消化管通過障害		腸閉塞例 明らかな通過障害がある
下 痢	日常生活に支障のない下痢	十分な支持療法下で日常生活に支障のある下痢
腎障害	Ccr ≦ 50mL/分	Ccr < 30mL/分
感 染	感染疑い例	治療を必要とする活動性感染を有する

効 果

	切除不能・再発胃癌に対する初回治療例[1, 2]
PFS	5.4〜7.2カ月
OS	10.5〜13.3カ月
ORR	40〜44%
DCR	79〜84%

XELOX

有害事象マニュアル

有害事象の発現率と発現時期[1~3)]

有害事象	発現率（%）		発現時期
	all Grade	Grade 3	
■ 貧 血	92〜100	3.1〜11	
■ 血小板数減少	65〜68	4〜14	
■ 好中球数減少	56〜63	18〜19	
■ 倦怠感	21〜50	4〜8	
✓ 食欲不振	32〜56	3〜4	
✓ 末梢神経障害	48〜71	5〜11	急性症状は投与後2日以内
✓ 悪心・嘔吐	42〜55	2〜5	
✓ 下 痢	29〜38	2〜5	22.5日（2〜282日）
✓ 手足症候群	25〜33	1〜2	57日（9〜225日）

☑：「有害事象マネジメントのポイント」参照。

減量早見表

減量レベル	L−OHP	カペシタビン
初回投与量	130mg/m^2	2,000mg/m^2
−1	100mg/m^2	1,500mg/m^2
−2	85mg/m^2	1,200mg/m^2

有害事象マネジメントのポイント

✓ 悪心・嘔吐，食欲不振

治療開始前のマネジメント

- L-OHPは中等度催吐性リスク抗癌剤に分類されるため，初回治療開始時から2，3日目にあらかじめ制吐薬としてデキサメタゾン8mg（分1朝，または分2朝・昼）を処方した上で，ドパミン受容体拮抗薬などの頓服薬を患者に渡しておく。
- 制吐薬は嘔吐してから飲む薬ではなく，予防として早めに使うのがコツであることを患者に十分説明しておくこと。
- 糖尿病の合併などにより，デキサメタゾンが使用困難な場合は，1日目のデキサメタゾンリン酸エステルナトリウム（以下，デキサメタゾン）を3.3mgに減量した上で，アプレピタントを3〜5日間使用する[3)]。

有害事象発生時のマネジメント

- 遅発性悪心・嘔吐が続く場合はドパミン受容体拮抗薬〔メトクロプラミド（プリンペラン®）5mg，ドンペリドン（ナウゼリン®）10mg，プロクロルペラジン（ノバミン®）5mg〕や5-HT$_3$受容体拮抗制吐薬〔オンダンセトロン塩酸塩水和物（ゾフラン®）ザイディス，パロノセトロン塩酸塩〕などを定時（投与後1週間のみ定時内服など）もしくは頓用で使用する。

- 上記で対応できない場合は，高度催吐性リスクへの対応に準じてパロノセトロン塩酸塩をアプレピタントに変更し，場合によっては5日目までのアプレピタントの内服追加およびデキサメタゾン（4～8mg／日）の投与期間延長を考慮する[4]。最近ではNCCNで推奨されているオランザピン（ジプレキサ®ザイディス：適応外使用）を使用することもある。

- 治療前から嘔気がするなどの予期性嘔吐の場合は，ベンゾジアゼピン系抗不安薬（アルプラゾラム®）など治療開始前に内服させるのも有効である。

減量・再開のポイント

- 高度催吐性リスクに準じた制吐薬を使用しても持続するGrade 3以上の悪心・嘔吐が出現した場合は，L-OHPを減量する。遅発性嘔吐が続く場合には，これに加えてカペシタビンの減量も考慮する。

✓ 手足症候群

治療開始前のマネジメント

- 事前に手足症候群（hand-foot syndrome：HFS）の特徴を説明し，スキンケアの重要性を理解させる。皮膚を清潔に保ち，保湿を目的として尿素軟膏やヘパリン類似物質製剤，ビタミンA軟膏などを積極的に使用する。

有害事象発生時のマネジメント

- 日常生活に支障をきたすような腫脹を伴う有痛性皮膚紅斑や爪甲の高度な変形・脱落を認めた場合は，カペシタビンを休薬し，strong以上のステロイド軟膏を塗布し，局所の安静を保つ。除圧も有効である。

- いったんHFSが起こると，外用薬±内服薬での症状コントロールは困難であることが多いため，予防がきわめて重要となる。HFSの徴候を認めた場合は，早めの休薬や減量が必要となる。

減量・再開のポイント

- Grade 2のHFSの出現を認めた場合，カペシタビンの休薬を行う。HFSの出現が初回で，かつGrade 1以下まで回復すれば，減量せずに次コースを開始する。Grade 3以上または2回目以降のGrade 2以上のHFSの出現時は，再開時にカペシタビンを1レベル減量する。HFSの徴候を認めた場合，カペシタビンを早めに休薬することが重要である。

✓ 末梢神経障害・知覚過敏

治療開始前のマネジメント

- L-OHP投与に伴う知覚過敏の特徴を説明し，投与後7～10日程度，冷たいものに触れることを避けるように指導しておく。
- また，コースを重ねてくるとL-OHPの用量依存性に末梢性感覚ニューロパチー（しびれ）が出現してくる可能性を説明しておく。

有害事象発生時のマネジメント

- 書字の動揺やボタン留めの困難など，日常生活に支障をきたすような末梢性感覚ニューロパチー（Grade 2）が投与予定日まで持続する場合，L-OHPを休薬し，次コースからはカペシタビン単剤のみを継続する。
- Grade 1以下まで改善を認めた場合，L-OHPの再開を考慮する。
- N08CB試験の結果，現在では末梢神経障害の軽減目的にカルシウムやマグネシウムを投与することはなくなった。
- デュロキセチン（サインバルタ®）投与により末梢神経障害の改善が得られるという報告があり，2015年3月のUpToDate®にも記載されたため，当センターでもデュロキセチンを投与するようになった。

減量・再開のポイント

- Grade 3以上の末梢性感覚ニューロパチーは，L-OHPを中止しても10％以上の患者で1年以上持続することがあり，患者のQOLを著しく損なう。このため，Grade 2で1週間以上の持続を認めた時点で，L-OHPの休薬・減量を考慮し，Grade 3まで進行させないことが肝要である。
- 末梢性感覚ニューロパチーによりL-OHPが休薬となった後，PDとなった場合，末梢性感覚ニューロパチーがGrade 1以下まで改善していれば，XELOX療法の再開を考慮してもよい。

✓ 下　痢

治療開始前のマネジメント

- 治療開始前にカペシタビンによる下痢が起こる可能性を患者に十分説明し，初回治療開始前にあらかじめ止痢薬としてのロペラミド塩酸塩（ロペミン®）を処方しておく。ロペラミド塩酸塩内服にてもGrade 2相当の下痢（普段より4回以上の排便回数の増加）が持続する場合は，カペシタビンを休薬するように指導しておく。
- 通常，投与後5〜15日頃に発現し，休薬とともに回復するが，症状には個人差があるため，特に最初の1〜2コースは10日目前後で外来を受診してもらい，全身状態と採血のチェックを行う。

有害事象発生時のマネジメント

- Grade 3以上の下痢は，薬剤の減量または休薬を考慮する。
- 経口摂取不良による全身状態の悪化や血液検査にて電解質異常を認めた場合は，積極的に入院加療にて十分な補液を行い，全身状態の回復に努める。

減量・再開のポイント

- Grade 3以上の下痢を認めた場合は，患者の体表面積に従ってカペシタビンの減量を行う。副作用が下痢のみであれば，L-OHPは必ずしも減量する必要はない。
- 減量後は，安定して治療が行える用量が決まるまで，週に1回程度の全身状態のチェックが必要である。

症例　72歳男性，胃癌＋多発肝転移 Stage Ⅳ

　身長178cm，体重56kg，PS 1，体表面積1.70m^2，Ccr 45mL/分。糖尿病性にて近医にて加療中。血液検査上，軽度の腎機能障害を認めた。年齢および腎機能からCDDPは使用不可と判断し，治療強度をできるだけ維持するためにカペシタビンを選択した。XELOX療法（カペシタビン3,600mg/日，L-OHP220mg）で治療を開始した。1コース目の22日目に好中球数減少（Grade 3）を認めたため，休薬期間を1週間延長した。2コース目はカペシタビンを3,600mgから3,000mg/日へ，L-OHPを220mgから170mgへ，2剤ともに1レベル減量して開始したところ，骨髄抑制（Grade 3以上）を認めなかった。現在までに4コースまで投与を継続している。

文　献

1) Kim GM, et al:A randomized phase II trial of S-1-oxaliplatin versus capecitabine-oxaliplatin in advanced gastric cancer. Eur J Cancer. 2012;48:518-26.

2) Hacht JR, et al: Lapatinib in combination with capecitabine plus oxaliplatin (CapeOx) in HER2-positive advanced or metastatic gastric, esophageal, or gastroesophageal adenocarcinoma (AC): The TRIO-013/LOGiC Trial. J Clin Oncol. 2013;31:LBA4001.

3) Ryu MH, et al:Multicenter phase a II study of trastuzumab in combination with capecitabine and oxaliplatin for advanced gastric cancer. Eur J Cancer. 2015;51:482-8.

4) 日本癌治療学会, 編:制吐薬適正使用ガイドライン　2015年10月(第2版). 金原出版, 2015.

（白数洋充）

Ⅲ 胃　癌

mFOLFOX6

投与スケジュール

		1	2	3	…	14	（日）
L-OHP 85mg/m^2，2時間	↓						
ℓ-LV 200mg/m^2，2時間	↓						
5-FU 400mg/m^2，急速静注5分	↓						
5-FU 2,400mg/m^2，持続静注46時間	━━━━						

上記2週を1コースとする。

投与例

投与日	投与順	投与量	投与方法
1	1	デキサメタゾンリン酸エステルナトリウム（デキサート®）2.0mL（6.6mg）＋ パロノセトロン塩酸塩（アロキシ®）0.75mg ＋ 生食 50mL	CVポート（15分）
	2-1	オキサリプラチン［L-OHP］（エルプラット®）85mg/m^2＋ 5％ブドウ糖液 250mL	CVポート（2時間）
	2-2	レボホリナートカルシウム［ℓ-LV］（アイソボリン®）200mg/m^2＋ 5％ブドウ糖液 250mL	CVポート（2時間）
	3	フルオロウラシル［5-FU®］（5-FU）400mg/m^2 ＋ 5％ブドウ糖液 50mL	CVポート（5分）
	4	5-FU 2,400mg/m^2 ＋ 注射用蒸留水：総量230mLになるように調製	CVポート（46時間）

※2-1，2-2は同時点滴開始。

適応・治療開始基準

- 組織学的に腺癌と確定診断されている，切除不能・進行胃癌。
- 胃原発による通過障害，腹膜転移や大量腹水などにより経口フッ化ピリミジンの内服が困難となり，S-1 ＋ CDDP，SOX，XPといった1st lineの標準治療が困難な患者のみ適応を考慮。
- 原則1st line（2nd line以降は血液毒性などの有害事象が多くなるため注意が必要[1]）。
- PS 0～1

■Grade 3以上の末梢神経障害を有さない。

■主要臓器機能が保たれている（以下が目安）。

- 好中球数≧1,500/μL
- 血小板数≧$10.0 \times 10^4/\mu$L
- ヘモグロビン≧9.0g/dL
- 総ビリルビン≦施設基準上限×1.5倍
- AST，ALT≦100U/L（肝転移例は200U/Lを目安とする）
- クレアチニン≦施設基準上限×1.5倍

慎重投与・禁忌[2]

	慎重投与	禁忌
年　齢	75歳を超える高齢者，小児	
骨髄機能	骨髄機能抑制を有する	
末梢神経障害	末梢神経障害≦Grade 2を有する	Grade 3
心疾患	心疾患またはその既往を有する（重篤な有害事象で心筋梗塞や狭心症，不整脈の報告があり厳重にフォローする）	
腎障害		重篤な腎障害（Ccr≦30mL/分）[3, 4]
肝障害	開始基準以上の肝逸脱酵素の上昇，肝硬変（Child-Pugh Grade B，C）では慎重投与	
感　染	コントロール良好な感染症を有する	活動性でコントロール不良な感染症を有する
過敏症		使用薬剤，または他のプラチナを含む薬剤に対して過敏症の既往を有する
その他の併存症	消化管潰瘍または出血，水痘を有する	
胸腹水	胸水かつ腹水の両者を伴う場合	ドレナージが必要となる大量の胸水，腹水

効　果

	切除不能胃癌に対する初回治療例[5, 6]*
RR	40～46%
PFS	6.2～7.1カ月
OS	8.6～11.5カ月

＊：食道腺癌，食道胃接合部腺癌を含む。

mFOLFOX6

有害事象マニュアル

有害事象の発現率と発現時期

有害事象	発現率（%）		発現時期
	all Grade	Grade 3／4	
✓ 好中球数減少	59～68.8	11.3～36	投与7～10日後
✓ 発熱性好中球減少症		11	投与7～10日後
血小板数減少	37～72	2.5～5	投与7～10日後
✓ 悪　心	26～68	2.5～5	投与1～7日後
✓ 嘔　吐	21	2	急性：投与当日 遅発性：投与2～7日後
下　痢	28～35	5～6.3	投与7～10日後
✓ 末梢神経障害	31～51.3	5～36.3	急性：投与直後～14日後 慢性：持続性
倦怠感	72.5	15.0	投与4～7日後
✓ アレルギー			

☑：「有害事象マネジメントのポイント」参照。

減量早見表

減量レベル	L-OHP	5-FU（急速静注）	5-FU（持続静注）
初回投与量	$85mg／m^2$	$400mg／m^2$	$2,400mg／m^2$
−1	$65mg／m^2$	$300mg／m^2$	$2,000mg／m^2$
−2	$50mg／m^2$	$200mg／m^2$	$1,600mg／m^2$

■ 胃癌のFOLFOXデータのエビデンスは少なく，原則として大腸癌のFOLFOXに準じて減量を行う。

有害事象マネジメントのポイント

✓ 末梢神経障害

治療開始前のマネジメント

■ L-OHPによる有害事象であり，「急性の末梢神経障害」と「蓄積性の末梢神経障害」を分けて患者に説明する。

■ 急性の末梢神経障害は寒冷刺激に誘発され手足の先端や口唇周囲に出現する一過性の知覚異常（主にしびれ）である。投与直後から出現しほぼ必発であるが，通常は次コースまでに消失する。投与後約1週間寒冷刺激を避けるように指導する。

- 蓄積性の末梢神経障害は，L-OHP用量依存性に出現する慢性的な手足のしびれである。基本的には可逆性であり，L-OHPの休薬とともに症状が改善することが多いが，休薬のタイミングを逸すると長期に症状が遷延し患者のQOLの低下をまねくことがあり注意が必要である。
- 治療前に手足のしびれがないか必ずチェックする。
- 職業上や日常的に寒冷刺激曝露を回避しにくい人，細かい手先の作業を要する人，治療開始時より手足のしびれを有する人への適応は慎重に判断すべきである。

有害事象発生時のマネジメント

- 急性の末梢神経障害は，症状に応じて寒冷刺激を回避することで通常は対処可能である。
- 慢性的なしびれが発現した場合は，蓄積性の末梢神経障害の出現と判断し，減量や休薬のタイミングを慎重に検討する。

減量・再開のポイント

- Grade 2（身の回り以外の日常生活動作の制限）の症状が1週間以上持続する場合はL-OHPを1レベル減量して継続，もしくはGrade 1（生活動作の制限のない知覚異常）以下に回復するまで休薬する。Grade 3（身の回りの日常生活動作の制限）の症状が発現した場合はGrade 1以下に回復するまでL-OHPを休薬する。
- Grade 3まで進行すると，休薬後も症状が遷延することがあり，患者の背景や後治療なども考慮しGrade 2発現の時点から対応するようにしている。
- 大腸癌での既報では，Grade 2以上の末梢神経障害がL-OHP総投与量680mg/m^2で25％，総投与量1,020mg/m^2で64％に発現したと報告されている。

✓ アレルギー

- 国内の使用成績調査ではアレルギー症状が9％，アナフィラキシーが2％に出現し，症状発現コースの中央値（範囲）は7（1〜27）と報告されている。

治療開始前のマネジメント

- 7コース前後での発現頻度が高いことを事前に説明しておく。

有害事象発生時のマネジメント

- 軽症であれば抗ヒスタミン薬と副腎皮質ステロイド投与で症状が消失することが多い。
- アレルギー症状発現後のL-OHP再投与は重篤なアレルギー反応を惹起する可能性があるため，原則的には推奨できないが，再投与の意義がリスクを上回ると考えられ

る場合は，患者の同意を得た上で前投薬の強化や，減量や投与時間の延長を行い再投与している。

■ アレルギー反応の程度により下記のように対応を決めている。

当センターでのアレルギー反応発現時の対応マニュアル（一部改変）

アレルギー反応	治　療	次コースからの対応
一過性の潮紅あるいは皮疹，38℃未満の薬剤熱	① 治療中断 ② M1[*1]を全開投与し，1時間経過観察 ③ 異常がなければ投与速度を半分にして再開か中止して帰宅	• 再投与のリスクを説明し，同意が得られれば前投薬を強化[*2]して継続
皮疹，潮紅；蕁麻疹；呼吸困難，38℃以上の薬剤熱	① 治療中止 ② M1[*1]を投与 ③ 診察し入院か帰宅を判断する	• 原則としてL-OHPの投与を中止 • 初回発現時は再投与のリスクを説明し同意が得られれば，前投薬を強化した上でL-OHPの減量，投与時間延長もしくは入院での投与も選択肢として検討
蕁麻疹の有無によらず症状のある気管支攣縮，非経口的治療を要する，アレルギーによる浮腫／血管性浮腫，血圧低下 アナフィラキシー	① 治療中止 ② M1[*1]（生食に溶かさず静注）を投与，状況に応じてアドレナリン（アドレナリン注0.1％シリンジ）0.3mg筋注 ③ バイタル安定後に入院	• L-OHPの投与を中止

＊1：M1 (medication1)：ヒドロコルチゾンリン酸エステルナトリウム（水溶性ハイドロコートン®）100mg＋ラニチジン塩酸塩（ザンタック®）50mg＋d-クロルフェニラミンマレイン酸塩（ポララミン®）5mg＋生食50mL点滴静注。

＊2：投与例（☞p213）の投与順❶の薬剤にデキサメタゾンリン酸エステルナトリウム（デキサート®注射液）13.2mg＋ラニチジン塩酸塩（ザンタック®）50mg＋d-クロルフェニラミンマレイン酸塩（ポララミン®）5mgを追加する。

✓ 悪心・嘔吐

治療開始前のマネジメント

■ 初回治療開始前にあらかじめ制吐薬としてオンダンセトロン塩酸塩水和物（ゾフラン®）ザイディス錠などを患者に渡しておく。

■ 制吐薬は嘔吐してから飲む薬ではなく，予防として早めに使うのがコツであることを患者に十分説明しておく。

有害事象発生時のマネジメント

■ 投与開始後3〜7日目の出現頻度が高い。L-OHPは中等度催吐性リスクに分類されるため，当センターでは初回は投与例（☞p213）の投与順❶の薬剤を前投与し投与2〜3日目にデキサメタゾン（デカドロン®）（8mg／日）の内服を行う。

■ 遅発性悪心・嘔吐が続く場合はドパミン受容体拮抗薬〔メトクロプラミド（プリンペ

ラン®）5mg，ドンペリドン（ナウゼリン®）10mg，プロクロルペラジンマレイン酸塩（ノバミン®）5mg〕や5-HT$_3$受容体拮抗制吐薬（オンダンセトロン塩酸塩水和物）などを定時（投与後1週間のみ定時内服など）もしくは頓用で使用する。

■上記で対応できない場合は，高度催吐性リスクへの対応に準じてアプレピタント（イメンド®）を加え（投与1〜3日目），投与2〜4日目にデキサメタゾン（8mg／日）を投与する。場合によっては投与5日目までのアプレピタントの内服追加およびデキサメタゾン（8mg／日）の投与延長を考慮する。

■治療前から嘔気がするなどの予期性嘔吐の場合は，ベンゾジアゼピン系抗不安薬〔アルプラゾラム（アルプラゾラム）〕などを治療開始前に内服してもらっている。

減量・再開のポイント

■高度催吐性リスクに準じた制吐薬を使用しても持続するGrade 3以上の悪心・嘔吐が出現した場合は，次コースよりL-OHP，5-FU（急速静注，持続静注）すべてを減量している。

✓ 好中球数減少・発熱性好中球減少症

治療開始前のマネジメント

■好中球数減少が最も注意の必要な有害事象である。好中球数減少だけでは自覚症状を伴わないが感染を合併すると重篤化する可能性があるため，38℃以上の急な発熱，または38℃には達しないが悪寒を伴う場合や持続する場合は必ず病院へ連絡するように指導している。

■通常，投与後7〜10日頃に発現し，多くは次コース開始までに回復するが，骨髄抑制には個人差があるため，特に最初の1〜2コースは外来で必ず投与1週間後の採血チェックを行う。

有害事象発生時のマネジメント

■原則，Grade 1以下に好中球数減少が回復したのを確認し次コースを開始する。

■発熱性好中球減少症は，入院にてG-CSF製剤および静注抗菌薬の投与を行う。全身状態が良好な低リスク群（MASCCスコア21点以上）に対しては，経口抗菌薬〔レボフロキサシン水和物（クラビット®など）〕による外来治療も選択肢のひとつとなるが，患者に対する十分な教育や理解，近隣病院のサポート体制などを考慮して対応する必要がある。

減量・再開のポイント

■通常はGrade 4の好中球数減少，血小板数減少，およびGrade 3の発熱性好中球減

少症を認めた場合は，次コースよりL-OHP，5-FU（急速静注，持続静注）すべてを減量している。Grade 3の好中球数減少，血小板数減少では感染や輸血が必要な出血を伴わなければ原則減量は行っていない。

- ■ 安定して治療が継続できる用量が決まるまで，週に1回程度の採血チェックを行うようにしている。採血チェックは，前コースまでの好中球数減少の出現時期や発熱をきたした時期に合わせて行う。

症例　57歳女性，通過障害，腹膜播種を伴う切除不能進行胃癌

　身長148.6cm，体重29kg，PS 0。原発巣は胃前庭部であり腹膜播種も伴っていた。原発巣による狭窄を認めたが流動食は摂取可能であった。本人がバイパス術などの手術を拒否したため他院でS-1＋L-OHP療法を開始したが，S-1は内服困難となった。このため当センターへ転院され，CVポートを造設した上でmFOLFOX6を開始した。mFOLFOX6投与後2，3日目に食欲不振（Grade 3）が出現したが，CVポートを活用した在宅IVH管理も併用しながら治療は4コース継続可能であった。しかし，4コース終了時点で腹膜播種病変が悪化したためPTX＋Rmab療法へ変更した。上記のように通過障害のためS-1内服困難であったがmFOLFOX6に変更することで通院にて治療継続可能な症例を経験した。

文　献

1) Tsuji K, et al:Modified FOLFOX-6 therapy for heavily pretreated advanced gastric cancer refractory to fluorouracil, irinotecan, cisplatin and taxanes:a retrospective study. Jpn J Clin Oncol. 2012;42:686-90.
2) エルプラット®適正使用ガイド．
3) Takimoto CH, et al:Administration of oxaliplatin to patients with renal dysfunction:a preliminary report of the national cancer institute orqan dysfunction workinq qroup. Semin Oncol. 2003;30:20-5.
4) Lichtman SM, et al:International Society of Geriatric Oncology (SIOG) recommendations for the adjustment of dosing in elderly cancer patients with renal insufficiency. Eur J Cancer. 2007;43:14-34.
5) Louvet C, et al:Phase II study of oxaliplatin, fluorouracil, and folinic acid in locally advanced or metastatic gastric cancer patients. J Clin Oncol. 2002;20:4543-8.
6) Yoon HH, et al:Ramucirumab combined with FOLFOX as front-line therapy for advanced esophageal, gastroesophageal junction, or gastric adenocarcinoma:a randomized, double-blind, multicenter Phase II trial. Ann Oncol. 2016;27:2196-203.

（安井博史）

Ⅲ 胃癌

XP + Tmab

投与スケジュール

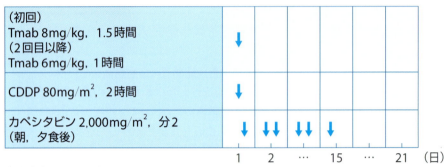

（初回） Tmab 8mg/kg, 1.5時間 （2回目以降） Tmab 6mg/kg, 1時間	
CDDP 80mg/m², 2時間	
カペシタビン 2,000mg/m², 分2 （朝, 夕食後）	

上記3週を1コースとする。
カペシタビンは1日2回（朝, 夕食後）を2週間連日内服し, 1週間休薬する。

投与例

投与日	投与順	投与量	投与方法
1	1	アプレピタント（イメンド®）カプセル（125mg）1錠	経口（抗癌剤投与1時間前）
	2	硫酸マグネシウム（硫酸Mg補正液1mEq/mL®）20mL ＋生食 1,000mL	点滴末梢本管（4時間）
	3	デキサメタゾンリン酸エステルナトリウム（デキサート®）3.0mL（9.9mg）＋パロノセトロン塩酸塩（アロキシ®）0.75mg ＋生食 100mL	点滴末梢本管（30分）
	4	シスプラチン[CDDP]（シスプラチン®）80mg/m² ＋生食 500mL	点滴末梢本管（2時間）
	5	フロセミド（ラシックス®）20mg/mL 2mL	点滴末梢側管より静注
	6	生食 500mL	点滴末梢本管（2時間）
	7	ソルデム®3A輸液 500mL	点滴末梢本管（2時間）
	8	トラスツズマブ[Tmab]（ハーセプチン®）初回 8mg/kg, 2回目以降 6mg/kg*	点滴末梢本管（1.5時間, 2回目以降1時間）
	9	生食 100mL（wash out用）	点滴末梢本管

2 3	**1**	アプレピタント（80mg）1錠	経口（朝食後）
	2	デキサメタゾンリン酸エステルナトリウム 2mL（6.6mg） ＋生食 100mL	点滴末梢本管 （30分）
	3	ソルデム®3A輸液 1,000mL	点滴末梢本管 （4時間）
1夕～ 15朝	**1**	カペシタビン（ゼローダ®）2,000mg/m²/日，分2	経口 （朝，夕食後）

＊：Tmabの初回投与時に忍容性を認めた場合，2回目以降の投与時間は30分まで短縮が可能である。

適応・治療開始基準

- HER2過剰発現が確認された切除不能な進行・再発胃癌〔（IHC 3+ または IHC 2+ かつ ISH法陽性（HER2/CEP17 比≧2.0）症例が適応となる〕。
- 非血液毒性Grade 1以下。
- 主要臓器機能が保たれている（以下が目安）。

- 好中球数≧1,200/μL（適正使用ガイドでは好中球数≧1,500/μL）
- 血小板数≧10×10⁴/μL
- 総ビリルビン≦1.5mg/dL
- AST，ALT≦100U/L（肝転移例は200U/Lを目安とする）
- クレアチニンクリアランス（Ccr）≧60mL/分

慎重投与・禁忌

	慎重投与	禁 忌
年 齢	70歳以上	
消化管通 過障害		腸閉塞例 明らかな通過障害がある場合
下 痢	日常生活に支障のない下痢	十分な支持療法下で日常生活に 支障のある下痢
腎障害		Ccr＜60mL/分[1]
感 染	感染疑い例	治療を必要とする活動性感染を 有する
併用薬	ワルファリンカリウム，フェニト イン，アントラサイクリン系薬剤	S-1投与中止後7日以内の患者[2]
心障害	心不全の既往または症状がある 左室駆出率＜50％	

効　果

	切除不能・再発胃癌に対する初回治療例[3]
PFS	6.7カ月
OS	13.8カ月 適応例に限定すると16.0カ月
ORR	47％
DCR	79％

XP + Tmab 有害事象マニュアル

有害事象の発現率と発現時期[2]

有害事象	発現率(%) all Grade	発現率(%) Grade 3	発現時期
✓ 食欲不振	86〜90	16〜26	
✓ 悪心	86〜88	14〜18	2日(1〜79日)
✓ 嘔吐	54〜61	4〜5	3日(2〜84日)
好中球数減少	65〜66	38〜44	
疲労	48〜69	16〜27	
✓ 手足症候群	44〜56	2〜3	61.5日(5〜126日)
便秘	34〜45	0	3日(1〜15日)
下痢	24〜40	2〜3	15日(3〜31日)
口腔粘膜炎	26〜30	1〜2	36日(2〜121日)
貧血	12〜14	6〜12	

☑：「有害事象マネジメントのポイント」参照。
※頻度は少ないが，心不全など重篤な心障害による死亡例も報告されている。

減量早見表

減量レベル	CDDP	カペシタビン
初回投与量	80mg/m^2	2,000mg/m^2
−1	60mg/m^2	1,500mg/m^2
−2	50mg/m^2	1,200mg/m^2

有害事象マネジメントのポイント

✓ 悪心・嘔吐，食欲不振

治療開始前のマネジメント

- CDDPは高度催吐性リスク抗癌剤に分類されるため，初回治療開始時から1〜3日目にNK$_1$受容体拮抗薬であるアプレピタントを内服するほか，制吐薬としてデキサメタゾン6.6〜9.9mgを投与し，さらに1日目には5-HT$_3$拮抗薬であるパロノセトロン塩酸塩0.75mgを静注にて投与する[4]。
- 頓用としてドパミン受容体拮抗薬〔メトクロプラミド(プリンペラン®)5mg，ドンペリドン(ナウゼリン®)10mg，プロクロルペラジン(ノバミン®)5mg〕などをあらかじめ処方しておく。

- 制吐薬は嘔吐してから飲む薬ではなく，予防として早めに使うのがコツであることを患者に十分説明しておくこと。

有害事象発生時のマネジメント

- 遅発性悪心・嘔吐が続く場合はドパミン受容体拮抗薬（メトクロプラミド5mg，ドンペリドン10mg，プロクロルペラジン5mg）や5-HT$_3$受容体拮抗制吐薬〔オンダンセトロン塩酸塩水和物（ゾフラン®）ザイディス〕などを定時（投与後1週間のみ定時内服など）もしくは頓用で使用する。
- 上記で対応できない場合は，5日目までのアプレピタントの内服追加およびデキサメタゾン（4〜8mg/日）の投与期間延長を考慮する[4]。最近ではNCCNで推奨されているオランザピン（ジプレキサザイディス®）を使用することもある。
- 治療前から嘔気がするなどの予期性嘔吐の場合は，ベンゾジアゼピン系抗不安薬〔アルプラゾラム（アルプラゾラム®）〕など治療開始前の内服するのも有効である。

減量・再開のポイント

- 高度催吐性リスクに準じた制吐薬を使用しても持続するGrade 3以上の悪心・嘔吐が出現した場合は，CDDPを減量する。遅発性嘔吐が続く場合には，これに加えてカペシタビンの減量も考慮する。

✔ 手足症候群

- 「XELOX」参照（☞ p209）。

✔ 心障害

治療開始前のマネジメント

注意! ☞

- 3カ月に1回，Tmabによる心障害のモニタリングとして心エコーを行う。
- 心障害に特有な症状は確定していないが，動悸，息切れ，頻脈などの症状出現に注意する。

有害事象発生時のマネジメント

- 左室駆出率（left ventricular ejection fraction：LVEF）が40％未満の場合，もしくはLVEFが40〜45％かつベースラインから10％以上の低下の場合には，Tmab（ハーセプチン®）の投与は延期する。最終投与後から3週間以内に再評価を行い，改善がみられない場合には投与を中止する。

✓ infusion reaction（注入に伴う反応）

治療開始前のマネジメント

注意！

■ Tmabの初回投与開始から24時間以内に，40％程度の症例で悪寒を伴う発熱や皮膚紅潮，皮疹などのinfusion reactionが出現することを説明しておく。2回目以降，出現の頻度は減少する。

■ 予防投与の有効性は証明されていない。

有害事象発生時のマネジメント

■ Tmabの投与を休止し，症状に応じて解熱鎮痛薬や抗ヒスタミン薬の投与を行う。

■ 呼吸困難や血圧低下などを認めた場合は，アドレナリン筋注やステロイド静注，酸素投与などアナフィラキシーに準じた治療を速やかに開始する。

■ 軽症例では，症状消失後，Tmab投与を再開するが，重症例では原則的に投与を中止する。

■ なお，当センターではアレルギー反応の程度により下記の対応を決めている。

当センターでのinfusion reaction発現時の対応マニュアル（一部改変）

アレルギー反応	治　療	次コースからの対応
薬剤熱だけの場合	・抗癌剤の用量や投与速度は変更しない ＜38℃：解熱剤を投与せず，悪化がないか経過観察しながら投与 ≧38℃：アセトアミノフェン（カロナール®）500mg投与し経過観察しながら投与	・継続*1
一過性の潮紅あるいは皮疹，38℃未満の薬剤熱	① 投与速度を半分にして経過観察しながら投与 ② 増悪なければ終了後帰宅	・投与速度を半分のまま投与してIR再発時には投与を中止する*1
皮疹，潮紅，蕁麻疹，呼吸困難，38℃以上の薬剤熱	① 抗癌剤の投与を中断 ② M1*2を投与 ③ 呼吸困難または酸素低下があれば酸素投与開始 ④ 症状が消失ないしはGrade 1まで改善後に投与速度を半分にして再開 ⑤ 増悪なければ終了後帰宅	
蕁麻疹の有無によらず症状のある気管支攣縮，非経口的治療を要する，アレルギーによる浮腫／血管性浮腫，血圧低下	① 抗癌剤の投与を中止 ②（1）アドレナリン（アドレナリン®）0.3mg筋注，（2）ヒドロコルチゾンリン酸エステルナトリウム（水溶性ハイドロコートン®）500mg＋d-クロルフェニラミンマレイン酸塩5mg＋ラニチジン塩酸塩（ザンタック®）50mg＋生食50mL，（3）生食500mL急速投与，酸素投与開始 ③ バイタル安定後に入院	・投与中止
アナフィラキシー		

＊1：IRの程度と経過および治療効果の兼ね合いから，総合的に継続か中止を判断する。

＊2：ヒドロコルチゾンリン酸エステルナトリウム 100mg＋ファモチジン20mg＋d-クロルフェニラミンマレイン酸塩5mg＋生食50mL点滴静注

56歳男性，胃癌＋多発肝転移 Stage Ⅳ，HER2陽性（IHC 3＋）

　身長168cm，体重65kg，PS 2，体表面積1.74m^2，LVEF 68％。全身倦怠感，体重減少を契機に診断された胃癌＋肝転移症例。胃生検にてHER2陽性（IHC 3＋）と診断されたため，カペシタビン3,600mg/日＋CDDP 130mg＋ハーセプチン®520mgにて治療を開始した。ハーセプチン®の初回投与中に悪寒を伴う39℃の発熱および顔面の紅潮を認めた。呼吸困難や血圧低下は認めなかったため，ハーセプチン®投与を休止し，アセリオ®1,000mgを点滴静注したところ，30分程度で症状の改善を認めた。その後，ハーセプチン®投与を再開したが，著変は認めなかった。4日目より悪心（Grade 1），食欲不振（Grade 1）を認めたが，食事形態の変更のみで対応可能であった。
　2コース目のハーセプチン®は60分で投与したが著変を認めず，コース中にGrade 2以上の有害事象は認めなかった。3コース目以降，ハーセプチン®を30分で投与しているが，現在までinfusion reactionの再燃は認めず，治療を継続中である。3カ月後の心エコー検査でもLVEFの低下は認めていない。

文　献

1) ハーセプチン® 適正使用ガイド．
2) ゼローダ® 適正使用ガイド．
3) Bang YJ, et al:Trastuzumab in combination with chemotherapy versus chemotherapy alone for treatment of HER2-positive advanced gastric or gastro-oesophageal junction cancer（ToGA）: a phase 3, open-label, andomized controlled trial. Lancet. 2010;376:687-97.
4) 日本癌治療学会，編：制吐薬適正使用ガイドライン　2015年10月（第2版）．金原出版，2015．

（川上武志）

Ⅲ 胃癌

S-1 + CDDP + Tmab

投与スケジュール

●3週投与法（SP3）

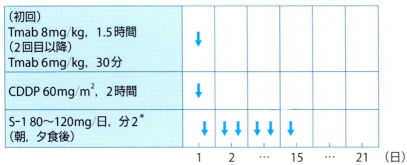

上記3週を1コースとする。
S-1は1日2回（朝，夕食後）を2週間連日内服し，1週間休薬する。

●5週投与法（SP5）

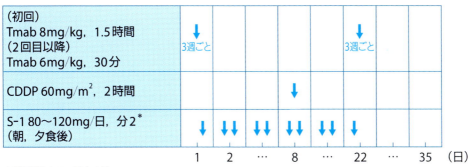

上記5週を1コースとする。
S-1は1日2回（朝，夕食後）を3週間連日内服し，2週間休薬する。

＊：S-1初回基準投与量

体表面積	S-1投与量
1.25m² 未満	80mg/日，分2
1.25m² 以上，1.50m² 未満	100mg/日，分2
1.50m² 以上	120mg/日，分2

投与例

● 3週投与法（SP3）

投与日	投与順	投与量	投与方法
1夕〜15朝	1	テガフール・ギメラシル・オテラシルカリウム配合（1：0.4：1）[S-1]（ティーエスワン®）80〜120mg/日，分2	経口（朝，夕食後）
1	1	ラクテック®注 1,000mL ＋ ソルデム®3A G輸液 1,000mL	点滴末梢本管（24時間）
1	2	ラクテック®注 1,000mL ＋ 硫酸マグネシウム（硫酸Mg補正液 1mEq/mL®）20mEq	点滴末梢側管（2時間）
1	3	トラスツズマブ[Tmab]（ハーセプチン®）初回 8mg/kg，2回目以降 6mg/kg ＋ 生食 250mL	点滴末梢側管（初回1.5時間，2回目以降30分）
1	4	デキサメタゾンリン酸エステルナトリウム（デキサート®）9.9mg ＋ パロノセトロン塩酸塩（アロキシ®）0.75mg点滴静注バッグ	点滴末梢側管（15分）
1	5	シスプラチン[CDDP]（シスプラチン®）60mg/m² ＋ 生食 400mL	点滴末梢側管（2時間）
1	6	ソルデム®3A G輸液 500mL	点滴末梢側管（2時間）
2 3	1	ラクテック®注 1,000mL ＋ ソルデム®3A G輸液 1,000mL	点滴末梢本管（24時間）
2 3	2	デキサメタゾンリン酸エステルナトリウム 6.6mg ＋ 生食 50mL	点滴末梢側管（15分）
2 3	3	ラクテック®注 500mL	点滴末梢側管（2.5時間）

※1日目から3日間アプレピタント（イメンド®）の内服を行う。

● 5週投与法（SP5）

投与日	投与順	投与量	投与方法
1	1	トラスツズマブ[Tmab]（ハーセプチン®）初回 8mg/kg，2回目以降 6mg/kg ＋ 生食 250mL	点滴末梢側管（初回1.5時間，2回目以降30分）
1	2	生食 50mL	点滴末梢本管（5分）

※以後，Tmabは3週ごとに投与を行う。

投与日	投与順	投与量	投与方法
1夕〜22朝	1	テガフール・ギメラシル・オテラシルカリウム配合（1：0.4：1）[S-1]（ティーエスワン®）80〜120mg/日，分2	経口（朝，夕食後）
8	1	ラクテック®注 1,000mL ＋ ソルデム®3A G輸液 1,000mL	点滴末梢本管（24時間）
8	2	ラクテック®注 1,000mL ＋ 硫酸マグネシウム（硫酸Mg補正液 1mEq/mL®）20mEq	点滴末梢側管（2時間）
8	3	デキサメタゾンリン酸エステルナトリウム（デキサート®）9.9mg ＋ パロノセトロン塩酸塩（アロキシ®）0.75mg点滴静注バッグ	点滴末梢側管（15分）
8	4	シスプラチン[CDDP]（シスプラチン®）60mg/m² ＋ 生食 400mL	点滴末梢側管（2時間）
8	5	ソルデム®3A G輸液 500mL	点滴末梢側管（2時間）

9 10	**1**	ラクテック®注 1,000mL + ソルデム®3A G輸液 1,000mL	点滴末梢本管 (24時間)
	2	デキサメタゾンリン酸エステルナトリウム 6.6mg + 生食 50mL	点滴末梢側管 (15分)
	3	ラクテック®注 500mL	点滴末梢側管 (2.5時間)

※8日目から3日間アプレピタント（イメンド®）の内服を行う。

適応・治療開始基準

■ 切除不能または再発胃癌。

■ 全身状態および主要臓器機能が保たれている（以下が目安）。

- ECOG PS 0～2
- 好中球数≧1,500/μL
- 血小板数≧10.0×10^4/μL
- ヘモグロビン≧8.0g/dL
- 総ビリルビン≦1.5mg/dL
- AST，ALT≦100U/L
- クレアチニン≦1.2mg/dL
- クレアチニン≦1.2mg/dL または クレアチニン クリアランス（Ccr）≧80mL/分

慎重投与・禁忌

■ 下記の「慎重投与」に該当する場合は，S-1を1レベル減量して投与を開始することを考慮。

	慎重投与	禁 忌
年 齢	75歳以上	
腎障害	80＞Ccr≧60mL/分[1]	Ccr＜60mL/分[1]
肝障害	総ビリルビン＞1.5mg/dL，またはAST，ALT＞100U/L（減量または中止を考慮）	
感 染	感染を疑う症例	活動性の感染症を合併している症例
薬 剤	フェニトイン［PHT］（アレビアチン®），ワルファリンカリウム（ワーファリン®）[2]	フルシトシン［5-FC］（アンコチル®），ほかのフッ化ピリミジン系抗癌剤[2]
合併症	心疾患（心不全，左心駆出率＜50％，重大な虚血性心疾患など）[3]，下痢，大量腹水・胸水	重篤な心障害[3]
既往歴	間質性肺疾患，心疾患，消化性潰瘍の既往[2]，アントラサイクリン系薬剤の投与歴，胸部照射歴[3]	

効 果

	切除不能/再発HER2陽性胃癌に対する初回治療例[4, 5]
RR	64～68％
PFS	6.0～7.8カ月
OS	16.0カ月

S-1 + CDDP + Tmab

有害事象マニュアル

有害事象の発現率と発現時期

有害事象	発現率（%）[4, 5]		発現時期
	all Grade	Grade 3/4	
✓ 好中球数減少	60〜61	23〜36	投与7〜10日後
発熱性好中球減少症	4〜5	4〜5	投与7〜10日後
貧　血	66〜77	15〜16	多くは治療開始2カ月後以降
血小板数減少	25〜49	0〜11	多くは治療開始2カ月後以降
食欲不振	75〜79	23	投与4〜7日後
悪　心	55〜62	2〜7	投与1〜7日後
疲　労	64〜68	4〜9	投与4〜7日後
下　痢	40〜48	8〜11	投与3〜10日後
嘔　吐	21〜25	2〜6	投与1〜7日後
クレアチニン増加	23〜45	6	投与3〜10日後
口腔粘膜炎	32〜46	2	投与3〜10日後
末梢性感覚ニューロパチー	11	0	用量依存的に頻度・程度ともに増加
✓ infusion reaction（注入に伴う反応）	6〜59*	0〜6*	投与後24時間以内
✓ 心障害	6*	1*	不明

☑：「有害事象マネジメントのポイント」参照。

＊：ToGA試験におけるTmab＋カペシタビン＋CDDP群のデータ[6]

減量早見表

減量レベル	CDDP	S-1		
初回投与量	60mg/m²	80mg/日	100mg/日	120mg/日
−1	50mg/m²	60mg/日*	80mg/日	100mg/日
−2	40mg/m²	50mg/日	60mg/日*	80mg/日

＊：1日のS-1投与量が60mgの場合は，朝40mg，夕20mgに分割して投与する。

※Tmabの減量は行わない。

有害事象マネジメントのポイント

✓ 好中球数減少

治療開始前のマネジメント

■好中球数減少の発症初期は自覚症状が乏しいため，定期的な血液検査が必要であることを患者に説明する。

- 特に好中球数減少と粘膜障害が重複すると重篤な感染症から致死的となりうるため注意が必要である。
- SP3（3週投与）ではSP5（5週投与）と比べて血液毒性が強く出現するため注意する。

有害事象発生時のマネジメント

- コース内にGrade 3以上の好中球数減少を認めた場合はS-1を休薬する。
- SP5において8日目に好中球数1,200/μL未満の場合は，CDDPの投与を延期する。15日目までにCDDPが投与できなかった場合は投与をスキップし，次回からS-1の減量を行う。

✓ infusion reaction（注入に伴う反応）

治療開始前のマネジメント

- infusion reactionに対する前投薬に関する有用性は確認されていない。
- 初回における発現頻度が最も高く，投与コースが進むにつれて発現頻度は低下する。

有害事象発生時のマネジメント

- 直ちに薬剤投与を中止し，状態に応じて酸素投与や補液などを行う。
- Grade 2（皮疹，潮紅，蕁麻疹，呼吸困難，38℃以上の薬剤熱）までの場合は，ヒドロコルチゾンリン酸エステルナトリウム（水溶性ハイドロコートン®），d-クロルフェニラミンマレイン酸塩（ポララミン®），ファモチジン（ガスター®）の追加投与を行い，さらなる状態の悪化を防ぐ。
- Grade 3（症状のある気管支痙攣，血管性浮腫，血圧低下）やGrade 4（アナフィラキシー）の場合には，上記に加えてアドレナリン0.3mgを筋注する。
- なお，当センターではアレルギー反応の程度により対応を決めている。
- 「XP + Tmab」参照（☞ p225）。

✓ 心障害

- 「XP + Tmab」参照（☞ p224）。

症例 48歳男性，胃癌，多発肝転移

　　身長162cm，体重61kg，ECOG PS 0。貧血を契機に発見された胃癌，多発肝転移に対する化学療法目的に当センター紹介となった。紹介医と当センターでの検査所見の比較から進行が速いと判断し，HER2検査結果を待たずにS-1＋CDDP療法（5週1コース）を開始した。その後，HER2陽性であることが確認されたため，心エコー検査で異常がないことを確認し，8日目からハーセプチン®の投与（3週ごと）を開始した。CDDP投与後，悪心（Grade 2）を認めノバミン®の投与を行った。2コース目からは制吐薬としてソラナックス®とジプレキサ®の予防投与を行ったところ，悪心の軽減がみられた。血液毒性はGrade 1程度であり，スケジュール通りの投与が可能であった。また，治療開始後3カ月における心エコーでは特に異常はみられなかった。2コース終了後のCTではSD範囲ではあるものの肝転移の縮小を認めており，現在治療を継続中である。

文　献

1)　ティーエスワン® 適正使用ガイド.
2)　ティーエスワン® 添付文書.
3)　ハーセプチン® 添付文書.
4)　Kurokawa Y, et al:Phase Ⅱ study of trastuzumab in combination with S-1 plus cisplatin in HER2-positive gastric cancer(HERBIS-1). Br J Cancer. 2015;110:1163-8.
5)　Miura Y, et al:A phase Ⅱ trial of 5-weekly S-1 plus cisplatin(CDDP)combination with trastuzumab(Tmab)for HER2-positive advanced gastric or esophagogastric junction(EGJ)cancer:WJOG7212G(T-SPACE)study. J Clin Oncol. 2015;33:abstr 126.
6)　ハーセプチン® 適正使用ガイド.

（川上武志）

Ⅲ 胃 癌

XELOX＋Tmab

投与スケジュール

	1	2	…	15	…	21 （日）
L-OHP 130mg/m², 2時間	↓					
（初回） Tmab 8mg/kg, 1.5時間 （2回目以降） Tmab 6mg/kg, 30分	↓					
カペシタビン2,000mg/m², 分2 （朝, 夕食後）	↓	↓↓	↓↓	↓		

上記3週を1コースとする。

カペシタビンは1日2回（朝, 夕食後）を2週間連日内服し, 1週間休薬する。

投与例

投与日	投与順	投与量	投与方法
1	1	トラスツズマブ［Tmab］（ハーセプチン®）初回8mg/kg, 2回目以降6mg/kg ＋ 生食250mL	点滴末梢側管（初回1.5時間, 2回目以降30分）
	2	デキサメタゾンリン酸エステルナトリウム（デキサート®）3.0mL（9.9mg）＋ パロノセトロン塩酸塩（アロキシ®）0.75mg ＋ 生食50mL	点滴末梢本管（15分）
	3	オキサリプラチン［L-OHP］（エルプラット®）130mg/m² ＋ 5％ブドウ糖液500mL	点滴末梢本管（2時間）
	4	5％ブドウ糖液50mL	点滴末梢本管（5分）
2 3	1	デキサメタゾン（デカドロン®）8mg	経口（朝食後）
1夕〜 15朝	1	カペシタビン（ゼローダ®）2,000mg/m²/日, 分2	経口（朝, 夕食後）

適応・治療開始基準

- HER2過剰発現が確認された切除不能な進行・再発胃癌（IHC3＋またはIHC2＋かつFISH陽性症例が適応となる）。
- 非血液毒性Grade 1以下（例外あり）。
- 主要臓器機能が保たれている（以下が目安）。

- 好中球数≧1,200/μL（適正使用ガイドでは好中球数≧1,500/μL）
- 血小板数≧7.5×10^4/μL
- 総ビリルビン≦2.0mg/dL
- AST，ALT≦100U/L（肝転移例は200U/Lを目安とする）
- クレアチニン≦1.5mg/dL

慎重投与・禁忌

	慎重投与	禁忌
年　齢	70歳以上	
消化管通過障害		腸閉塞例 明らかな通過障害がある場合
下　痢	日常生活に支障のない下痢	十分な支持療法下で日常生活に支障のある下痢
腎障害	Ccr≦50mL/分[1]	Ccr＜30mL/分[1]
感　染	感染疑い例	治療を必要とする活動性感染を有する場合
合併症	下痢，感覚異常，知覚不全[2]心疾患（心不全，左室駆出率＜50％，重篤な虚血性心疾患など）[3]	重篤な心疾患[3]
既往歴	アントラサイクリン系薬剤の投与歴，胸部照射歴[3]	

効　果

	切除不能/再発HER2陽性胃癌に対する初回治療例[4, 5]
RR	46.7〜68％
PFS	7.1〜9.8カ月
OS	13.8〜21.0カ月

XELOX + Tmab

有害事象マニュアル

有害事象の発現率と発現時期[6]

有害事象	発現率(%)[4, 5]		発現時期
	all Grade	Grade 3/4	
貧 血	38〜100	2〜11	
好中球数減少	22〜56	2〜18	投与43日後
血小板数減少	26〜68	0〜4	投与43〜101日後
✓ 食欲不振	13〜56	2〜4	投与3〜4日後
✓ 下 痢	38〜53	2〜27	投与7〜13日後
✓ 末梢神経障害	71〜78	2〜11	急性症状は投与後2日以内
疲 労	54〜73	5〜16	投与6〜10日後
✓ 悪 心	47〜55	2〜20	投与2日後
口腔粘膜炎	13	2	投与29〜40日後
✓ 嘔 吐	32〜38	0〜13	投与3〜6日後
✓ 手足症候群	11〜33	2	投与47〜50日後
✓ infusion reaction (注入に伴う反応)	6〜59*	0〜6*	投与後24時間以内
✓ 心障害	6*	1*	不明

☑：「有害事象マネジメントのポイント」参照。

＊：ToGA試験におけるTmab＋カペシタビン＋CDDP群のデータ[7]。

減量早見表

減量レベル	L-OHP	カペシタビン
初回投与量	130mg/m^2	2,000mg/m^2
−1	100mg/m^2	1,500mg/m^2
−2	85mg/m^2	1,200mg/m^2

※Tmabの減量は行わない。

有害事象マネジメントのポイント

✓ 悪心・嘔吐，食欲不振

- 「XELOX」参照（☞ p208）。

✓ 手足症候群

- 「XELOX」参照（☞ p209）。

✓ 末梢神経障害・知覚過敏

- 「XELOX」参照（☞ p210）。

✓ 下 痢

■「XELOX」参照（☞ **p211**）。

✓ infusion reaction（注入に伴う反応）

■「XP + Tmab」参照（☞ **p225**），「S-1 + CDDP + Tmab」参照（☞ **p231**）。

✓ 心障害

■「XP + Tmab」参照（☞ **p224**）。

症 例　**72歳男性，胃癌，幽門側胃切除後，肝転移再発，HER2陽性（IHC3＋）**

　身長166cm，体重75kg，ECOG PS 1。胃癌に対して幽門側胃切除術を施行後，術後補助化学療法としてS-1内服を1年間行ったが，術後3年目のCTにて肝転移再発と診断した。手術検体よりHER2陽性（IHC3＋）と診断された。外来での通院治療を希望されたため，心機能に問題ないことを確認して，XELOX（L-OHP 130mg/m^2）＋Tmab療法を開始した。治療開始後，悪心（Grade 2）を認めたが，プロクロルペラジン（ノバミン®）の投与で対応可能であった。2コース目以降Tmabは30分で投与したが，特記すべき有害事象は認めなかった。3コース終了後のCTでは肝転移などの縮小を認め，PRと判断し，治療を継続した。5コース目終了時より末梢性感覚ニューロパチーが持続するようになり，L-OHPを100mg/m^{2}に減量した。7コース目には「ボタンを留めにくい」という訴えがあり，末梢神経障害Grade 2と診断しL-OHPを不耐中止とした。9コース終了後のCTでは肝に新規病変を認めたため，PDと判断し本治療は中止した。

文 献

1) ゼローダ®添付文書.
2) エルプラット®添付文書.
3) ハーセプチン®添付文書.
4) Ryu MH, et al:Multicenter phase II study of trastuzumab in combination with capecitabine and oxaliplatin for advanced gastric cancer. Eur J Cancer. 2015;51:482-8.
5) Rivera.F, et al:Phase II study to evaluate the efficacy of Trastuzumab in combination with Capecitabine and Oxaliplatin in first-line treatment of HER2 positive advanced gastric cancer: HERXO trial. Cancer Chemother Pharmacol. 2019;83:1175-81.
6) ゼローダ®適正使用ガイド－胃癌.
7) Bang YJ, Et al:Trastuzumab in combination with chemotherapy versus chemotherapy alone for treatment of HER2-positive advanced gastric or gastro-oesophageal junction cancer (ToGA): a phase 3, open-label, randomised controlled trial. Lancet. 2010;376(9742):687-97.

（森町将司，白数洋充）

Ⅲ 胃癌

SOX + Tmab

投与スケジュール

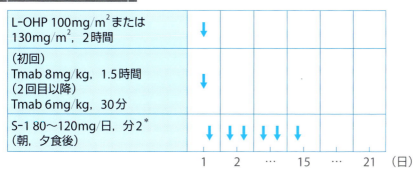

上記3週を1コースとする。
S-1は1日2回（朝，夕食後）を2週間連日内服し，1週間休薬する。

＊：S-1初回基準投与量

体表面積	S-1投与量
1.25m²未満	80mg/日，分2
1.25m²以上，1.50m²未満	100mg/日，分2
1.50m²以上	120mg/日，分2

投与例

投与日	投与順	投与量	投与方法
1夕〜15朝	1	テガフール・ギメラシル・オテラシルカリウム配合（1：0.4：1）［S-1］（ティーエスワン®）80〜120mg/日，分2	経口（朝，夕食後）
1	1	トラスツズマブ［Tmab］（ハーセプチン®）初回8mg/kg，2回目以降6mg/kg ＋ 生食 250mL	点滴末梢側管（初回1.5時間，2回目以降30分）
	2	デキサメタゾンリン酸エステルナトリウム（デキサート®）6.6mg ＋ パロノセトロン塩酸塩（アロキシ®）0.75mg点滴静注バッグ	点滴末梢側管（15分）
	3	オキサリプラチン［L-OHP］（エルプラット®）100mg/m² または 130mg/m² ＋ 5％ブドウ糖液 250〜500mL	点滴末梢本管（2時間）
	4	生食 50mL	点滴末梢本管（5分）

適応・治療開始基準

■ HER2過剰発現が確認された切除不能な進行・再発胃癌（IHC3 + またはIHC2 + かつFISH陽性症例が適応となる）。

■ 全身状態および主要臓器機能が保たれている（以下が目安）。

- ECOG PS 0〜2
- 好中球数≧1,500/μL
- 血小板数≧$10.0 \times 10^4/\mu$L
- ヘモグロビン≧8.0g/dL
- 総ビリルビン≦1.5mg/dL
- AST，ALT≦100U/L
- クレアチニン≦1.2mg/dL
- クレアチニンクリアランス（Ccr）≧60mL/分

慎重投与・禁忌

	慎重投与	禁　忌
年　齢	75歳以上	
腎障害	60＞Ccr≧30mL/分（1レベル以上の減量を考慮）[1]	Ccr＜30mL/分[1]
肝障害	総ビリルビン＞1.5mg/dL，またはAST，ALT＞100U/L（減量または中止を考慮）	
感　染	感染を疑う症例	活動性の感染症を合併している症例
薬　剤	フェニトイン［PHT］（アレビアチン®），ワルファリンカリウム（ワーファリン®）[2]	フルシトシン［5-FC］（アンコチル®），他のフッ化ピリミジン系抗癌剤[2]
合併症	下痢，感覚異常，知覚不全[3] 心疾患（心不全，左室駆出率＜50％，重篤な虚血性心疾患など）[4]	重篤な心疾患[4]
既往歴	間質性肺疾患，心疾患，消化性潰瘍の既往[2] アントラサイクリン系薬剤の投与歴，胸部照射歴[4]	

効　果

	切除不能／再発HER2陽性胃癌に対する初回治療例[5, 6]
RR	70.7〜82.1％
PFS	7.0〜8.8カ月
OS	18.1〜27.6カ月

SOX + Tmab

有害事象マニュアル

有害事象の発現率と発現時期 [1, 2]

有害事象	発現率（%）[5, 6]		発現時期
	all Grade	Grade 3／4	
✓ 好中球数減少	74〜79	10〜11	投与7〜10日後
発熱性好中球減少症		0	投与7〜10日後
✓ 血小板数減少	79〜95	1〜18	多くは治療開始2カ月後以降
食欲不振	77〜82	5〜18	投与4〜7日後
下 痢	51〜52	7〜8	投与3〜10日後
✓ 末梢性感覚ニューロパチー	82〜84	5〜16	用量依存的に頻度・持続時間・程度ともに増加
疲 労	57〜62	3〜5	投与4〜7日後
✓ 悪 心	59〜65	4〜8	投与1〜7日後
口腔粘膜炎	25〜49	0〜1	投与3〜10日後
✓ 嘔 吐	20〜23	3〜4	投与1〜7日後
涙 目	21	3	投与数週間後
✓ infusion reaction（注入に伴う反応）	5〜11	0〜1	投与後24時間以内
✓ 心障害	5〜11	3〜5	不明

☑：「有害事象マネジメントのポイント」参照。

減量早見表

減量レベル	L-OHP	S-1		
初回投与量	130mg／m²	80mg／日	100mg／日	120mg／日
−1	100mg／m²	60mg／日＊	80mg／日	100mg／日
−2	75mg／m²	50mg／日	60mg／日＊	80mg／日

＊：1日のS-1投与量が60mgの場合は，朝40mg，夕20mgに分割して投与する。
※ Tmabの減量は行わない。

有害事象マネジメントのポイント

✓ 好中球数減少

■「SOX」参照（☞ p202）。

✓ 血小板数減少

■「SOX」参照（☞ p203）。

✓ 末梢神経障害

- 「SOX」参照（☞p203）。

✓ 悪心・嘔吐

- 「SOX」参照（☞p204）。

✓ infusion reaction（注入に伴う反応）

- 「XP + Tmab」参照（☞p225），「S-1 + CDDP + Tmab」参照（☞p231）。

✓ 心障害

- 「XP + Tmab」参照（☞p224）。

症例 **63歳男性，胃癌＋多発肝転移StageⅣ，HER2陽性（IHC3＋）**

　身長165cm，体重60kg，ECOG PS 1。体表面積1.66m^2，LVFE 65％。黒色便を契機に診断された胃癌＋肝転移症例。胃生検にてHER2陽性（IHC3＋）と診断された。外来での通院治療を希望されたため，心機能に問題ないことを確認して，SOX（L-OHP 130mg/m^2）＋Tmab療法を開始した。2コース目以降Tmabは30分で投与したが特記すべき有害事象は認めなかった。4コース目を終えたところでCTを施行したところPR相当の腫瘍縮小を認めた。6コース目終了時より末梢性感覚ニューロパチーが持続するようになり，L-OHPを100mg/m^{2}に減量した。8コース目には「ボタンを留めにくい」という訴えがあり，末梢神経障害Grade 2と診断しL-OHPを不耐中止とした。以降，PR維持を継続しており，3カ月ごとの心エコーでもLVEFの低下を認めておらず治療を継続中である。

文　献

1) ティーエスワン®適正使用ガイド.
2) ティーエスワン®添付文書.
3) エルプラット®添付文書.
4) ハーセプチン®添付文書.
5) Takahari D, et al:Multicenter phase Ⅱ study of trastuzumab with S-1 plus oxaliplatin for chemotherapy-naïve, HER2-positive advanced gastric cancer. Gastric Cancer. 2019;22:1238-46.
6) Yuki S, et al:Multicenter phase Ⅱ study of SOX plus trastuzumab for patients with HER2+ metastatic or recurrent gastric cancer: KSCC/HGCSG/CCOG/PerSeUS 1501B. 2020;85:217-23.

（森町将司，白数洋充）

III 胃癌

Trastuzumab Deruxtecan

投与スケジュール

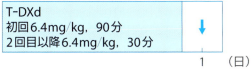

T-DXd
初回6.4mg/kg, 90分
2回目以降6.4mg/kg, 30分

上記3週を1コースとする。

投与例

投与日	投与順	投与量	投与方法
1	1	パロノセトロン塩酸塩（アロキシ®）0.75mg/50mL	点滴末梢本管（15分）
	2	5％ブドウ糖液 50mL	点滴末梢本管（5分）
	3	トラスツズマブ デルクステカン [T-DXd]（エンハーツ®）6.4mg/kg ＋ 5％ブドウ糖液 100mL ＋ 注射用蒸留水：総量20mLになるよう調製	点滴末梢本管（初回90分，2回目以降30分）
	4	5％ブドウ糖液 50mL	点滴末梢本管（5分）

適応・治療開始基準

- Tmabを含む2つ以上の前治療を受けたHER2陽性の進行・再発胃または胃食道接合部癌。
- 病理組織学的に腺癌と診断されている。
- 全身状態および主要臓器機能が保たれている（以下が目安）。

  - ECOG PS 0〜1
  - 好中球数≧1,500/μL
  - 血小板数≧10.0×10^4/μL
  - ヘモグロビン≧8.0g/dL
  - 総ビリルビン基準値上限の1.5倍以下
  - AST，ALT基準値上限の3倍以下
  - クレアチニンクリアランス（Ccr）≧30mL/分
  - 放射線療法終了から4週間以上あける（腹部以外への姑息的定位放射線療法であれば終了から2週間以上）

慎重投与・禁忌

	慎重投与	禁　忌
既往歴		間質性肺炎の既往
アレルギー		本剤の成分に対し過敏症の既往歴のある患者
心機能	QT間隔延長 Grade 3 LVEF ≦ 45 %	症候性うっ血性心不全 QT間隔延長 Grade 4 LVEF再測定し改善しない場合
infusion reaction（注入に伴う反応）	Grade 1（50 %に減速し投与する。他の症状が出なければ次回から元の速度に戻す） Grade 2（Grade 1まで50 %に減速）	
好中球数減少	Grade 3，4（Grade 2になるまで休薬）	
発熱性好中球減少症	回復するまで休薬	
貧　血	Grade 3，4（Grade 2になるまで休薬）	
血小板数減少	Grade 3，4（Grade 1になるまで休薬）	
総ビリルビン	Grade 2，3（Grade 1になるまで休薬）	Grrade 4
下痢・大腸炎	Grade 3（Grade 1になるまで休薬）	Grrade 4
その他副作用	Grade 3（Grade 1になるまで休薬）	Grrade 4

※治療関連有害事象はCTCAE v5.0に準拠して分類した。

効　果

	HER2陽性進行胃癌に対する三次治療以降のT-DXd[1]
RR	51 %
PFS	5.6カ月
OS	12.5カ月

Trastuzumab Deruxtecan

有害事象マニュアル

有害事象の発現率と発現時期[2~4)]

有害事象	発現率（%）		発現時期（範囲）
	all Grade	Grade 3/4	
白血球減少	37.6	20.8	
好中球数減少	63.2	51.2	中央値16.0日（6～187）
血小板数減少	39.2	11.2	中央値8.0日（7～298）
貧 血	57.6	37.6	中央値18.0日（2～444）
発熱性好中球減少症	4.8	4.8	
血中ビリルビン増加	8.0	0.8	
アスパラギン酸アミノトランスフェラーゼ増加	9.6	2.4	
アラニンアミノトランスフェラーゼ増加	7.2	1.6	
γ-グルタミルトランスフェラーゼ増加	3.2	0.0	
✓ 間質性肺炎	11.1	3.0	中央値84.5日（36～638）
食欲不振	60.0	16.8	
疲 労	22.4	8.0	
悪 心	63.2	4.8	
下 痢	32.0	2.4	
口腔粘膜炎	11.2	1.6	
倦怠感	34.4	0.8	

☑：「有害事象マネジメントのポイント」参照。

減量早見表

減量レベル	T-DXd
通常投与量	6.4mg/kg
−1	5.4mg/kg
−2	4.4mg/kg

有害事象マネジメントのポイント

✓ 間質性肺炎

治療開始前のマネジメント

■胸部CT検査，胸部X線検査，動脈血酸素飽和度（SpO_2）検査および問診を行い，間

243

質性肺炎の合併または既往がないことを確認する。

- 投与中は臨床症状（呼吸状態，咳および発熱等の有無）を十分に観察し，定期的に SpO$_2$検査，胸部X線検査および胸部CT検査を行う。また，必要に応じて，血清マーカー（KL-6，SP-D等），動脈血酸素分圧（PaO$_2$），肺胞気動脈血酸素分圧較差（A-aDO$_2$），肺拡散能力（DLco）等の検査を行う。

有害事象発生時のマネジメント

- 直ちにT-DXdおよびその他の被疑薬の投与を中止する。
- 下の表を参考にして速やかに治療を開始する。必要に応じて呼吸器専門医にコンサルテーションする。

肺関連有害事象の対処法アルゴリズム

肺臓炎のGrade （CTCAE v5.0）	初期治療	評　価
Grade 1 症状がない：臨床所見または検査所見のみ	・ステロイドの投与を考慮する。 例；プレドニゾロン（PSL）換算で0.5mg／kg／日以上で開始し，改善するまで継続する。その後4週間以上かけて漸減する。	・悪化する場合はGrade 2の対処に従う。
Grade 2 症状がある：身の回り以外の日常生活動作の制限	・速やかにステロイドの投与を開始し，少なくとも14日間または臨床症状および胸部CT所見が完全に消失するまで継続する。その後4週間以上かけて漸減する。 例；PSL換算で1.0mg／kg／日以上	・ステロイド治療開始後5日以内に改善しない場合，ステロイドの増量を考慮する。 例；PSL換算で2.0mg／kg／日
Grade 3 高度の症状：身の回りの日常生活動作の制限；酸素投与を要する	・速やかにステロイドパルス療法を実施後，少なくとも14日間又は臨床症状および胸部CT所見が完全に消失するまでステロイドの投与を継続する。その後4週間以上かけて漸減する。 例；ステロイドパルス：PSL換算で500〜1000mg／日×3日間，ステロイド維持：PSL換算で1.0mg／kg／日以上	・ステロイド治療開始後5日以内に改善しない場合，免疫抑制薬やその他の治療を検討する。
Grade 4 生命を脅かす症状：緊急処置を要する（例；気管切開や気管内挿管）		

（文献2をもとに作成）

✓ infusion reaction（注入に伴う反応）

治療開始前のマネジメント

- 本剤投与中はinfusion reactionを疑う徴候や症状（呼吸困難，低血圧，発熱，寒気，吐き気，嘔吐，頭痛，咳，めまい，発疹等）の発現がないか患者の観察を行う。

有害事象発生時のマネジメント

■下記を参考にして，本剤の投与速度の調整，投与の中断または中止を検討する。

当センターでのinfusion reaction発現時の対応マニュアル（一部改変）

infusion related reaction （注入に伴う反応） （CTCAE v5.0）	治療	本剤の対応
Grade 1 軽度で一過性の反応；治療を要さない反応		・投与速度を50％減速する。他の症状が出現しない場合は，次回以降は元の速度で投与する。
Grade 2 治療により速やかに軽快する反応；≦24時間の予防的投薬を要する反応	・発熱のみ場合：アセトアミノフェン（カロナール®）500mgを経口投与 ・発熱以外の症状を認める場合：ヒドロ骨リン酸エステルナトリウム（水溶性ハイドロコートン®）100mg＋ファモチジン20mg＋d-クロルフェニラミンマレイン酸塩5mg＋生食50mLを静脈投与	・Grade 1以下に回復するまで投与を中断する。再開する場合は投与速度を50％減速する。次回以降も減速した速度で投与する。
Grade 3 症状が遷延する反応：一度改善しても再発する反応；続発症により入院を要する反応	・血圧低下があれば下肢挙上 ・適宜酸素投与開始 ・ルート内残存薬物の吸引（もしくはルート全抜去）し生食500mLを全開投与 ・水溶性ハイドロコートン®500mg＋ファモチジン20mg＋d-クロルフェニラミンマレイン酸塩5mgを緩徐に静脈投与 ・アドレナリン筋注を考慮	・投与を中止する。
Grade 4 生命を脅かす反応：緊急処置を要する反応		

（文献2，5をもとに作成）

✓ 左室駆出率（LVEF）低下

治療開始前のマネジメント

■左室駆出率（LVEF）が低下することがあるので，本剤投与開始前に患者の心機能を確認する。

■投与中は患者の状態を十分に観察し，適宜心機能検査（心エコー等）を行う。

有害事象発生時のマネジメント

■LVEF≦45％であれば休薬し3週間以内に再測定を行い，LVEF値とベースラインからの絶対値の低下を評価して投与中止を検討する。

61歳男性，HER2陽性胃癌，幽門側胃切除＋D2郭清術後，肝・肺・腹膜転移

　身長171cm，体重59kg，ECOG PS 0，既往歴・家族歴なし。cT4aN3aM0 cStageⅢc HER2陽性胃癌（HER2 score 3＋）に対して，幽門側胃切除＋D2郭清術を施行し，術後補助化学療法としてDS（DTX＋S-1）療法を行った。有害事象として繰り返すGrade 3の好中球数減少を認めた。減量後も繰り返すため，DTX不耐と判断し4コース目からS-1単剤投与とした。S-1単剤を7コース投与した後，CTで肺転移再発を認めた。次にXELOX＋HER（カペシタビン＋L-OHP＋Tmab）の投与を開始した。5コース施行後のCTで肝転移が出現し，PDと判定した。その後，PTX＋Rmabを開始したが，1コース目のday 1の投与を行ったところでGrade 3の好中球数減少が出現し，1カ月以上遷延したため不耐中止とした。二次治療としてニボルマブを開始，5コース投与後のCTで肝転移増大，腹膜播種の出現あり，PDと判定した（ニボルマブ開始時はT-DXdは未承認）。胸部CT検査にて間質性肺炎がないこと，心エコーで左室駆出率が45％以上であることを確認しT-DXd（減量なし）を開始した。3コース施行後の評価でPRとなり，6コース施行後にPRをconfirmした。T-DXdは現在まで10コース施行しておりPRを維持している。この間に出現した有害事象はGrade 3の好中球数減少のみで，1週間以内に回復している。

文献

1) Shitara K, et al:Trastuzumab Deruxtecan in Previously Treated HER2-Positive Gastric Cancer. N Engl J Med. 2020;382:2419-30.
2) エンハーツ®適正使用ガイド．乳癌，胃癌．
3) エンハーツ®添付文書．
4) Brahmer JR, et al:Management of Immune-Related Adverse Events in Patients Treated With Immune Checkpoint Inhibitor Therapy: American Society of Clinical Oncology Clinical Practice Guideline. J Clin Oncol. 2018;36:1714-68.
5) 静岡県立静岡がんセンター：医療安全ポケットマニュアル2021年度版．

（森町将司，川上武志）

Ⅲ 胃癌

S-1

投与スケジュール

S-1 80～120mg/日，分2*（朝，夕食後）

上記6週を1コースとし，1日2回（朝，夕食後）を4週間連日内服し，2週間休薬する。

＊：S-1初回基準投与量

体表面積	S-1投与量
1.25m² 未満	80mg/日，分2
1.25m² 以上，1.50m² 未満	100mg/日，分2
1.50m² 以上	120mg/日，分2

投与例

投与日	投与量	投与方法
1～28	テガフール・ギメラシル・オテラシルカリウム配合（1：0.4：1）[S-1]（ティーエスワン®）80～120mg/日，分2	経口（朝，夕食後）
29～42	休薬	

適応・治療開始基準

- 組織学的に腺癌と確定診断されている，切除不能再発胃癌。
- S-1＋CDDP療法の実施が困難であり，かつ経口摂取が可能な症例。
- PS 2以下かつ主要臓器機能が保たれている（以下が目安）。

> - 白血球数 ≧3,500/μL かつ＜1万2,000/μL
> - 血小板数 ≧10.0×10⁴/μL
> - ヘモグロビン≧9.0g/dL
> - 総ビリルビン≦1.5mg/dL
> - AST，ALT≦100U/L（施設基準値の2.5倍以下）
> - クレアチニンクリアランス（Ccr）≧80mL/分

※実臨床においては上記基準外などで開始することもあるが，その際は事前の十分な患者説明と，こまめな外来観察を行うなど配慮が必要。

慎重投与・禁忌

	慎重投与	禁忌
年齢，PS	75歳以上，PS 2	PS 3以上， 80歳以上の高齢者は，全身状態や理解力，合併症，家族のサポート体制など総合的に判断が必要。
骨髄機能	ヘモグロビン：8.0～9.0未満 白血球数：2,000～3,500未満，1万2,000以上 血小板数：7.5～10万未満	左記以上の骨髄機能低下
腎障害	80＞Ccr≧60mL／分 60＞Ccr≧30mL／分*	Ccr 30mL／分未満
肝障害	AST，ALT：施設基準値の2.5倍を超えて150U／L未満 総ビリルビン：1.5～3mg/dL未満	左記以上の肝障害
感　染	感染疑い	活動性感染を有する
その他 （併用薬）	ワルファリンカリウム，フェニトイン使用症例	抗真菌薬フルシトシン使用症例

＊：原則として1レベル減量（30～40未満は2レベル減量が望ましい）。

効　果

	切除不能・再発胃癌に対する初回治療[1,2]
奏効率	28～31％
PFS	4.0～4.2カ月
OS	11.0～11.4カ月

S-1 有害事象マニュアル

有害事象の発現率と発現時期

有害事象	発現率（%） all Grade	発現率（%） Grade 3/4	発現時期
✓ 流涙	18	0	投与約3カ月目からが好発
✓ 食欲不振	34～37	6～12	投与2週目以降～5週目
好中球数減少	42～44	6～11	投与2～4週目
貧血	33～38	4～13	投与2～4週目
✓ 下痢	19～23	3～8	投与2～3週目
✓ 悪心・嘔吐	22～26	1～6	投与1～7日後
倦怠感	22～33	1～5	投与2週目以降～5週目
白血球減少	38～46	1～3	投与2～4週目
血小板数減少	11～27	0～2	投与2～4週目
腹痛	21	0～2	投与2～3週目
手足症候群	12	0～1	蓄積毒性
クレアチニン上昇	2	0～1	
発熱性好中球減少症		0～1	投与2～4週目

☑：「有害事象マネジメントのポイント」参照。

減量早見表

減量レベル	S-1		
初回投与量	120mg/日	100mg/日	80mg/日
−1	100mg/日	80mg/日	（50mg/日）
−2	80mg/日	（50mg/日）	

有害事象マネジメントのポイント

✓ 流涙[3]

治療開始前のマネジメント

- 治療開始前にS-1による流涙が起こる可能性を説明し，目やにが多い，涙目や視力低下などの出現があれば担当医へ申し出るように説明しておく。

有害事象発生時のマネジメント

- Grade 2の流涙が出現した場合は，眼科受診ならびに非防腐剤ドライアイ用点眼薬

精製ヒアルロン酸ナトリウム（ソフトサンティア®）を1日5〜6回点眼するように指導する。

※水道水（未滅菌で塩素も入っている）で目を洗うことは決してしないこと！
- Grade 3の流涙が出現した場合は，可能であれば眼科にて涙道の狭窄の有無を調べてもらい，狭窄がある場合には涙道チューブの挿入などを検討する。

減量・再開のポイント

- Grade 3以上の流涙を認めた場合，原則としてGrade 2以下に改善するまで休薬し，改善後は1レベル減量して再開する。ただし，改善しない場合や視力低下，角膜障害を認める場合は原則中止を検討する。

✓ 悪心・嘔吐，食欲不振

治療開始前のマネジメント

- 初回治療開始前にあらかじめ制吐薬を処方しておき，対処法について説明しておく。また，制吐薬は嘔吐してから飲む薬ではなく，予防として早めに使うのがコツであることを患者に十分説明しておくこと。
- 食欲不振でかつ水分摂取もできない場合は必ず病院へ連絡するように説明しておく。S-1内服中の脱水は，副作用が重篤化する可能性があるため十分注意する！

有害事象発生時のマネジメント

- 悪心・嘔吐，食欲不振が続く場合は，ドパミン受容体拮抗薬〔メトクロプラミド（プリンペラン®）5mg，ドンペリドン（ナウゼリン®）10mg，プロクロルペラジン（ノバミン®）5mg〕や5-HT$_3$受容体拮抗制吐薬〔オンダンセトロン塩酸塩水和物（ゾフラン®）ザイディス〕などを頓用または副作用発現時期の定期内服（投与後1週間のみ定時内服など）で対応する。
- 治療前から嘔気がするなどの予期性嘔吐の場合は，ベンゾジアゼピン系抗不安薬アルプラゾラム（アルプラゾラム®）などを治療開始前に内服させるのも有効である。

減量・再開のポイント

- 制吐薬を使用しても持続するGrade 2以上の悪心・嘔吐が出現した場合は，減量を考慮する。

✓ 下　痢

治療開始前のマネジメント

■ 治療開始前にS-1による腸管粘膜障害として下痢が起こる可能性を説明し，止痢薬としてロペラミド塩酸塩を頓服として処方しておく。ロペラミド塩酸塩を内服しても改善を認めない場合は，S-1を休薬し，病院へ連絡してもらうこととする。

有害事象発生時のマネジメント

■ 止痢薬を頓用で使用しても改善を認めない場合は，便培養を提出し，感染性腸炎を必ず除外した上で，止痢薬の定期内服を行う。

■ 水分摂取が困難だったり，血液検査上，電解質異常や腎機能障害を認めたりする場合は，入院の上，補液を行う必要がある。

減量・再開のポイント

■ 止痢薬を使用してもGrade 2以上の下痢を認めた場合，原則として次コースより1レベル減量する。

■ Grade 3以上の血液毒性やGrade 2以上の非血液毒性が発現した場合，S-1投与を休止し，次コースよりS-1の1レベル減量を行い，4週投与2週休薬のスケジュールをキープすることを基本としている。しかし，有害事象の発現の仕方（投与3週目になると吐き気や下痢がコントロールできない，など）を考慮し，2週投与1週休薬でのS-1投与も許容している。

症例　77歳女性，進行胃癌＋遠隔リンパ節転移

　身長148cm，体重38kg，PS 1。胃部不快感にて発見された前庭部2型進行癌。CTにて門脈内に腫瘍塞栓，傍大動脈リンパ節の腫脹を認め，切除不能と診断された。高齢かつCcr 56mL/分であったため，ティーエスワン®（以下，TS-1）80mg/日（1レベル減量）にて治療を開始した。

　1コース目の18日目で食欲不振（Grade 2相当），倦怠感（Grade 2相当）が出現したため，19日目よりTS-1内服を休止した。症状の軽快を認めた後，TS-1 80mg/日を2週投与1週休薬にて再開したところ，治療開始後3カ月の時点で大きな副作用なく，TS-1の投与が継続できている。初回の治療評価としては，腫瘍塞栓は残存しているものの，リンパ節転移はSDレベルを維持している。

文 献

1) Koizumi W, et al:S-1 plus cisplatin versus S-1 alone for first-line treatment of advanced gastric cancer(SPIRITS trial):a phase III trial. Lancet Oncol. 2008;9:215-21.

2) Boku N, et al:Fluorouracil versus combination of irinotecan plus cisplatin versus S-1 in metastatic gastric cancer:a randomized phase 3 study. Lancet Oncol. 2008;10:1063-9.

3) Tabuse H, et al:Excessive watering eyes in gastric cancer patients receiving S-1 chemotherapy. Gastric Cancer, 2015.

（安井博史）

Ⅲ 胃 癌

5-FU + ℓ-LV

投与スケジュール

ℓ-LV 250mg/m², 2時間	↓		↓		↓		↓		↓		↓						
5-FU 600mg/m², 急速静注	↓		↓		↓		↓		↓		↓						

1 … 8 … 15 … 22 … 29 … 36 … 43 … 50 … 56 (日)

上記8週を1コースとして，明らかな病状の進行や継続不能な有害事象がない限り繰り返す。

投与例

投与日	投与順	投与量	投与方法
1 8 15 22 29 36	**1**	レボホリナートカルシウム［ℓ-LV］（アイソボリン®）250mg/m² + ソルデム®3AG輸液 500mL	点滴末梢本管 （2時間）
	2	フルオロウラシル［5-FU］（5-FU®）600mg/m² + 生食 50mL	点滴末梢本管 （5分）
	3	生食 50mL	点滴末梢本管 （5分）

適応・治療開始基準

■ 切除不能・再発胃腺癌。

■ 主要臓器機能が保たれていること（以下が目安）。

- 好中球数≧1,500/μL
- 血小板数≧$10.0 \times 10^4/\mu$L
- 総ビリルビン≦1.5mg/dL
- AST，ALT≦100U/L
- 血清クレアチニン≦2.0mg/dL

慎重投与・禁忌

	慎重投与	禁　忌
腎機能障害	腎機能障害を有する患者	
肝機能障害	肝機能障害を有する患者	
感　染	感染疑い例	治療を必要とする活動性感染を有する

効　果

	切除不能進行胃癌に対する初回治療例[1, 2]
CR	5％
PR	19％
PFS	1.9〜4.0カ月
OS	6.1〜10.3カ月

5-FU + ℓ-LV

有害事象マニュアル

有害事象の発現率と発現時期

有害事象	発現率（%）		発現時期
	all Grade[1]	Grade 3[1, 2]	
□ 白血球減少	70	10～28	投与7～10日後
✓ 好中球数減少	62	23～30	投与7～10日後
□ 貧　血	40	7～12	
□ 疲　労	33	1～18	
□ 食欲不振	64	8～47	
✓ 下　痢	54	3	10日目以降
□ AST	30	2～14	
□ ALT	23	2～12	
□ ビリルビン	28	4	
□ 低ナトリウム血症	26	2～18	
□ 悪　心	38	0～10	
✓ 口腔粘膜炎	21	1	5～10日目
□ 感　染	14	14	
□ 治療関連死亡		0～4	

☑：「有害事象マネジメントのポイント」参照。

減量早見表

減量レベル	5-FU（急速静注）
初回投与量	600mg/m²/日
−1	500mg/m²/日

有害事象マネジメントのポイント

✓ **好中球数減少**

治療開始前のマネジメント

- Grade 3以上の有害事象で最も頻度が高いのは好中球数減少である。好中球数減少は自覚症状に乏しく，あらかじめ患者に説明しておく。38℃以上の発熱を認める時には必ず病院へ連絡できる体制を整えておく。

有害事象発生時のマネジメント

- Grade 3以上の好中球数減少を認めた場合には，薬剤の減量または休薬を考慮する。
- 発熱を伴わない好中球数減少に対しては，ルーチンなG-CSF製剤の投与は推奨されない。発熱性好中球減少症に対しては，入院にてG-CSF製剤および静注抗菌薬の投与を行う。好中球数1,000/μL未満で38℃以上の発熱が出現するか，好中球数500/μL未満が確認された時点からG-CSF投与を考慮する。全身状態が良好な低リスク群(MASCCスコア21点以上)に対しては，経口抗菌薬〔NCCNガイドラインではシプロフロキサシン500mg 8時間ごと＋アモキシシリン水和物・クラブラン酸カリウム配合(2：1)(オーグメンチン®)125/500mg 8時間ごと経口投与を推奨[3, 4]〕による外来治療も選択肢のひとつとなるが，患者に対する十分な説明や理解，近隣病院のサポート体制などを考慮して対応する必要がある[5]。

減量・再開のポイント

- Grade 4の白血球減少，好中球数減少，Grade 3以上の発熱性好中球減少症を認めた場合，次回は5-FUを1レベル減量して投与する。

✓ 下 痢

治療開始前のマネジメント

- 腸管粘膜は活発に細胞分裂を繰り返しているため，抗癌剤の影響を受けやすく，腸管粘膜上皮細胞の障害が下痢の主な原因となっている。

有害事象発生時のマネジメント

- 感染性腸炎の除外は必須である。Grade 1～2の下痢で合併症がなければ，十分な水分を摂取させる。Grade 2の場合は，下痢が改善するまで化学療法は中止する。治療の第一選択薬はロペラミド塩酸塩であり，ガイドラインでは初回4mgでその後4時間ごと，もしくは下痢のたびに2mg内服とされているが[6]，実際には1～2mgを頓用で使用することで改善することが多い。
- ロペラミド塩酸塩が無効もしくは重篤な症例では，オクトレオチド酢酸塩の使用を検討する。しかし，下痢に対して薬事承認されていないため，「進行・再発がん患者の緩和医療における消化管閉塞に伴う消化器症状の改善」の用法・用量に準じて使用することが多い。

✓ 口腔粘膜炎

治療開始前のマネジメント

- 口腔粘膜炎予防の基本は口腔ケアであり，MASCC/ISOOのガイドラインでも推奨されている[7]。具体的には含嗽の励行やブラッシングなどによる口腔内衛生の保持，治療前の齲歯や歯周病の治療である。

有害事象発生時のマネジメント

- 1回につきアズレンスルホン酸ナトリウム水和物$NaHCO_3$配合（含嗽用ハチアズレ®）顆粒2gを常温水100mLに溶解したもので口腔内含嗽を行い，これを1日4～5回行う。
- 口腔内乾燥や，口腔内潰瘍が出現した際には，アズレンスルホン酸ナトリウム水和物$NaHCO_3$配合2gにつきグリセリン液12mLを併用するほか，疼痛がある際にはキシロカイン液4％ 1～2mLを併用する。
- 口腔内潰瘍や口角炎のびらんには，0.033％アズレン（アズノール®）軟膏を塗布する。
- 口腔粘膜炎が重症化，難治性である場合には，カンジダなどの感染を合併していることもある。適宜，歯科口腔外科に診察を依頼する〔歯科口腔外科診察が困難な場合にはミコナゾール（フロリード®）ゲル2％ 1日4回口内塗布・含嗽を考慮する〕。
- 口腔粘膜炎（Grade 3）の際には化学療法を休止する。Grade 1以下に改善した際に再開を検討する。

減量・再開のポイント

- 遅発性の場合には，5-FUの減量も考慮する。

症例　72歳女性，腹膜播種，大量腹水を伴う切除不能進行胃癌

　身長156.9cm，体重63.2kg，PS 2。初診時はPS 2，経口摂取困難な状態であった。本症例ではPS不良，経口摂取困難であり，5-FU＋ℓ-LV療法を選択した。1コース目終了時点で腹水は減少を認め，2コース目には遠方への旅行が可能となり，消化器症状も改善した。4コース終了時点でPDとなったが，Grade 2以上の有害事象を認めず経過した。PS不良例でも5-FU＋ℓ-LV療法は安全に投与可能であり，症状緩和における有効性が示唆された。

文 献

1) Sawaki A, et al:5-FU/l-LV(RPMI)versus S-1 as first-line therapy in patients with advanced gastric cancer:a randomized phase Ⅲ non-inferiority trial.(ISO-5FU10 Study Group trial)European Society of Medical Oncology 2009, abstract 509.

2) Nakajima, et al:Randomized phase Ⅱ/Ⅲ study of 5-fluorouracil/l-leucovorin versus 5-fluorouracil/l-leucovorin plus paclitaxel administered to patients with severe peritoneal metastases of gastric cancer(JCOG1108/WJOG7312G). Gastric Cancer. 2020;23:677-88.

3) Freifeld A, et al:A double-blind comparison of empirical oral and intravenous antibiotic therapy for low-risk febrile patients with neutropenia during cancer chemotherapy. N Engl J Med. 1999;341:305-11.

4) Teuffel O, et al:Outpatient management of cancer patients with febrile neutropenia:a systematic review and meta-analysis. Ann Oncol. 2011;22:2358-65.

5) 日本臨床腫瘍学会, 編:発熱性好中球減少症(FN)ガイドライン改訂第2版. 南江堂, 2017.

6) Andreyev J, et al:Guidance on the management of diarrhoea during cancer chemotherapy. Lancet Oncol. 2014;15:447-60.

7) Elad S, et al:MASCC/ISOO Clinical Practice Guidelines for the Management of Mucositis Secondary to Cancer Therapy. Cancer. 2020;126:4423-31.

(對馬隆浩)

III 胃癌

weekly PTX

投与スケジュール

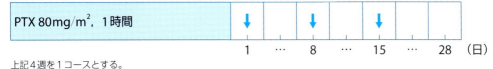

PTX 80mg/m², 1時間

1 … 8 … 15 … 28 （日）

上記4週を1コースとする。

投与例

投与日	投与順	投与量	投与方法
1 8 15	1	デキサメタゾン（デカドロン®）6.6mg ＋ ラニチジン塩酸塩（ザンタック®）50mg ＋ d-クロルフェニラミンマレイン酸塩（ポララミン®）5mg ＋ 生食 50mL	点滴末梢本管 （15分）
	2	生食 100mL	点滴末梢本管 （15分）
	3	パクリタキセル [PTX]（タキソール®）80mg/m² ＋ 生食 250mL	点滴末梢本管 （1時間）
	4	生食 50mL	点滴末梢本管 （5分）

適応・治療開始基準

- 切除不能または再発胃癌。
- 全身状態および主要臓器機能が保たれている（以下が目安）。

  - ECOG PS 0〜1
  - 好中球数 ≧ 1,500/μL
  - 血小板数 ≧ 10.0×10^4/μL
  - 総ビリルビン ≦ 1.5mg/dL
  - AST，ALT ≦ ULN × 3
  - クレアチニン ≦ ULN × 1.5

慎重投与・禁忌

	慎重投与	禁　忌
アレルギー	アルコール過敏（無水エタノールを含有するため）	ポリオキシエチレンヒマシ油含有製剤（シクロスポリン注射液など）
内服薬		ジスルフィラム，シアナミド，プロカルバジン塩酸塩
既往歴	間質性肺炎，肺線維症	
肝機能障害	総ビリルビン＞1.5mg/dL AST，ALT＞ULN×3	
腎機能障害	クレアチニン＞ULN×1.5	
感　染	感染を疑う症例	活動性の感染症を合併している症例

効　果

	切除不能／再発胃癌に対する二次治療以降 （フッ化ピリミジン系薬剤とプラチナ製剤に不応例）[1]
RR	16.1〜20.9％
PFS	2.9〜3.6カ月
OS	7.4〜9.5カ月

weekly PTX

有害事象マニュアル

有害事象の発現率と発現時期

有害事象	発現率（%）[1, 3, 4]		発現時期
	all Grade	Grade 3/4	
✓ 好中球数減少	31～79	19～29	投与7～10日後
発熱性好中球減少症		2～3	投与7～10日後
食欲不振	32～46	4～7	投与4～7日後
✓ 末梢性感覚ニューロパチー	36～57	5～7	投与数週間後（用量依存的に頻度は増加）
疲 労	44	5	投与4～7日後
悪 心	30～33	2～8	投与1～7日後
嘔 吐	20～21	3～4	投与1～7日後
関節痛・筋肉痛	10	0～2	投与2～3日後
呼吸困難*	2～9	1～2	
✓ 脱 毛	38		投与2～3週間後から抜け始める

☑：「有害事象マネジメントのポイント」参照。

＊：国内安全性評価対象181例における間質性肺炎の発現率は2.2％[2]。

減量早見表

減量レベル	PTX
初回投与量	80mg/m²
−1	60mg/m²

有害事象マネジメントのポイント

✓ 好中球数減少

治療開始前のマネジメント

- weekly PTXでは重篤な好中球数減少の頻度は比較的低いが，抗癌剤既治療例や全身状態不良例が対象となる場合には注意が必要である。
- 好中球数減少の発症初期は自覚症状が乏しいため，定期的な血液検査が必要であることを患者に説明する。

有害事象発生時のマネジメント

- Grade 3以上の好中球数減少では休薬し，次回投与からの減量を考慮する。
- コース内の投与予定日にGrade 2の好中球数減少を認めた場合，それまでの経過か

ら，nadir時期を脱していないと判断されれば休薬を考慮する。

✓ 末梢神経障害

治療開始前のマネジメント

- PTXによる末梢神経障害は感覚神経障害が主であるが，運動神経障害が出現することもある。
- PTXの使用が長期になると末梢神経障害の頻度が高くなることを患者に説明する。

有害事象発生時のマネジメント

- Grade 3の末梢性感覚ニューロパチー（ボタンを留めにくい，手に持ったものを落としてしまうなど）が発現した場合は改善を認めるまで休薬する。
- Grade 2（身の回りの日常生活動作には支障をきたさない）においてもQOL維持の観点から減量や休薬を考慮する。

✓ 過敏反応

治療開始前のマネジメント

- タキサン系では95％が1〜2回目の投与時に生じ，80％が投与開始10分以内に症状が出現するとされる[4]。
- 過敏反応予防のため前投薬としてデキサメタゾン（デカドロン®），ラニチジン塩酸塩（ザンタック®），d-クロルフェニラミンマレイン酸塩（ポララミン®）の投与を行う。
- 前投薬として抗ヒスタミン薬が投与されること，溶媒として無水エタノールを含むことから，投与当日は自動車の運転などを行わないよう患者に説明する。

有害事象発生時のマネジメント

- 直ちに薬剤投与を中止し，状態に応じて酸素投与や補液などを行う。
- Grade 2（皮疹，潮紅，蕁麻疹，呼吸困難，38℃以上の薬剤熱）までの場合は，ヒドロコルチゾンリン酸エステルナトリウム（水溶性ハイドロコートン®），d-クロルフェニラミンマレイン酸塩，ラニチジン塩酸塩の追加投与を行い，さらなる状態の悪化を防ぐ。

- Grade 3（症状のある気管支痙攣，血管性浮腫，血圧低下）やGrade 4（アナフィラキシー）の場合には，上記に加えてアドレナリン0.3mgを筋注する。

| 症例 | **57歳男性，胃癌，幽門側胃切除術後，腹膜播種再発** |

　身長171cm，体重52kg，ECOG PS 1。胃癌に対して幽門側胃切除術施行後3年目のCTにて腹膜播種再発と診断した。S-1＋CDDP療法を行っていたが，腸閉塞を発症し，CTにて腹膜播種の進行を認めたことから不応と判断し，weekly PTXを開始した。

　血液毒性としてコース内のPTX投与予定日に好中球数減少（Grade 2）を認めたものの，3週投与1週休薬のスケジュールで投与が可能であった。非血液毒性としては脱毛（Grade 2）と末梢性感覚ニューロパチー（Grade 1）を認めた。腸閉塞に対してイレウス管留置による治療を行ったが改善を認めなかったため，経口摂取は不可能と判断し，中心静脈ポート造設の上，在宅中心静脈栄養を行う方針とした。退院後は，少量の経口摂取とHPNを併用し，外来にてweekly PTXを継続中である。

文献

1) Hironaka S, et al:Randomized, open-label, phase Ⅲ study comparing irinotecan with paclitaxel in patients with advanced gastric cancer without severe peritoneal metastasis after failure of prior combination chemotherapy using fluoropyrimidine plus platinum：WJOG 4007 trial. J Clin Oncol. 2013;31:4438-44.

2) タキソール® 添付文書.

3) Wilke, et al:Ramucirumab plus paclitaxel versus placebo plus paclitaxel in patients with previously treated advanced gastric or gastro-oesophageal junction adenocarcinoma (RAINBOW): a double-blind, randomised phase 3 trial.Lancet Oncol.2014;15:1224-35.

4) Lenz HJ:Management and preparedness for infusion and hypersensitivity reactions. Oncologist. 2007;12:601-9.

（對馬隆浩）

Ⅲ 胃 癌

weekly nab-PTX

投与スケジュール

nab-PTX 100mg/m², 30分

上記4週を1コースとする。

投与例

投与日	投与順	投与量	投与方法
1	1	生食 50mL	点滴末梢本管（5分）
	2	アルブミン懸濁型パクリタキセル［nab-PTX］（アブラキサン®）100mg/m² ＋ 生食 50mL	点滴末梢本管（30分）
	3	生食 50mL	点滴末梢側管（5分）

適応・治療開始基準

- 切除不能進行・再発胃癌。
- 全身状態および主要臓器機能が保たれている（以下が目安）。

    - ECOG PS 0〜1
    - 好中球数≧1,500/μL
    - 血小板数≧10.0×10⁴/μL
    - 総ビリルビン≦1.5mg/dL
    - AST，ALT≦ULN×3
    - クレアチニン≦ULN×1.5

慎重投与・禁忌

	慎重投与	禁　忌
年　齢	75歳以上	
腎障害	クレアチニン＞ULN×1.5	
肝障害	総ビリルビン＞1.5mg/dL， またはAST，ALT＞ULN×3（減量 または中止を考慮）	
感　染	感染の疑いがある	活動性の感染症を合併している
アルコール	アルコール過敏（無水エタノールを 含有するため）	
内服薬		ジスルフィラム，シアナミド，プロ カルバジン塩酸塩
アレルギー		本剤の成分に対し過敏症の既往歴の ある患者
既往歴	間質性肺疾患の既往	

効　果

	進行・再発胃癌に対する二次治療[1]
RR	33％
PFS	5.3カ月
OS	11.1カ月

weekly nab-PTX

有害事象マニュアル

有害事象の発現率と発現時期

有害事象	発現率（%）		発現時期（範囲）
	all Grade	Grade 3／4	
✓ 好中球数減少	65.6	41.1	投与15日後
発熱性好中球減少症	2.9	2.9	投与15日後
貧　血	29.5	10.8	投与15日後
✓ 末梢性感覚ニューロパチー	66.0	2.5	投与6日後
筋肉痛	17.9	0	投与8日後
関節痛	13.3	0	投与9日後
脱毛症	82.6	0	投与19日後
悪　心	22.0	1.6	
嘔　吐	15.8	0	
食欲不振	37.0	12.0	
下　痢	22.9	0.1	
便　秘	16.2	0	
倦怠感	30.0	0.1	
疲　労	21.2	2.5	

☑：「有害事象マネジメントのポイント」参照。

減量早見表

減量レベル	Nab-PTX
初回投与量	100mg／m^2
−1	80mg／m^2
−2	60mg／m^2

有害事象マネジメントのポイント

✓ 好中球数減少

治療開始前のマネジメント

- 国内第Ⅲ相試験ではGrade 3以上の好中球数減少の発生割合が41％であった[1]。感染予防や感染により起こりうる症状について説明し，持続する発熱を認める時は連絡するように指導する。

有害事象発生時のマネジメント

■投与後，好中球数が500/μL未満となった場合，血小板数が2万5,000/μL未満となった場合，または発熱性好中球減少症が発現した場合には，次回の投与量を1レベル減量する。

✓ 末梢性運動・感覚ニューロパチー

治療開始前のマネジメント

■症状は四肢遠位（手指や足）のしびれ感，痛み，焼けるような異常感覚を感じることで始まることが多い。増強すると，全感覚に及ぶ感覚障害，腱反射消失，感覚性運動失調（歩行障害）などを起こすことがある。
■総投与量に依存し，症状の程度・頻度が高くなる傾向がある。

有害事象発生時のマネジメント

■症状出現時よりデュロキセチン塩酸塩（サインバルタ®）[2]やプレガバリン（リリカ®），ミロガバリンベシル酸塩（タリージェ®）[3]を投与する。
■上記以外の対症療法として，鎮痛薬（アセトアミノフェン，NSAIDs），温湿布，ビタミンB群製剤を用いることもある[3]。
■高度（Grade 3以上）の末梢神経障害が発現した場合には，軽快または回復（Grade 2以下）するまで投与を延期し，次回投与量の減量を検討する。

✓ その他

■頻度は低いが，重篤な合併症として以下のものが挙げられる[4, 5]。
- 脳神経麻痺：顔面神経麻痺や声帯麻痺が報告されている。
- 間質性肺炎：発熱や咳嗽，息切れなど間質性肺炎が疑われる症状を認めた場合は積極的に鑑別を行う。
- 黄斑浮腫：治療が遅れると視力回復が困難となる可能性がある。視力低下や霧視，変視などの症状出現に注意する。

| 症例 | **67歳男性，胃癌 多発肝転移** |

身長173cm，体重70kg，ECOG PS 0。健診の胃バリウム検査にて胃癌を疑われ当院を紹介受診，精査の結果，胃癌多発肝転移（中分化型腺癌，HER2陰性）と診断し，SOX（S-1＋L-OHP）療法を開始した。2コース後，腹痛を主訴に来院，CT検査にて腫瘍の増大と新規に門脈血栓を認めたためSOX療法を不応中止とした。抗凝固療法を開始，またオピオイドにより疼痛管理可能となったため，次治療としてweekly nab-PTX（100mg/m²）を開始した。2コース後，Grade 2の末梢性感覚ニューロパチーが出現したため，3コース目から80mg/m²に減量した。以降，末梢性感覚ニューロパチーのGradeにより投与をスキップもしくは延期した。3コース後に効果判定のCTを施行したところPRであった。6コース後，末梢性感覚ニューロパチーGrade 3となったため休薬とし，タリージェ®やリリカ®にて症状緩和治療を行ったが1カ月以上軽快しなかったため，CTではPRを維持していたが継続困難と判断しweekly nab-PTXを中止した。他の有害事象は，Grade 1の便秘や食欲不振，倦怠感であった。二次治療として，ニボルマブの投与を行った。

文 献

1) Shitara K, et al:Nab-paclitaxel versus solvent-based paclitaxel in patients with previously treated advanced gastric cancer (ABSOLUTE): an open-label, randomised, non-inferiority, phase 3 trial. Lancet Gastroenterol Hepatol. 2017;2:277-87.

2) Lavoie-Smith EM, et al:Effect of duloxetine on pain, function, and quality of life among patients with chemotherapy-induced painful peripheral neuropathy: A randomized clinical trial. JAMA. 2013;309:1359-67.

3) 日本がんサポーティブケア学会:がん薬物療法に伴う末梢神経障害マネジメントの手引き. 2017年版. 金原出版, 2017.

4) アブラキサン®添付文書.

5) アブラキサン®適正使用ガイド.

（森町将司，對馬隆浩）

Ⅲ 胃癌

weekly PTX + Tmab

投与スケジュール

上記4週を1コースとする。

上記3週を1コースとする。

投与例

投与日	投与順	投与量	投与方法
1	1	デキサメタゾンリン酸エステルナトリウム（デキサート®）6.6mg ＋ ファモチジン（ガスター®）20mg ＋ d-クロルフェニラミンマレイン酸塩（ポララミン®）5mg ＋生食50mL	点滴末梢本管（15分）
	2	生食100mL	点滴末梢本管（15分）
	3	PTX 80mg/m² ＋ 生食250mL	点滴末梢本管（60分）
	4	Tmab（ハーセプチン®）初回8mg/kg，2回目以降6mg/kg ＋ 生食250mL	点滴末梢本管（初回90分，2回目以降30分）
	5	生食50mL	点滴末梢本管（5分）

適応・治療開始基準

- 切除不能進行・再発のHER2陽性胃癌に対する二次治療。
- 前治療でTmab使用歴がない。
- 全身状態および主要臓器機能が保たれている（以下が目安）。

> - ECOG PS 0〜1
> - 好中球数 ≧ 1,500/μL
> - 血小板数 ≧ 10.0 × 10^4/μL
> - 総ビリルビン ≦ 1.5mg/dL
> - AST，ALT ≦ ULN × 3
> - クレアチニン ≦ ULN × 1.5

慎重投与・禁忌

	慎重投与	禁　忌
心機能障害	左室駆出率（LVEF）≦ 50% コントロール不良の不整脈がある	重篤な心障害のある患者
アレルギー	アルコールに過敏な患者	本剤の成分に対し過敏症の既往歴のある患者
内服薬		ジスルフィラム，シアナミド，カルモフール，プロカルバジン塩酸塩[1]
既往歴	間質性肺炎，肺線維症，高血圧，心不全，冠動脈疾患，弁膜症	
肝機能障害	総ビリルビン ≦ 2.0mg/dL AST，ALT ≦ ULN × 5	左記以上の肝障害
腎機能障害	クレアチニン ≦ ULN × 3	左記以上の腎障害

効　果

	Tmab治療歴のない前治療無効の切除不能・再発HER2陽性胃癌[2]
RR	37%
PFS	5.1カ月
OS	17.1カ月

weekly PTX + Tmab

有害事象マニュアル

有害事象の発現率と発現時期

有害事象	発現率（%）		発現時期
	all Grade	Grade 3/4	
白血球減少	76.1	17.4	
✓ 好中球数減少	67.4	32.6	
血小板数減少	10.9	0	
貧血	50.0	15.2	
発熱性好中球数減少症	0	0	
低アルブミン血症	58.7	8.7	
アスパラギン酸アミノトランスフェラーゼ増加	47.8	6.5	
アラニンアミノトランスフェラーゼ増加	39.1	4.3	
アルカリホスファターゼ増加	47.8	0	
血中ビリルビン増加	8.7	0	
クレアチニン増加	17.4	0	
悪心	32.6	2.2	
食欲不振	43.5	4.3	
✓ 末梢性感覚ニューロパチー	63.0	6.5	
疲労	60.9	4.3	
嘔吐	4.3	2.2	
口腔粘膜炎	17.4	0	
✓ infusion reaction（注入に伴う反応）	8.7	0	投与開始24時間以内

☑：「有害事象マネジメントのポイント」参照。

減量早見表

減量レベル	PTX	Tmab
初回投与量	80mg/m^2	8mg/kg
−1	60mg/m^2	

有害事象マネジメントのポイント

※前治療としてTmab投与歴がない患者を対象にweekly PTX + Tmabの有効性，安全性を検討したJFMC45-1102試験において，Grade 3以上の主な有害事象は，好中球数減少（32.6%），貧血（15.2%），低アルブミン血症（8.7%），AST/ALT上昇（6.5%/4.3%），末梢性感覚ニューロパチー（6.5%）であった。これはPTX単剤での有害事象と差はなく，Tmab使用時に注意すべき心毒性も認めなかった[3]。このこと

から，Tmabはweekly PTXの毒性を増強しない可能性がある。また，前治療からのTmab継続投与を胃癌において検討したT-ACT試験では，初回治療にてTmabを含むレジメンを用いた患者をweekly PTX群と，weekly PTX + Tmab群に分けて検討されたが，Tmabの上乗せ効果はRR，PFS，OSにおいて示されなかった[4]。

■「weekly PTX」参照（☞ **p261〜262**）。

✓ 心機能障害

治療開始前のマネジメント

■本剤の投与により重篤な心機能障害が現れる場合があることを，患者，家族に説明しておく。
■投与開始前に心エコー，心電図，胸部X線検査にて患者の心機能を確認する。
■投与中は患者の状態を十分に観察し，適宜心機能検査（心エコー等）を行う。
■アントラサイクリン系薬剤の使用歴がないか確認しておく。

有害事象発生時のマネジメント

■LVEF ≦ 50 %，コントロール不良の不整脈，呼吸困難など生じた場合は，循環器専門医にコンサルトし投与中止を検討する。

✓ infusion reaction（注入に伴う反応）

■「Trastuzumab Deruxtecan」参照（☞ **p244**）。

症例 69歳女性，胃癌術後再発

　身長155cm，体重54kg，ECOG PS 0。心窩部痛を主訴に近医にて上部消化管内視鏡検査を施行し胃癌と診断された。加療目的に当院紹介受診され，胃全摘＋脾摘＋D2郭清術を施行された。術後の診断はT3N2M0 stage Ⅲ b（UICC 8th）でR0切除され組織型はtub2であった。術後補助化学療法としてS-1の投与が行われたが，手術半年後の定期CTにて新たに肝転移を認めた。S-1の有害事象はGrade 1（CTCAE v5.0）の悪心，食欲不振，疲労であった。手術検体の追加免疫染色を依頼したところ，HER2 3＋であり，二次治療としてweekly PTX + Tmabを開始した。weekly PTXを2コース，Tmabを3コースしたところでCTを施行すると，肝転移は増大しておりPDと判定した。有害事象はGrade 2の食欲不振と疲労であった。その後，CPT-11単剤，Rmab単剤，ニボルマブの投与を4コース，3コース，1コースと行ったが病勢抑制することができず，術後13カ月目に永眠された。わが国では，2020年9月にTmabを含む2つ以上の前治療を受けたHER2陽性の進行・再発胃癌に対しトラスツズマブ デルクステカン（T-Dxd）が保険承認された。本例はそれ以前の症例である。

文 献

1) ハーセプチン®添付文書.
2) Nishikawa K, et al:Phase Ⅱ study of the effectiveness and safety of trastuzumab and paclitaxel for taxane- and trastuzumab-naïve patients with HER2-positive, previously treated, advanced, or recurrent gastric cancer（JFMC45-1102）. Int J Cancer. 2017;140:188-96.
3) タキソール®添付文書.
4) Makiyama A, et al:Randomized, Phase Ⅱ Study of Trastuzumab Beyond Progression in Patients With HER2-Positive Advanced Gastric or Gastroesophageal Junction Cancer: WJOG7112G （T-ACT Study）. J Clin Oncol. 2020;38:1919-27.

（森町将司，對馬隆浩）

Ⅲ 胃 癌

weekly PTX + Rmab

投与スケジュール

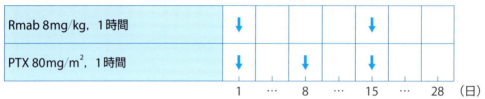

上記4週を1コースとする。

投与例

投与日	投与順	投与量	投与方法
1 15	1	デキサメタゾン（デカドロン®）6.6mg ＋ ラニチジン塩酸塩（ザンタック®）50mg ＋ d-クロルフェニラミンマレイン酸塩（ポララミン®）5mg ＋ 生食 50mL	点滴末梢本管（15分）
	2	ラムシルマブ [Rmab]（サイラムザ®）8mg/kg ＋ 生食 250mL	点滴末梢本管（初回1時間，2回目以降30分*）
	3	生食 50mL	点滴末梢本管（5分）
	4	パクリタキセル [PTX]（タキソール®）80mg/m² ＋ 生食 250mL	点滴末梢本管（1時間）
	5	生食 50mL	点滴末梢本管（5分）
8	1	デキサメタゾン（デカドロン®）6.6mg ＋ ラニチジン塩酸塩（ザンタック®）50mg ＋ d-クロルフェニラミンマレイン酸塩（ポララミン®）5mg ＋ 生食 50mL	点滴末梢本管（15分）
	2	生食 100mL	点滴末梢本管（15分）
	3	パクリタキセル [PTX]（タキソール®）80mg/m² ＋ 生食 250mL	点滴末梢本管（1時間）
	4	生食 50mL	点滴末梢本管（5分）

＊：Rmab初回投与時はおよそ1時間，忍容性が良好であれば2回目以降は30分間に短縮できる。

適応・治療開始基準

- 切除不能または再発胃癌。

- 一次治療に不応または不耐。

- 全身状態および主要臓器機能が保たれている（以下が目安）。

- ECOG PS 0～1
- 好中球数≧1,500/μL
- 血小板数≧10.0×10^4/μL
- 総ビリルビン≦1.5mg/dL
- AST，ALT≦ULN×3
- クレアチニン≦ULN×1.5

慎重投与・禁忌

	慎重投与	禁　忌
病　態	深い潰瘍を伴うまたは活動性の出血のある原発病変，大量腹水などの高度腹膜転移	
アレルギー	アルコール過敏[1]（無水エタノールを含有するため）	ポリオキシエチレンヒマシ油含有製剤[1]（シクロスポリン注射液など）
内服薬		ジスルフィラム，シアナミド，カルモフール，プロカルバジン塩酸塩[1]
既往歴	消化管出血，高血圧，蛋白尿，28日以内の大手術，間質性肺疾患・腸閉塞・血栓塞栓症の既往[1, 2]	
肝機能障害	総ビリルビン＞1.5mg/dL AST，ALT＞ULN×3	
腎機能障害	クレアチニン＞ULN×1.5	
感　染	感染を疑う症例	活動性の感染症を合併している

効　果

	切除不能／再発胃癌に対する二次治療 （フッ化ピリミジン系薬剤とプラチナ製剤に不応例）[3]
RR	28％
PFS	4.4カ月
OS	9.6カ月

weekly PTX + Rmab

有害事象マニュアル

有害事象の発現率と発現時期

有害事象	発現率(%)[3, 4]		発現時期
	all Grade	Grade 3/4	
✓ 好中球数減少	54	41	投与7～10日後
発熱性好中球減少症		3.1	投与7～10日後
高血圧	25	15	投与数日後～(中央値36日[4])
倦怠感	57	12	投与4～7日後
末梢性感覚ニューロパチー	46	8.3	投与数週間後(用量依存的に頻度は増加)
食欲不振	40	3.1	投与4～7日後
消化管出血	10.1	3.4	投与数日後～(中央値62日[4])
嘔 吐	27	3.1	投与1～7日後
静脈血栓塞栓症	4.0	2.1	投与数日後～(中央値97日[3])
悪 心	35	1.8	投与1～7日後
✓ 蛋白尿	17	1.2	投与数日後～(中央値73日[4])
動脈血栓塞栓症	1.8	0.9	投与数日後～(中央値60日[3])
消化管穿孔	1.2	0.9	投与数日後～(中央値106.5日[4])
✓ 過敏反応	5.8	0.6	多くが投与開始10分以内
鼻 血	31	0	投与数日後～(中央値53.5日[4])
筋肉痛	10	0	投与2～3日後
脱 毛	33		投与2～3週間後から抜け始める

☑:「有害事象マネジメントのポイント」(☞p277)参照。

減量早見表

減量レベル	PTX	Rmab
初回投与量	80mg/m^2	8mg/kg
−1	70mg/m^2	6mg/kg*
−2	60mg/m^2	5mg/kg*

＊:2g/日以上の蛋白尿の発現回数が1回の場合は−1レベル減量，2回以降は−2レベル減量[4]。

有害事象マネジメントのポイント

✓ 好中球数減少

治療開始前のマネジメント

- Rmab単剤では好中球数減少はほとんど認めない[5]が，PTXと併用するとPTX単剤よりも好中球数減少の発現頻度が高くなる[3]。
- 好中球数減少の発症初期は自覚症状が乏しいため，定期的な血液検査が必要であることを患者に説明する。

※特に初回コースは，予定休薬日も含め毎週の採血チェックを行うことが重要！

有害事象発生時のマネジメント

- 臨床試験におけるPTXの投与基準は，1日目が好中球数≧1,500/μL，8，15日目が好中球数≧1,000/μLとなっていた[4]。
- Grade 4の好中球数減少を認めた場合は，Grade 1以下に改善するまでPTXの投与を延期し，次のコースからPTXを減量する。
- 8，15日目にGrade 3以上の好中球数減少のためにPTX投与スキップが複数回起きた場合，次のコースからのPTXの減量を検討する。
- 好中球数減少の程度にかかわらずRmabの投与は可能であるが，29日目（次コース投与予定日）にGrade 2以上の好中球数減少のためにPTXの投与が行えない場合，投与スケジュールなどを考慮して両薬剤をスキップすることもある。

✓ 過敏反応

治療開始前のマネジメント

- タキサン系では95％が1～2回目の投与時に生じ，80％が投与開始10分以内に症状が出現するとされる[6]。
- 完全ヒト型モノクローナル抗体であるRmabの単独投与における過敏反応の頻度は，0.4％（1/236例）と報告されている[5]。
- 過敏反応予防のため前投薬としてデキサメタゾン（デカドロン®），ラニチジン塩酸塩（ザンタック®），d-クロルフェニラミンマレイン酸塩（ポララミン®）の投与を行う。
- 前投薬として抗ヒスタミン薬が投与されること，溶媒として無水エタノールを含むことから，投与当日は自動車の運転などを行わないよう患者に説明する。

有害事象発生時のマネジメント

- 直ちに薬剤投与を中止し，状態に応じて酸素投与や補液などを行う。

- Grade 2（皮疹，潮紅，蕁麻疹，呼吸困難，38℃以上の薬剤熱）までの場合は，ヒドロコルチゾンリン酸エステルナトリウム（水溶性ハイドロコートン®），*d*-クロルフェニラミンマレイン酸塩，ラニチジン塩酸塩の追加投与を行い，さらなる状態の悪化を防ぐ。
- Grade 3（症状のある気管支痙攣，血管性浮腫，血圧低下）やGrade 4（アナフィラキシー）の場合には，上記に加えてアドレナリン0.01mg/kg（最大0.5mg/kg，5～15分ごとに繰り返し）を筋注する。

✓ 蛋白尿

治療開始前のマネジメント

- Rmabによる蛋白尿のマネジメントのため，Rmabの投与前に尿蛋白検査を行う。

有害事象発生時のマネジメント

- 尿の蛋白定性検査で2＋以上の場合には，蛋白定量検査もしくは尿中蛋白／クレアチニン比*を測定し，2g／日未満であればRmabを投与する。2～3g／日の場合は，2g／日未満に低下するまで休薬し，減量の上，再開する。3g／日以上またはネフローゼ症候群を発現した場合は，投与を中止する[4]。
- ＊：随時尿の尿蛋白定量（mg／dL）／尿中クレアチニン濃度（mg／dL）で計算され，1日尿蛋白排泄量（g／日）とほぼ等しい，もしくはよく相関するとされる。

症例　69歳女性，胃癌，多発肝転移

　身長151cm，43kg，ECOG PS 0。食道のつかえ感を主訴に発見された，多発肝転移を有するHER陽性胃癌の症例。一次治療としてカペシタビン＋CDDP＋Tmabを9コース施行した後のCTで肝転移新規病変が出現したため，進行と判断した。投与禁忌，慎重投与の項目がないことを確認の上，二次治療としてweekly PTX＋Rmabを開始した。

　3日目にGrade 1の筋肉痛を認めたため，カロナール®500mgの頓用内服を行った。15日目に好中球数減少（Grade 3）を認めたため，同日のPTXの投与をスキップし，Rmabのみを投与，29日目から2コース目の1日目として治療を再開した。また，1コース目の期間中に高血圧（Grade 3，収縮期血圧160台）を複数回認めたため，ミカルディス®40mgの内服を開始した。2コース終了後のCTで多発肝転移は縮小を認めた。総合効果はSDと判断し，治療を継続した。

文　献

1) タキソール®添付文書.
2) サイラムザ®添付文書.
3) Wilke H, et al:Ramucirumab plus paclitaxel versus placebo plus paclitaxel in patients with previously treated advanced gastric or gastro-oesophageal junction adenocarcinoma (RAINBOW): a double-blind, randomised phase 3 trial. Lancet Oncol. 2014;15:1224-35.
4) サイラムザ®適正使用ガイド.
5) Fuchs CS, et al:Ramucirumab monotherapy for previously treated advanced gastric or gastro-oesophageal junction adenocarcinoma(REGARD): an international, randomised, multicentre, placebo-controlled, phase 3 trial. Lancet. 2014;383:31-9.
6) Lenz HJ:Management and preparedness for infusion and hypersensitivity reactions. Oncologist. 2007;12:601-9.

（對馬隆浩）

III 胃癌

CPT-11

投与スケジュール

CPT-11 150mg/m², 1.5時間　　↓　　　　1 … 14 （日）

上記2週を1コースとする。

投与例

投与日	投与順	投与量	投与方法
1	1	デキサメタゾンリン酸エステルナトリウム（デキサート®）6.6mg ＋ パロノセトロン塩酸塩（アロキシ®）0.75mg/50mL	点滴末梢本管（15分）
	2	イリノテカン塩酸塩水和物［CPT-11］（トポテシン®）150mg/m² ＋ 5％ブドウ糖液 250mL	点滴末梢本管（1.5時間）
	3	生食 50mL	点滴末梢本管（5分）

適応・治療開始基準

- 切除不能または再発胃癌。
- 全身状態および主要臓器機能が保たれている（以下が目安）。

  - ECOG PS 0〜2
  - 好中球数≧1,500/μL
  - 血小板数≧10.0×10^4/μL
  - ヘモグロビン≧8.0g/dL
  - 総ビリルビン≦1.5mg/dL
  - AST，ALT≦100U/L
  - クレアチニン≦1.5mg/dL

慎重投与・禁忌

	慎重投与[1]	禁 忌[1]
年 齢	75歳以上	
腎障害	クレアチニン＞1.5mg/dL	
肝障害		総ビリルビン＞1.5mg/dL
消化管通過障害		腸管麻痺，腸閉塞
下 痢	日常生活に支障のない下痢	十分な支持療法下で日常生活に支障のある下痢
腹 水	少量〜中等量の腹水	大量腹水（穿刺を必要とする）
感 染	感染を疑う症例	活動性の感染症を合併している
その他の合併症	糖尿病，Gilbert症候群	間質性肺疾患
既往歴	間質性肺疾患，胆管閉塞，胆管ステント留置術，腸閉塞の既往	
内服薬	アゾール系抗真菌薬，マクロライド系抗菌薬，ジルチアゼム塩酸塩，フェニトインなど	アタザナビル塩酸塩
UGT1A1	*6，*28のホモ接合体または複合ヘテロ接合体	

効 果

	切除不能／再発胃癌に対する二次治療以降[2, 3]
RR	13.6〜16％
PFS	2.3〜2.8カ月
OS	8.4〜10.1カ月

CPT-11 有害事象マニュアル

有害事象の発現率と発現時期

有害事象	発現率(%)[2,3] all Grade	発現率(%)[2,3] Grade 3/4	発現時期
✓ 好中球数減少	59〜70	36〜39	投与7〜10日後
発熱性好中球減少症		5〜9	投与7〜10日後
食欲不振	46〜70	11〜17	投与4〜7日後
疲労	42	6	投与4〜7日後
✓ 下痢	42〜45	5〜6	コリン作動性:投与直後 遅発性:投与7〜10日後
✓ 悪心	36〜56	5	急性:投与当日 遅発性:2〜7日後
✓ 嘔吐	23〜36	0〜1	投与1〜7日後

☑:「有害事象マネジメントのポイント」参照。

減量早見表

減量レベル	CPT-11
初回投与量	150mg/m²
−1	120mg/m²
−2	100mg/m²

有害事象マネジメントのポイント

✓ **好中球数減少**

治療開始前のマネジメント

- 好中球数減少の発症初期は自覚症状が乏しいため,定期的な血液検査が必要であることを患者に説明する。
- *UGT1A1*6と*28*のいずれかをホモ接合体として持つ場合(*6/*6あるいは*28/*28),または複合ヘテロ接合体として持つ場合(*6/*28)には,CPT-11の活性代謝物(SN-38)を不活化する酵素であるUGT(UDP-グルクロン酸転移酵素)の著しい活性低下を認めるため,重篤な好中球数減少が高頻度に現れることが報告されており[4],注意が必要である。

有害事象発生時のマネジメント

- 投与予定日に好中球数減少（Grade 2以上）を認めた場合は休薬を考慮する。
- Grade 4もしくは繰り返すGrade 3の好中球数減少では，次回からの減量を行う。
- 発熱性好中球減少症は，入院にてG-CSF製剤および静注抗菌薬の投与を行う。好中球数1,000/μL未満で38℃以上の発熱が出現するか，好中球数500/μL未満が確認された時点からG-CSF投与を考慮する。全身状態が良好な低リスク群（MASCCスコア21点以上）に対しては，経口抗菌薬〔レボフロキサシン水和物（クラビット®）など〕による外来治療も選択肢のひとつとなるが，患者に対する十分な教育や理解，近隣病院のサポート体制などを考慮して対応する必要がある。

✓ 悪心・嘔吐

治療開始前のマネジメント

- 前投薬としてパロノセトロン塩酸塩，デキサメタゾンリン酸エステルナトリウムの予防的投与を行う。2～3日目のデキサメタゾンリン酸エステルナトリウム（4～8mg／日）の内服については，症例に応じて判断を行う。
- 初回治療開始前に，あらかじめ悪心時に内服できるよう制吐薬〔ドンペリドン（ナウゼリン®），プロクロルペラジン（ノバミン®）など〕を処方しておく。

有害事象発生時のマネジメント

- 悪心・嘔吐（Grade 2以上）では，制吐薬の投与や必要に応じて補液を行う。次回より制吐薬の定期内服や，アプレピタント（イメンド®）の併用を考慮する。
- 予期性嘔吐の場合は，ベンゾジアゼピン系抗不安薬（アルプラゾラムなど）を治療開始前に内服させるのも有効である。
- 悪心・嘔吐（Grade 3以上）では次回から減量を行う。また，十分な制吐療法を行ってもGrade 2の症状が出現する場合にも減量を考慮すべきである。

✓ 下 痢

治療開始前のマネジメント

- CPT-11の投与により下痢や腸蠕動亢進による腹痛が起こる可能性を患者に説明する。
- 初回治療開始前に，あらかじめ下痢時に内服できるようロペラミド塩酸塩（ロペミン®）（2錠／回）を処方しておく。

有害事象発生時のマネジメント

注意！

- 高度な下痢の持続により，脱水，電解質異常，ショックを併発し死亡例も報告されているため注意が必要である。
- 投与後早期（24時間以内）に発現するのはCPT-11によるコリン作動性の下痢であり，抗コリン薬〔アトロピン硫酸塩水和物（硫酸アトロピン®）など〕の投与が有効である。次回より前投薬としてアトロピン硫酸塩水和物（0.5～1A）の投与などを行う。
- 遅発性の下痢に対しては，症状が改善するまでロペラミド塩酸塩（2錠／回）の内服を行う。Grade 3以上では，次コースからの薬剤減量を行う。

症例 70歳女性，胃癌，腹膜播種，卵巣転移

　身長153cm，体重44kg，ECOG PS 1。S-1＋CDDP不応後の切除不能胃癌に対して二次化学療法としてweekly PTXを開始したが，しだいに末梢性感覚ニューロパチーが増強したため，PTXの減量を行い治療を継続していた。weekly PTX 10コース目で末梢性感覚ニューロパチーがGrade 3に増強したため中止とした。腸管の通過障害がないこと，*UGT1A1*が*6と*28のホモ接合体もしくは複合ヘテロ接合体でないことを確認の上，三次治療としてCPT-11を行うこととした。ただし，PSが十分に良好とは言えなかったこと，これまで長期間の化学療法を受けた後であったことから，1レベル減量し治療を開始した。

　CPT-11初回投与中に冷や汗と腹痛を伴う下痢を認めたため，投与禁忌となる合併症がないことを確認し硫酸アトロピン®を投与したところ，症状の改善を認めた。また，1コース2，3日目に食欲不振（Grade 2），悪心（Grade 1），下痢（Grade 1）を認めた。2コース目からは前投薬に硫酸アトロピン®1Aを追加し，ノバミン®を定期内服とロペミン®の頓用使用を行った。5コース終了後のCTでは総合評価SDと判断し治療を継続したが，9コース終了後のCTにおいて腹水の増加を認めたため，PDと判断し治療を中止した。

文 献

1) トポテシン®添付文書.

2) Hironaka S, et al:Randomized, open-label, phase Ⅲ study comparing irinotecan with paclitaxel in patients with advanced gastric cancer without severe peritoneal metastasis after failure of prior combination chemotherapy using fluoropyrimidine plus platinum:WJOG 4007 Trial. J Clin Oncol. 2013;31:4438-44.

3) Higuchi K, et al:Biweekly irinotecan plus cisplatin versus irinotecan alone as second-line treatment for advanced gastric cancer:A randomised phase Ⅲ trial(TCOG GI-0801/BIRIP trial). Eur J Cancer. 2014;50:1437-45.

4) Ando Y, et al:Polymorphisms of UDP-glucuronosyltransferase gene and irinotecan toxicity:a pharmacogenetic analysis. Cancer Res. 2000;60:6921-6.

（伏木邦博）

Ⅲ 胃癌

Nivolumab

投与スケジュール

- 免疫チェックポイント阻害薬の投与を開始する前には，p27の補足資料に従って必ずチェックを行うこと。

ニボルマブ 240mg/body，1時間　　1　2　…　14　（日）

上記2週を1コースとして，明らかな病状の進行や継続不能な有害事象がない限り繰り返す。
投与においてはインラインフィルター（0.2μmまたは0.22μm）を使用する。

投与例

投与日	投与順	投与量	投与方法
1	1	ニボルマブ（オプジーボ®）240mg/body ＋ 生食 100mL	点滴末梢本管（1時間）
	2	生食 50mL	点滴末梢本管（5分）

適応・治療開始基準

- 切除不能進行・再発胃癌
- PS 0～1
- 全身状態および主要臓器機能が保たれている。

慎重投与・禁忌

	慎重投与	禁　忌
年　齢	高齢者	
間質性肺疾患	間質性肺疾患，またはその既往を有する	
自己免疫性疾患	自己免疫性疾患，またはその既往を有する	
過敏症		本剤の成分に対して過敏症の既往を有する
相互作用	生ワクチン，弱毒化ワクチン，不活化ワクチン（接種したワクチンに対する過度の免疫反応を生じる可能性がある）	

効 果

	切除不能進行再発胃癌症例に対する効果 （ATTRACTION-2試験[1]）
PFS	1.61カ月
OS	5.32カ月
RR	11.2％
DCR	40.3％

Nivolumab

有害事象マニュアル

有害事象の発現率と発現時期

有害事象	発現率（%）[1]		発現時期
	all Grade	≧ Grade 3	
□ そう痒症	9.1	0	
✓ 下　痢	7.0	0.6	
✓ 大腸炎	0.6	0.3	
□ 発　疹	5.8	0	
□ 疲　労	5.5	0.6	
□ 食欲不振	4.8	1.2	
□ 悪　心	4.2	0	
□ 倦怠感	3.9	0	
□ AST増加	3.3	0.6	
□ 甲状腺機能低下症	3.0	0	
□ 発　熱	2.4	0.3	
□ ALT増加	2.1	0.3	
✓ 肝機能障害・肝炎			
✓ 内分泌障害（甲状腺機能異常・下垂体機能異常・副腎障害）			

☑：「有害事象マネジメントのポイント」（☞ p288）参照。

減量・休薬・中止基準

- 有害事象の発現頻度や重篤度には，ニボルマブの用量依存性が認められない。したがって有害事象発生時は減量ではなく，有害事象の対処法アルゴリズムに従い，休薬，中止を判断する。

- 有害事象の対処法アルゴリズムは発生した有害事象により休薬・中止基準が異なることに注意が必要である。

- 免疫関連有害事象（irAE）はステロイドに対する治療効果が高いので，重症度に応じて速やかにステロイドによる治療を開始することで，多くのirAEがコントロール可能である。しかし症状が重篤化すると死亡に至るケースも報告されており，早期診断，早期治療開始が重要である。

有害事象マネジメントのポイント

✓ 大腸炎・重度の下痢

治療開始前のマネジメント

- 治療開始前に，制酸薬，エリスロマイシンやペニシリン系薬剤などの抗菌薬，鉄剤，メフェナム酸，非ステロイド性抗炎症薬（NSAIDs），ビグアナイド系薬剤やスルホニル尿素系薬剤などの血糖降下薬といった，下痢の原因となりうる薬剤の使用状況を把握しておく。
- 下痢が生じることで，電解質バランスが崩れたり，腸管粘膜が傷害され感染が起こりうるため，排便回数や便の性状などを患者自身で観察し，早期に下痢を認識できるように指導しておく。また，下痢が持続する際には，必ず病院に連絡するように指導しておく。
- 感染源となりうるため，肛門周囲の清潔を保つように指導する。
- 下痢が出現した際には，乳製品や香辛料の強い食べ物，アルコール，カフェイン，高脂肪食などの下痢をきたしやすい食物を避け，電解質が含まれた糖液を摂取するように指導する。

有害事象発生時のマネジメント

- Grade 1の下痢が出現した場合には，整腸薬などの対症療法を行いながらニボルマブの投与を継続する。ロペラミド塩酸塩（ロペミン®）などの止痢薬を投与することで，治療開始が遅れ，重症化する可能性があるため，当センターでは，基本的に止痢薬は使用していない。
- Grade 2以上となった場合には，ニボルマブの投与を中止し，全身性副腎皮質ホルモンの投与を検討する。また，便中白血球検査や便培養検査などの便検査，血算や電解質などの血液検査，腹部単純X線検査や腹部造影CT検査，下部内視鏡検査などの画像検査を行い，偽膜性腸炎や大腸菌感染などの細菌感染やノロウイルスなどのウイルス感染，虚血性腸炎，炎症性腸疾患など下痢をきたしうる疾患の評価も同時に行い，必要に応じて消化器専門医への相談を行う。
- Grade 2の下痢では，0.5～1.0mg/kg/日のプレドニン®の投与，Grade 3～4の下痢では，1.0～2.0mg/kg/日の静注メチルプレドニゾロンの投与を行い，症状がGrade 1に改善した後に1カ月以上かけてステロイドの漸減を行う。ニボルマブの投与は，プレドニン®が10mg/日以下まで減量した後に検討する。

胃腸関連有害事象の対処法アルゴリズム

下痢または大腸炎のGrade （CTCAE v4.0）	対処法とフォローアップ
Grade 1 下痢：ベースラインと比べて 4回未満／日の排便回数の増加 大腸炎：無症状	・ニボルマブ投与を継続し，対症療法を行う。 ・症状が悪化した場合は直ちに連絡するように患者に伝え，悪化した場合はGrade 2～4の対処法で治療する。
Grade 2 下痢：ベースラインと比べて 4～6回／日の排便回数の増加 大腸炎：腹痛，血便	・ニボルマブ投与を中止し，対症療法を行う。 ・症状が5～7日間を超えて持続あるいは再発した場合はステロイド内服*1を開始する。 ・症状がGrade 1まで改善した場合は，1カ月以上かけてステロイドを漸減し，ニボルマブ投与再開を検討する。 ・症状が悪化した場合は，Grade 3～4の対処法で治療する。
Grade 3～4 下痢（Grade 3）：ベースラインと比べて7回以上／日の排便回数の増加 大腸炎（Grade 3）：重度の腹痛，腹膜刺激症状あり 大腸炎（Grade 4）：生命を脅かす，穿孔	・ニボルマブ投与を中止し，入院の上ステロイドパルス*2療法を行う。 ・症状がGrade 1に改善するまでステロイド投与を継続した後，1カ月以上かけてステロイドを漸減する。 ・症状が3～5日間を超えて改善しない場合は免疫抑制薬*3を追加投与する。

＊1：0.5～1mg/kg/日の経口メチルプレドニゾロン（メドロール®）またはその等価量の経口薬。
＊2：1～2mg/kg/日の静注メチルプレドニゾロンコハク酸エステルナトリウムまたはその等価量の副腎皮質ステロイドを静注する。
＊3：インフリキシマブ5mg/kg（注意：インフリキシマブは消化管穿孔または敗血症の症例へは使用すべきではない）（本剤に起因する大腸炎に対しては保険未収載）。

（文献2をもとに作成）

✓ 肝機能障害・肝炎

治療開始前のマネジメント

■定期受診の際に毎回血液検査で肝機能を確認する。

■問診にて倦怠感の有無，嘔気，嘔吐，食欲不振の有無を確認する。

有害事象発生時のマネジメント

■肝機能障害の原因がニボルマブ以外であるかどうかの原因検索を行う。具体的には HBV，HCV関連の検査，抗核抗体，抗ミトコンドリア抗体，腹部超音波検査，腹部CT検査などを行い，感染症，薬剤性，原疾患の悪化，アルコールなどによるものを除外する必要がある。

肝関連有害事象の対処法アルゴリズム

肝機能検査値上昇のGrade （CTCAE v4.0）	対処法とフォローアップ
Grade 1 ASTまたはALTが施設正常値上限～3倍以下，総ビリルビンが施設正常値上限～1.5倍以下，またはその両方	• ニボルマブ投与および肝機能検査を継続する。 • 肝機能が悪化した場合はGrade 2～4の対処法で治療する。
Grade 2 ASTまたはALTが施設正常値上限値の3～5倍以下，総ビリルビンが施設正常値の1.5～3倍以下，またはその両方	• ニボルマブ投与を中止し，肝機能検査を3日ごとに行う。 • 肝機能が改善した場合はニボルマブ投与再開を検討する。 • 肝障害が5～7日間を超えて持続または悪化した場合はステロイド内服[*1]を開始する。 • 肝障害がGrade 1まで改善した場合は，1カ月以上かけてステロイドを漸減し，ニボルマブ投与再開を検討する。
Grade 3～4 ASTまたはALTが施設正常値上限値の5倍超，総ビリルビンが施設正常値の3倍超，またはその両方	• ニボルマブ投与を中止し，入院の上ステロイドパルス[*2]療法，1～2日ごとの肝機能検査を行う。 • 肝機能がGrade 2に改善した場合は1カ月以上かけてステロイドを漸減する。 • 肝障害が3～5日間を超えて改善しない場合は免疫抑制薬[*3]を追加投与する。

＊1：0.5～1mg/kg/日の経口メチルプレドニゾロンまたはその等価量の経口薬。

＊2：1～2mg/kg/日の静注メチルプレドニゾロンコハク酸エステルナトリウムまたはその等価量の副腎皮質ステロイドを静注する。

＊3：ミコフェノール酸モフェチル1gを1日2回投与（注：インフリキシマブによる肝障害のため，薬剤性肝炎に対してはインフリキシマブを使用しない）（本剤に起因する肝機能障害に対してはいずれも保険未収載）。

（文献2をもとに作成）

✓ 内分泌障害（甲状腺機能異常・下垂体機能異常・副腎障害）

治療開始前のマネジメント

■ 問診にて甲状腺機能障害の既往の有無を確認する。

■ スクリーニング時にTSH，FT$_3$，FT$_4$，コルチゾール・ACTH（いずれも早朝空腹時）を測定する。

有害事象発生時のマネジメント

■ 倦怠感，浮腫，悪寒，動作緩慢，発汗過多，体重減少，眼球突出，動悸，振戦，不眠などの症状を認めた場合は速やかにTSH，FT$_3$，FT$_4$，コルチゾール，ACTH，また必要に応じてT-Chol，抗甲状腺サイログロブリン抗体，抗甲状腺マイクロゾーム抗体やその他の下垂体ホルモン（LH，FSH，GH，プロラクチン）も測定する。

内分泌障害の対処法アルゴリズム

無症候性のTSH増加	・ニボルマブ投与を継続する。
症候性の内分泌障害	・内分泌機能の評価を行う。 ・下垂体炎，下垂体機能低下が疑われる場合は，頭部MRI検査による下垂体撮影を検討する。 ・症候性であり，臨床検査値あるいは頭部MRI検査で下垂体に異常を認めた場合は，ニボルマブ投与を中止し，ステロイド投与*1，ホルモン補充*2を行う。 ・臨床検査値および頭部MRI検査で異常は認めないが症状が持続する場合は，1〜3週ごとの臨床検査または1カ月ごとに頭部MRI検査を継続する。
症状が改善した場合（ホルモン補充療法の有無は問わない）	・1カ月以上かけてステロイドを漸減し，ニボルマブ投与再開を検討する。 ・ホルモン補充療法を継続しながらニボルマブ投与を継続する*3。 ・副腎不全を有する患者は鉱質コルチコイド作用を有するステロイド投与継続を必要とする場合がある。
副腎クリーゼの疑い（原疾患および合併症から想定しにくい程度の重度の脱水，低血圧，ショックなど）	・ニボルマブ投与は中止し，輸液，ストレス用量の鉱質コルチコイド作用を有するステロイド静注を開始する。 ・内分泌科専門医に相談する。

＊1：1〜2mg/kg/日の静注メチルプレドニゾロンコハク酸エステルナトリウムまたはその等価量の経口薬を投与する。
＊2：ホルモン補充に際して甲状腺・副腎機能がともに障害されている場合に甲状腺ホルモンの補充のみを行うとかえって副腎不全が悪化するため，ステロイド投与を先行させる。
＊3：副腎不全を有する患者は鉱質コルチコイド作用を有するステロイド投与継続を必要とする場合がある。またホルモン補充療法を継続しながらニボルマブ投与を継続することは可能である。

（文献2をもとに作成）

症例 **70代男性，CapeOXに不応の胃癌，両副腎・左腋窩リンパ節転移**

　70代，男性。ECOG PS1。DCS，CPT-11，PTX＋Rmab，CapeOXに不応の胃癌，両副腎，左腋窩リンパ節転移。PTX＋Rmab投与中に胃穿孔の既往がある。ニボルマブ4コース投与後の造影CTでPRを確認，治療開始前より認めていた左腋窩の疼痛も消失した。8コース後もPRを維持していたが，13コース投与後にPDとなった。治療期間中にirAEは認めなかった。heavily treatedの症例であったが，7カ月のOSが得られ，安全に施行可能であった。

文 献

1) Kang YK, et al:Nivolumab (ONO-4538/BMS-936558) as salvage treatment after second or later-line chemotherapy for advanced gastric or gastro-esophageal junction cancer (AGC): A double-blinded, randomized, phase Ⅲ trial. J Clin Oncol. 2017;35 (suppl 4S;abstract 2).
2) オプジーボ. 胃癌の適正使用ガイド.

（川上武志）

Ⅲ 胃癌

Trifluridine

投与スケジュール

トリフルリジン 35mg/m²/回, 1日2回	↓↓		↓↓		
	1〜5	6, 7	8〜12	13, 14	15〜28（日）

上記4週を1コースとする。

体表面積（m²）	初回基準量（トリフルリジン相当量）
1.07未満	35mg/回（70mg/日）
1.07以上〜1.23未満	40mg/回（80mg/日）
1.23以上〜1.38未満	45mg/回（90mg/日）
1.38以上〜1.53未満	50mg/回（100mg/日）
1.53以上〜1.69未満	55mg/回（110mg/日）
1.69以上〜1.84未満	60mg/回（120mg/日）
1.84以上〜1.99未満	65mg/回（130mg/日）
1.99以上〜2.15未満	70mg/回（140mg/日）
2.15未満	75mg/回（150mg/日）

投与例

投与日	投与量	投与方法
1〜5, 8〜12	トリフルリジン・チピラシル塩酸塩配合（ロンサーフ®）35mg/m²/回, 1日2回	経口（朝, 夕食後）

適応・治療開始基準

- 化学療法後に増悪した治癒切除不能な進行・再発の胃癌。
- 主要臓器機能が保たれている（以下が目安）。

- ECOG PS 0〜1
- 好中球数≧1,500/μL
- 血小板数≧7.5×10^4/μL
- ヘモグロビン≧8.0g/dL
- 総ビリルビン≦1.5mg/dL
- AST，ALT≦100IU/L（肝転移例では200IU/L以下）
- クレアチニン≦1.5mg/dL
- 感染症活動性の感染症が疑われない
- 末梢神経障害 Grade 2以下
- 下痢 Grade 1以下
- その他の非血液毒性（脱毛，味覚異常，色素沈着，原疾患に伴う症状は除く）
  Grade 1以下

慎重投与

	慎重投与
年　齢	高齢者
骨髄抑制	骨髄抑制を有する患者
感　染	重度の腎機能障害患者に対しては，投与開始基準を参考に本剤投与の可否を検討し，投与する際は減量を考慮するとともに，患者の状態をより慎重に観察し有害事象の発現に十分注意する
肝障害	中等度および重度の肝機能障害を有する
感　染	感染症を合併している

効　果[1, 2]

	2レジメン以上の化学療法歴を有する切除不能な進行・再発胃癌または食道胃接合部癌に対する治療例[2]
RR	4%
PFS	2.0カ月
OS	5.7カ月

Trifluridine

有害事象マニュアル

有害事象の発現率と発現時期[2]

有害事象	発現率（%）		発現時期
	all Grade	Grade 3以上	
✓ 好中球数減少	53	34	投与2～4週後頃
✓ 発熱性好中球減少症		2	投与2～4週後頃
☐ 血小板数減少	18	3	投与2～4週後頃
☐ 貧　血	46	20	投与2～4週後頃
☐ 食欲不振	34	9	投与直後～4週後
✓ 下　痢	23	3	投与直後～4週後
✓ 悪　心	37	3	投与直後～2週後
✓ 嘔　吐	25	4	投与直後～3週後
☐ 倦怠感	27	7	投与直後～4週後

☑：「有害事象マネジメントのポイント」（☞ p295）参照。

休薬・投与再開の目安

■ 休薬の目安に該当する副作用が認められた場合にはロンサーフ®を休薬し，投与再開の目安に回復するまで投与を延期する。

項　目		休薬の目安	投与再開の目安
ECOG PS		2以上	0～1
骨髄機能	好中球数	<1,000/μL	≧1,500/μL
	血小板数	<5.0×10^4/μL	≧7.5×10^4/μL
	ヘモグロビン	<7.0g/dL	≧8.0g/dL
肝機能	総ビリルビン	>2.0mg/dL	≦1.5mg/dL
	AST，ALT	>100IU/L（肝転移患者では>200IU/L）	≦100IU/L（肝転移患者では≦200IU/L）
腎機能	クレアチニン	>1.5mg/dL	≦1.5mg/dL
感染症		活動性の感染症の発症	活動性の感染症の回復
末梢神経障害		Grade 3以上	Grade 2以下
下　痢		Grade 3以上	Grade 1以下
その他の非血液毒性（脱毛，味覚異常，色素沈着，原疾患に伴う症状は除く）		Grade 3以上	Grade 1以下

減量早見表

	減量基準
好中球数	<500/μL
血小板数	<5.0×10^4/μL

有害事象マネジメントのポイント

✓ 好中球数減少・発熱性好中球減少症

治療開始前のマネジメント

- 好中球数減少が最も注意の必要な有害事象である。感染を合併すると重篤化するため，38℃以上の急な発熱，または悪寒戦慄を伴う場合や持続する発熱を認めた時は必ず病院へ連絡するように指導しておく。
- 通常，投与2週後頃に発現し3〜4週後にnadirとなるため，当センターでは少なくとも2コース目までは週1回の診察，血液検査を実施している。

有害事象発生時のマネジメント

- Grade 2以上の好中球数減少では原則的には休薬を考慮する。
- 発熱性好中球減少症は，入院にてG-CSF製剤および静注抗菌薬の投与を行う。好中球数1,000/μL未満で38℃以上の発熱が出現するか，好中球数500/μL未満が確認された時点からG-CSF投与を考慮する。全身状態が良好な低リスク群（MASCCスコア21点以上）に対しては，経口抗菌薬〔レボフロキサシン水和物（クラビット®）など〕による外来治療も選択肢のひとつとなるが，患者に対する十分な教育や理解，近隣病院のサポート体制などを考慮して対応する必要がある。

減量・再開のポイント

- Grade 4の好中球数減少では次コースから10mg／日減量する。

✓ 下痢・腹痛

治療開始前のマネジメント

- 投与1〜2週での発現が多く，あらかじめ止痢薬としてのロペラミド塩酸塩（ロペミン®）を処方しておく。

有害事象発生時のマネジメント

- 感染性腸炎を除外した上で，ロペラミド塩酸塩1〜2mgを症状が改善するまで頓用にて投与する。
- Grade 3以上の下痢，もしくは十分な支持療法を行っても持続するGrade 2の下痢が発現した場合は休薬して，Grade 1以下に回復した後に再開する。

減量・再開のポイント

- 十分な支持療法を行ってもGrade 3以上の下痢が発現した場合は、原則として次コースから10mg/日減量する。

✓ 悪心・嘔吐

治療開始前のマネジメント

- 悪心は内服開始1週目の発症頻度が高く、治療開始前にあらかじめ制吐薬を処方しておく。

- 制吐薬は嘔吐してから飲む薬ではなく、予防として早めに使うのがコツであることを患者に十分説明しておくこと。

有害事象発生時のマネジメント

- 初回開始時に予防的な制吐薬の投与は行わないが、急性および遅発性悪心・嘔吐が続く場合はドパミン受容体拮抗薬〔メトクロプラミド（プリンペラン®）5mg、ドンペリドン（ナウゼリン®）10mg、プロクロルペラジン（ノバミン®）5mg〕やオンダンセトロン塩酸塩水和物などを定時（投与後1週間のみ定時内服など）もしくは頓用で使用する。
- 治療前から嘔気がするなどの予期性嘔吐の場合は、ベンゾジアゼピン系抗不安薬〔アルプラゾラム（アルプラゾラム®）〕などを治療開始前に内服させるのも有効である。

減量・再開のポイント

- 十分な支持療法を行ってもGrade 3以上の悪心・嘔吐が出現した場合は、原則として次コースから10mg/日減量する。

症例 67歳女性，胃癌，肝転移・リンパ節転移

身長153cm、体重41kg、ECOG PS 1。腹部の張り感を契機に診断されたHER2陽性の切除不能進行胃癌症例に対して、SOX＋Tmab療法、Rmab＋nab-PTX療法、ニボルマブ療法後、四次治療としてロンサーフ®を開始した。腎機能がCcr 35mL/分と低下がみられたため1レベル減量（80mg/日）した。20日目に好中球数210/m²とGrade 4の好中球数減少を認めたため、グラン®（フィルグラスチム）75μgを皮下注射し、レボフロキサシンを予防内服とした。28日目に好中球数2,058/μLと骨髄機能の回復を認め、ロンサーフ®を70mg/日に減量して2コース目を開始した。2コース終了後、腹膜播種増悪にて不応と判断し、五次治療としてトラスツズマブ デルクステカン（T-Dxd）を開始した。

文 献

1) ロンサーフ®配合錠. 適正使用情報.
2) Shitara K, et al:Trifluridine/tipiracil versus placebo in patients with heavily pretreated metastatic gastric cancer (TAGS): a randomised, double-blind, placebo-controlled, phase 3 trial. Lancet Oncol. 2018;19:1437-48.

（大嶋琴絵，戸髙明子）

III 胃　癌

adj S-1

投与スケジュール

S-1 80～120mg/日，分2*（朝，夕食後）

上記6週を1コースとし，1日2回（朝，夕食後）を4週間連日内服し，2週間休薬する。
術後6週間以内にS-1内服を開始し，1年間継続する。

*：S-1初回基準投与量

体表面積	S-1投与量
1.25m²未満	80mg/日，分2
1.25m²以上，1.50m²未満	100mg/日，分2
1.50m²以上	120mg/日，分2

投与例

投与日	投与量	投与方法
1～28	テガフール・ギメラシル・オテラシルカリウム配合（1:0.4:1）[S-1]（ティーエスワン®）80～120mg/日，分2	経口（朝，夕食後）
29～42	休薬	

適応・治療開始基準

- 組織学的に腺癌と確定診断され，治癒（R0）切除された胃癌。
- 術後の最終病理診断でStage II/III〔ただし，T3（SS）N0およびT1を除く〕。
- 経口摂取が可能で全身状態が保たれている（PS 2以下）。
- 以下のような主要臓器機能が保たれている（以下が目安）。

> - 白血球数 ≧3,500/μL，かつ＜1万2,000/μL
> - 血小板数 ≧10.0×10⁴/μL
> - ヘモグロビン≧9.0g/dL
> - 総ビリルビン≦1.5mg/dL
> - AST，ALT≦100U/L（施設基準値の2.5倍以下）
> - クレアチニンクリアランス（Ccr）≧80mL/分

- 補助化学療法は必ず全員に有効な治療ではないため，臓器機能や全身状態が悪く抗癌剤の減量やスケジュール変更など工夫しても安全に継続して使用できない場合は，無理せず中止することも検討する。

慎重投与・禁忌

	慎重投与	禁　忌
年齢，PS	75歳以上，PS 2	PS 3以上， 80歳以上の高齢者は，全身状態や理解力，合併症，家族のサポート体制など総合的に判断が必要。
骨髄機能	ヘモグロビン：8.0～9.0未満	左記以上の骨髄機能低下
	白血球数：2,000～3,500未満，1万2,000以上	
	血小板数：7.5～10万未満	
腎障害	80＞Ccr≧60mL/分 60＞Ccr≧30mL/分※	Ccr 30mL/分未満
肝障害	AST，ALT：施設基準値の2.5倍を超えて150U/L未満	左記以上の肝障害
	総ビリルビン：1.5～3mg/dL未満	
感　染	感染疑い	活動性感染を有する
その他 （併用薬）	ワルファリンカリウム，フェニトイン使用症例	抗真菌薬フルシトシン使用症例

※原則として1レベル減量（30～40未満は2レベル減量が望ましい）。

効　果[1,2)]

		Stage Ⅱ	Stage Ⅲa	Stage Ⅲb
S-1	5年生存率	84.2%	67.1%	50.2%
	5年無再発生存率	79.2%	61.4%	37.6%
手術単独	5年生存率	71.3%	57.3%	44.1%
	5年無再発生存率	64.4%	50.0%	34.4%

※胃癌取り扱い規約（第13版）によるStage分類を使用。

adj S-1

有害事象マニュアル

有害事象の発現率と発現時期[1]

有害事象	発現率（%）		発現時期
	all Grade	Grade 3/4	
✓ 流　涙	25	11.8	投与約3カ月目からが好発
✓ 食欲不振	55	6	投与2週目以降〜5週目
✓ 悪　心	35	3.7	投与2週目以降〜5週目
✓ 下　痢	57	3.1	投与2週目以降
AST上昇	43	1.7	
ビリルビン上昇	44	1.5	投与3週目以降〜6週目
貧　血	89	1.2	投与2週目以降〜5週目
白血球減少	58	1.2	投与2週目以降〜5週目
ALT上昇	42	1.2	
✓ 嘔　吐	21	1.2	投与2週目以降〜5週目
紅　斑	31	1	1コース目に好発
倦怠感	58	0.6	投与2週目以降〜5週目
血小板数減少	22	0.2	投与2週目以降〜5週目
口腔粘膜炎	31	0.2	投与3週目以降〜6週目
クレアチニン上昇	5	0	

☑：「有害事象マネジメントのポイント」参照。

減量早見表

減量レベル	S-1		
通常投与量	120mg/日	100mg/日	80mg/日
−1	100mg/日	80mg/日	（50mg/日）
−2	80mg/日	（50mg/日）	

有害事象マネジメントのポイント

✓ 流　涙[3]

- 「S-1」参照（☞ p249）。

✓ 悪心・嘔吐，食欲不振

- 「S-1」参照（☞ p250）。

✓ 下痢

- 「S-1」参照（☞p251）。
- Grade 3以上の血液毒性やGrade 2以上の非血液毒性が発現した場合，S-1投与を休止し，次コースよりS-1の1レベル減量を行い，4週投与2週休薬のスケジュールをキープすることを基本としている。しかし，有害事象の発現の仕方（投与3週目になると吐き気や下痢がコントロールできないなど）を考慮し，2週投与1週休薬でのS-1投与も許容している。

症例　40歳女性，胃癌術後

　身長164cm，体重55kg，PS 0。心窩部痛にて発見された体部小弯の80mm大の未分化癌に対して幽門側胃切除＋D2郭清が施行された。最終病理診断はT3（SS），N1M0，Stage ⅡBであった。術後6週目より，ティーエスワン®（TS-1）120mg/日により術後補助化学療法が開始された。

　3コース目15日目で口内炎（Grade 2）が出現したため，TS-1を休薬したが，増悪をきたし，口角や頬粘膜にアフタ性潰瘍を認めた（Grade 3相当）。局所麻酔薬（キシロカイン）入りの含嗽薬や軟膏を塗布したが，口内炎は以後3週間にわたり遷延した。4コース目からはTS-1 100mg/日へ減量して治療を再開したが，内服3週目になると口内炎が再度出現したため，TS-1の休薬を必要とした。

　5コース目以降，TS-1 100mg/日を2週投与1週休薬に変更したところ，口内炎の再燃なく経過し，投与を完遂できた。術後1年6カ月を経過した時点では，再発を認めていない。

文献

1) Sakuramoto S, et al.ACT-GC Group:Adjuvant chemotherapy for gastric cancer with S-1, an oral fluoropyrimidine. N Engl J Med. 2007;357:1810-2.
2) Sasako M, et al:Five-year outcomes of a randomized phase Ⅲ trial comparing adjuvant chemotherapy with S-1 versus surgery alone in stage Ⅱ or Ⅲ gastric cancer. J Clin Oncol. 2011;29:4387-93.
3) Tabuse H, et al:Excessive watering eyes in gastric cancer patients receiving S-1 chemotherapy. Gastric Cancer. 2016;19:894-901.

（安井博史）

III 胃癌

adj S-1 + DTX

投与スケジュール

（初回）
S-1 80〜120mg/日，分2*（朝，夕食後）

上記3週を1コースとし，S-1を1日2回（朝，夕食後）2週間連日内服し，1週間休薬する。
術後6週以内に開始する。

（2〜7回目）
S-1 80〜120mg/日，分2*（朝，夕食後）
DTX 40mg/m², 1時間

上記3週を1コースとし，S-1を1日2回（朝，夕食後）2週間連日内服し，1週間休薬する。
DTXを1日目に点滴する。

（8回目〜開始から1年まで）
S-1 80〜120mg/日，分2*
（朝，夕食後）

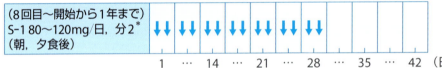

上記6週を1コースとし，S-1を1日2回（朝，夕食後）4週間連日内服し，2週間休薬する。
開始から1年間継続する。

＊：S-1初回基準投与量

体表面積	S-1投与量
1.25m²未満	80mg/日，分2
1.25m²以上，1.50m²未満	100mg/日，分2
1.50m²以上	120mg/日，分2

投与例

S-1＋DTX併用投与期間

投与日	投与順	投与量	投与方法
1	1	デキサメタゾンリン酸エステルナトリウム（デキサート®）6.6mg ＋ 生食 50mL	点滴末梢本管（15分）
	2	ドセタキセル水和物［DTX］（ドセタキセル®）40mg/m² ＋ 生食 250mL	点滴末梢本管（1時間）
	3	生食 50mL	点滴末梢本管（5分）
1夕〜15朝	1	テガフール・ギメラシル・オテラシルカリウム配合（1：0.4：1）［S-1］（ティーエスワン®）80〜120mg/日，分2	経口（朝，夕食後）

適応・治療開始基準

- 組織学的に腺癌と確定診断され，治癒（R0）切除された胃癌。
- 術後の最終病理診断でStage Ⅲ。
- 経口摂取が可能で全身状態が保たれている（PS 1以下）。
- 以下のような主要臓器機能が保たれている（以下が目安）。

- 白血球数≧4,000/μL，かつ<1万2,000/μL
- 好中球数≧1,500/μL
- 血小板数≧10.0×10^4/μL
- ヘモグロビン≧9.0g/dL
- 総ビリルビン≦1.5mg/dL
- AST，ALT≦100U/L
- クレアチニンクリアランス（Ccr）≧50mL/分

注意！
- 補助化学療法は，一部の人にのみ有効な治療であり，臓器機能や全身状態が悪く抗癌剤が安全に使用できない場合には無理して行わないこと！

慎重投与

	慎重投与	禁　忌
年齢，PS	75歳以上，PS 2	80歳以上（全身状態や合併症など総合的に判断必要），PS 3以上
骨髄機能	ヘモグロビン：8.0～9.0未満	左記以上の骨髄機能低下
	白血球数：2,000～3,500未満，1万2,000以上	
	血小板数：7.5～10万未満	
腎障害	50＞Ccr≧30mL/分*	Ccr 30mL/分未満
肝障害	AST，ALT：施設基準値の2.5倍を超えて150U/L未満	左記以上の肝障害
	総ビリルビン：1.5～3mg/dL未満	
感　染	感染疑い	活動性感染を有する
その他（併用薬）	ワルファリンカリウム，フェニトイン使用症例	抗真菌薬フルシトシン使用症例

＊：原則として1レベル減量（30～40未満は2レベル減量が望ましい）。

効　果[1]

		Stage Ⅲ
S-1＋DTX	3年無再発生存率	66％
S-1単剤	3年無再発生存率	50％

※胃癌取扱い規約（第14版）によるStage分類を使用。

adj S-1 + DTX

有害事象マニュアル

有害事象の発現率と発現時期[1]

有害事象	発現率（%）		発現時期*
	all Grade	Grade 3/4	
✓ 食欲不振	63	14.1	投与2日目〜1週目
✓ 悪 心	39	4.1	投与2日目〜1週目
✓ 嘔 吐	13	1.2	投与2日目〜1週目
✓ 下 痢	50	1.2	投与5日目以降
口腔粘膜炎	40	4.4	投与2週目〜3週目
倦怠感	34	1.5	投与3日目〜1週目
AST上昇	20	1.5	
ALT上昇	14	1.5	
ビリルビン上昇	21	0.6	
クレアチニン上昇	3	0	
発熱性好中球減少症		4.7	投与5日目〜2週目
白血球減少	57	22.6	投与5日目〜2週目
✓ 好中球減少	59	38.1	投与5日目〜2週目
貧 血	44	4.4	投与5日目〜2週目
血小板数減少	22	0.2	投与3日目〜2週目

☑：「有害事象マネジメントのポイント」参照。

＊：発現時期についてはS-1＋DTX療法施行時

減量早見表

減量レベル	S-1			DTX
通常投与量	120mg/日	100mg/日	80mg/日	40mg/m^2
−1	100mg/日	80mg/日	60mg/日（朝40mg，夕20mg）	35mg/m^2
−2	80mg/日	60mg/日（朝40mg，夕20mg）	50mg/日	30mg/m^2

有害事象マネジメントのポイント

✓ 好中球数減少

治療開始前のマネジメント

- 好中球数減少の発症初期は自覚症状が乏しいため，定期的な血液検査が必要であることを患者に説明する。

- 特に，好中球数減少と粘膜障害が重複すると重篤な感染症から致死的となりうるため注意が必要である。

有害事象発生時のマネジメント

- コース内にGrade 3以上の好中球数減少を認めた場合はS-1を休薬する。
- コース内にGrade 4の好中球減少またはGrade 3以上の発熱性好中球減少症を認めた場合，次コース開始時にはS-1およびDTXは1レベル減量を行い再開する。

✓ 爪障害

- DTXの蓄積毒性により爪障害を起こすことがある。爪色変化や爪下の炎症を起こし，進行すると爪甲剥離をきたすこともある。

治療開始前のマネジメント

- 保湿剤ヘパリン類似物質（ヒルドイド®）を爪全体にも1日2回を目安に予防的に塗布する。
- 薄い綿の手袋や靴下で爪を保護する。

有害事象発生時のマネジメント

- 爪障害により爪の菲薄化がみられる場合には，トップコート，水絆創膏を用いて爪の補強を行う。
- 爪甲剥離がみられた場合は，感染症を起こしやすいため，清潔に保ち，皮膚科と連携して診療を行う。
- Grade 2以上の爪障害を認めた場合でも，感染がなければ，上記のケア，皮膚科と連携の上，DTXの継続は可能である。

✓ 筋肉痛

- DTX投与開始後，2〜3日から1週間以内に出現し，症状出現から1週間程度で改善する。

有害事象発生時のマネジメント

- 軽いマッサージや入浴などで血行を良くすると痛みが和らぐ。しかし，腫脹や熱感がある場合（急性期）は冷却する。
- 疼痛が強い時には，鎮痛薬を使用する。

✓ 悪心・嘔吐，食欲不振

- 「S-1」参照（☞ p250）。

✓ 下 痢

治療開始前のマネジメント

有害事象発生時のマネジメント

- 「S-1」参照（☞ p251）。

減量・再開のポイント

- 8コース目以降のS-1単剤療法期間中，4週投与2週休薬のスケジュールをキープすることを基本としているが，有害事象の発現パターンでマネジメントを工夫する。コース前半（2週以内が目安）にGrade 3以上の有害事象が出現する場合は1レベル減量する。コース後半（3週以降が目安）に出現する場合は，2週投与1週休薬への治療スケジュール変更を検討する。

症例　63歳女性，胃癌術後

　身長158cm，体重45kg，BSA 1.42m^2。ECOG PS 0。貧血にて発見された前庭部を主座とする40mm大の進行胃癌に対して幽門側胃切除＋D2郭清が施行された。最終病理診断はT3（SS）N2M0，pStage ⅢAであった。術後6週目より，術後補助化学療法としてS-1 100mg/日を開始，2コース目よりS-1 100mg/日＋DTX 40mg/m^{2}を開始した。3コース目頃より脱毛（Grade 1）を認めるようになった。4コース目の7日目に好中球数減少（Grade 4），発熱性好中球減少症（Grade 3），疲労（Grade 3）が出現したため，S-1を休薬。入院の上，CFPM，G-CSFを投与し，回復を得た。5コース目からは1レベル減量（S-1 80mg/日，DTX 35mg/m^2）して再開した。下痢（Grade 1），食欲不振（Grade 1）を認めるも，忍容性を保ち継続可能であった。8コース目以降はS-1 80mg/日を4週投与2週休薬で開始したが，S-1内服25日目に食欲不振（Grade 3）を認めたため休薬とした。あらかじめ食欲不振が増強した時点で休薬するように指導した上で，9コース目以降は2週投与1週休薬にて継続した。食欲不振は出現せず，投与を完遂できた。術後3年2カ月を経過した時点では，再発を認めていない。

文献

1)　Yoshida K, et al:Addition of Docetaxel to Oral Fluoropyrimidine Improves Efficacy in Patients With Stage Ⅲ Gastric Cancer: Interim Analysis of JACCRO GC-07, a Randomized Controlled Trial. J Clin Oncol. 2019;37:1296-304.

（大嶋琴絵，川上武志）

mFOLFIRINOX（膵）

投与スケジュール

L-OHP 85mg/m², 2時間	↓				
l-LV 200mg/m², 2時間	↓				
CPT-11 180mg/m², 1.5時間	↓				
5-FU 400mg/m², 急速静注5分	↓				
5-FU 2,400mg/m², 24時間持続静注46時間	▬▬				
	1	2	3	… 14	（日）

上記2週を1コースとする。

投与例

投与日	投与順	投与量	投与方法
1	1	デキサメタゾンリン酸エステルナトリウム（デキサート®）2.0mL（6.6mg）＋パロノセトロン塩酸塩（アロキシ®）0.75mg＋生食 50mL	点滴末梢本管（15分）
	2	オキサリプラチン[L-OHP]（エルプラット®）85mg/m² ＋5％ブドウ糖液 250mL	点滴末梢本管（2時間）
	3-1	レボホリナートカルシウム[l-LV]（アイソボリン®）200mg/m² ＋5％ブドウ糖液 250mL	点滴末梢本管（2時間）
	3-2（3-1開始30分後）	イリノテカン塩酸塩水和物[CPT-11]（トポテシン®）180mg/m² ＋5％ブドウ糖液 250mL	点滴末梢側管（1.5時間）
	4	フルオロウラシル[5-FU]（5-FU®）400mg/m² ＋5％ブドウ糖液 50mL	点滴末梢本管（5分）
1〜3	1	5-FU 2,400mg/m² ＋注射用蒸留水：総量230mLになるよう調製	点滴末梢本管（46時間）

適応・治療開始基準

■ 組織学的に腺癌と確定診断されている切除不能膵癌。

■ ECOG PS 0〜1

■ 年齢 65 歳未満。

■ 排便がコントロールされている（下痢・便秘症状がない）。

■ 腹水・胸水がない。

■ 主要臓器機能が保たれている（以下が目安）。

> • 白血球数 ≦ $10.0 \times 10^4/\mu$L
>
> • 好中球数 ≧ $2,000/\mu$L
>
> • 血小板数 ≧ 10 万 $/\mu$L
>
> • ヘモグロビン ≧ 9.0g/dL
>
> • 総ビリルビン ≦ 施設基準値上限（ULN）以下
>
> • AST，ALT ≦ 100U/L

■ *UGT1A1* の 2 つの遺伝子多型（*UGT1A1*6，UGT1A1*28*）について，ホモ接合体（*UGT1A1 *6／*6，UGT1A1*28／*28*），ダブルヘテロ接合体（*UGT1A1*6／*28*）のいずれも持たない。

慎重投与・禁忌

	慎重投与	禁　忌
ECOG PS		2以上
年　齢	65歳以上	
好中球数（/μL）	1,500以上〜2,000未満	1,500未満
血小板数（/μL）	7.5万以上〜10万未満	7.5万未満
総ビリルビン	ULN超〜ULN×1.5以下	ULN×1.5超
肝障害	胆道閉塞疑い例 胆道ドレナージ施行例	黄疸を有する場合
消化管通過障害	疑い例 既往あり	腸閉塞例 明らかな通過障害がある場合
下　痢	日常生活に支障のない下痢	十分な支持療法下でも日常生活に支障のある下痢
腹　水	少量の腹水	中等量以上の腹水
感　染	感染疑い例	治療を必要とする活動性感染を有する場合
UGT1A1	ホモ（*UGT1A1*6／*6，*28／*28*），またはダブルヘテロ接合体（**6／*28*）のいずれかを持つ	

2コース目以降の投与基準

	2コース目以降の投与基準
ECOG PS	0～1
好中球数（/μL）	1,500以上
血小板数（/μL）	7.5万以上
総ビリルビン	ULN×1.5以下
消化管通過障害	腸閉塞，腸管麻痺を認めない
下　痢	なし，または日常生活に支障のない下痢
腹　水	なし，または少量のみ
感　染	なし
末梢神経障害	Grade 2以下

効　果

	切除不能膵癌に対する初回治療例	
	海外第Ⅱ／Ⅲ相試験[1]	国内第Ⅱ相試験[2]
RR	31.6％	38.9％
PFS	6.4カ月	5.6カ月
OS	11.1カ月	10.7カ月

mFOLFIRINOX（膵）
有害事象マニュアル

有害事象の発現率と発現時期

有害事象	発現率（%） all Grade[1,2]	発現率（%） Grade 3[1,2]	発現時期
✓ 好中球数減少	79.9〜94.4	45.7〜77.8	投与7〜15日後
✓ 発熱性好中球減少症	5.4〜22.2	5.4〜22.2	投与10〜14日後
□ 血小板数減少	75.2〜88.9	9.1〜11.1	投与7〜15日後
□ 貧血	86.1〜90.4	7.8〜11.1	投与7〜15日後
□ 食欲不振	48.8〜86.1	4.8〜11.1	投与当日〜7日後
✓ 下痢	73.3〜86.1	8.3〜12.7	投与当日〜7日後
✓ 悪心	79.5〜88.9	8.3〜12.0	投与当日〜7日後
✓ 嘔吐	33.3〜61.4	0〜14.5	投与当日〜7日後
□ 疲労	41.7〜87.3	0〜23.6	投与当日〜7日後
□ 末梢神経障害	70.5〜75.0	5.6〜9.0	冷感過敏：投与当日〜2日後 しびれ：蓄積性

☑：「有害事象マネジメントのポイント」（☞p311）参照。

減量早見表

減量レベル	CPT-11	L-OHP	5-FU（急速静注）	5-FU（持続静注）
初回投与量	180mg/m²	85mg/m²	400mg/m²	2,400mg/m²
−1	150mg/m²	65mg/m²	中止	1,800mg/m²
−2	120mg/m²	50mg/m²		1,200mg/m²

- FOLFIRINOX原法を用いた国内試験では，その強い毒性により，多くの患者で2コース目以降の減量や投与延期を必要としていた。毒性の軽減とコンスタントな治療維持のために，最初から5-FUの急速静注を省略したり，CPT-11を減量して投与するレジメン（modified FOLFIRINOX：mFOLFIRINOX）を用いることも多い。しかし，不必要な減量は抗腫瘍効果の低下をまねく可能性もあることから，発現した毒性の程度により，以降の投与量の再増量や調整を行うようにしている。
- UGT1A1の遺伝子多型について，ホモ（UGT1A1*6/*6，UGT1A1*28/*28），またはダブルヘテロ接合体（UGT1A1*6/*28）のいずれかを持つ患者に対する適切な投与量や安全性は確認されていない。
- 治療開始初期は副作用が強く出現する恐れがあるため，1コース目は原則入院管理としている。

有害事象マネジメントのポイント

✓ 好中球数減少・発熱性好中球減少症

治療開始前のマネジメント

- 好中球数減少を伴う感染は対応が遅れると致命的になることを十分に患者に説明する。38℃以上の悪寒・戦慄を伴うような急な発熱がみられた時には必ず病院へ連絡するように指導しておく。

注意! 👉
- NSAIDsなどの解熱鎮痛薬を使用していると，発熱などの症状が乏しくなり，対応が遅れる原因となるため注意を要する。疼痛コントロールにはオピオイドを主体的に用いることにより，解熱鎮痛薬の定期的使用は避けることが望ましい。

- 国内臨床試験では，発熱性好中球減少症はすべて1コース目に発現しており[2]，Grade 3以上の好中球数減少も1コース目で発現した症例が最も多いため，少なくとも1コース目は入院管理とするのが望ましい。

- 膵頭部癌では胆道閉塞や胆道ドレナージ不良に伴う胆管炎に注意が必要である。特に好中球数減少は感染の重篤化をまねく可能性があり，治療開始前に良好な胆汁排泄状態が確保されていることが望ましい。

有害事象発生時のマネジメント

- 好中球数減少（Grade 3以上）は，薬剤の投与を延期する。Grade 2の場合も基本的には投与延期とするが，前コースまでの経過や単球数の推移からnadirの時期を推定し，安全に治療可能と判断される場合は投与を行っている。

- 発熱性好中球減少症は，入院にてG-CSF製剤および静注抗菌薬の投与を行う。好中球数1,000/μL未満で38℃以上の発熱が出現するか，好中球数500/μL未満が確認された時点からG-CSF投与を考慮する。全身状態が良好な低リスク群（MASCCスコア21点以上）に対しては，経口抗菌薬〔レボフロキサシン水和物（クラビット®）など〕による外来治療も選択肢のひとつとなるが，患者に対する十分な教育や理解，近隣病院のサポート体制などを考慮して対応する必要がある。

減量・再開のポイント

- 前コースの投与後に，「Grade 4の好中球数減少」，「発熱性好中球減少症」，「好中球数減少により投与延期を必要とした場合」，のいずれかが発現した場合を減量の対象とする。

- 減量は，5-FUの急速静注を中止し，CPT-11とL-OHPのいずれか一方を減量する。CPT-11を優先的に減量し，CPT-11の投与レベルがL-OHPの投与レベルより低い場合には，L-OHPを減量する。

✓ 悪心・嘔吐

治療開始前のマネジメント

- 初回治療開始前にあらかじめ制吐薬としてオンダンセトロン塩酸塩水和物（ゾフラン®）ザイディスなどを患者に渡しておく。

有害事象発生時のマネジメント

- 高度催吐性リスクに準じた制吐薬を使用する。投与例（☞ p307）の投与順 **1** の前投薬に加え，1〜3日目（1日目は投与直前に内服）にアプレピタント（イメンド®）を，2〜4日目にデキサメタゾンリン酸エステルナトリウム（4〜8mg／日）を追加する。膵癌患者では糖尿病合併が多いため高血糖に注意が必要である。
- 遅発性悪心・嘔吐が続く場合はドパミン受容体拮抗薬〔メトクロプラミド（プリンペラン®）5mg，ドンペリドン（ナウゼリン®）10mg，プロクロルペラジン（ノバミン®）5mg〕や5-HT$_3$受容体拮抗制吐薬（オンダンセトロン塩酸塩水和物）などを定時（投与後1週間のみ定時内服など）もしくは頓用で使用する。改善が乏しい場合は5日目までのアプレピタントの内服追加およびデキサメタゾンリン酸エステルナトリウムの投与延長を考慮する。
- 治療前から嘔気がするなどの予期性嘔吐の場合は，ベンゾジアゼピン系抗不安薬〔アルプラゾラム（アルプラゾラム®）〕などを治療開始前に内服させるのも有効である。

減量・再開のポイント

- 高度催吐性リスクに準じた制吐薬を使用しても持続する悪心・嘔吐（Grade 3以上）が出現した場合は，CPT-11もしくはL-OHPを減量する。遅発性の場合には，これに加えて急速静注の5-FUや持続静注の5-FUの減量も考慮する。

✓ 下痢・腹痛

治療開始前のマネジメント

- 事前にCPT-11による下痢や腸蠕動亢進による腹痛が起こる可能性を患者に十分説明しておく。

有害事象発生時のマネジメント

- CPT-11の投与中または投与直後に発現する腹痛や下痢はコリン作動性と考えられ，多くは一過性である。アトロピン硫酸塩水和物（硫酸アトロピン®）などの抗コリン薬により症状は緩和されるが，投与に際しては心疾患，緑内障，前立腺肥大症など

の合併症がないことを必ず確認する。コリン作動性の副作用が発現した場合は，次コースから前投薬としてアトロピン硫酸塩水和物（アトロピン注®）またはブチルスコポラミン臭化物（ブスコパン®）0.5〜1Aを予防的に用いる。

- CPT-11の投与後24時間以降に発現する遅発性の下痢は，CPT-11の活性代謝産物であるSN-38の腸管粘膜傷害によると考えられている。ロペラミド塩酸塩（ロペミン®）1〜2mgを症状が改善するまで頓用にて投与する。

- CPT-11による腸管粘膜傷害と好中球数減少による易感染状態が併発すると，感染性腸炎を発症し重篤化する可能性がある。適切な補液とともに抗菌薬やG-CSF製剤の投与など，感染対策を実施する。

減量・再開のポイント

- 下痢（Grade 3）が出現した場合は，次コースよりCPT-11の減量や5-FUの持続静注の減量を考慮する。ただし，有害事象が下痢のみでロペラミド塩酸塩の増量や使い方で改善が見込まれる場合は，回復の速さ・年齢・全身状態などから総合的に判断し，減量しないことも選択肢のひとつとなる。

- 下痢（Grade 4）が出現した場合は，次コースより必ずCPT-11を減量，または中止する。

- 38℃以上の発熱を伴う下痢（感染性腸炎）を発現した場合は，5-FUの急速静注を中止し，CPT-11とL-OHPのいずれか一方を減量する。CPT-11を優先的に減量し，CPT-11の投与レベルがL-OHPの投与レベルより低い場合には，L-OHPを減量する。

症例 54歳男性，膵頭部癌，肝転移

　身長157cm，体重43kg，ECOG PS 0。黄疸を契機に発症した膵頭部癌，肝転移の症例に対して，胆道ドレナージ（プラスチックステント留置）を施行後，一次治療として5-FUの急速静注を省略し，CPT-11を1レベル減量（150mg/m^2）したmFOLFIRINOX療法を開始した。制吐薬として1〜3日目にイメンド®，2〜4日目にデカドロン®16mg/分2（朝・昼食後）を内服した。1コース2日目の夜から発現した悪心（Grade 1）と食欲低下（Grade 1）は6日目に改善し，15日目の好中球数は1,720/μLであった。1コース目は十分忍容可能であったと判断したため，2コース目は5-FUの急速静注を追加し，CPT-11を180mg/m^{2}に増量して投与した。15日目で好中球数1,370/μL（Grade 2）であったため3コース目開始を延期し，22日目に好中球数が2,200/μLに回復したところで3コース目を投与した。1〜2コース目の副作用の状況から，3コース目は5-FUの急速静注を再度省略し，CPT-11は180mg/m^{2}のまま投与した。3コース8日目に悪寒を伴う発熱が出現したため緊急受診となり，肝胆道系酵素上昇と胆管拡張を認めたことからステント閉塞による胆管炎と診断した。同日，緊急内視鏡を施行しプラスチックステントを金属ステントへ交換するとともに，抗菌薬投与を行ったところ，速やかに改善して退院となった。その後，3コース目と同じ投与量にて治療を継続することができ，PRを維持している。

文 献

1) Conroy T, et al:FOLFIRINOX versus gemcitabine for metastatic pancreatic cancer. N Engl J Med. 2011;364:1817-25.

2) Okusaka T, et al:Phase II study of FOLFIRINOX for chemotherapy-naïve Japanese patients with metastatic pancreatic cancer. Cancer Sci. 2014;105:1321-6.

（山﨑健太郎）

Ⅳ 胆・膵癌

nal-IRI + 5-FU／LV（膵）

投与スケジュール

nal-IRI 70mg/m², 1.5時間	↓		
ℓ-LV 200mg/m², 2時間	↓		
5-FU 2,400mg/m², 24時間持続静注46時間	▬▬▬		

1	2	3	（日）

上記2週を1コースとする。

投与例

投与日	投与順	投与量	投与方法
1	1	レボホリナートカルシウム［ℓ-LV］（アイソボリン®）200mg/m² ＋ 5％ブドウ糖液 250mL	CVポート（2時間）
	2	パロノセトロン塩酸塩（アロキシ®）0.75mg/50mL ＋ デキサメタゾンリン酸エステルナトリウム（デキサート®）3mL	CVポート（15分）
	3	ナノリポソーム型イリノテカン水和物［nal-IRI］（オニバイド®）70mg/m² ＋ 5％ブドウ糖液 500mL	CVポート（1.5時間）
	4	生食 50mL	CVポート（5分）
	5	フルオロウラシル［5-FU］（5-FU®）2,400mg/m² ＋ 生食 140mL	CVポート（46時間）

適応・治療開始基準

- GEM を含む化学療法後に増悪した治癒切除不能な膵癌。
- 全身状態および主要臓器機能が保たれている（以下が目安）。

  - ECOG PS 0〜1
  - 好中球数≧1,500/μL
  - 血小板数≧10.0×10⁴/μL（血小板数≧$10.0 \times 10^4/\mu$L）
  - 総ビリルビン基準値内
  - AST，ALT 基準値上限の2.5倍以下であること（ただし肝転移がある場合は5倍以下）
  - クレアチニンクリアランス（CCr）＞30mL/分

慎重投与・禁忌

	慎重投与	禁忌
既往歴		間質性肺炎または肺線維症の既往または合併症がある
アレルギー		本剤の成分に対し過敏症の既往歴を有する
骨髄		骨髄抑制のある患者
腎機能障害	CCr ≦ 30mL/分	
肝機能障害	血清総ビリルビン値が基準範囲上限値を超える AST値およびALT値が基準範囲上限値の2.5倍を超える(肝転移がある場合は基準範囲上限値の5倍を超える)	黄疸のある患者
UGT1A1	*6, *28のホモ接合体または複合ヘテロ接合体	
妊娠	挙児希望・妊婦	
感染症		感染症を有する
併用薬		アタザナビル硫酸塩を投与中
その他		重度の下痢, 腸管麻痺/腸閉塞, 多量の腹水/胸水

効果

	GEM治療歴のある再発/遠隔転移を有する膵癌[1]
RR	16.2%
PFS	3.1カ月
OS	6.1カ月

nal-IRI＋5-FU／LV（膵）

有害事象マニュアル

有害事象の発現率と発現時期

有害事象	発現率（%）		発現時期
	all Grade	Grade 3／4	
✓ 白血球減少	63.0	19.6	中央値16日
✓ 好中球数減少	71.7	43.5	
✓ 血小板数減少	8.7	0	
✓ 貧　血	19.6	4.3	
悪　心	78.3	2.2	
食欲不振	60.9	0	
✓ 下　痢	56.5	17.4	早発型：中央値9日（1～61日） 遅発型：中央値19日（3～180日）
倦怠感	26.1	0	
便　秘	17.4	2.2	
発　熱	19.6	0	
嘔　吐	23.9	0	
疲　労	23.9	2.2	
味覚異常	21.7	0	
口腔粘膜炎	17.4	0	

☑：「有害事象マネジメントのポイント」（☞ p318）参照。

減量基準

有害事象	程　度	減量方法
好中球数減少	Grade 3以上または発熱性好中球減少	nal-IRIおよび5-FU／ℓ-LVを1レベル減量する
白血球減少	Grade 3以上	
血小板減少		
下　痢		
悪心／嘔吐	Grade 3以上	nal-IRIを1レベル減量する
その他	Grade 3以上	nal-IRIおよび5-FU／ℓ-LVを1レベル減量する

減量早見表

減量レベル	nal-IRI		ℓ-LV	5-FU
初回投与量	$70mg／m^2$	$50mg／m^2$	$200mg／m^2$	$2,400mg／m^2$
−1	$50mg／m^2$	$43mg／m^2$		$1,800mg／m^2$
−2	$43mg／m^2$	$35mg／m^2$		$1,350mg／m^2$

※ UGT1A1*6とUGT1A1*28のいずれかをホモ接合体として持つ場合（*6/*6あるいは*28/*28），または複合ヘテロ接合体として持つ場合（*6/*28），nal-IRIの開始用量は$50mg／m^2$とする。忍容性が良好な場合は，2コース目以降の投与を$70mg／m^2$とする。

有害事象マネジメントのポイント

二次治療以降の膵癌患者では，PS低下，低栄養，体重減少などを伴っていることが多い。本レジメンは2剤併用療法であり，単剤療法と比較し重篤な有害事象の頻度が高いため，慎重な経過観察，適切な減量，休薬が必要である。

✓ 骨髄抑制

治療開始前のマネジメント

- 骨髄抑制の頻度が高いので，感染予防や起こりうる症状について説明し，徴候がみられた時は連絡するように指導する。

有害事象発生時のマネジメント

- Grade 3以上の骨髄抑制を認めた場合は休薬し，薬剤の減量または投与スケジュール変更などを検討する。
- Grade 4またはGrade 4に移行するような好中球数減少を認めるが発熱がない場合は，必要に応じてG-CSF製剤を投与し，2〜3日後に再検査を行い経過観察する。
- 予防的抗菌薬の投与も検討する。発熱性好中球減少症を認めた場合は，原則として入院対応とし感染症の評価を行ったのち，G-CSF，抗菌薬を投与する。ステントが留置されている患者では胆道系感染に留意する。

✓ 下 痢

治療開始前のマネジメント

- nal-IRIによる重度の下痢の機序として，コリン作動性の「早発型」とSN-38による「遅発型」の下痢がある。同一患者において両方とも発現することもある。nal-IRI開始後は，排泄パターンや便の性状に十分な注意を要するように指導し報告してもらうようにする。

有害事象発生時のマネジメント

- 軽度の下痢（軟便程度）：経過観察あるいはロペラミド塩酸塩やブチルスコポラミン臭化物などの止瀉薬を用いる。軽度であってもnal-IRIの継続投与により重度化する場合がある。
- Grade 3（CTCAE v5.0）以上の下痢：投与を中止し，必要に応じて適切な補液により，循環動態の安定と電解質異常の補正を行う。重度の下痢に引き続き麻痺性イレウスを起こすことがあるので，ロペラミドの漫然とした投与は行わない。次回からnal-IRIと5-FUを1レベル減量する。

✓ 腸炎・腸閉塞・消化管出血

治療開始前のマネジメント

- SN-38により腸管粘膜が傷害されて発現する下痢（遅発型下痢）と，同時期に重篤な白血球・好中球減少等が併発することで感染性腸炎が発現する可能性がある。
- 重篤な下痢や腸炎に引き続き腸閉塞が発現することがある。
- nal-IRIによる重篤な下痢，血小板減少で消化管出血が発現することがある。
- 消化器症状が現れた場合は，常に上記の鑑別を行う。

有害事象発生時のマネジメント

- 重度の下痢に重篤な白血球・好中球減少を伴った場合には，速やかに投与を中止し，G-CSFや抗菌薬投与を開始する。
- 消化管出血があった場合には，内視鏡検査を検討する。

症例 75歳男性，切除不能膵頭部癌

　身長161cm，体重71kg，ECOG PS 0。糖尿病増悪を契機に切除不能膵頭部癌 cT3N1M0 Stage ⅡB（UICC 8th）と診断され，初回化学療法としてGEM＋nab-PTXが開始された。9コース施行したところで，物の見えづらさ，左目違和感を訴えられ，眼科に診察を依頼したところ左角膜炎との診断に至り，次からGEM単剤投与とした。他に明らかな治療関連有害事象はみられなかった。GEM単剤を7コース投与したところでCT検査にてPDとなった。初回化学療法の間に各種遺伝子検査を施行しており，*MSI*変異は陰性，*UGT1A1*は28ヘテロ型であった。次の治療としてnal-IRI＋5FU/LVを開始した。現在までに27コース施行しているがCTにてSDを維持しており，有害事象はGrade 1の疲労のみである。

文　献

1) Andrea W, et al:Nanoliposomal irinotecan with fluorouracil and folinic acid in metastatic pancreatic cancer after previous gemcitabine-based therapy (NAPOLI-1): a global, randomised, open-label, phase 3 trial. Lancet. 2016;387(10018):545-57.
2) オニバイド®適正使用・安全性情報.
3) オニバイド®添付文書.

（森町将司，戸髙明子）

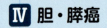

GEM + nab-PTX（膵）

投与スケジュール

nab-PTX 125mg/m², 30分	↓	↓	↓		
GEM 1,000mg/m², 30分	↓	↓	↓		
	1	…	8	…	15	…	28 （日）

上記を1コースとし繰り返す。

投与例

投与日	投与順	投与量	投与方法
1 8 15	1	デキサメタゾンリン酸エステルナトリウム（デキサート®）2.0mL（6.6mg）＋ パロノセトロン塩酸塩（アロキシ®）0.75mg ＋ 生食 50mL	点滴末梢本管（15分）
	2	アルブミン懸濁型パクリタキセル［nab-PTX］（アブラキサン®）125mg/m² ＋ 生食 100mL（1 vial 当たり 20mL で溶解）	点滴末梢本管（30分）
	3	生食 50mL	点滴末梢本管（5分）
	4	ゲムシタビン塩酸塩［GEM］（ジェムザール®）1,000mg/m² ＋ ソルデム® 3A 輸液 200mL	点滴末梢本管（30分）
	5	生食 50mL	点滴末梢本管（5分）

適応・治療開始基準 [1]

■ 治癒切除不能な膵癌。

■ 主要臓器機能が保たれている（以下が目安）。

- 白血球数 ≦ 1万2,000/μL
- 好中球数 ≧ 1,500/μL
- 血小板数 ≧ 10.0 × 10^4/μL
- ヘモグロビン ≧ 9.0g/dL
- 総ビリルビン ≦ ULN × 1.25
- AST, ALT ≦ ULN × 2.5
- クレアチニン ≦ 1.5mg/dL
- 心電図：臨床上問題となる異常所見なし
- ECOG PS：0 ～ 1
- 末梢神経障害 ≦ Grade 1

慎重投与・禁忌

	慎重投与	禁忌
年齢	75歳以上	
骨髄	骨髄抑制を有する	重篤な骨髄抑制を有する
感染症	感染の疑いがある	感染症を合併している
アレルギー		本剤またはPTXやアルブミンにアレルギーがある
妊娠		妊娠または妊娠の可能性がある
肝・腎障害	肝障害・腎障害（副作用が強く出る可能性がある）	
肺疾患	間質性肺炎または肺線維症を有する	

効果 [2, 3]

	切除不能進行・再発膵癌に対する初回治療例
RR	23～44.1%
PFS	5.5～5.6カ月
OS	8.5カ月

GEM + nab-PTX（膵）
有害事象マニュアル

有害事象の発現率と発現時期 [1]

有害事象	発現率（%）[2,3]		発現時期
	all Grade	Grade 3/4	
✓ 好中球数減少	85.3	67.6	投与5～39日後
□ 白血球減少	82.4	52.9	投与5～39日後
□ 貧　血	61.8	14.7	投与5～76日後
✓ 血小板数減少	88.2	5.9	投与1～16日後
✓ 末梢性感覚ニューロパチー	73.5	5.9	43日（平均）
□ 下　痢	32.4	5.9	投与3日後～
□ 食欲不振	55.9	2.9	各投与1日～7日
□ 悪　心	44.1	2.9	各投与1日～7日
□ 倦怠感	35.3		各投与1日～7日
□ 脱毛症	88.2		1～2コース

☑：「有害事象マネジメントのポイント」（☞p324）参照。

コース内（8, 15日目）投与の目安 [1]

■以下のすべてを満たすこと。

項　目	基　準
好中球数	≧1,000/μL
血小板数	≧5.0×10^4/μL
発熱性好中球減少症	認めない
口腔粘膜炎，下痢	≦Grade 2または前コースで
末梢神経障害	Grade 3が発現した場合： ≦Grade 1に回復後

減量の目安 [1]

項　目	減量基準	次回投与時
好中球数	＜500/μLが7日以上継続	1レベル減量
血小板数	＜5.0×10^4/μL	1レベル減量
発熱性好中球減少症	発　現	1レベル減量
末梢神経障害	≧Grade 3	nab-PTXのみ1レベル減量
皮　疹	Grade 2/3	1レベル減量
口腔粘膜炎，下痢	≧Grade 3	1レベル減量

コース内投与量調整（8, 15日目）の目安[1]

●8日目

投与前血液検査		投与量調整
①	好中球数＞1,000/μL かつ 血小板数≧7.5×10⁴/μL	投与量変更なし
②	好中球数＞1,000/μL かつ 血小板数≧5.0×10⁴/μL，＜7.5×10⁴/μL	1レベル減量して投与
③	好中球数≧500/μL，≦1,000/μL または 血小板数＜5.0×10⁴/μL	投与スキップ
④	好中球数＜500/μL または 血小板数＜5.0×10⁴/μL	

●15日目

投与前血液検査	8日目の血液検査の結果	投与量調整
好中球数＞1,000/μL かつ 血小板数≧7.5×10⁴/μL	①投与量変更なし	投与量変更なし
	②1レベル減量して投与	調整前投与量に戻して投与可
	③投与スキップ	投与量変更なし
	④投与スキップ	1レベル減量して投与
好中球数＞1,000/μL かつ 血小板数≧5.0×10⁴/μL，＜7.5×10⁴/μL	①投与量変更なし	投与量変更なし
	②1レベル減量して投与	8日目の投与量を維持して投与
	③④投与スキップ	1レベル減量して投与
好中球数≦1,000/μL または 血小板数＜5.0×10⁴/μL	①～④の場合	投与スキップ

次コース開始（1日目）の目安[1]

■以下のすべてを満たすこと。

項　目	基　準
好中球数	≧1,500/μL
血小板数	≧10×10⁴/μL
AST，ALT	≦ULN×2.5倍
発熱性好中球減少症	認めない
口腔粘膜炎，下痢	≦Grade 2または前コースで ≧Grade 3が発現した場合は ≦Grade 1に回復後
末梢神経障害	

減量早見表

減量レベル	nab-PTX	GEM
初回投与量	125mg/m²	1,000mg/m²
−1	100mg/m²	800mg/m²
−2	75mg/m²	600mg/m²

有害事象マネジメントのポイント

✓ 骨髄抑制・発熱性好中球減少症

治療開始前のマネジメント

- 骨髄抑制の頻度が高いので，感染予防や起こりうる症状について説明し，徴候がみられた時は連絡するように指導する。

有害事象発生時のマネジメント

- Grade 3以上の好中球数減少または血小板数減少を認めた場合は，薬剤の減量または休薬を検討する。
- Grade 4またはGrade 4に移行するような好中球数減少を認めるが発熱がない場合は，必要に応じてG-CSF製剤を投与し2～3日後に再検査を行い経過観察する。感染のリスクが高い症例では予防的抗菌薬の投与も検討する。発熱性好中球減少症を認めた場合は，原則として入院対応とし感染症の評価を行ったのち，G-CSF，抗菌薬を投与する。好中球数1,000/μL未満で38℃以上の発熱が出現するか，好中球数500/μL未満が確認された時点からG-CSF投与を考慮する。ステントが留置されている患者では胆道系感染を併発している可能性があるので注意する。

減量・再開のポイント

- 前回投与後に「減量の目安」に該当する有害事象を認めた場合は，「コース内投与（8,15日目）の目安」，または「次コース開始（1日目）の目安」に回復していることを確認し，「減量の目安」を参考に投与量を減量する。

✓ 末梢性感覚ニューロパチー

治療開始前のマネジメント

- ほかのPTX製剤よりPTXの投与量が多く，分布特性が異なるため，症状の程度および頻度が高くなることに留意する。
- 症状は四肢遠位（手指や足）のしびれ感，痛み，焼けるような異常感覚を感じることで始まることが多い。増強すると全感覚に及ぶ感覚障害，腱反射消失，感覚性運動失調（歩行障害）などを起こす。開始前に，どのような症状が出現するか，また我慢しすぎないように患者に説明する。

有害事象発生時のマネジメント

- 対症療法を行いつつ，減量も考慮する。Grade 3以上の末梢神経障害を認めた場合

は軽快または回復（Grade 1以下）するまで投与を延期する。またGrade 2において
も nab-PTX のみ減量を考慮する。

■ 対症療法として，プレガバリン（リリカ®），鎮痛薬（アセトアミノフェン，NSAIDs），
メコバラミン（メチコバール®），温湿布，ビタミンB群製剤を用いることもある。

減量・再開のポイント

■「減量の目安」に該当する末梢神経障害を認めた場合は，再開基準に回復するまで投
与を延期し，「減量の目安」を参考に減量する。

✓ その他

■ その他，頻度は低いが，重篤な合併症として以下のものが挙げられる。

• 脳神経麻痺：顔面神経麻痺や声帯麻痺が報告されている。

• 間質性肺炎：発熱や咳嗽，息切れなど間質性肺炎が疑われる症状を認めた場合は
中止する。
診察時に必ず SpO_2 値を測定する。

• 黄斑浮腫：治療が遅れると視力回復が困難となる可能性がある。視力低下や霧視，
変視などの症状出現に注意する。

症例 70歳女性，転移性膵癌に対するGEM＋nab-PTX療法

心窩部痛を主訴に受診し，膵尾部癌，肝転移，腹膜播種と診断された。ゲムシタビン®
＋アブラキサン®療法を開始し，悪心（Grade 1），疲労（Grade 1）が投与後3日間持続し
たためデカドロン®4mgを2，3日目に追加したところ症状は改善した。また体幹に斑状
球状皮疹（Grade 1）を認めたが自然軽快している。2コース後，CTにて原発巣，転移巣
は軽度縮小を認めるのみであったが，腫瘍マーカーは6,386U/mLから284U/mLに低下し
PSも改善したため治療効果ありと判断し継続した。3コース目に末梢神経障害（Grade 1）
を認めアブラキサン®を1レベル減量しリリカ®を開始，現在5コース目の治療中である。

文献

1) アブラキサン®適正使用ガイド. 膵癌.

2) Von Hoff DD, et al:Increased survival in pancreatic cancer with nab-paclitaxel plus gemcitabine. N Engl J Med. 2013;369:1691-703.

3) Kasuga A, et al:Efficacy, Safety and Pharmacokinetics of Weekly nab-Paclitaxel Plus Gemcitabine in Japanese Patients with Metastatic Pancreatic Cancer(MPC):Phase I／II Trial. 2014 APA／JPS meeting.

（戸髙明子）

Ⅳ 胆・膵癌

GEM + CDDP（胆）

投与スケジュール

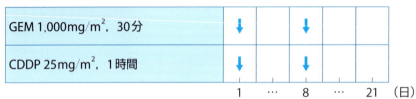

上記を1コースとし繰り返す。

投与例

投与日	投与順	投与量	投与方法
1 8	1	生食500mL ＋ ソルデム®3A輸液 500mL ＋ 硫酸Mg補正液20mEq/20mL	点滴末梢本管（3時間）
	2	デキサメタゾンリン酸エステルナトリウム（デキサート®）注 6.6mg/2.0mL ＋ パロノセトロン塩酸塩（アロキシ®）静注 0.75mg（5mL）＋ 生食 50mL	点滴末梢側管（15分）
	3	シスプラチン［CDDP］（シスプラチン®）25mg/m² ＋ 生食 250mL	点滴末梢側管（1時間）
	4	ゲムシタビン塩酸塩［GEM］（ジェムザール®）1,000mg/m² ＋ ソルデム®3A輸液 200mL	点滴末梢側管（30分）

適応・治療開始基準

- 治癒切除不能な膵癌。
- 主要臓器機能が保たれている（以下が目安）。

- 白血球数≧3,000/μL
- 好中球数≧1,500/μL
- 血小板数≧10.0×10^4/μL
- ヘモグロビン≧10g/dL
- 総ビリルビン：減黄処置なしの場合≦2.0mg/dL，減黄処置ありの場合≦3.0mg/dL
- AST，ALT：減黄処置なしの場合≦100IU/L，減黄処置ありの場合≦150IU/L
- クレアチニン≦1.2mg/dL以下，Ccr*≧50mL/分
- ECOG PS 0〜2

*：Cockcroft-Gault式による推定値

慎重投与・禁忌

	慎重投与	禁　忌
骨　髄	骨髄抑制を有する	重篤な骨髄抑制を有する，重症感染症を合併している
肺　炎	間質性肺炎または肺線維症の既往または合併症がある	胸部X線写真で，明らかに間質性肺炎または肺線維症がある
肝障害	肝障害（肝転移，肝炎，肝硬変など），アルコール依存症の既往または合併がある	
腎障害	腎障害	重篤な腎障害
高齢者	80歳以上	
心疾患	心筋梗塞の既往を有する	
妊　娠		妊婦または妊娠している可能性がある
アレルギー		GEM，CDDPに対して重篤な過敏症がある

効　果

	切除不能な局所進行あるいは遠隔転移を有する胆道癌[1〜3]
RR	19.5〜26.1％
PFS	5.8〜8.0カ月
OS	11.2〜11.7カ月

GEM + CDDP（胆）

有害事象マニュアル

有害事象の発現率と発現時期[1, 2]

有害事象	発現率（%）		発現時期
	all Grade	Grade 3, 4	
✓ 好中球数減少	82.9	25.3〜56.1	投与19日（3〜31日）後
血小板数減少	80.5	8.6〜39	投与14日（7〜50日）
ヘモグロビン減少	85.4	7.6〜34.1	投与20日後（5〜48日）
白血球減少	87.8	15.7〜29.3	投与17日（3〜31日）
γGTP上昇	46.3	29.3	投与2日〜
ALT上昇	51.2	9.6〜24.4	投与2日〜
AST上昇	53.7	17.1	投与2日〜
低ナトリウム血症	31.7	17.1	投与2日〜
疲労感	58.5	18.7	各投与当日〜数日
嘔吐	48.8	5.1	各投与当日〜数日
✓ 悪心	68.3	4.0	各投与当日〜数日
✓ 食欲不振	80.5	3.0	各投与当日〜数日
下痢	31.7	2.4	各投与当日〜数日

☑：「有害事象マネジメントのポイント」（☞p330）参照。

8日目投与の目安

項目	各コースの8日目の開始基準
白血球数	≧2,000/μL
好中球数	≧1,000/μL
血小板数	≧7.0×10^4/μL
総ビリルビン値	≦3.0mg/dL
血清クレアチニン値	<1.5mg/dL
皮疹	Grade 0〜2
感染	Grade 0

※骨髄抑制により減量が必要な場合はGEMを減量する。

GEMの減量基準

項　目	GEM減量基準
白血球数	$< 1,000/\mu L$
好中球数	$< 500/\mu L$
血小板数	$< 2.5 \times 10^4/\mu L$
発熱性好中球減少症	Grade 3
感　染	Grade 3
皮　疹	Grade 3
上記以外の非血液毒性	Grade 3

CDDPの中止基準

項　目	CDDP中止基準
血清クレアチニン	コース開始時に$\leqq 1.2mg/dL$を満たさないため治療ができず，1週間経過しても改善しない場合
末梢性感覚ニューロパチー 末梢性運動ニューロパチー 耳　鳴 聴覚障害	Grade 2
アナフィラキシー アレルギー反応	Grade 3

※CDDP総投与量が$300mg/m^2$を超えると聴力低下・難聴などの副作用の発現頻度が高くなることが知られており，診察時に徴候が認められた場合は中止する。CDDP中止後はGEM単独療法へ切り替える。

減量早見表

減量レベル	GEM	CDDP
初回投与量	$1,000mg/m^2$	$25mg/m^2$
−1	$800mg/m^2$	中止
−2	$600mg/m^2$	

2コース目以降の投与基準

項　目	各コースの1日目の開始基準
白血球数	$\geqq 2,500/\mu L$
好中球数	$\geqq 1,000/\mu L$
血小板数	$\geqq 7.5 \times 10^4/\mu L$
AST	$\leqq 150U/L$
ALT	$\leqq 150U/L$
総ビリルビン	$\leqq 3.0mg/dL$
血清クレアチニン	$\leqq 1.2mg/dL$
皮　疹	Grade 0〜2
感　染	Grade 0

有害事象マネジメントのポイント

✓ 好中球数減少・発熱性好中球減少症

- 「GEM + nab-PTX（膵）」参照（☞ p324）。

✓ 悪心，食欲不振

治療開始前のマネジメント

- 重篤な消化器毒性の発現は少ないがGrade 2までの症状は高頻度に認められる。経口摂取が進まなくても水分摂取はしっかりとするように指導する。

有害事象発生時のマネジメント

- 悪心や嘔吐が強い場合，次コースからアプレピタントやステロイドの内服を併用する。

減量・再開のポイント

- 上記で改善しない場合は，薬剤の減量または休薬を考慮する。
- CDDPは直接近位尿細管を傷害し，さらに低マグネシウム血症を導くことにより腎障害を助長すると考えられている。CDDP投与時は腎保護目的にマグネシウム製剤を併用している。

症例　70歳女性，切除不能胆嚢癌に対するGEM + CDDP療法

検診にて発見された胆嚢癌，肺，傍大動脈リンパ節転移に対し，一次治療としてGEM 1,000mg/m^2 + CDDP 25mg/m^{2}療法を開始した。4コース目より倦怠感の訴えが強くなりGEMを1レベル減量し（100mg→80mg/m^2），症状は軽快した。治療効果はSDであり投与を継続していたが，9コース目より徐々に血清クレアチニン値が上昇し，10コース目において血清クレアチニン1.0mg/dL，Ccr 35mL/分と腎機能低下を認めCDDPを中止した。その後はGEM単剤で治療を継続した。

文献

1) Valle JW, et al: Gemcitabine alone or in combination with cisplatin in patients with advanced or metastatic cholangiocarcinomas or other biliary tract tumours: a multicentre randomised phase II study — The UK ABC-01 Study. Br J Cancer. 2009;101:621-7.
2) Okusaka T, et al: Gemcitabine alone or in combination with cisplatin in patients with biliary tract cancer: a comparative multicentre study in Japan. Br J Cancer. 2010;103:469-74.

3) Valle JW, et al:Cisplatin and gemcitabine for advanced biliary tract cancer：a meta-analysis of two randomised trials. Ann Oncol. 2014;25:391-8.

（戸髙明子）

Ⅳ 胆・膵癌

GEM + CDDP + S-1（胆）

投与スケジュール

上記2週を1コースとする。

＊：S-1投与量

体表面積	S-1投与量
1.25m² 未満	80mg/日，分2
1.25m² 以上，1.50m² 未満	100mg/日，分2
1.50m² 以上	120mg/日，分2

投与例

投与日	投与順	投与量	投与方法
1	1	生食 500mL ＋ ソルデム®3A輸液 500mL ＋ 硫酸マグネシウム（硫酸Mg補正液1mEq/mL®）20mL	点滴末梢本管（3時間）
	2	デキサメタゾンリン酸エステルナトリウム（デキサート®）2mL ＋ パロノセトロン塩酸塩（アロキシ®）点滴静注0.75mg/50mL	点滴末梢側管（15分）
	3	シスプラチン[CDDP] シスプラチン®25mg/m² ＋ 生食 250mL	点滴末梢側管（1時間）
	4	ゲムシタビン塩酸塩[GEM] ジェムザール®）1,000mg/m² ＋ ソルデム®3A輸液 200mL	点滴末梢側管（30分）
	5	生食 50mL	点滴末梢本管（5分）
1〜7	1	テガフール・ギメラシル・オテラシルカリウム配合（1：0.4：1）[S-1]（ティーエスワン®）80〜120mg/日，分2	経口（朝，夕食後）

適応・治療開始基準

- 切除不能・切除後再発胆道癌。
- 全身状態および主要臓器機能が保たれている（以下が目安）。

- ECOG PS 0～1
- 好中球数 $\geq 1,500/\mu L$
- 血小板数 $\geq 10.0 \times 10^4/\mu L$
- ヘモグロビン $\geq 9.0g/dL$
- 総ビリルビン $\leq 2.0mg/dL$（胆道ドレナージ患者 $\leq 3.0mg/dL$）
- AST，ALT $\leq 100U/L$（胆道ドレナージ患者 $\leq 150U/L$）
- 血清クレアチニン $\leq 1.2mg/dL$
- クレアチニンクリアランス（Ccr）$\geq 50mL/$分

慎重投与・禁忌

	慎重投与	禁忌
既往歴	心筋梗塞の既往を有する アルコール依存症の既往を有する	間質性肺炎または肺線維症の既往または合併症がある
アレルギー		本剤の成分に対し過敏症の既往歴を有する
骨髄	骨髄抑制を有する	重篤な骨髄抑制を有する，重症感染症を合併している
腎機能障害	$31 \leq Ccr \leq 80mL/$分	$Ccr \leq 30mL/$分
肝機能障害	肝機能障害を有する	重度の肝機能障害を有する
併用薬	ワルファリンカリウム，フェニトイン使用症例	抗真菌薬フルシトシン使用症例
妊娠	挙児希望の患者	妊婦および妊娠している可能性がある
高齢者	80歳以上	
その他	腹部への放射線照射を施行中	胸部への放射線照射を施行中

効果

	初回化学療法の進行胆道腺癌患者[1]
RR	41.5％
PFS	7.4カ月
OS	13.5カ月

GEM＋CDDP＋S-1（胆）

有害事象マニュアル

有害事象の発現率と発現時期[4]

有害事象	発現率（%）		発現時期
	all Grade	Grade 3／4	
✓ 好中球数減少	77	39	
血小板減少	92	9	
貧 血	20	8	
✓ 発熱性好中球減少症	5	5	
✓ 口腔粘膜炎	28	3	
✓ 斑状丘疹状皮疹	23	1	
胆道感染	17	17	
倦怠感	67	5	
悪 心	51	2	
✓ 下 痢	24	3	
アラニンアミノトランスフェラーゼ増加	75	15	
アスパラギン酸アミノトランスフェラーゼ増加	69	13	
クレアチニン増加	27	1	
末梢性感覚ニューロパチー	3	1	

☑：「有害事象マネジメントのポイント」参照。

減量早見表

減量レベル	GEM	CDDP	S-1		
初回投与量	1,000mg／m²	25mg／m²	120mg／日	100mg／日	80mg／日
−1	800mg／m²	中止	100mg／日	80mg／日	50mg／日
−2	600mg／m²		80mg／日	50mg／日	

有害事象マネジメントのポイント

■GEM＋CDDP＋S-1療法とGEM＋CDDP療法を比較すると，有害事象はGEM＋CDDP＋S-1療法群で下痢，口腔粘膜炎，皮疹が多く，GEM＋CDDP群で感覚神経障害が多く認められた。それ以外は，両群間で有意な差はなかった[4]。

✓ 好中球数減少・発熱性好中球減少症

- 「GEM + nab-PTX（膵）」参照（☞ p324）。

✓ 口腔粘膜炎

治療開始前のマネジメント

- S-1を含むレジメンで口腔粘膜炎が発生しやすいことを，患者およびその家族に説明しておく。予防が重要であり，基本になるのはうがいやブラッシングなどの一般的な口腔ケアであり，刺激の強い食事，アルコール，タバコは避けることを勧める。

有害事象発生時のマネジメント

- 口腔ケアを継続し，塗布剤を併用する。口腔粘膜炎が増悪する時はS-1の休薬を検討する必要があるため，担当医へ連絡するよう指導し，適宜診察を行う。
- 疼痛が強い場合は，リドカイン塩酸塩（キシロカイン®）を含有した含嗽薬（ハチアズレ®など）が有効であることが多い。

✓ 下　痢

- 「S-1（胆・膵）」参照（☞ p355）。

✓ 皮膚障害

治療開始前のマネジメント

- 投与開始直後よりみられ，2週目で最も多く発現がみられる。そのほとんどは対症治療やGEM，S-1の減量・中止により改善していることを説明しておく。予防として，皮膚を清潔に保ち，保湿すること，直射日光や皮膚に刺激の強い衣類を避けることが有効であると説明する。

有害事象発生時のマネジメント

- 皮疹症状出現時は発生部位に合わせたステロイド外用薬の塗布，抗アレルギー薬の投与を行う。頻度は低いが，中毒性表皮壊死融解症，皮膚粘膜眼症候群が現れることがあるので観察を継続する。重症例では皮膚科医と連携して治療を行い，GEM，S-1の減量・休薬を検討する。

| 症 例 | **72歳男性，肝内胆管癌，腹膜播種** |

　身長166cm，体重58kg，ECOG PS 1。PSA高値精査のため近医で骨盤MRIを施行したところ，腹水と肝腫瘤を指摘され当院を受診した。精査の結果，肝内胆管癌cT2N1M1 StageⅣ（UICC 8th）と診断し，GEM＋CDDP＋S-1療法を行うことになった。初回投与量はGEM 1000mg/m²，CDDP 25mg/m²，S-1 120mg/日とした。2コースが終了した後にGrade 1（CTCAE v5.0）の多形紅斑が生じたためS-1を100mg/日に減量した。以降，皮疹は回復した。7コース後のCTではPRであった。19コース目にGrade 1の流涙がみられたが自然に回復した。20コース後のCTは前回と比較し肝内転移病変のわずかな増大を認めたが，他の病変は著変なく，SDの範疇であり化学療法を継続した。28コース後にGrade 2の末梢性感覚ニューロパチーと倦怠感が増悪し，CDDPを中止した。その後GEM＋S-1療法として2コース施行したところでCTにて原発巣の増大と腹水の増加を認めPDと判断した。以降，化学療法は希望されず，化学療法中止から2カ月後に永眠された。

文 献

1) Sakai D, et al:Randomized phase Ⅲ study of gemcitabine, cisplatin plus S-1 (GCS) versus gemcitabine, cisplatin (GC) for advanced biliary tract cancer (KHBO 1401-MITSUBA). ESMO 2018 Congress #6150.
2) ティーエスワン®添付文書.
3) シスプラチン注®添付文書.
4) ジェムザール®添付文書.

（森町将司，戸髙明子）

Ⅳ 胆・膵癌

GEM + S-1（胆）

投与スケジュール

GEM 1,000mg/m², 30分	↓						
S-1 80〜100mg/日，分2*（朝，夕食後）	↓	↓↓	↓↓	↓			
	1	… 8	…	15	…	21	（日）

上記3週を1コースとする。

*：S-1投与量

体表面積	S-1投与量
1.25m²未満	60mg／日，分2
1.25m²以上，1.50m²未満	80mg／日，分2
1.50m²以上	100mg／日，分2

投与例

投与日	投与順	投与量	投与方法
1 8	1	グラニセトロン塩酸塩（グラニセトロン®）点滴静注バッグ1mg／50mL	点滴末梢側管（15分）
	2	ゲムシタビン塩酸塩［GEM］（ジェムザール®）注 1,000mg／m² ＋ソルデム®3A輸液 200mL	点滴末梢本管（30分）
	3	生食 50mL	点滴末梢本管（5分）
1夕〜15朝	1	テガフール・ギメラシル・オテラシルカリウム配合（1：0.4：1）［S-1］（ティーエスワン®）60〜100mg／日，分2	経口（朝，夕食後）

337

適応・治療開始基準

■ 切除不能・切除後再発胆道癌。

■ 全身状態および主要臓器機能が保たれている（以下が目安）。

- ECOG PS 0〜1
- 好中球数 ≧ 1,500/μL
- 血小板数 ≧ 10.0 × 10^4/μL
- ヘモグロビン ≧ 9.0g/dL
- 総ビリルビン ≦ 2.0mg/dL（胆道ドレナージ患者 ≦ 3.0mg/dL）
- AST，ALT ≦ 100U/L（胆道ドレナージ患者 ≦ 150U/L）
- クレアチニンクリアランス（Ccr）≧ 50mL/分

慎重投与・禁忌

	慎重投与	禁忌
既往歴	心筋梗塞の既往を有する アルコール依存症の既往を有する	間質性肺炎または肺線維症の既往または合併症がある
アレルギー		本剤の成分に対し過敏症の既往を有する
骨髄	骨髄抑制を有する	重篤な骨髄抑制のある患者，重症感染症を合併している
腎機能障害	31 ≦ Ccr ≦ 80mL/分	Ccr ≦ 30mL/分
肝機能障害	肝機能障害	重度の肝機能障害
併用薬	ワルファリンカリウム，フェニトイン使用症例	抗真菌薬フルシトシン使用症例
妊娠	挙児希望の患者	妊婦および妊娠している可能性のある患者
高齢者	80歳以上	
その他	腹部への放射線照射を施行中	胸部への放射線照射を施行中

効 果

	進行または再発胆道癌に対する初回治療例[1]
RR	29.8 %
PFS	6.8カ月
OS	15.1カ月

GEM＋S-1（胆）

有害事象マニュアル

有害事象の発現率と発現時期[3]

有害事象	発現率（%）		発現時期
	all Grade	Grade 3／4	
□ 白血球減少	77.4	24.9	
□ 好中球数減少	86.4	59.9	
□ 血小板減少	77.4	7.3	
□ 貧　血	98.3	6.2	
□ 発熱性好中球減少症	1.7	1.7	
✓ 下　痢	20.9	1.1	
✓ 口腔粘膜炎	28.8	1.7	
✓ 手掌・足底発赤知覚不全症候群	4.5	0.6	
✓ 斑状丘疹状皮疹	23.7	6.2	
✓ 皮膚色素過剰	20.3		
□ 脱毛症	13.0		
□ 胆道感染	20.9	20.9	
□ 倦怠感	44.1	5.6	
□ 発　熱	31.1	2.3	
□ 悪　心	31.6	1.7	
□ 嘔　吐	10.7	0.6	
□ 味覚異常	18.1		
□ 食欲不振	39.5	5.6	
□ 末梢性感覚ニューロパチー	3.4		

☑：「有害事象マネジメントのポイント」参照。

減量早見表

減量レベル	GEM	S-1		
初回投与量	1,000mg／m²	100mg／日	80mg／日	60mg／日
−1	800mg／m²	80mg／日	60mg／日	50mg／日
−2	600mg／m²			

有害事象マネジメントのポイント

■ GEM＋S-1療法では，GEM＋CDDP療法と比較すると，下痢や口腔粘膜炎などの消化器毒性，斑状丘疹状発疹や色素沈着過剰の皮膚関連の有害事象の発症が多かったが，他の有害事象についてはGEM＋CDDP療法よりも発症が軽減される傾向があったと報告されている[3]。

339

✓ 口腔粘膜炎

- 「GEM + CDDP + S-1」参照（☞ **p335**）。

✓ 下 痢

- 「S-1（胆・膵）」参照（☞ **p355**）。

✓ 皮膚障害

- 「GEM + CDDP + S-1」参照（☞ **p335**）。

症 例 **72歳女性，胆管癌術後再発**

　身長149cm，体重52kg，ECOG PS 0。腹部違和感，背部痛を契機に遠位胆管癌cT2aN0M0 StageⅡ（UICC 8th）と診断され，膵頭十二指腸切除術＋肝門部胆管切除術を受けた。術後2年目の定期CT検査にて腹部リンパ節腫脹を認め，PET-CTにて同部位に集積を確認し術後再発と診断，GEM＋S-1療法を開始した。有害事象としてGrade 3（CTCAE v5.0）の食欲不振，好中球数減少，Grade 2の味覚異常，口腔粘膜炎，便秘，Grade 1の皮膚色素過剰が出現したが，適宜休薬することで軽快したため化学療法を継続した。画像上PRを維持していたが，治療開始から14コース施行したところでCTにて新たに肝転移が出現しており，PDと判断した。次治療としてGC療法を選択したが，2コース施行したところでGrade 3の食欲不振，味覚異常，好中球数減少が出現した。休薬や対症療法を施行しても食欲不振，好中球数減少が遷延したため不耐と判断し治療を中止した。以降，化学療法は希望されず，化学療法中止から5カ月後に永眠された。

文 献

1) Morizane C, et al:Combination gemcitabine plus S-1 versus gemcitabine plus cisplatin for advanced/recurrent biliary tract cancer: the FUGA-BT (JCOG1113) randomized phase Ⅲ clinical trial. Ann Oncol. 2019;30(12):1950-8.
2) ティーエスワン®添付文書.
3) ジェムザール®添付文書.

（森町将司，戸髙明子）

IV 胆・膵癌

術前GEM + S-1（膵）

投与スケジュール

GEM 1,000mg/m², 30分	↓		↓					
S-1 80～120mg/日, 分2*（朝, 夕食後）	↓	↓↓	↓↓	↓↓	↓			
	1	…	8	…	15	…	21	（日）

上記3週を1コースとし, 2コース行う。

＊：S-1投与量

体表面積	S-1投与量
1.25m²未満	80mg／日, 分2
1.25m²以上, 1.50m²未満	100mg／日, 分2
1.50m²以上	120mg／日, 分2

投与例

投与日	投与順	投与量	投与方法
1 8	1	グラニセトロン塩酸塩（グラニセトロン®）点滴静注バッグ1mg／50mL	点滴末梢側管（15分）
	2	ゲムシタビン塩酸塩［GEM］（ジェムザール®）注 1,000mg／m²＋ソルデム®3A輸液 200mL	点滴末梢本管（30分）
	3	生食50mL	点滴末梢本管（5分）
1～14	1	テガフール・ギメラシル・オテラシルカリウム配合（1：0.4：1）［S-1］（ティーエスワン®）80～100mg／日, 分2	経口（朝, 夕食後）

341

適応・治療開始基準

■ 遠隔転移を有さない，肉眼的癌遺残のない切除が可能と判断される通常型膵癌。

■ 病巣摘除に必要な根治手術に耐術可能な全身状態および主要臓器機能を有している（以下が目安）。

- ECOG PS 0〜1
- 好中球数≧2,000/μL
- 血小板数≧10.0×10^4/μL
- ヘモグロビン≧9.0g/dL
- 総ビリルビン≦2.0mg/dL
- AST，ALT≦150IU/L
- クレアチニン≦1.2mg/dL
- クレアチニンクリアランス（Ccr）≧50mL/分

慎重投与・禁忌

	慎重投与	禁　忌
既往歴	心筋梗塞の既往を有する アルコール依存症の既往のある患者	間質性肺炎または肺線維症の既往または合併症がある
アレルギー		本剤の成分に対し過敏症の既往を有する
骨髄	骨髄抑制を有する	重篤な骨髄抑制のある患者，重症感染症を合併している
腎機能障害	31≦Ccr≦80mL/分	Ccr≦30mL/分
肝機能障害	肝機能障害	重度の肝機能障害
併用薬	ワルファリンカリウム，フェニトイン使用症例	抗真菌薬フルシトシン使用症例
妊娠	挙児希望の患者	妊婦および妊娠している可能性のある患者
高齢者	80歳以上	
その他	腹部への放射線照射を施行中	胸部への放射線照射を施行中

効　果

	術前GEM＋S-1療法を行った切除可能膵がん症例[1]
OS	36.72カ月
2年生存率	63.7％

術前 GEM + S-1（膵）

有害事象マニュアル

有害事象の発現率と発現時期[4]

■膵癌術前 GEM + S-1 療法は，胆道癌 GEM + S-1 療法よりも S-1 投与量が多く，有害事象の発生頻度が異なることに注意をする。以下に，切除可能膵癌患者に対する術前 GS 療法の有効性，安全性を比較検証した Prep-02／JSAP-05 試験で報告された主な有害事象の発現割合を示す。

有害事象	発現率（%）		発現時期
	all Grade	Grade 3／4	
✓ 白血球減少		30.8	
✓ 好中球数減少		57.6	
✓ 貧　血		4.7	
✓ 血小板減少		5.8	
✓ 発熱性好中球減少症		6.4	
✓ 口腔粘膜炎		5.8	
食欲不振		7.6	
✓ 皮　疹		8.7	

☑：「有害事象マネジメントのポイント」参照。

減量早見表

減量レベル	GEM	S-1		
初回投与量	1,000mg／m²	120mg／日	100mg／日	80mg／日
−1	800mg／m²	100mg／日	80mg／日	50mg／日
−2				

有害事象マネジメントのポイント

■切除可能膵癌に対し，術前治療として実施する GEM + S-1 療法は比較的毒性が高度であり，慎重なマネジメントが必要である。当院では，起こりうる症状についてあらかじめ説明し，薬剤を処方している。症状が出現した際には速やかに開始し，それでも増悪する時には必ず連絡するように指導している。休薬，減量を適切なタイミングで行うことが重要である。

✓ 口腔粘膜炎

治療開始前のマネジメント

■S-1 を含むレジメンで口腔粘膜炎が発生しやすいことを，患者およびその家族に説明

しておく。予防が重要であり，基本になるのはうがいやブラッシングなどの一般的な口腔ケアであり，刺激の強い食事，アルコール，タバコは避けることを勧める。

有害事象発生時のマネジメント

■口腔ケアを継続し，塗布剤を併用する。口腔粘膜炎が増悪する時はS-1の休薬を検討する必要があるため，担当医へ連絡するよう指導し，適宜診察を行う。

✓ 皮膚障害

治療開始前のマネジメント

■皮膚障害が発生した時の対処についてあらかじめ説明し，塗布剤〔ジフルプレドナート（マイザー®）軟膏（very strong）〕，内服薬〔ルパタジンフマル酸塩錠（ルパフィン®）〕などを処方しておく。予防として，皮膚を清潔に保ち，保湿すること，直射日光や皮膚に刺激の強い衣類を避けることも有効である。

有害事象発生時のマネジメント

■そう痒，発赤などの皮膚症状が出現した場合は，あらかじめ処方した薬剤を開始する。薬剤を使用した後も増悪する時は，診察を行い，S-1の休薬，塗布剤の変更やステロイドの内服追加を検討する。

✓ 骨髄毒性，発熱性好中球減少症

治療開始前のマネジメント

■骨髄抑制の頻度が高く，感染予防や起こりうる症状について説明し，徴候がみられた時は連絡するように指導する。

有害事象発生時のマネジメント

■Grade 3以上の骨髄毒性を認めた場合は休薬し，次投与からの減量または休薬，スケジュール変更（1週投与，1週休薬など）を検討する。Grade 4またはGrade 4に移行するような好中球数減少を認めるが発熱がない場合は，必要に応じてG-CSF製剤を投与し，2〜3日後に再検査を行い経過観察する。予防的抗菌薬の投与も検討する。発熱性好中球減少症を認めた場合は，原則として入院対応とし感染症の評価を行ったのち，G-CSF，抗菌薬を投与する。ステントが留置されている患者では胆道系感染にも留意する。

症 例	**67歳男性，切除可能膵癌**

　身長173cm，体重67kg，ECOG PS 1。黄疸を契機に発見され，膵癌cT3N0M0 Stage ⅡA（UICC 8th）と診断された。切除可能な病変であったこと，胆管ステント留置によって総ビリルビンが20.1mg/dLから3.0mg/dLに改善し，今後も減黄が見込めること，他の臓器機能は正常であったことから，術前補助化学療法可能と考え，術前GEM＋S-1療法を開始した。初回はGEM 1,000mg/m^2，S-1 120mg/日で開始したが，1コース目を終えたところで全身にGrade 1（CTCAE v5.0）の多形紅斑が出現したため，2コース目は両剤とも1レベル減量して投与した。減量後も多形紅斑が出現したものの，抗アレルギー薬とステロイド外用で軽快したため，投与を継続した。術前補助化学療法後にCT施行したところ，腫瘍のわずかな縮小を認めた。PET-CTで新たな遠隔転移が生じていないことを確認し，膵頭十二指腸切除術が施行された。病理診断は中分化腺癌，ypT3N1M0 StageⅡB，R0であった。術後経過は良好で，退院後，術後補助化学療法としてS-1 100mg/日が開始された。有害事象としてGrade 2の手掌・足底発赤知覚不全症候群がみられたが，抗アレルギー薬とステロイド外用にて完遂することができた。現在，外科的切除から1年以上経過しているが，再発はみられない。

文　献

1) Motoi F, et al:Randomized phase Ⅱ/Ⅲ trial of neoadjuvant chemotherapy with gemcitabine and S-1 versus upfront surgery for resectable pancreatic cancer (Prep-02/JSAP05). JJpn J Clin Oncol. 2019;49(2):190-4.

2) ジェムザール®添付文書.

3) ティーエスワン®添付文書.

4) Motoi F, et al:A single-arm, phase Ⅱ trial of neoadjuvant gemcitabine and S1 in patients with resectable and borderline resectable pancreatic adenocarcinoma: PREP-01 study. J Gastroenterol. 2019;54(2):194-203.

5) 伏木邦博，他：切除可能膵癌に対する術前GS療法の安全性と忍容性. 膵臓 2021;36:36-41.

（森町将司，戸髙明子）

IV 胆・膵癌

Gemcitabine（胆・膵）

投与スケジュール

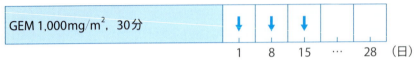

GEM 1,000mg/m² ， 30分	↓	↓	↓		
	1	8	15	…	28 （日）

上記を1コースとし繰り返す。

投与例

投与日	投与順	投与量	投与方法
1 8 15	1	グラニセトロン塩酸塩（グラニセトロン®）点滴静注バッグ 1mg/50mL	点滴末梢本管（15分）
	2	ゲムシタビン塩酸塩［GEM］（ジェムザール®注）1,000mg/m² ＋ ソルデム®3A輸液 200mL	点滴末梢本管（30分）
	3	生食 50mL	点滴末梢本管（5分）

適応・治療開始基準

- 治癒切除不能な膵癌，胆道癌。
- 膵癌術後補助化学療法。
- 主要臓器機能が保たれている（以下の基準が開始の目安）[*1]。

  - 白血球数 4,000〜1万2,000/μL
  - 好中球数 ≧ 2,000/μL
  - 血小板数 ≧ 10.0×10^4/μL
  - ヘモグロビン ≧ 9.5g/dL
  - 総ビリルビン[*1] ≦ ULN × 2
  - AST，ALT[*2] ≦ ULN × 2.5
  - クレアチニン　正常値上限以下
  - ECOG PS：0〜2

*1：閉塞性黄疸を合併している症例は，胆道ドレナージを施行し，減黄後，総ビリルビン値が正常値上限の3倍以下になったことを確認した後に投与を開始する。
*2：閉塞性黄疸や肝転移のある症例は，正常上限の3倍以下を選択基準とする。

慎重投与・禁忌

	慎重投与	禁 忌
骨 髄	骨髄抑制を有する	重篤な骨髄抑制を有する，重症感染症を合併している
肺 炎	間質性肺炎または肺線維症の既往または合併症がある	胸部X線写真で明らかで，かつ臨床症状のある間質性肺炎または肺線維症がある
肝障害	肝障害（肝転移，肝炎，肝硬変など），アルコール依存症の既往または合併がある	
腎障害	腎障害	
高齢者	80歳以上	
心疾患	心筋梗塞の既往を有する	
妊 娠		妊婦または妊娠している可能性がある
アレルギー		GEMに対して重篤な過敏症がある
放射線治療	腹部への放射線治療との同時併用	胸部への放射線治療との同時併用

効 果

	切除不能膵癌[1,2]
RR	7～14％
PFS	3.0～6.2カ月
OS	6.7～12.7カ月

Gemcitabine（胆・膵）

有害事象マニュアル

有害事象の発現率と発現時期[2, 3]

有害事象	発現率（%）		発現時期
	all Grade	Grade 3	
✓ 好中球数減少	68.1	41.0	投与19日（3〜31日）後
白血球減少	75.8	18.7	投与17日（3〜31日）
ヘモグロビン減少	80.2	14.3	投与20日後（5〜48日）
血小板数減少	78.4	11.0	投与14日（7〜50日）
AST増加	59.7	15.0	投与2日〜
ALT増加	58.2	15.0	投与2日〜
血中ビリルビン増加	26.0	9.5	投与2日〜
✓ 食欲不振	57.9	7.3	各投与当日〜2日
疲労感	45.1	3.7	各投与当日〜2日
✓ 間質性肺炎	2.6	1.8	1〜14コース
✓ 悪　心	42.5	1.8	各投与当日〜2日

☑：「有害事象マネジメントのポイント」参照。

投与延期・減量の目安

■以下の事象が発現した場合，次コースより $800\mathrm{mg/m^2}$ に減量を検討する。

> ・Grade 3以上の血液学的毒性。
>
> ・血清クレアチニンが正常上限値の1.5〜2倍。
>
> ・総ビリルビン値が正常上限値の4〜5倍。
>
> ・Grade 3の悪心・嘔吐。
>
> ・食欲減退，疲労，脱毛症以外のGrade 2の非血液学的毒性。

有害事象マネジメントのポイント

✓ 好中球数減少・発熱性好中球減少症

治療開始前のマネジメント

■骨髄抑制の頻度が高いので，感染予防や起こりうる症状について説明し，徴候がみられた時は連絡するように指導する。

減量・再開のポイント

■Grade 3以上の白血球減少・好中球数減少を認めた場合，投与を延期する。

■減量しても3週連続投与が困難な場合は，2週投与1週休薬にスケジュールを変更すると，予定通りに投与が行えるようになり患者にとっても負担が減ると思われる。

✓ 間質性肺炎

■診察時または投与前に必ずSpO_2値を測定する。

■発熱や咳嗽，息切れなど間質性肺炎が疑われる症状を認めた場合は直ちに治療を中止し，胸部CTなどの検査を行う。薬剤性肺障害と診断された場合はステロイド治療など適切な処置を行う。

✓ 消化器毒性

有害事象発生時のマネジメント

■Grade 3以上の消化器毒性は目立たないが，食欲不振や悪心，便秘がしばしばみられる。悪心を認める場合，次コースからはパロノセトロン塩酸塩（アロキシ®）に変更する。糖尿病がない患者ではステロイドの併用も検討する。投与後4日目頃までは便秘になりやすく排便困難などを起こすことがあるため早い段階で緩下薬を使用するように説明する。

減量・再開のポイント

■上記で改善しない場合は，薬剤の減量または休薬を考慮する。

症例 68歳女性，切除不能膵癌に対するGEM療法

上腹部痛を主訴に受診し，膵体部癌（T4N1M1，Stage Ⅳ），膵液細胞診にて腺癌と診断された。GEM療法を開始後，悪心（Grade 2）が持続したため制吐薬をグラニセトロン®からアロキシ®に変更，プリンペラン®，ゾフラン®の内服も追加し症状改善を図った。2コース目に好中球数減少（Grade 3）を2回認めたためGEMを$800mg/m^2$に減量した。3コース目においても好中球数減少（Grade 3）による休薬が発生し，さらにGEMを$700mg/m^2$に減量した。その後は休薬することなく治療を継続していたが，病状進行により中止となった。

文 献

1) Burris HA 3rd, et al:Improvements in survival and clinical benefit with gemcitabine as first-line therapy for patients with advanced pancreas cancer:a randomized trial. J Clin Oncol. 1997;15:2403-13.

2) Ueno H, et al:Randomized phase III study of gemcitabine plus S-1, S-1 alone, or gemcitabine alone in patients with locally advanced and metastatic pancreatic cancer in Japan and Taiwan:GEST study. J Clin Oncol. 2013;31:1640-48.

3) ジェムザール®適正使用ガイド.

4) 日本膵臓学会:膵癌診療ガイドライン2019年版. 金原出版, 2019.

（戸髙明子）

Ⅳ 胆・膵癌

S-1（胆・膵）

投与スケジュール

S-1 80〜120mg/日，分2*（朝，夕食後）

1 … 28 … 42 （日）

上記6週を1コースとし，1日2回（朝，夕食後）を4週間連日内服し，2週間休薬する。

*：S-1初回基準投与量

体表面積	S-1投与量
1.25m² 未満	80mg/日，分2
1.25m² 以上，1.50m² 未満	100mg/日，分2
1.50m² 以上	120mg/日，分2

投与例

投与日	投与量	投与方法
1〜28	テガフール・ギメラシル・オテラシルカリウム配合（1：0.4：1）[S-1]（ティーエスワン®）80〜120mg/日，分2	経口（朝，夕食後）
29〜42	休薬	

適応・治療開始基準

- 組織学的または画像的に診断された切除不能・再発膵癌。
- 経口摂取が可能で全身状態が保たれている（PS 2以下）。
- 以下のような主要臓器機能が保たれている（以下が目安）。

  - 白血球数 ≧ 3,500/μL かつ < 1万2,000/μL
  - 好中球数 ≧ 2,000/μL
  - 血小板数 ≧ 10.0×10⁴/μL
  - 総ビリルビン ≦ 2.0mg/dL（減黄している場合は ≦ 3.0mg/dL）
  - AST，ALT ≦ 150U/L（施設基準値の2.5倍以下）
  - クレアチニンクリアランス（Ccr）≧ 80mL/分

※ただし，実臨床においては上記基準外などで開始することもある。その際は事前の十分な患者説明と，こまめな外来観察を行うなど配慮が必要。

慎重投与・禁忌

■下記の「慎重投与」に該当する場合は，S-1を1レベル減量して投与を開始することが望ましい。

	慎重投与	禁 忌
年齢，PS	75歳以上，PS 2	PS 3以上 80歳以上の高齢者は，全身状態や理解力，合併症，家族のサポート体制など総合的に判断が必要。
骨髄機能	Hb：8.0〜9.0未満 WBC：2,000〜3,500未満，1万2,000以上 Plt：7.5〜10万未満	左記以上の骨髄機能低下
腎障害	80＞Ccr≧60mL／分 60＞Ccr≧30mL／分*	Ccr 30mL／分未満
肝障害	AST／ALT：施設基準値の2.5倍を超えて150U／L未満 総ビリルビン：1.5〜3mg／dL未満	左記以上の肝障害
感 染	感染疑い	活動性感染を有する
その他（併用薬）	ワルファリンカリウム，フェニトイン使用症例	抗真菌薬フルシトシン使用症例

＊：原則として1レベル減量（30〜40未満は2レベル減量が望ましい）

S-1単剤療法の効果[1, 2]

	切除不能・再発膵癌の初回治療	切除不能・再発膵癌の二次治療
PFS	3.8カ月	2.1カ月
OS	9.7カ月	5.8カ月
RR	21.0％	3.7％
DCR	63.3％	34.7％
1年生存率	38.7％	
2年生存率	12.7％	

S-1（胆・膵）

有害事象マニュアル

有害事象の発現率と発現時期[1~3)]

有害事象	発現率（%） all Grade	発現率（%） Grade 3, 4	発現時期
✓ ビリルビン上昇	11.5～53.3	2.0～14.3	
✓ 食欲不振	50～66.2	5.8～11.4	投与2週目以降～5週目
貧血	36.5～68.0	5.8～9.6	投与2週目以降～5週目
好中球数減少	15.4～33.5	1.9～8.8	
✓ AST上昇	9.6～48.5	0～7.7	
疲労	52.9～57.7	5.8～6.6	
✓ ALT上昇	3.8～42.3	0～5.9	
✓ 下痢	32.7～38.6	5.5～7.7	投与2週目以降
白血球減少	28.8～42.6	3.7～3.8	
✓ 悪心	32.7～54.0	0～1.8	投与2週目以降～5週目
流涙	2.9	0	投与3カ月目から好発

☑：「有害事象マネジメントのポイント」参照。

減量早見表

減量レベル	S-1		
初回投与量	120mg/日	100mg/日	80mg/日
−1	100mg/日	80mg/日	（50mg/日）
−2	80mg/日	（50mg/日）	

有害事象マネジメントのポイント

✓ ビリルビン上昇，AST上昇，ALT上昇

治療開始前のマネジメント

- 治療開始前に閉塞性黄疸の有無をCTや腹部超音波検査でチェックする。胆管の狭窄を認めた場合は，内視鏡的胆道ドレナージ（endoscopic retrograde biliary drainage：ERBD）や経皮経肝胆管ドレナージ（percutaneous transhepatic cholangiodrainage：PTCD）などの減黄処置を施行する。

- 倦怠感の増強，発熱，黄疸などを認めた場合は，必ず病院へ連絡するように説明しておく。

有害事象発生時のマネジメント

- S-1内服開始後，1〜2週で総ビリルビン2.0以上のビリルビン上昇やAST，ALTの突然の上昇，急な発熱を認めた場合は，まず腹部超音波検査を行い，閉塞性黄疸や胆管炎の有無をチェックすることが必要である。
- 肝内胆管の拡張など閉塞性黄疸の所見を認めた場合，ERBDやPTCDといった減黄処置を速やかに施行する。急性胆管炎から敗血症に進展するリスクが高いことをふまえて，スルバクタム/セフォペラゾンやタゾバクタム/ピペラシリンなどの抗菌薬を使用する。
- 閉塞性黄疸を示唆する所見を認めなかった場合，薬剤性肝障害を考え休薬や減量を考慮する。ただし，S-1内服開始3週目以降では総ビリルビン2.0程度の肝機能の上昇を認めることもあり，これまでの治療経過で自然に軽快するようであれば経過観察も可能である。

✓ 悪心・嘔吐，食欲不振

治療開始前のマネジメント

- 初回治療開始前にあらかじめ制吐薬を処方しておき，対処法について説明しておく。また，制吐薬は嘔吐してから飲む薬ではなく，予防として早めに使うのがコツであることを患者に十分説明しておくこと。

- 食欲不振でかつ水分摂取もできない場合は必ず病院へ連絡するように説明しておく。S-1内服中の脱水は，腎障害を併発し，副作用が重篤化する可能性があるため十分注意する！

有害事象発生時のマネジメント

- 悪心・嘔吐，食欲不振が続く場合は，ドパミン受容体拮抗薬〔メトクロプラミド（プリンペラン®）5mg，ドンペリドン（ナウゼリン®）10mg，プロクロルペラジン（ノバミン®）5mg〕や5-HT₃受容体拮抗制吐薬〔オンダンセトロン塩酸塩水和物（ゾフラン®）ザイディス錠〕などを頓用または副作用発現時期の定期内服（投与後1週間のみ定時内服など）で対応する。
- 治療前から嘔気がするなどの予期性嘔吐の場合は，ベンゾジアゼピン系抗不安薬（アルプラゾラム®）など治療開始前に内服させるのも有効である。

減量・再開のポイント

- 制吐薬を使用しても持続するGrade 2以上の悪心・嘔吐が出現した場合は，減量を考慮する。

✓ 下痢

治療開始前のマネジメント

- 治療開始前にS-1による腸管粘膜障害として下痢が起こる可能性を説明し，止痢薬としてロペラミド塩酸塩（ロペラミド®）を頓服にて処方しておく。ロペラミド塩酸塩を内服しても改善を認めない場合は，S-1を休薬し，病院へ連絡することとする。

有害事象発生時のマネジメント

- 止痢薬を頓用で使用しても改善を認めない場合は，便培養を提出し，感染性腸炎を必ず除外した上で，止痢薬の定期内服を行う。
- 水分摂取が困難であるほか，血液検査上，電解質異常や腎機能障害を認める場合は，入院の上，補液を行う必要がある。

減量・再開のポイント

- 止痢薬を使用してもGrade 2以上の下痢を認めた場合，原則として次コースより1レベル減量する。

- 膵癌，特に膵頭部癌の場合は，閉塞性黄疸，胆管炎を常に念頭に置いた治療が必要である。そのため，急な発熱などは必ず病院へ連絡することを患者へ徹底し，外来受診の頻度を高くするなど原疾患特有の合併症に応じた配慮が必要である。

症例 70歳男性，閉塞性黄疸発症の切除不能進行膵頭部癌

閉塞性黄疸に対して内視鏡的減黄術（ERBD挿入）を施行後，総ビリルビン1.5まで減黄を確認した後，患者希望にてS-1を開始。S-1内服2コース10日目に39℃の急な発熱と悪寒が出現し当日外来受診となった。総ビリルビン2.1，AST，ALTの軽度上昇とCRP 6.5と軽度炎症反応の上昇，腹部超音波検査では胆管拡張なし。胆管炎（ERBD閉塞なし）と診断しS-1を休薬ならびに抗菌薬（クラビット®）内服を処方し，今後発熱の持続や食欲低下，飲水不良などの症状が出現するようなら再度来院するように指示し帰宅とした。その後，速やかに胆管炎は改善し，1週間後の外来で発熱も採血結果も改善していたため，S-1を同量で再開とした。

文　献

1) Ueno H, et al:Randomized phase Ⅲ study of gemcitabine plus S-1, S-1 alone, or gemcitabine alone in patients with locally advanced and metastatic pancreatic cancer in Japan and Taiwan:GEST study. J Clin Oncol. 2013;31:1640-8.
2) Todaka A, et al:S-1 monotherapy as second-line treatment for advanced pancreatic cancer after gemcitabine failure. Jpn J Clin Oncol. 2010;40:567-72.
3) 大鵬薬品:ティーエスワン®総合情報サイト.

（安井博史）

IV 胆・膵癌

S-1＋RT（膵）

投与スケジュール

S-1 80〜120mg/日，分2* （朝，夕食後）	↓↓	↓↓	↓↓	↓↓		↓↓	↓↓	↓↓	
放射線治療（RT）1.8Gy/日， 計50.4Gy	↓	↓	↓	↓		↓	↓	↓	
	1	2	…	5	6, 7（土日）	…	26	27	28（RT 回数）

放射線照射は平日に1日1回行い，合計28回（50.4Gy）で終了とする。
S-1は1日2回（朝，夕食後）を放射線照射日にのみ内服。基本は平日5日間連続内服し，2日間休薬する。

＊：S-1初回基準投与量

体表面積	S-1投与量
1.25m²未満	80mg/日，分2
1.25m²以上，1.50m²未満	100mg/日，分2
1.50m²以上	120mg/日，分2

投与例

投与日	投与量	投与方法
RT施行日	テガフール・ギメラシル・オテラシルカリウム配合（1：0.4：1）[S-1] （ティーエスワン®）80〜120mg/日，分2	経口 （朝，夕食後）

適応・治療開始基準

- 局所進行膵癌。
- 経口摂取が可能で全身状態が保たれている（PS 1以下）。
- 腹水・胸水がない。
- 以下のような主要臓器機能が保たれている（以下が目安）。

- 白血球数≧3,000/μL
- 好中球数≧1,500/μL
- ヘモグロビン≧9.0g/dL
- 血小板数≧10.0×10^4/μL
- 総ビリルビン≦2.0mg/dL（減黄処置ありの場合は≦3.0mg/dL）
- AST，ALT≦100U/L（減黄処置ありの場合は≦150U/L）
- クレアチニンクリアランス（Ccr）≧50mL/分

※ただし，実臨床においては上記基準外などで開始することもある。その際は事前の十分な患者説明と，こまめな外来観察を行うなど配慮が必要。

慎重投与・禁忌

- 下記の「慎重投与」に該当する場合は，S-1を1レベル減量して投与を開始することが望ましい。

	慎重投与	禁 忌
年齢，PS	75歳以上，PS 2	PS 3以上 80歳以上の高齢者は，全身状態や理解力，合併症，家族のサポート体制など総合的に判断が必要
白血球数（/μL）	2,000以上～3,000未満	2,000未満
好中球数（/μL）	1,000以上～1,500未満	1,000未満
ヘモグロビン（g/dL）	8.0以上～9.0未満	8.0未満
血小板数（/μL）	7.5万以上～10万未満	7.5万未満
総ビリルビン（mg/dL）	2.0以上～3.0未満	3.0以上
AST，ALT（U/L）	100以上～150未満	150以上
腎障害	50＞Ccr≧30mL/分*	Ccr 30mL/分未満
感 染	感染疑い例	活動性感染を有する
消化管	胃十二指腸に活動性潰瘍を有する 十二指腸ステント挿入例	
その他（併用薬）	ワルファリンカリウム，フェニトイン使用例	フルシトシン使用例

＊：40～50未満は1レベル減量，30～40未満は2レベル減量が望ましい。

休止基準

	S-1休止基準	放射線照射休止基準
白血球数（/μL）	2,000未満	1,000未満
好中球数（/μL）	1,000未満	500未満
血小板数（/μL）	7万未満	2.5万未満
総ビリルビン（mg/dL）	3.0以上	3.0以上
AST，ALT（U/L）	200以上	200以上
血清クレアチニン（mg/dL）	1.5以上	1.5以上
下　痢	Grade 2	Grade 3
口腔粘膜炎	Grade 2	
発熱性好中球減少症	Grade 3	Grade 3
感　染	Grade 2	Grade 3
皮　疹	Grade 3	

効　果[1]

	S-1＋RT
RR	27％
DCR	95％
PFS	9.7カ月
OS	16.2カ月
1年生存率	72％
2年生存率	26％

S-1 + RT（膵）
有害事象マニュアル

有害事象の発現率と発現時期[1, 2)]

有害事象	発現率(%) all Grade	発現率(%) Grade 3, 4	発現時期
□ 白血球減少	82	10	
✓ 食欲不振	80	7	
✓ 悪　心	68	5	
□ 好中球数減少	45	5	
□ 疲　労	68	3	治療が進むにつれて，発現頻度が増加する
□ 貧　血	52	3	
✓ 嘔　吐	32	3	
□ ビリルビン上昇	10	2	
□ 血小板数減少	45	0	
□ ALT上昇	25	0	
□ AST上昇	23	0	
✓ 下　痢	20	0	

☑：「有害事象マネジメントのポイント」参照。

減量早見表

減量レベル	S-1		
初回投与量	120mg/日	100mg/日	80mg/日
−1	100mg/日	80mg/日	50mg/日

有害事象マネジメントのポイント

✓ 悪心・嘔吐，食欲不振

治療開始前のマネジメント

- S-1による悪心・嘔吐，食欲不振が起こる可能性を治療開始前に説明しておく。
- 悪心，嘔吐，食欲不振が出現し，水分摂取もできない場合は，必ず病院へ連絡するように説明しておく。S-1内服中の脱水は，腎障害を併発し，副作用が重篤化する可能性があるため十分注意する！

有害事象発生時のマネジメント

- 悪心・嘔吐，食欲不振が続く場合は，ドパミン受容体拮抗薬〔メトクロプラミド（プリンペラン®）5mg，ドンペリドン（ナウゼリン®）10mg，プロクロルペラジン（ノバミン®5mg）〕や5-HT$_3$受容体拮抗制吐薬〔オンダンセトロン塩酸塩水和物（ゾフラン®ザイディス）〕などを頓用または定期内服で対応する。
- 水分摂取が困難であったり，血液検査上，電解質異常や腎機能障害を認める場合は，入院の上，補液を行う必要がある。
- 治療前から嘔気がするなどの予期性嘔吐の場合は，ベンゾジアゼピン系抗不安薬（アルプラゾラム）などを治療開始前に内服させるのも有効である。

減量・再開のポイント

- Grade 3の悪心・嘔吐が出現した場合はいったん休止する。休止が2週間以上連続する場合はS-1の減量を考慮する。

✓ 下 痢

治療開始前のマネジメント

- S-1による腸管粘膜傷害として下痢が起こる可能性を治療開始前に説明しておく。
- 下痢が出現し，症状が持続する場合は，必ず病院へ連絡するように説明しておく。**S-1内服中の脱水は，腎障害を併発し，副作用が重篤化する可能性があるため十分注意する！**

注意！ 👉

有害事象発生時のマネジメント

- 下痢が続く場合はロペラミド塩酸塩1〜2mgを症状が改善するまで頓用にて投与する。
- 止痢薬を頓用で使用しても改善を認めない場合や発熱を伴う場合は，便培養を提出し，感染性腸炎の鑑別診断を行う。
- 水分摂取が困難であったり，血液検査上，電解質異常や腎機能障害を認める場合は，入院の上，補液を行う必要がある。

減量・再開のポイント

- Grade 2の下痢が出現した場合は，S-1をいったん休止する（放射線治療は継続する）。Grade 3の下痢が出現した場合は，放射線治療も休止する。休止が2週間以上連続する場合は，S-1の減量を考慮する。

■S-1＋RTでは食欲不振，悪心，下痢など消化器毒性に注意が必要である。特に治療期間の後半になると，消化器毒性が強く発現することがあり，治療の休止を要する場合もある。しかし，放射線治療の休止は治療効果の減弱をきたすため，なるべく継続することが望ましい。よって，有害事象の出現状況によってS-1を優先的に休止する。S-1の休止を2週間以上必要とする場合や，放射線治療の休止をも要した場合は，S-1の減量を考慮する。

症例 65歳男性，局所進行膵頭部癌

　身長168cm，体重61kg，体表面積1.69m^2，PS 0。局所進行膵頭部癌に対してS-1併用放射線療法を開始した。S-1は120mg/日を照射日に内服し，放射線は1回1.8Gyを28回（合計50.4Gy）の予定とした。治療3週目より悪心および食欲不振の出現を認め，ナウゼリン®の定期内服を開始した。しかし食欲不振は増強し，Grade 3と悪化したため，治療4週目にS-1，RTともにいったん休止した。休止後1週間でGrade 1まで改善したため，S-1を100mg/日へ減量して再開したところ，治療を完遂することができた。

文　献

1) Ikeda M, et al:A multicenter phase II trial of S-1 with concurrent radiation therapy for locally advanced pancreatic cancer. Int J Radiat Oncol Biol Phys. 2013;85:163-9.
2) Ioka T, et al:A multicenter phase II trial of S-1 with concurrent radiotherapy for locally advanced pancreatic cancer. J Clin Oncol. 2010;28:15s.

（安井博史）

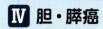

Ⅳ 胆・膵癌

adj GEM（膵）

投与スケジュール

GEM 1,000mg/m², 30分

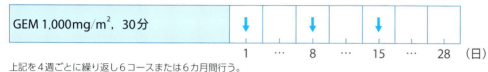

上記を4週ごとに繰り返し6コースまたは6カ月間行う。

投与例

投与日	投与順	投与量	投与方法
1 8 15	1	グラニセトロン塩酸塩（グラニセトロン®）点滴静注バッグ 1mg/50mL	点滴末梢本管（15分）
	2	ゲムシタビン塩酸塩 [GEM]（ジェムザール®）注 1,000mg/m² ＋ ソルデム®3A輸液 200mL	点滴末梢本管（30分）
	3	生食 50mL	点滴末梢本管（5分）

適応・治療開始基準[1]

- 膵癌に対する術後補助化学療法。
- S-1に対して忍容性が低い症例。
- 主要臓器機能が保たれている（以下が目安）。

  - 白血球数 3,000〜1万2,000/μL
  - 好中球数 ≧ 2,000/μL
  - 血小板数 ≧ 10.0 × 10⁴/μL
  - ヘモグロビン ≧ 8.0g/dL
  - 総ビリルビン ≦ 2.0mg/dL
  - AST, ALT ≦ 100U/L
  - クレアチニン ≦ 1.2mg/dL
  - ECOG PS 0〜1

- 補助化学療法は，その治療目的や有効性を考慮し，臓器機能や全身状態が悪く抗癌剤が安全に使用できない場合には無理して行わないこと！

慎重投与・禁忌

	慎重投与	禁忌
ECOG PS	2	
骨　髄	骨髄抑制を有する	重篤な骨髄抑制を有する，重症感染症を合併している
肺　炎	間質性肺炎または肺線維症の既往または合併症がある	胸部X線写真で，明らかに間質性肺炎または肺線維症がある
肝障害	肝障害（肝炎，肝硬変など），アルコール依存症の既往または合併がある	
腎障害	腎障害（有害事象が強く出現することがある）	
年　齢	高齢者（生理機能が低下していることがあり，骨髄抑制などの有害事象に十分な注意が必要）	
心筋梗塞の既往の患者	心筋梗塞を合併することがある	
妊　娠		妊婦（胎児致死作用が報告されている）
アレルギー		GEMに対して重篤な過敏症がある

効　果[2]

	GEM	S-1
2年 RFS	29％	49％
2年 OS	53％	70％

adj GEM（膵）
有害事象マニュアル

有害事象の発現率と発現時期[1, 2)]

有害事象	発現率（%）		発現時期
	all Grade	Grade 3	
✓ 好中球数減少	95.8	72.2	投与19日（3～31日）後
白血球減少	94.2	38.7	投与17日（3～31日）
ヘモグロビン減少	99.0	17.3	投与20日後（5～48日）
血小板数減少	70.2	9.4	投与14日（7～50日）
AST増加	75.9	5.2	投与2日～
ALT増加	77.5	4.2	投与2日～
血中ビリルビン増加	13.1	0.5	投与2日～
✓ 食欲不振	55.5	5.7	各投与当日～2日
疲労感	69.1	4.7	各投与当日～2日
✓ 悪　心	52.4	2.6	各投与当日～2日
✓ 発熱性好中球減少症	1.6	1.6	投与3日～

☑：「有害事象マネジメントのポイント」参照。

投与延期・減量の目安

項　目	減量基準	GEM投与量（mg/m²）
白血球数	＜2,000/μL	
好中球数	＜1,000/μL	1,000→800
血小板数	＜7.0×10⁴/μL	
悪心・嘔吐	≧Grade 3	
非血液学的毒性（悪心・嘔吐，食欲不振，疲労，脱毛を除く）	Grade 2以上	

有害事象マネジメントのポイント

✓ 好中球数減少・発熱性好中球減少症

治療開始前のマネジメント

■術後補助化学療法として投与したGEM療法では，治癒切除不能膵癌に対する治療よりも高い頻度の好中球数減少や発熱性好中球減少症が報告されている。術後に全身状態が十分に回復していない場合は無理をせずに経口摂取やPSが改善してから

治療を開始することが勧められる。治療開始に先だって歯科治療の先行や口腔ケア，うがい，手洗いなどの感染予防について説明する。

有害事象発生時のマネジメント

- Grade 4 または Grade 4 に移行するような好中球数減少を認めるが発熱がない場合は，必要に応じて G-CSF 製剤を投与し 2〜3 日後に再検査を行い経過観察する。感染のリスクが高い症例では予防的抗菌薬の投与も検討する。発熱性好中球減少症を認めた場合は，原則として入院対応とし感染症の評価を行ったのち，G-CSF，抗菌薬を投与する。好中球数 1,000/μL 未満で 38℃ 以上の発熱が出現するか，好中球数 500/μL 未満が確認された時点から G-CSF 投与を考慮する。胆道再建術後では胆管炎，肝膿瘍などにも注意する。

減量・再開のポイント

- Grade 3 以上の白血球減少・好中球数減少を認めた場合投与を延期する。
- 減量しても 3 週連続投与が困難な場合は，2 週投与 1 週休薬にスケジュールを変更すると，予定通りに投与が行えるようになり，患者にとっても負担が減ると思われる。

✓ 消化器毒性

有害事象発生時のマネジメント

- Grade 3 以上の消化器毒性は目立たないが，食欲不振や悪心，下痢，便秘がしばしばみられる。悪心を認める場合，次コースからはパロノセトロン塩酸塩（アロキシ®）に変更する。糖尿病がない患者ではステロイドの併用も検討する。術後は下痢の頻度も高いため止痢薬を適宜使用する。

減量・再開のポイント

- 上記で改善しない場合は，薬剤の減量または休薬を考慮する。

| 症例 | **66歳 女性，　膵癌術後補助化学療法** |

　　膵頭部癌に対して膵頭十二指腸切除術を施行し病理診断はT3N1M0 Stage ⅡBであっ
た。術後6週間が経過しPS 0，経口摂取は十分に回復しており，GEM補助療法を開始した。
1コース目8日目に好中球数減少（Grade 4）を認め休薬しG-CSFを投与した。15日目には
好中球数は回復しており GEM 800mg/m^2に減量し治療を再開，また初回投与時に悪心
（Grade 2）を認めていたため制吐薬はグラニセトロン®からアロキシ®に変更した。2週
連続投与後に再度好中球数減少（Grade 4）を認めたため，次の投与より GEM 700mg/m^2
に減量した。その後は3週投与，1週休薬の標準的なスケジュールにて6コースを完遂
した。

文　献

1)　ジェムザール®適正使用ガイド.

2)　Fukutomi A, et al:JASPAC 01：Randomized phase Ⅲ trial of adjuvant chemotherapy with
gemcitabine versus S−1 for patients with resected pancreatic cancer. J Clin Oncol. 2013;31:2013
（supple；abstr 4008）.

（戸髙明子）

Ⅳ 胆・膵癌

adj S-1（膵）

投与スケジュール

上記6週を1コースとし，1日2回（朝，夕食後）を4週間連日内服し，2週間休薬する。
術後10週間以内にS-1内服を開始し，6カ月間継続する。

*：S-1初回基準投与量

体表面積	S-1投与量
1.25m²未満	80mg／日，分2
1.25m²以上，1.50m²未満	100mg／日，分2
1.50m²以上	120mg／日，分2

投与例

投与日	投与順	投与量	投与方法
1〜28	1	テガフール・ギメラシル・オテラシルカリウム配合（1：0.4：1）[S-1]（ティーエスワン®）80〜120mg／日，分2	経口（朝，夕食後）
29〜42	2	休薬	

適応・治療開始基準

- 組織学的に腺癌と確定診断され，R0またはR1切除された膵癌。
- 術後の最終病理診断でUICC StageⅡ以下もしくは動脈合併切除を施行したStageⅢs。
- 経口摂取が可能で全身状態が保たれている（PS 2以下）。
- 主要臓器機能が保たれている（以下が目安）。

  - 白血球数≧3,500／μL かつ ＜1万2,000／μL
  - 好中球数≧2,000／μL
  - 血小板数≧10.0×10⁴／μL
  - 総ビリルビン≦2.0mg／dL（減黄している場合は≦3.0mg／dL）
  - AST，ALT≦150U／L（施設基準値の2.5倍以下）
  - クレアチニンクリアランス（Ccr）≧80mL／分

- 補助化学療法は必ず全員に有効な治療ではないため，臓器機能や全身状態が悪く抗癌剤の減量やスケジュール変更など工夫しても安全に継続して使用できない場合は，無理せず中止することも検討すること！
- 膵癌は治癒切除されていても画像検査術後早期から転移再発することが多い。このため，術後補助化学療法の開始前には必ず胸腹骨盤部造影CTにて遠隔転移がないことを確認すること。補助化学療法中も3カ月ごとにCT検査を行う。経過中，肝機能の上昇や発熱を認めた場合は，感染のほか，転移再発も念頭に置いて画像検査を進める。

慎重投与・禁忌

- 下記の「慎重投与」に該当する場合は，S-1を1レベル減量して投与を開始することが望ましい。

	慎重投与	禁忌
年齢，PS	75歳以上，PS 2	PS 3以上， 80歳以上の高齢者は，全身状態や理解力，合併症，家族のサポート体制など総合的に判断が必要
骨髄機能	Hb：8.0〜9.0未満 WBC：2,000〜3,500未満，1万2,000以上 Plt：7.5〜10万未満	左記以上の骨髄機能低下
腎障害	80＞Ccr≧60mL/分 60＞Ccr≧30mL/分*	Ccr 30mL/分未満
肝障害	AST，ALT：施設基準値の2.5倍を超えて150U/L未満 総ビリルビン：1.5〜3mg/dL未満	左記以上の肝障害
感染	感染疑い	活動性感染を有する
その他（併用薬）	ワルファリンカリウム，フェニトイン使用症例	抗真菌薬フルシトシン使用症例

＊：原則として1レベル減量（30〜40未満は2レベル減量が望ましい）。

膵癌術後補助化学療法の効果[1]

	S-1	GEM
OS中央値	46.5カ月	25.5カ月
RFS中央値	22.9カ月	11.3カ月
3年OS	59.7％	38.8％
5年OS	44.1％	24.4％

adj S-1（膵）
有害事象マニュアル

有害事象の発現率と発現時期[1)]

有害事象	発現率（%） all Grade	発現率（%） Grade 3, 4	発現時期
☐ 貧血	93.0	13.4	投与2週目以降～5週目
☐ 好中球数減少	74.9	13.3	投与2週目以降～5週目
☐ 疲労	66.3	5.3	投与2週目以降～5週目
☑ 食欲不振	64.2	8.0	投与2週目以降～5週目
☑ AST上昇	62.9	1.1	
☑ ALT上昇	55.9	0.5	
☐ 白血球減少	55.1	8.5	投与2週目以降～5週目
☑ 下痢	47.1	4.8	投与2週目以降
☑ ビリルビン上昇	45.7	1.1	投与3週目以降～6週目
☑ 悪心	44.9	3.7	投与2週目以降～5週目
☐ 血小板数減少	42.8	4.3	投与2週目以降～5週目

☑：「有害事象マネジメントのポイント」参照。

減量早見表

減量レベル	S-1		
初回投与量	120mg／日	100mg／日	80mg／日
−1	100mg／日	80mg／日	（50mg／日）
−2	80mg／日	（50mg／日）	

有害事象マネジメントのポイント

✓ **悪心・嘔吐，食欲不振**

- 「S-1（胆・膵）」参照（☞ p354）。

✓ **ビリルビン上昇，AST上昇，ALT上昇**

治療開始前のマネジメント

- 膵癌は術後早期に再発することもあるため，治療開始前に遠隔転移の有無を造影CTや腹部超音波検査でチェックする。
- 倦怠感の増強，発熱，黄疸などを認めた場合は，必ず病院へ連絡するように説明しておく。

有害事象発生時のマネジメント

- S-1内服開始後，早い段階で発熱を伴ってビリルビンやAST，ALTの突然の上昇を認めた場合，まず腹部超音波検査を行い，閉塞性黄疸＋胆管炎，肝転移の有無をチェックする。
- 肝内胆管の拡張など閉塞性黄疸の所見を認めた場合，内視鏡的胆道ドレナージ（ERBD）や経皮経肝胆管ドレナージ（PTCD）といった減黄処置を速やかに施行する。急性胆管炎から敗血症に進展するリスクが高いことをふまえて，スルバクタム／セフォペラゾンやタゾバクタム／ピペラシリンなどの抗菌薬を使用する。
- 肝転移を認めた場合，治療レジメンを変更する。
- 閉塞性黄疸の所見も肝転移の所見も認めなかった場合，実質性の肝障害（薬剤性肝障害）と考える。特に，S-1内服開始3週目以降では総ビリルビン2.0程度の肝機能の上昇を認めることもあり，経過観察することが多い。

✓ 下 痢

- 「S-1（胆・膵）」参照（☞ p355）。

症例 **65歳男性，膵体部癌術後T2N0M0 Stage IB**

　身長175cm，体重68kg，体表面積1.82m²。術後経過は良好であり，術後8週目よりティーエスワン®（以下，TS-1）120mg/日で術後補助化学療法を開始した。TS-1はGrade 2以上の有害事象なく2コース経過していた。3コース目の12日目より，38℃台の間欠的な発熱を認めた。血液検査上，明らかな感染徴候を認めず，全身状態も比較的良好であった。TS-1を休薬の上，レボフロキサシンを1週間内服したが，間欠的な発熱は持続したため，胸腹骨盤部造影CT検査を施行したところ，肝両葉にLDAを認め，多発肝転移と診断した。次治療としてGEM＋nab-PTXにレジメンを変更し，治療を開始している。

文 献

1) Uesaka K, et al:Adjuvant chemotherapy of S-1 versus gemcitabine for resected pancreatic cancer: a phase 3, open-label, randomised, non-inferiority trial (JASPAC 01). Lancet 2016; 388:248-57.

（安井博史）

Ⅳ 胆・膵癌

Olaparib（膵）

投与スケジュール

オラパリブ600mg/日，分2

1　（日）

連日。

投与例

投与日	投与順	投与量	投与方法
1	1	オラパリブ（リムパーザ®）600mg/日，分2	経口 （朝，夕食後）

適応・治療開始基準

- *BRCA*遺伝子変異陽性の治癒切除不能な膵癌におけるプラチナ系抗悪性腫瘍薬を含む化学療法後の維持療法。
- 経口摂取が可能な状態であること。
- 全身状態および主要臓器機能が保たれている（以下が目安）。

  - ECOG PS 0〜1
  - 好中球数≧1,500/μL
  - 白血球数≧3,000/μL
  - 血小板数≧10.0×10^4/μL
  - ヘモグロビン≧9.0g/dL
  - 総ビリルビン基準値上限の1.5倍以下であること
  - AST，ALT基準値上限の2.5倍以下であること（ただし，肝転移がある場合は5倍以下）
  - クレアチニン基準値上限の1.5倍以下であること

慎重投与・禁忌

	慎重投与	禁忌
アレルギー		本剤の成分に対し過敏症の既往歴を有する
腎機能障害	31 ≦ Ccr ≦ 80mL/分	クレアチニンクリアランス ≦ 30mL/分
肝機能障害	Child-Pugh分類A，B	Child-Pugh分類C
妊娠		妊婦および妊娠する可能性のある患者
高齢者	85歳以上	

効果

	*BRCA*遺伝子変異と転移を有する膵癌におけるプラチナ系薬剤をベースとした一次化学療法後の維持療法[1]
RR	23％
PFS	7.4カ月
OS	18.9カ月

Olaparib（膵）

有害事象マニュアル

有害事象の発現率と発現時期[2, 3]

有害事象	発現率（%）		発現時期
	all Grade	Grade 3/4	
✓ 好中球数減少	12.1	4.4	中央値2.17カ月
✓ 白血球減少	14.3	3.3	中央値0.49カ月
✓ 貧血	27.5	11.0	中央値1.25カ月
✓ 骨髄異形成症候群／急性骨髄性白血病	1.0	1.0	
嘔吐	19.8	1.1	中央値0.95カ月
悪心	45.1	0	中央値0.16カ月
間質性肺炎	0.9	0.2	
疲労	60.4	5.5	中央値0.49カ月
下痢	28.6	0	中央値0.54カ月

☑：「有害事象マネジメントのポイント」参照。

減量早見表

減量レベル	オラパリブ用量
初回投与量	600mg／日
−1	500mg／日
−2	400mg／日

有害事象マネジメントのポイント

✓ 骨髄抑制

治療開始前のマネジメント

- オラパリブの主な毒性標的器官が骨髄であることから，オラパリブ投与により，貧血，好中球減少，血小板減少だけでなく重篤な血液疾患が現れることがあることを理解し，説明しておく。
- オラパリブ投与開始前に血液検査を実施し，ベースとなる検査値を把握しておく。

有害事象発生時のマネジメント

- 下記を参考に対応する。また，4週間の休薬後も血液パラメータに異常が認められる場合，血液専門医に相談し骨髄検査や血液細胞遺伝学的検査の実施を検討し，骨髄異形成症候群／急性骨髄性白血病を鑑別する。これらの診断が確定した場合は投与を中止する。

有害事象	対 応	次回投与
ヘモグロビン＜8.0g/dL	ヘモグロビン≧9.0g/dLに回復するまで最大4週間休薬	1回目の再開の場合：減量せずに投与 2回目の再開の場合：1回250mgを1日2回で再開 3回目の再開の場合：1回200mgを1日2回で再開
好中球数＜1,000/μL	好中球数≧1,500/μLに回復するまで休薬	
血小板数＜5.0×10⁴/μL	血小板数≧7.5×10⁴/μLに回復するまで最大4週間休薬	減量せずに再開

✓ その他

■その他重篤な有害事象が生じた場合は，下記を参考に休薬，投与再開とする。

有害事象	対 応	次回投与
Grade 3〜4（CTCAE v4.0）	Grade 1に回復するまで休薬	減量せずに再開

症例 73歳女性，膵尾部癌，肝転移

　身長152cm，体重45kg，ECOG PS 1。不正性器出血があり婦人科を受診。CT検査にて膵尾部に腫瘤，さらに肝内に小結節を指摘され当科を紹介受診した。その後の精査で子宮頸癌Stage I（FIGO 2018）および膵尾部癌肝転移StageⅣ（UICC 8th）の重複癌と診断された。病勢を鑑みて，膵癌化学療法を優先することになり，GEM＋nab-PTX療法を開始した。9コース施行したところでCTにてPDとなった。有害事象はGrade 2の好中球数減少，末梢神経障害があった。その後の治療としてFOLFIRI 25コース，FOLFOX 24コース，S-1 2コースを行ったが，すべてPDとなり中止となった。これらでみられた有害事象はGrade 2の好中球数減少，末梢神経障害，Grade 1の悪心，食欲不振，疲労，味覚障害などであった。化学療法中にオラパリブが切除不能膵癌に対し，わが国で保険承認された。患者の同意のもと，BRCA変異を調べたところ変異陽性であったため，オラパリブ療法を開始した。2カ月後のCTでは原発巣と肺転移は軽度縮小を認めたが，4カ月後のCTでは原発巣，転移巣が増大しPDとなり，オラパリブ療法を中止した。オラパリブ療法に関連した有害事象はGrade 2の口腔粘膜炎とGrade 3の貧血であり，一時休薬を要した。

文 献

1) Golan T, et al:Maintenance Olaparib for Germline BRCA−Mutated Metastatic Pancreatic Cancer. N Engl J Med. 2019;381:317−27.
2) リムパーザ®適正使用ガイド. 膵癌.
3) リムパーザ®添付文書

（森町将司，戸髙明子）

IV 胆・膵癌

Pemigatinib（胆）

投与スケジュール

上記3週を1コースとする。

投与例

投与日	投与順	投与量	投与方法
1	1	ペミガチニブ（ペマジール®）錠 13.5mg/日	経口（朝食後）

適応・治療開始基準

- 化学療法後に増悪した*FGFR2*融合遺伝子陽性の治癒切除不能な胆道癌。
- 経口摂取が可能な状態であること。
- 全身状態および主要臓器機能が保たれている（以下が目安）。

  - ECOG PS 0〜2
  - 総ビリルビン基準値上限の1.5倍以下であること（ただし，肝疾患がある場合は2.5倍以下）
  - AST，ALT基準値上限の2.5倍以下であること
  - クレアチニンクリアランス＞30mL/分
  - 血清リン，カルシウムが基準値範囲内

慎重投与・禁忌

	慎重投与	禁忌
アレルギー		本剤の成分に対し過敏症の既往歴を有する
腎機能障害	eGFR＜30mL/分/1.73m²	
肝機能障害	肝機能障害がある	
妊娠	妊婦および妊娠する可能性のある患者	

効　果

	化学療法歴のあるFGFR2融合遺伝子陽性の 治癒切除不能な胆管癌患者[3]
RR	35.5 %
PFS	6.9カ月
OS	21.1カ月

Pemigatinib（胆）

有害事象マニュアル

有害事象の発現率と発現時期[1, 2]

有害事象	発現率（%）		発現時期
	all Grade	Grade 3/4	
☐ 好中球数減少	6	1	
✓ 高リン血症	55		8.0日（3〜422日）
☐ 低リン血症	12	7	
☐ 低ナトリウム血症	6	3	
☐ 高カルシウム血症	4	1	
☐ 脱毛症	46		
☐ 味覚異常	38		
☐ 下　痢	37	3	
☐ 倦怠感	32	1	
☐ 悪　心	24	1	
☐ 口腔粘膜炎	32	5	
☐ 口内乾燥	34		
✓ 網膜剥離	2	1	172.0日（54〜290日）
☐ 眼乾燥	22	1	45.0日（1〜310日）
☐ 角膜炎	3	1	105.0日（34〜364日）
✓ 爪変色	10	1	106.0日（15〜309日）
✓ 爪脱落	3	1	84.0日（24〜192日）
☐ 皮膚乾燥	20	1	
☐ 手掌・足底発赤知覚不全症候群	15	4	99.5日（15〜310日）
☐ 関節痛	24	6	
☐ 急性腎障害	7	2	15.0日（3〜176日）

☑：「有害事象マネジメントのポイント」（☞ p379）参照。

減量早見表

減量レベル	用　量
初回投与量	13.5mg／日
−1	9mg／日
−2	4.5mg／日

有害事象マネジメントのポイント

✓ 網膜剥離

治療開始前のマネジメント

■投与開始前に，光干渉断層計（OCT）を含む包括的な眼科検査を行い，その後も定期的な検査を行う。

有害事象発生時のマネジメント

■異常を疑った際は，眼科医に評価を依頼する。症状がある場合または検査で異常が認められた場合は本剤を休薬する。休薬後，改善した場合は，1レベル減量して本剤の投与を再開できる。改善しない場合は，本剤の投与を中止する。改善後も定期的な眼科検査を行う。

✓ 高リン血症

治療開始前のマネジメント

■投与開始前および投与中は定期的な血液検査を行う。

有害事象発生時のマネジメント

■血清リン濃度が5.5mg/dLを超えた場合：リン制限食を開始する。
■血清リン濃度が7mg/dLを超えた場合：リン制限食に加え，高リン血症治療剤の投与を開始する。高リン血症治療薬の投与開始後2週間を超えても継続する場合は，本剤を休薬する。休薬後7mg/dL未満まで改善した場合は同一用量で投与を再開する。再発が認められた場合は，1レベル減量して本剤の投与を再開する。
■血清リン濃度が10mg/dLを超えた場合：リン制限食に加え，高リン血症治療薬の投与を開始する。高リン血症治療薬の投与開始後1週間を超えても継続する場合は，本剤を休薬する。休薬後7mg/dL未満まで改善した場合は1レベル減量して本剤の投与を再開できる。
※高リン血症の検査スケジュール：国際共同第Ⅱ相試験（INCB 54828-202試験）および国内第Ⅰ相試験（INCB 54828-102試験）においては，1コース目の1日目（投与開始日），投与8日目，15日目，2コース目以降の各コース1日目および治療終了時に血清リン濃度の測定を実施し，高リン血症の発症についてモニタリングが行われた。

✓ 爪障害

治療開始前のマネジメント

- 本剤投与開始時に，爪を噛んだり短く切ったりしないこと，また爪を清潔に保ち，保湿を行い，きつい靴下や靴を避けるように指導する。

有害事象発生時のマネジメント

- テーピング，抗菌薬の投与等，症状に応じた適切な処置を行う。
- 外科的処置や抗菌薬の静脈内投与を要する，入院または入院期間の延長を要する，身の回りの日常生活動作が制限されるような爪障害が認められた場合は，ベースラインまたは治療を要さない程度に回復するまで休薬する。回復後は，1レベル減量して本剤の投与を再開できる。また，休薬後2週間を超えても症状が継続する場合は，本剤の投与を中止する。
- 生命を脅かすような爪障害を認めた場合は，本剤の投与を中止する。

症 例　66歳男性，混合型肝癌（肝細胞癌＋肝内胆管癌）術後再発

　身長164cm，体重86kg，ECOG PS 1。肝機能異常を契機に肝腫瘍を発見され，肝S5亜区域切除術を施行した。術後の病理検査では混合型肝癌（肝細胞癌＋肝内胆管癌）の診断であった。術後半年後，定期CTで多発肝転移再発を認めた。再発・切除不能肝細胞癌の化学療法としてアテゾリズマブ＋Bmab療法を開始したが3カ月でPDとなった。次にGEM＋CDDP＋S-1療法を開始したが，2カ月でPDになり当院を紹介受診された。遺伝子パネル検査（FoundationOne®）を施行したところ*FGFR2*融合遺伝子陽性を認め，ペミガチニブの投与を開始した。現在4コース施行しており，CTにてSDを維持している。現在のところ明らかな治療関連有害事象は現れていない。

文　献

1)　Abou-Alfa GK, et al:Pemigatinib for previously treated, locally advanced or metastatic cholangiocarcinoma: a multicentre, open-label, phase 2 study. Lancet Oncol. 2020;21:671-84.
2)　ペマジール®適正使用ガイド.
3)　ペマジール®添付文書

（森町将司，戸髙明子）

Ⅴ 大腸癌

mFOLFOXIRI

投与スケジュール

CPT-11 165mg/m², 1時間	↓				
L-OHP 85mg/m², 2時間	↓				
l-LV 200mg/m², 2時間	↓				
5-FU 3,200mg/m², 48時間持続静注	■■■				
	1	2	3	…	14 (日)

上記2週を1コースとする。

投与例

投与日	投与順	投与量	投与方法
1	1	デキサメタゾンリン酸エステルナトリウム（デキサート®）2.0mL（6.6mg）＋ パロノセトロン塩酸塩（アロキシ®）0.75mg ＋ 生食 50mL	CVポート（15分）
	2	イリノテカン塩酸塩水和物［CPT-11］（トポテシン®）165mg/m² ＋ 5％ブドウ糖液 250mL	CVポート（1時間）
	3-1	オキサリプラチン［L-OHP］（エルプラット®）85mg/m² ＋ 5％ブドウ糖液 250mL	CVポート（2時間）
	3-2	レボホリナートカルシウム［*l*-LV］（アイソボリン®）200mg/m² ＋ 5％ブドウ糖液 250mL	CVポート（2時間）
	4	フルオロウラシル［5-FU］（5-FU®）3,200mg/m² ＋ 注射用蒸留水：総量230mLになるよう調製	CVポート（48時間）

※ 3-1, 3-2は同時点滴開始。

適応・治療開始基準

- 組織学的に腺癌と確定診断されている，切除不能結腸（盲腸も含む）・直腸癌。
- PS 0～1
- 主要臓器機能が保たれている（以下が目安）。

- 好中球数 $\geq 1,500/\mu L$

- 血小板数 $\geq 10.0 \times 10^4/\mu L$

- ヘモグロビン $\geq 9.0\,g/dL$

- 総ビリルビン $\leq$ 施設基準値上限 $\times 1.5$ 倍

- AST，ALT $\leq 100\,U/L$（肝転移例は $200\,U/L$ を目安とする）

- クレアチニン $\leq$ 施設基準値上限 $\times 1.5$ 倍

■ *UGT1A1*6*28* の遺伝子多型が野生型またはシングルヘテロである。

慎重投与・禁忌

	慎重投与	禁 忌
年 齢	高齢者および小児	
骨髄機能		骨髄機能抑制を有する
末梢神経障害	末梢神経障害を有する	Grade 3 以上
消化管通過障害		腸管麻痺，腸閉塞を有する
消化管粘膜障害	潰瘍または出血がある	
下 痢		下痢がある
腹水，胸水	腹水，胸水を有する	多量の腹水，胸水を有する
心疾患	心疾患またはその既往歴を有する	
肺疾患		間質性肺炎または肺線維症を有する
腎障害	腎障害を有する	
肝障害	肝障害を有する	黄疸を有する
感 染		感染症を合併している
過敏症		使用薬剤に対して過敏症の既往を有する
その他の併存疾患	糖尿病，消化管潰瘍または出血，水痘を有する	

効 果

	切除不能大腸癌に対する初回治療例[1]
RR	66 %
PFS	9.8カ月
OS	22.6カ月

mFOLFOXIRI

有害事象マニュアル

有害事象の発現率と発現時期[1]

有害事象	発現率（%）		発現時期
	all Grade	≧ Grade 3	
✓ 好中球数減少	83	50	投与7〜10日後
✓ 発熱性好中球減少症		5	投与7〜10日後
☐ 血小板数減少	26	2	投与7〜10日後
☐ 貧　血	65	3	投与7〜10日後
☐ 粘膜炎	45	5	投与3〜10日後
✓ 下　痢	78	20	コリン作動性：投与直後 遅発性：投与7〜10日後
✓ 悪　心	74	6	投与1〜7日後
✓ 嘔　吐	52	7	急性：投与当日 遅発性：2〜7日後
☐ 倦怠感	44	6	投与4〜7日後
✓ 末梢神経障害	56	2	投与直後〜7日後

☑：「有害事象マネジメントのポイント」参照。

減量早見表

減量レベル	CPT-11	L-OHP	5-FU（持続静注）
初回投与量	165mg／m²	85mg／m²	3,200mg／m²
−1	125mg／m²	65mg／m²	2,400mg／m²
−2	80mg／m²	50mg／m²	1,600mg／m²

有害事象マネジメントのポイント

- 現在，日本人に対する本療法の安全性，有効性を確認する目的で第Ⅱ相試験が進行中である。
- *UGT1A1*遺伝子多型*6か*28のホモもしくはダブルヘテロ接合体の患者には安全な投与量が明確ではないため，原則適応としていない。

✓ 好中球数減少・発熱性好中球減少症

治療開始前のマネジメント

- 好中球数減少が最も注意の必要な有害事象である。好中球数減少だけでは自覚症状を伴わないが感染を合併すると重篤化する可能性があるため，38℃以上の急な発熱，

または38℃には達しないが悪寒を伴う場合や持続する場合は必ず病院へ連絡するように指導する。

- 通常，投与後7〜10日頃に発現し，多くは次コース開始までに回復するが，骨髄抑制には個人差があるため，特に最初の1〜2コースは外来で必ず投与1週間後の採血チェックを行う。

有害事象発生時のマネジメント

- 原則，Grade 1以下に好中球数減少が回復したのを確認し，次コースを開始する。
- 発熱性好中球減少症は，入院にてG-CSF製剤および静注抗菌薬の投与を行う。好中球数1,000/μL未満で38℃以上の発熱が出現するか，好中球数500/μL未満が確認された時点からG-CSF投与を考慮する。全身状態が良好な低リスク群（MASCCスコア21点以上）に対しては，経口抗菌薬〔レボフロキサシン水和物（クラビット®）など〕による外来治療も選択肢のひとつとなるが，患者に対する十分な教育や理解，近隣病院のサポート体制などを考慮して対応する必要がある。
- 順調に数コース経過していたにもかかわらず，急に好中球数減少などの骨髄抑制を起こした場合には，CPT-11の代謝を遅延させるような病態，すなわち肝転移や腹膜転移の増悪による肝機能低下や閉塞性黄疸，イレウスなどを起こしていないかチェックする。

減量・再開のポイント

- Grade 4の好中球数減少，Grade 3以上の血小板数減少，およびGrade 3の発熱性好中球減少症を認めた場合は，次コースより3剤を減量している。Grade 3の好中球数減少では感染を伴わなければ原則減量は行っていない。
- Grade 4の発熱性好中球減少症を認めた場合は治療を中止する。

✓ 悪心・嘔吐

治療開始前のマネジメント

- 初回治療開始前にあらかじめ制吐薬としてオンダンセトロン塩酸塩水和物（ゾフラン®ザイディス）などを患者に渡しておく。
- 制吐薬は嘔吐してから飲む薬ではなく，予防として早めに使うのがコツであることを患者に十分説明しておく。

有害事象発生時のマネジメント

- 投与開始後3〜7日目の出現頻度が高い。中等度催吐性リスクに分類されるCPT-11とL-OHPの2剤を含むレジメンであり，投与例（☞ p381）の投与順 1 の薬剤を前投

与し，1〜3日目にアプレピタント（イメンド®）を加え，2〜4日目にデキサメタゾンリン酸エステルナトリウム（デキサート®）（4〜8mg/日）を投与する。

- 遅発性悪心・嘔吐が続く場合はドパミン受容体拮抗薬メトクロプラミド（プリンペラン®）5mg，ドンペリドン（ナウゼリン®）10mg，プロクロルペラジン（ノバミン®）5mgや5-HT$_3$受容体拮抗制吐薬（オンダンセトロン塩酸塩水和物）などを定時（投与後1週間のみ定時内服など）もしくは頓用で使用する。改善が乏しい場合は5日目までのアプレピタントの内服追加およびデキサメタゾンリン酸エステルナトリウム（4〜8mg/日）の投与延長を考慮する。

- 治療前から嘔気がするなどの予期性嘔吐の場合は，ベンゾジアゼピン系抗不安薬（アルプラゾラム®）などを治療開始前に内服してもらっている。

減量・再開のポイント

- 高度催吐性リスクに準じた制吐薬を使用しても持続するGrade 3以上の悪心・嘔吐が出現した場合は，次コースよりCPT-11，L-OHPおよび5-FUすべてを減量している。

✓ 下痢・腹痛

治療開始前のマネジメント

- 事前にCPT-11による下痢や腸蠕動亢進による腹痛が起こる可能性を患者に十分説明し，初回投与時より予防的に前投薬にアトロピン硫酸塩水和物（アトロピン®注）またはブチルスコポラミン臭化物（ブスコパン®）0.5A〜1Aを混注したり，初回治療開始前にあらかじめ止痢薬としてのロペラミド塩酸塩（ロペミン®）と，腸蠕動亢進時のブチルスコポラミン臭化物などの抗コリン薬を渡しておく。
- ただし，抗コリン薬の処方に際しては心疾患，緑内障，前立腺肥大症などの合併症がないことを必ず確認すること。

有害事象発生時のマネジメント

- 投与後早期（投与中または投与後1〜2日目）に発現する腹痛や下痢に対しては，アトロピン硫酸塩水和物などの抗コリン薬の前投薬への追加投与が有効である。次コースより予防的に前投薬にアトロピン硫酸塩水和物またはブチルスコポラミン臭化物0.5〜1Aを混注して治療する。
- 遅発性の下痢はCPT-11の活性代謝産物であるSN-38の粘膜障害によるとされており，投与7〜10日に好発する。感染性腸炎を除外した上で，ロペラミド塩酸塩1〜2mgを症状が改善するまで頓用にて投与する。
- 上記で改善しない場合は，薬剤の減量または休薬を考慮する。

減量・再開のポイント

- Grade 4の下痢が出現した場合，通常は治療を中止する。
- 十分な支持療法を行った上でGrade 3以上の下痢が出現した場合は，次コースより CPT-11と5-FUを減量している。

✓ 末梢神経障害

治療開始前のマネジメント

- L-OHPによる有害事象であり，「急性の末梢神経障害」と「蓄積性の末梢神経障害」 を分けて患者に説明する。
- 急性の末梢神経障害は寒冷刺激に誘発され手足の先端や口唇周囲に出現する一過性 の知覚異常（主にしびれ）である。投与直後から出現しほぼ必発であるが，通常は次 コースまでに消失する。投与後約1週間寒冷刺激を避けるように指導する。
- 蓄積性の末梢神経障害は，L-OHP用量依存性に出現する慢性的な手足のしびれであ る。基本的には可逆性であり，L-OHPの休薬とともに症状が改善することが多いが， 休薬のタイミングを逸すると長期に症状が遷延し，患者のQOLの低下をまねくこと があり注意が必要である。
- 治療前に手足のしびれがないか必ずチェックする。
- 職業上や日常的に寒冷刺激暴露が回避しにくい人，細かい手先の作業を要する人， 治療開始時より手足のしびれを有する人への適応は慎重に判断すべきである。

有害事象発生時のマネジメント

- 急性の末梢神経障害は，症状に応じて寒冷刺激を回避することで通常は対処可能で ある。
- 慢性的なしびれが発現した場合は，蓄積性の末梢神経障害の出現と判断し，減量や 休薬のタイミングを慎重に検討する。

減量・休薬のポイント

- Grade 2（身の回り以外の日常生活動作の制限）の症状が1週間以上持続する場合は L-OHPを1レベル減量して継続，もしくはGrade 1（生活動作の制限のない知覚異 常）以下に回復するまで休薬する。Grade 3（身の回りの日常生活動作の制限）の症状 が発現した場合はGrade 1以下に回復するまでL-OHPを休薬する。
- Grade 3まで進行すると，休薬後も症状が遷延することがあり，患者の背景や後治 療なども考慮しGrade 2発現の時点から対応するようにしている。
- 既報ではGrade 2以上の末梢神経傷害がL-OHP総投与量680mg／m^2で25％，総投

与量1,020mg/m^{2}で64％と発現したと報告されている。また，術後補助化学療法では治療終了1年後に約30％の患者で末梢神経障害が残存すると報告されている[2]。

✓ アレルギー

治療開始前のマネジメント

■7コース前後でのL-OHPによるアレルギー症状の発現頻度が高いことを事前に説明しておく。

有害事象発生時のマネジメント

■軽症であれば抗ヒスタミン薬と副腎皮質ステロイド投与で症状が消失することが多い。

■アレルギー症状発現後のL-OHP再投与は重篤なアレルギー反応を惹起する可能性があるため，原則的には推奨できないが，再投与の意義がリスクを上回ると考えられる場合は，患者の同意を得た上で前投薬の強化や，減量や投与時間の延長を行い再投与している。

■アレルギー反応の程度により下記のように対応を決めている。

当センターでのアレルギー反応発現時の対応マニュアル（一部改変）

アレルギー反応	治療	次コースからの対応
一過性の潮紅あるいは皮疹，38℃未満の薬剤熱	①治療中断 ②M1[*1]を全開投与し，1時間経過観察 ③異常がなければ投与速度を半分にして再開か中止して帰宅	・再投与のリスクを説明し，同意が得られれば前投薬を強化[*2]して継続
皮疹，潮紅，蕁麻疹，呼吸困難，38℃以上の薬剤熱	①治療中止 ②M1を投与 ③診察し入院か帰宅を判断する	・原則的にはL-OHPの投与を中止 ・初回発現時は再投与のリスクを説明し同意が得られれば，前投薬を強化した上でL-OHPの減量，投与時間延長もしくは入院での投与も選択肢として検討
蕁麻疹の有無によらず症状のある気管支攣縮，非経口的治療を要する，アレルギーによる浮腫／血管性浮腫，血圧低下 アナフィラキシー	①治療中止 ②M1（生食に溶かさず静注）を投与，状況に応じてアドレナリン（アドレナリン®）0.3mg筋注 ③バイタル安定後に入院	・L-OHPの投与を中止

＊1：ヒドロコルチゾンリン酸エステルナトリウム（水溶性ハイドロコートン®）100mg＋ラニチジン塩酸塩（ザンタック®）50mg＋d-クロルフェニラミンマレイン酸塩（ポララミン®）5mg＋生食50mL点滴静注
＊2：投与例（☞p381）投与順❶の薬剤にデキサメタゾンリン酸エステルナトリウム（デキサート®）9.9mg＋ラニチジン塩酸塩50mg＋d-クロルフェニラミンマレイン酸塩5mgを追加する。

文 献

1) Falcone A, et al:Phase III trial of infusional fluorouracil, leucovorin, oxaliplatin, and irinotecan(FOLFOXIRI)compared with infusional fluorouracil, leucovorin, and irinotecan(FOLFIRI)as first-line treatment for metastatic colorectal cancer:The Gruppo Oncologico Nord Ovest. J Clin Oncol. 2007;25:1670-6.

2) Thierry A, et al:Improved overall survival with oxaliplatin, fluorouracil, and leucovorin as adjuvant treatment in stage II or III colon cancer in the MOSAIC trial. J Clin Oncol. 2009;27:3109-16.

（山﨑健太郎）

大腸癌

FOLFOXIRI + Bmab

投与スケジュール

Bmab 5mg/kg, 30〜90分	↓				
CPT-11 165mg/m², 1時間	↓				
L-OHP 85mg/m², 2時間	↓				
ℓ-LV 200mg/m², 2時間	↓				
5-FU 3,200mg/m², 48時間持続静注	━━━				
	1	2	3	…	14 (日)

上記2週を1コースとする。

投与例

投与日	投与順	投与量	投与方法
1	1	ベバシズマブ [Bmab]（アバスチン®）5mg/kg + 生食100mL	CVポート（30〜90分）
	2	デキサメタゾンリン酸エステルナトリウム（デキサート®）2.0mL（6.6mg）+ パロノセトロン塩酸塩（アロキシ®）0.75mg + 生食50mL	CVポート（15分）
	3	イリノテカン塩酸塩水和物 [CPT-11]（トポテシン®）165mg/m² + 5%ブドウ糖液250mL	CVポート（1時間）
	4-1	オキサリプラチン [L-OHP]（エルプラット®）85mg/m² + 5%ブドウ糖液250mL	CVポート（2時間）
	4-2	レボホリナートカルシウム [ℓ-LV]（アイソボリン®）200mg/m² + 5%ブドウ糖液250mL	CVポート（2時間）
	5	フルオロウラシル [5-FU]（5-FU®）3,200mg/m² + 注射用蒸留水：総量230mLになるよう調製	CVポート（48時間）

※ 4-1, 4-2は同時点滴開始。

適応・治療開始基準

■ 組織学的に腺癌と確定診断されている，切除不能結腸・直腸癌。

■ PS 0～1

■ 主要臓器機能が保たれている（以下が目安）。

- 好中球数 $\geq 1,500/\mu L$
- 血小板数 $\geq 10.0 \times 10^4/\mu L$
- ヘモグロビン $\geq 9.0g/dL$
- 総ビリルビン $\leq$ 施設基準値上限 $\times 1.5$ 倍
- AST，ALT $\leq 100U/L$（肝転移例は $200U/L$ を目安とする）
- クレアチニン $\leq$ 施設基準値上限 $\times 1.5$ 倍
- INR 1.5未満
- 尿蛋白2＋以下

■ *UGT1A1*6*28* の遺伝子多型が野生型またはシングルヘテロである。

慎重投与・禁忌

◉ FOLFOXIRI

	慎重投与	禁　忌
年　齢	高齢者および小児	
骨髄機能		骨髄機能抑制を有する
末梢神経障害	末梢神経障害を有する	Grade 3以上
消化管通過障害		腸管麻痺，腸閉塞を有する
消化管粘膜障害	潰瘍または出血がある	
下　痢		下痢がある
腹水，胸水	腹水，胸水を有する	多量の腹水，胸水を有する
心疾患	心疾患またはその既往歴を有する	
肺疾患		間質性肺炎または肺線維症を有する
腎障害	腎障害を有する	
肝障害	肝障害を有する	黄疸を有する
感　染		感染症を合併している
過敏症		使用薬剤に対して過敏症の既往を有する
その他の併存疾患	糖尿病，消化管潰瘍または出血，水痘を有する	

●Bmab

	慎重投与	禁　忌
心血管系	心不全，冠動脈疾患の既往を有する	
血液・凝固	出血傾向がある 血栓塞栓症の既往を有する	
創傷治癒	大きな手術の術創が治癒していない	
その他	脳転移，高血圧を有する	喀血の既往を有する

効　果

	切除不能大腸癌に対する 初回治療例[1]
RR	65.1 %
PFS	12.1 カ月
OS	31.0 カ月

FOLFOXIRI + Bmab

有害事象マニュアル

有害事象の発現率と発現時期 [1]

有害事象	発現率（%）		発現時期
	all Grade	Grade 3	
✓ 好中球数減少		50	投与7～10日後
✓ 発熱性好中球減少症		8.8	投与7～10日後
□ 血小板数減少			投与7～10日後
□ 貧 血			投与7～10日後
□ 粘膜炎		8.8	投与3～10日後
✓ 下 痢		18.8	コリン作動性：投与直後 遅発性：投与7～10日後
✓ 悪 心		2.8	投与1～7日後
✓ 嘔 吐		4.4	急性：投与当日 遅発性：2～7日後
□ 倦怠感		12.0	投与4～7日後
✓ 末梢神経障害		5.2	投与直後～7日後
✓ 高血圧*		5.2	
□ 静脈血栓症*		7.2	

☑：「有害事象マネジメントのポイント」参照。

＊：Bmab関連の有害事象について，発現時期には一定の傾向がみられなかった。

減量早見表

減量レベル	Bmab*	CPT-11	L-OHP	5-FU（持続静注）
初回投与量	5mg/kg	165mg/m²	85mg/m²	3,200mg/m²
−1		125mg/m²	65mg/m²	2,400mg/m²
−2		80mg/m²	50mg/m²	1,600mg/m²

＊：Bmabは原則として減量しない。

有害事象マネジメントのポイント

■ 現在，日本人に対する本療法の安全性，有効性を確認する目的で第Ⅱ相試験が進行中である。

■ *UGT1A1*遺伝子多型*6か*28のホモもしくはダブルヘテロ接合体の患者には安全な投与量が明確ではないため，原則適応としていない。

✓ 好中球数減少・発熱性好中球減少症

■ 「mFOLFOXIRI」参照（☞ p383）。

✓ 悪心・嘔吐

- 「mFOLFOXIRI」参照（☞ **p384**）。

✓ 下痢・腹痛

- 「mFOLFOXIRI」参照（☞ **p385**）。

✓ 末梢神経障害

- 「mFOLFOXIRI」参照（☞ **p386**）。

✓ アレルギー

- 「mFOLFOXIRI」参照（☞ **p387**）。

✓ 高血圧 (Bmab)

治療開始前のマネジメント

- 治療開始前に，高血圧，腎疾患の既往，尿蛋白，腎機能などを評価しておく。
- Bmabの投与により，血圧が上昇する可能性があることを説明しておく。また，激しい頭痛，悪心，嘔吐，視力障害，意識障害などの高血圧性脳症，高血圧性クリーゼなどを示唆する所見が現れた際には，病院に連絡するように事前に説明しておく。

注意！ ☞
- Bmabの投与後，多くの症例が4カ月以内に高血圧を発現するが，高血圧の発現頻度は用量依存性であり，それ以降にも出現する可能性がある。したがって，Bmabの投与中は定期的に血圧を測定する必要がある。

有害事象発生時のマネジメント

- Bmabによる高血圧に対しては，レニン-アルドステロン系の関与が示唆されていること，蛋白尿の改善効果が期待されることから，ARBもしくはACE阻害薬を推奨する報告がある。
- 高血圧の第一選択薬のひとつである，ジヒドロピリジン系のカルシウム拮抗薬は，PTXの代謝を抑制する可能性があるため，積極的には使用しない。
- 悪性高血圧や高血圧性クリーゼなどを呈するGrade 4の高血圧が出現した際には，Bmabの併用は中止する。

休薬・中止のポイント

- 降圧薬で血圧コントロールが良好であれば，Bmab投与を継続する。降圧薬を併用してもコントロール不能な場合には，Bmabは中止する。

✓ 尿蛋白

治療開始前のマネジメント

- Bmabによる尿蛋白の多くは可逆的であり，休薬により改善することが多い。しかし，稀にネフローゼ症候群を発症することもあり，定期的な尿蛋白の検査が必要である。

有害事象発生時のマネジメント

- 原則，Grade 2（尿蛋白2＋）以上の尿蛋白を認めた場合は，Grade 1（尿蛋白1＋）以下に回復するまで休薬する。

✓ 消化管穿孔 (Bmab)

- 消化管穿孔のリスク因子は同定されておらず，予防法も確立されていない。穿孔時には手術が必要になる可能性があることを説明し，Bmab使用時に発症した急性腹症では消化管穿孔の可能性を念頭に置いて検索を行う。

✓ 創傷治癒遅延 (Bmab)

- 周術期のBmabの併用により創傷治癒遅延による合併症が増えるとされており，術前は6週間以上，術後は約4週間の休薬期間を基本としている。

文献

1) Loupakis F, et al:Initial therapy with FOLFOXIRI and bevacizumab for metastatic colorectal cancer. N Engl J Med. 2014;371:1609-18.
2) Izzedine H, et al:VEGF signalling inhibition-induced proteinuria:Mechanisms, significance and management. Eur J Cancer. 2010;46:439-48.

（山﨑健太郎）

Ⅴ 大腸癌

FOLFOX

投与スケジュール

L-OHP 85mg/m², 2時間	↓				
ℓ-LV 200mg/m², 2時間	↓				
5-FU 400mg/m², 急速静注5分	↓				
5-FU 2,400mg/m², 46時間持続静注	▬▬▬▬				
	1	2	3	…	14 （日）

上記2週を1コースとする。

投与例

投与日	投与順	投与量	投与方法
1	**1**	デキサメタゾンリン酸エステルナトリウム（デキサート®）2.0mL（6.6mg）＋パロノセトロン塩酸塩（アロキシ®）0.75mg＋生食50mL	CVポート（15分）
	2-1	オキサリプラチン［L-OHP］（エルプラット®）85mg/m²＋5％ブドウ糖液250mL	CVポート（2時間）
	2-2	レボホリナートカルシウム［ℓ-LV］（アイソボリン®）200mg/m²＋5％ブドウ糖液250mL	CVポート（2時間）
	3	フルオロウラシル［5-FU］（5-FU®）400mg/m²＋5％ブドウ糖液50mL	CVポート（5分）
	4	5-FU 2,400mg/m²＋注射用蒸留水：総量230mLになるよう調製	CVポート（46時間）

※ **2**-1，**2**-2は同時点滴開始。

適応・治療開始基準

- 組織学的に腺癌と確定診断されている，切除不能結腸・直腸癌。
- PS 0～1
- 主要臓器機能が保たれている（以下が目安）。

> - 好中球数≧1,500/μL
> - 血小板数≧10.0×10^4/μL
> - ヘモグロビン≧9.0g/dL
> - 総ビリルビン≦施設基準値上限×1.5倍
> - AST，ALT≦100U/L（肝転移例は200U/Lを目安とする）
> - クレアチニン≦施設基準値上限×1.5倍

※ただし，実臨床においては上記基準外などで開始することもある。その際は事前の十分な患者説明と，こまめな外来観察を行うなど配慮が必要。

慎重投与・禁忌

	慎重投与	禁　忌
年　齢	高齢者および小児	
骨髄機能	骨髄機能抑制を有する	
末梢神経障害	末梢神経障害を有する	Grade 3以上
心疾患	心疾患またはその既往を有する	
腎障害	腎障害を有する	
肝障害	肝障害を有する	
感　染	感染症を合併している	
過敏症		使用薬剤，または他のプラチナを含む薬剤に対して過敏症の既往を有する
その他の併存症	消化管潰瘍または出血，水痘を有する	

効　果

	切除不能大腸癌に対する初回治療例		切除不能大腸癌に対する既治療例[2, 3]
	mFOLFOX6[1]	FOLFOX6[2]	
RR	41％	54％	8.6～15％
PFS	8.0カ月	8.1カ月	4.2～4.7カ月
OS	19.2カ月	20.6カ月	10.8～13.0カ月

FOLFOX

有害事象マニュアル

有害事象の発現率と発現時期

有害事象	発現率（%）		発現時期
	all Grade[2]	Grade 3[1]	
✓ 好中球数減少	82	53	投与7〜10日後
□ 血小板数減少症	83	6	投与7〜10日後
✓ 悪　心	67	31*	投与1〜7日後
✓ 嘔　吐	42		急性：投与当日 遅発性：2〜7日後
□ 下　痢	52	31	投与7〜10日後
✓ 末梢神経障害	97	18	急性：投与直後〜14日 慢性：持続性
□ 倦怠感	35	8	投与4〜7日後

☑：「有害事象マネジメントのポイント」参照。

減量早見表

減量レベル	L-OHP	5-FU（急速静注）	5-FU（持続静注）
初回投与量	85mg/m²	400mg/m²	2,400mg/m²
−1	65mg/m²	300mg/m²	2,000mg/m²
−2	50mg/m²	200mg/m²	1,600mg/m²

■FOLFOXレジメンのエビデンスの多くがFOLFOX4で証明されてきたが，現在はほとんどがmFOLFOX6レジメンで行われている。

有害事象マネジメントのポイント

✓ 末梢神経障害

■「mFOLFOXIRI」参照（☞ p386）。

✓ アレルギー

■国内の使用成績調査ではアレルギー症状が9％，アナフィラキシーが2％に出現し，症状発現コースの中央値（範囲）は7（1〜27）と報告されている。

治療開始前のマネジメント

■7コース前後でのL-OHPによるアレルギー症状の発現頻度が高いことを事前に説明しておく。

有害事象発生時のマネジメント

- 「mFOLFOXIRI」参照（☞ p387）。

✓ 悪心・嘔吐

治療開始前のマネジメント

- 「mFOLFOXIRI」参照（☞ p384）。

有害事象発生時のマネジメント

- 投与開始後3〜7日目の出現頻度が高い。L-OHPは中等度催吐性リスクに分類されるため，当センターでは初回は投与例（☞ p395）の投与順 **1** の薬剤を前投与し，2〜3日目にデキサメタゾンリン酸エステルナトリウム（デキサート®）（8mg/日）の内服を行う。
- 遅発性悪心・嘔吐が続く場合はドパミン受容体拮抗薬〔メトクロプラミド（プリンペラン®）5mg，ドンペリドン（ナウゼリン®）10mg，プロクロルペラジン（ノバミン®）5mg〕や5-HT₃受容体拮抗制吐薬〔オンダンセトロン塩酸塩水和物（ゾフラン®ザイディス）〕などを定時（投与後1週間のみ定時内服など）もしくは頓用で使用する。
- 上記で対応できない場合は，高度催吐性リスクへの対応に準じてアプレピタント（イメンド®）を加え（1〜3日目），2〜4日目にデキサメタゾンリン酸エステルナトリウム（8mg/日）を投与する。場合によっては5日目までのアプレピタントの内服追加およびデキサメタゾンリン酸エステルナトリウム（8mg/日）の投与延長を考慮する。
- 治療前から嘔気がするなどの予期性嘔吐の場合は，ベンゾジアゼピン系抗不安薬（アルプラゾラム®）などを治療開始前に内服してもらっている。

減量・再開のポイント

- 高度催吐性リスクに準じた制吐薬を使用しても持続するGrade 3以上の悪心・嘔吐が出現した場合は，次コースよりL-OHP，5-FU（急速静注，持続静注）すべてを減量している。

✓ 好中球数減少・発熱性好中球減少症

治療開始前のマネジメント

- 「mFOLFOXIRI」参照（☞ p383）。

有害事象発生時のマネジメント

- 原則，Grade 1以下に好中球数減少が回復したのを確認し次コースを開始する。
- 発熱性好中球減少症は，入院にてG-CSF製剤および静注抗菌薬の投与を行う。好中球数1,000/μL未満で38℃以上の発熱が出現するか，好中球数500/μL未満が確認された時点からG-CSF投与を考慮する。全身状態が良好な低リスク群（MASCCスコア21点以上）に対しては，経口抗菌薬〔レボフロキサシン水和物（クラビット®など）〕による外来治療も選択肢のひとつとなるが，患者に対する十分な教育や理解，近隣病院のサポート体制などを考慮して対応する必要がある。

減量・再開のポイント

- 通常はGrade 4の好中球数減少，血小板数減少，およびGrade 3の発熱性好中球減少症を認めた場合は，次コースよりL-OHP，5-FU（急速静注，持続静注）すべてを減量している。Grade 3の好中球数減少，血小板数減少では感染や輸血が必要な出血を伴わなければ原則減量は行っていない。
- 安定して治療が継続できる用量が決まるまで，週に1回程度の採血チェックを行うようにしている。採血チェックは，前コースまでの好中球数減少の出現時期や発熱をきたした時期に合わせて行う。

症例 **57歳女性，大腸癌多発肝転移**

　身長154cm，体重43kg，PS 0。便潜血を契機に診断された大腸癌多発肝転移例に対して，mFOLFOX6療法を開始した。1コース15日目で好中球数740/μLと好中球数減少（Grade 3）を認めたため，2コース目からL-OHP，5-FU（急速静注および持続静注）をすべて1レベル減量した。7コース目のL-OHP投与開始15分後に，発汗と顔面潮紅を認めたため直ちに投与を中断し，15分後に症状が消失した。アレルギー反応（Grade 1）と判断し水溶性ハイドロコートン®100mg＋ラニチジン塩酸塩（ザンタック®）50mg＋d-クロルフェニラミンマレイン酸塩（ポララミン®）5mgを投与して，L-OHPを半分の投与速度に落として再開した。症状の再燃がないことを確認し，規定の速度に戻して投与を終了した。8コース目から前投薬をデキサメタゾンリン酸エステルナトリウム（デキサート®）9.9mg＋ラニチジン塩酸塩50mg＋d-クロルフェニラミンマレイン酸塩 5mg＋パロノセトロン塩酸塩（アロキシ®）0.75mg＋生食50mLに変更し，その後はアレルギーの出現はなかった。8コース目より冷感刺激の有無にかかわらず手足の指先のしびれが持続するようになり，10コース目開始時には「ボタンがかけにくい時や，ものを落としそうになる時がある」といった訴えがあり，蓄積性の末梢神経障害（Grade 2）と診断した。日常生活に支障が出始めておりL-OHPは不耐と判断し5-FU/LVによる治療を継続した。

文献

1) Hochster HS, et al:Safety and efficacy of oxaliplatin and fluoropyrimidine regimens with or without bevacizumab as first-line treatment of metastatic colorectal cancer:results of the TREE Study. J Clin Oncol. 2008;26:3523-9.
2) Tournigand C, et al:FOLFIRI followed by FOLFOX6 or the reverse sequence in advanced colorectal cancer:A Randomized GERCOR Study. J Clin Oncol. 2004;22:229-37.
3) Bruce J:Bevacizumab in combination with oxaliplatin, fluorouracil, and leucovorin(FOLFOX4) for previously treated metastatic colorectal cancer:results from the Eastern Cooperative Oncology Group Study E3200. J Clin Oncol. 2007;25:1539-44.

（安井博史）

大腸癌

FOLFOX + Bmab

投与スケジュール

Bmab 5mg/kg, 30〜90分	↓					
L-OHP 85mg/m², 2時間	↓					
ℓ-LV 200mg/m², 2時間	↓					
5-FU 400mg/m², 急速静注5分	↓					
5-FU 2,400mg/m², 46時間持続静注	━━━					
	1	2	3	…	14	（日）

上記2週を1コースとする。

投与例

投与日	投与順	投与量	投与方法
1	1	ベバシズマブ[Bmab]（アバスチン®）5mg/kg ＋ 生食100mL	CVポート（30〜90分）
	2	デキサメタゾンリン酸エステルナトリウム（デキサート®）2.0mL（6.6mg）＋ パロノセトロン塩酸塩（アロキシ®）0.75mg ＋ 生食50mL	CVポート（15分）
	3-1	オキサリプラチン[L-OHP]（エルプラット®）85mg/m² ＋ 5％ブドウ糖液250mL	CVポート（2時間）
	3-2	レボホリナートカルシウム[ℓ-LV]（アイソボリン®）200mg/m² ＋ 5％ブドウ糖液250mL	CVポート（2時間）
	4	フルオロウラシル[5-FU]（5-FU®）400mg/m² ＋ 5％ブドウ糖液50mL	CVポート（5分）
	5	5-FU 2,400mg/m² ＋ 注射用蒸留水：総量230mLになるよう調製	CVポート（46時間）

※ 3-1, 3-2は同時点滴開始。

適応・治療開始基準

- 組織学的に腺癌と確定診断されている，切除不能結腸（盲腸も含む）・直腸癌。
- PS 0〜1
- 主要臓器機能が保たれている（以下が目安）。

- 好中球数≧1,500/μL
- 血小板数≧10.0×10^4/μL
- ヘモグロビン≧9.0g/dL
- 総ビリルビン≦施設基準値上限×1.5倍
- AST，ALT≦100U/L（肝転移例は200U/Lを目安とする）
- クレアチニン≦施設基準値上限×1.5倍
- INR 1.5未満
- 尿蛋白1＋以下

慎重投与・禁忌

● FOLFOX

	慎重投与	禁　忌
年　齢	高齢者および小児	
骨髄機能	骨髄機能抑制を有する	
末梢神経障害	末梢神経障害を有する	Grade 3以上
心疾患	心疾患またはその既往を有する	
腎障害	腎障害を有する	
肝障害	肝障害を有する	
感　染	感染症を合併している	
過敏症		使用薬剤，または他のプラチナを含む薬剤に対して過敏症の既往を有する
その他の併存症	消化管潰瘍または出血，水痘を有する	

● Bmab

	慎重投与	禁　忌
心血管系	心不全，冠動脈疾患の既往を有する	
血液・凝固	出血傾向がある 血栓塞栓症の既往を有する	
創傷治癒	大きな手術の術創が治癒していない	
その他	脳転移，高血圧を有する	喀血の既往を有する

効　果

	切除不能大腸癌に対する初回治療例[1, 2]
RR	62.2〜63％
PFS	10.2〜10.7カ月
OS	28.9〜30.9カ月

FOLFOX + Bmab

有害事象マニュアル

有害事象の発現率と発現時期[1, 2]

有害事象	発現率（%）		発現時期
	all Grade	Grade 3	
✓ 好中球数減少	72〜79.7	34〜35.3	投与7〜10日後
✓ 発熱性好中球減少症	—	1.5	投与7〜10日後
✓ 悪　心	56〜65.1	1〜4.5	投与1〜7日後
食欲低下	64〜72.7	1〜5.5	投与4〜7日後
✓ 嘔　吐	20〜28.9	1〜4.5	急性：投与当日 遅発性：2〜7日後
下　痢	37.3〜39	3〜5.1	投与7〜10日後
倦怠感	54〜70.7	1〜3.0	投与4〜7日後
✓ 末梢神経障害	85.7〜90	14〜21.7	急性：投与直後〜14日 慢性：持続性
✓ 高血圧	31〜40.4	5.5〜6	
静脈血栓症	3〜4.5	1.5〜2	

☑：「有害事象マネジメントのポイント」参照。

減量早見表

減量レベル	L-OHP	5-FU（急速静注）	5-FU（持続静注）
初回投与量	85mg/m²	400mg/m²	2,400mg/m²
−1	65mg/m²	300mg/m²	2,000mg/m²
−2	50mg/m²	200mg/m²	1,600mg/m²

※FOLFOXレジメンのエビデンスの多くがFOLFOX4で証明されてきたが，現在はほとんどがmFOLFOX6レジメンで行われている。

有害事象マネジメントのポイント

✓ 末梢神経障害

- 「mFOLFOXIRI」参照（☞ p386）。

✓ アレルギー

- 国内でのFOLFOXの使用成績調査では，アレルギー症状が9%，アナフィラキシーが2%に出現し，症状発現コースの中央値（範囲）は7（1〜27）と報告されている。
- 「mFOLFOXIRI」参照（☞ p387）。

✓ 悪心・嘔吐

治療開始前のマネジメント

■「mFOLFOXIRI」参照（☞ **p384**）。

有害事象発生時のマネジメント

減量・再開のポイント

■「FOLFOX」参照（☞ **p398**）。

✓ 好中球数減少・発熱性好中球減少症

治療開始前のマネジメント

■「mFOLFOXIRI」参照（☞ **p383**）。

有害事象発生時のマネジメント

減量・再開のポイント

■「FOLFOX」参照（☞ **p399**）。

✓ 高血圧（Bmab）

■「FOLFOXIRI + Bmab」参照（☞ **p393**）。

✓ 尿蛋白

■「FOLFOXIRI + Bmab」参照（☞ **p394**）。

✓ 消化管穿孔（Bmab）

■「FOLFOXIRI + Bmab」参照（☞ **p394**）。

✓ 創傷治癒遅延（Bmab）

■「FOLFOXIRI + Bmab」参照（☞ **p394**）。

> **症例** 65歳女性，大腸癌多発肝転移
>
> 身長152cm，体重41kg，PS 0。検診発見の切除不能大腸癌多発肝転移例に対して，mFOLFOX6＋Bmab併用療法を開始した。治療開始時の血圧は118/78mmHgで降圧薬の内服はなかった。3コース目開始時に高血圧（Grade 2）(148/90mmHg)を認めたためアジルバ®20mgの内服を開始したが，4コース目開始時も高血圧（Grade 2）(146/88mmHg)が持続したためアムロジピン®2.5mgを追加した。その後も高血圧（Grade 2）が続くため6コース目開始時にアムロジピン®を5mgへ増量し，その後は収縮期血圧110台とコントロール良好となった。また，治療開始時より投与後約10日間持続する冷感刺激によるしびれを認めていたが徐々に増悪し，11コース目には末梢神経障害（Grade 2）が2週間持続するようになったためL-OHPは休止し，5-FU/ℓ-LV＋Bmabによる治療を継続している。

文献

1) Yamazaki K, et al：A randomized phase Ⅲ trial of mFOLFOX6 plus bevacizumab as first-line treatment for metastatic colorectal cancer：WJOG4407G. ASCO2014.
2) Yamada Y, et al：Leucovorin, fluorouracil, and oxaliplatin plus bevacizumab versus S-1 and oxaliplatin plus bevacizumab in patients with metastatic colorectal cancer(SOFT)：an open-label, non-inferiority, randomized phase 3 trial. Lancet Oncol. 2013;13:1278-86.

（山﨑健太郎）

V 大腸癌

FOLFOX + Cmab/Pmab

投与スケジュール

● mFOLFOX6 + Cmab

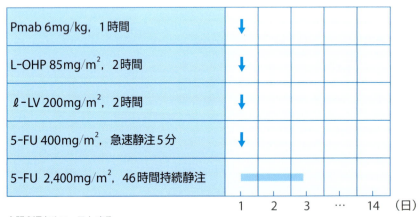

上記2週を1コースとする。

● mFOLFOX6 + Pmab

| Pmab 6mg/kg，1時間 |
| L-OHP 85mg/m², 2時間 |
| l-LV 200mg/m², 2時間 |
| 5-FU 400mg/m², 急速静注5分 |
| 5-FU 2,400mg/m², 46時間持続静注 |

上記2週を1コースとする。

投与例

● mFOLFOX6 + Cmab

投与日	投与順	投与量	投与方法
1	**1**	デキサメタゾンリン酸エステルナトリウム（デキサート®）2.0mL（6.6mg）＋ パロノセトロン塩酸塩（アロキシ®）0.75mg ＋ d-クロルフェニラミンマレイン酸塩（ポララミン®）1.0mL（5mg）＋ 生食 50mL	CVポート（15分）
	2	セツキシマブ［Cmab］（アービタックス®）250mg/m² （初回のみ400mg/m²）＋ 生食 100mL	CVポート（初回のみ2時間，2回目以降1時間）
	3-1	オキサリプラチン［L-OHP］（エルプラット®）85mg/m² ＋ 5％ブドウ糖液 250mL	CVポート（2時間）
	3-2	レボホリナートカルシウム［ℓ-LV］（アイソボリン®）200mg/m² ＋ 5％ブドウ糖液 250mL	CVポート（2時間）
	4	フルオロウラシル［5-FU］（5-FU®）400mg/m² ＋ 5％ブドウ糖液 50mL	CVポート（5分）
	5	5-FU 2,400mg/m² ＋ 注射用蒸留水：総量230mLになるよう調製	CVポート（46時間）
8	**1**	d-クロルフェニラミンマレイン酸塩 1.0mL（5mg）＋ 生食 50mL	CVポート（15分）
	2	Cmab 250mg/m² ＋ 生食 100mL	CVポート（1時間）
	3	生食 50mL	CVポート（5分）

※ **3**-1，**3**-2は同時点滴開始。

● mFOLFOX6 + Pmab

投与日	投与順	投与量	投与方法
1	**1**	デキサメタゾンリン酸エステルナトリウム（デキサート®）2.0mL（6.6mg）＋ パロノセトロン塩酸塩（アロキシ®）0.75mg ＋ d-クロルフェニラミンマレイン酸塩（ポララミン®）1.0mL（5mg）＋ 生食 50mL	CVポート（15分）
	2	パニツムマブ［Pmab］（ベクティビックス®）6mg/kg ＋ 生食 100mL	CVポート（1時間）
	3-1	オキサリプラチン［L-OHP］（エルプラット®）85mg/m² ＋ 5％ブドウ糖液 250mL	CVポート（2時間）
	3-2	レボホリナートカルシウム［ℓ-LV］（アイソボリン®）200mg/m² ＋ 5％ブドウ糖液 250mL	CVポート（2時間）
	4	フルオロウラシル［5-FU］（5-FU®）400mg/m² ＋ 5％ブドウ糖液 50mL	CVポート（5分）
	5	5-FU 2,400mg/m² ＋ 注射用蒸留水：総量230mLになるよう調製	CVポート（46時間）

※ **3**-1，**3**-2は同時点滴開始。

適応・治療開始基準

- 組織学的に腺癌と確定診断されている，切除不能結腸・直腸癌。
- PS 0～1
- *RAS*遺伝子野生型が確認されている。
- 主要臓器機能が保たれている（以下が目安）。

- 好中球数≧1,500/μL
- 血小板数≧10.0×10^4/μL
- ヘモグロビン≧9.0g/dL
- 総ビリルビン≦施設基準値上限×1.5倍
- AST，ALT≦100U/L（肝転移例は200U/Lを目安とする）
- クレアチニン≦施設基準値上限×1.5倍

慎重投与・禁忌

● mFOLFOX6

	慎重投与	禁　忌
年　齢	高齢者および小児	
骨髄機能	骨髄機能抑制を有する	
末梢神経障害	末梢神経障害を有する	Grade 3以上
心疾患	心疾患またはその既往を有する	
腎障害	腎障害を有する	
肝障害	肝障害を有する	
感　染	感染症を合併している	
過敏症		使用薬剤，または他のプラチナを含む薬剤に対して過敏症の既往を有する
その他の併存症	消化管潰瘍または出血，水痘を有する	

● Cmab

	慎重投与
肺疾患	間質性肺炎の既往を有する
心疾患	冠動脈疾患，うっ血性心不全，不整脈の既往を有する

● Pmab

	慎重投与
肺疾患	間質性肺炎，肺線維症またはその既往を有する

効 果

	RAS野生型の切除不能大腸癌に対する初回治療例		
	FOLFOX4 + Cmab[1]	FOLFOX4 + Pmab[2]	mFOLFOX6 + Pmab[3]
RR	58 %		63.6 %
PFS	12.0カ月	10.1カ月	13カ月
OS	19.8カ月	25.8カ月	41.3カ月

FOLFOX + Cmab/Pmab

有害事象マニュアル

有害事象の発現率と発現時期：*KRAS*野生型

有害事象	発現率（%）				発現時期
	FOLFOX4 + Cmab[4]		FOLFOX4 + Pmab[5]		
	all Grade	≧ Grade 3	all Grade	≧ Grade 3	
✓ 好中球数減少		30		42	投与7〜10日後
☐ 血小板数減少症		4			投与7〜10日後
✓ 悪心		54		1	投与1〜7日後
☐ 下痢		8		18	投与7〜10日後
✓ 末梢神経障害		4		16	急性：投与直後〜14日 慢性：持続性
☐ 倦怠感		4		9	投与4〜7日後
✓ 皮膚障害		18		36	
✓ 低マグネシウム血症				6	約半数が12週未満に発症
✓ infusion reaction（注入に伴う反応）		5		＜1	投与直後

☑：「有害事象マネジメントのポイント」（☞ p411）参照。

減量早見表

● mFOLFOX6

減量レベル	L−OHP	5−FU（急速静注）	5−FU（持続静注）
初回投与量	85mg/m²	400mg/m²	2,400mg/m²
−1	65mg/m²	300mg/m²	2,000mg/m²
−2	50mg/m²	200mg/m²	1,600mg/m²

● Cmab

減量レベル	Cmab
初回投与量	400mg/m²
2回目以降の投与量	250mg/m²
−1	200mg/m²
−2	150mg/m²

● Pmab

減量レベル	Pmab
初回投与量	6mg/kg
−1	4.8mg/kg
−2	3.6mg/kg

※ FOLFOXレジメンのエビデンスの多くがFOLFOX4で証明されてきたが，現在はほとんどがmFOLFOX6レジメンで行われている。

有害事象マネジメントのポイント

✓ 末梢神経障害

- 「mFOLFOXIRI」参照（☞ p386）。

✓ アレルギー（L-OHP）

- 「FOLFOX」参照（☞ p397）。

治療開始前のマネジメント

有害事象発生時のマネジメント

- 「mFOLFOXIRI」参照（☞ p387）。

✓ 悪心・嘔吐

治療開始前のマネジメント

- 「mFOLFOXIRI」参照（☞ p384）。

有害事象発生時のマネジメント

（減量・再開のポイント）

- 「FOLFOX」参照（☞ p398）。

✓ 好中球数減少・発熱性好中球減少症

治療開始前のマネジメント

- 「mFOLFOXIRI」参照（☞ p383）。

有害事象発生時のマネジメント

（減量・再開のポイント）

- 「FOLFOX」参照（☞ p399）。

✓ 皮膚障害（抗EGFR抗体）

- 皮膚障害は抗EGFR抗体投与患者の80％以上に発現し，ざ瘡様皮疹のほかに皮膚乾燥，そう痒症，脂漏性皮膚炎，爪周囲炎といった特徴的な皮膚障害を認める。

治療開始前のマネジメント

- Pmab投与開始前日から保湿剤，局所ステロイド塗布，外出時の日焼け止めの使用，

ドキシサイクリン塩酸塩水和物（国内からの報告ではミノサイクリン塩酸塩）の内服により積極的に予防を行うことで，保湿剤のみによる予防よりも投与開始後6週間のGrade 2以上の皮膚障害が有意に減少したと報告されている[2, 3]。

- こまめな洗浄とスキンケアで皮膚を清潔に保ち，水仕事，掃除などの際にはゴム手袋を着用するなどして，手指を保護する。また，刺激性の低い石鹸や化粧品を使用し，直射日光を避ける。
- 保湿剤ヘパリン類似物質（ヒルドイド®）を，顔面，前胸部，背部に1日2回を目安に予防的に塗布する。
- ざ瘡様皮疹に対する予防としてミノサイクリン塩酸塩（ミノマイシン®）カプセル100mgを1日1～2回治療開始時から処方するようにしている。
- 外用ステロイド薬は顔面，頭皮，体幹・四肢の順に吸収率が高く，顔面にヒドロコルチゾン酪酸エステルクリーム〔ロコイド®クリーム（medium）〕，頭皮にベタメタゾン吉草酸エステル液〔リンデロン®-Vローション（strong）〕，体幹・四肢にジフルプレドナートクリーム〔マイザー®軟膏（very strong）〕を処方し，皮膚障害発現時から塗布を開始するように指導している。

有害事象発生時のマネジメント

- ざ瘡様皮膚炎発現時は事前に処方していた外用ステロイド薬の塗布を自宅で開始する。
- そう痒症に対しては，中枢神経作用が少なく肝・腎機能低下例にも使用可能なフェキソフェナジン塩酸塩（アレグラ®）やロラタジン（クラリチン®）を使用している。
- 疼痛，そう痒などを伴う時や，皮膚障害によって日常生活に支障をきたす可能性があると判断した際には皮膚科に紹介し対応を相談している。Grade 3の皮膚障害を認めた場合は休薬し，下記の減量のポイントに準じて再開している。皮膚障害は治療効果と相関していると報告されているが，皮膚障害の発現，悪化はQOLの低下につながるため，可能な限り早期の段階で対応するようにしている。

減量・再開のポイント

Grade 3の皮膚障害の発現回数	投　与	転　帰	用量調整
1回目	投与延期	Grade 2以下に回復	初回投与量で再開
		回復せず	投与中止
2回目	投与延期	Grade 2以下に回復	−1に減量し再開
		回復せず	投与中止
3回目	投与延期	Grade 2以下に回復	−2に減量し再開
		回復せず	投与中止
4回目	投与中止		

✓ infusion reaction（注入に伴う反応）

- Cmabはヒトマウスキメラ型モノクローナル抗体であり，infusion reactionが約15％に発症する。一方，Pmabは完全ヒト型モノクローナル抗体であり，infusion reactionの発症率は約3％と低率である[4]。

治療開始前のマネジメント

- infusion reactionの90％以上が初回投与時，投与終了1時間以内に発現し，特に重症例は投与後15分以内に発症することが多いと報告されている。稀に2回目以降や投与終了後数時間で発症することもある。
- 初回投与は2時間，2回目以降は1時間かけて投与する。
- 前投薬として初回は抗ヒスタミン薬（d-クロルフェニラミンマレイン酸塩 5mg）に加え副腎皮質ステロイド（デキサメタゾンリン酸エステルナトリウム 6.6mg）を投与する。

有害事象発生時のマネジメント

- アレルギー反応の程度により下記の対応を決めている。

当センターでのinfusion reaction発現時の対応マニュアル（一部改変）

アレルギー反応	治　療	次コースからの対応
薬剤熱だけの場合	・抗癌剤の用量や投与速度は変更しない 　＜38℃：解熱剤を投与せず，悪化がないか経過観察しながら投与 　≧38℃：アセトアミノフェン（カロナール®）400mg投与し経過観察しながら投与	継続[*1]
一過性の潮紅あるいは皮疹，38℃未満の薬剤熱	① 投与速度を半分にして経過観察しながら投与 ② 増悪なければ終了後帰宅	投与速度を半分のまま投与してIR再発時には投与を中止[*1]
皮疹，潮紅，蕁麻疹，呼吸困難，38℃以上の薬剤熱	① 抗癌剤の投与を中断 ② M1[*2]を投与 ③ 呼吸困難または酸素低下あれば酸素投与開始 ④ 症状が消失ないしはGrade 1まで改善後に投与速度を半分にして再開 ⑤ 増悪なければ終了後帰宅	
蕁麻疹の有無によらず症状のある気管支攣縮，非経口的治療を要する，アレルギーによる浮腫／血管性浮腫，血圧低下	① 抗癌剤の投与を中止 ②（1）アドレナリン（アドレナリン®）0.3mg筋注，（2）ヒドロコルチゾンリン酸エステルナトリウム（水様性ハイドロコートン®）500mg＋d-クロルフェニラミンマレイン酸塩5mg＋ラニチジン塩酸塩（ザンタック®）50mg＋生食50mL，（3）生食500mL急速投与，酸素投与開始 ③ バイタル安定後に入院	投与中止
アナフィラキシー		

＊1：IRの程度と経過および治療効果の兼ね合いから，総合的に継続か中止を判断する。

＊2：ヒドロコルチゾンリン酸エステルナトリウム 100mg＋ラニチジン塩酸塩50mg＋d-クロルフェニラミンマレイン酸塩5mg＋生食50mL点滴静注

減量・再開のポイント

- infusion reactionの程度と経過および治療効果の兼ね合いから，総合的に継続か中止を判断し，通常は抗EGFR抗体の減量は行っていない。

✓ 低マグネシウム血症（抗EGFR抗体）

- 低マグネシウム血症の原因は遠位尿細管上皮におけるマグネシウム再吸収阻害であるとされている。

有害事象発生時のマネジメント

- マグネシウム濃度が1.2mg/dL以上（Grade 1）は無症状であれば経過観察としている。
- Grade 2では心電図を計測しQTcの著明な延長がなければ，Grade 1に回復するまで硫酸マグネシウム補正液（1mEq/mL）20mL＋生食100mLを30分で抗EGFR抗体投与日に投与している。治療を要する著明なQTc延長が認められれば，抗EGFR抗体の投与は中止して対応を循環器内科に相談する。
- Grade 3以上では投与を中止する。致死的な不整脈を発症するリスクがあり，入院での補正も検討する。
- 内服のマグネシウム製剤は下痢を起こしやすい，内服しづらいなどの難点があるため，基本的には静注による補正を行っている。
- 低カルシウム血症，低カリウム血症については乳酸カルシウムやグルコン酸カリウムによる補正を適宜行っている。

症例 38歳女性，大腸癌多発肝・リンパ節転移

　身長156cm，体重42kg，PS 0。背部痛を契機に大腸癌多発肝・リンパ節転移を診断された。傍大動脈リンパ節に複数の転移があり，初診時に背部痛が強く睡眠障害を認めていたため定期のオピオイドを開始した。*RAS*野生型であったため腫瘍縮小による疼痛軽減を期待し，また脱毛を回避したいとの希望があったためmFOLFOX6＋Pmab療法を選択した。治療開始前から皮膚障害の予防としてヒルドイド®軟膏塗布，ミノマイシン®200mg/日の内服を開始した。2コース目5日目に顔面と背部にざ瘡様皮疹（Grade 1）を認め，顔面にロコイド®クリーム，体幹にマイザー®軟膏の塗布を開始した。3コース目1日目に顔面のざ瘡様皮疹が増悪したため皮膚科に診察を依頼しGrade 3と判断されPmabの投与を1回延期した。4コース目1日目にざ瘡様皮疹がGrade 2に改善したためPmabを同用量で再開した。以後，ざ瘡様皮疹の増悪は認めず，経過中に皮膚そう痒感が出現したため中枢神経系への作用が弱いアレグラ®を開始し，治療継続中である。

文 献

1) Bokemeyer C, et al:FOLFOX4 plus cetuximab treatment and RAS mutations in colorectal cancer. Eur J Cancer. 2015;51:1243-52.

2) Douillard JY, et al:Panitumumab-FOLFOX4 treatment and RAS mutations in colorectal cancer. N Engl J Med. 2013;369:1023-34.

3) Schwarzberg L, et al:PEAK:A randomized, multicenter phase Ⅱ study of panitumumab plus modified fluorouracil, leucovorin, and oxaliplatin(mFOLFOX6)or bevacizumab plus mFOLFOX6 in patients with previously untreated, unresectable, wild type *KRAS* exon 2 metastatic colorectal cancer. J Cin Oncol. 2014;32:2240-7.

4) Bokemeyer C, et al:Fluorouracil, leucovorin, and oxaliplatin with and without cetuximab in the first-line treatment of metastatic colorectal cancer. J Clin Oncol. 2009;27:663-71.

5) Douillard JY, et al:Randomized, phase Ⅲ trial of panitumumab with infusional fluorouracil, leucovorin, and oxaliplatin(FOLFOX4)versus FOLFOX4 alone as first-line treatment in patients with previously untreated metastatic colorectal cancer:The PRIME Study. J Clin Oncol. 2010;28:4697-705.

（山﨑健太郎）

Ⅴ 大腸癌

FOLFIRI

投与スケジュール

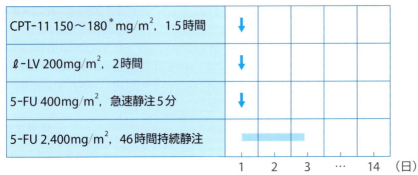

| | 1 | 2 | 3 | … | 14 | （日） |

CPT-11 150〜180*mg/m², 1.5時間

ℓ-LV 200mg/m², 2時間

5-FU 400mg/m², 急速静注5分

5-FU 2,400mg/m², 46時間持続静注

上記2週を1コースとする。

＊：海外での標準用量は180mg/m²であり当センターも同用量を採用しているが，国内では150mg/m²が汎用されている。

投与例

投与日	投与順	投与量	投与方法
1	1	デキサメタゾンリン酸エステルナトリウム（デキサート®）2.0mL（6.6mg）＋パロノセトロン塩酸塩（アロキシ®）0.75mg＋生食50mL	CVポート（15分）
	2	イリノテカン塩酸塩水和物［CPT-11］（トポテシン®）180mg/m²＋5％ブドウ糖液250mL	CVポート（1.5時間）
	3	レボホリナートカルシウム［ℓ-LV］（アイソボリン®）200mg/m²＋5％ブドウ糖液250mL	CVポート（2時間）
	4	フルオロウラシル［5-FU］（5-FU®）400mg/m²＋5％ブドウ糖液 50mL	CVポート（5分）
	5	5-FU 2,400mg/m²＋注射用蒸留水：総量230mLになるよう調製	CVポート（46時間）

適応・治療開始基準

■ 組織学的に腺癌と確定診断されている，切除不能結腸・直腸癌。

■ PS 0〜1

■ 主要臓器機能が保たれている（以下が目安）。

- 好中球数 $\geq 1,500/\mu L$
- 血小板数 $\geq 10.0 \times 10^4/\mu L$
- ヘモグロビン $\geq 9.0 g/dL$
- 総ビリルビン $\leq$ 施設基準値上限 $\times 1.5$ 倍
- AST，ALT $\leq 100 U/L$（肝転移例は $200 U/L$ を目安とする）
- クレアチニン $\leq$ 施設基準値上限 $\times 1.5$ 倍

慎重投与・禁忌

	慎重投与	禁 忌
年 齢	高齢者および小児	
骨髄機能		骨髄機能抑制を有する
消化管通過障害		腸管麻痺，腸閉塞を有する
消化管粘膜障害	潰瘍または出血がある	
下 痢		下痢がある
腹水，胸水	腹水，胸水を有する	多量の腹水，胸水を有する
心疾患	心疾患またはその既往歴を有する	
肺疾患		間質性肺炎または肺線維症を有する
腎障害	腎障害を有する	
肝障害	肝障害を有する	黄疸を有する
感 染		感染症を合併している
過敏症		使用薬剤に対して過敏症の既往を有する
その他の併存疾患	糖尿病，消化管潰瘍または出血，水痘を有する	

効 果

	切除不能大腸癌に対する初回治療例[1,2]	切除不能大腸癌に対する二次治療以降[1,3,4]
RR	39〜56%	4〜17%
PFS	8.5カ月	5.8カ月
OS	21.5カ月	17.4カ月[4]

FOLFIRI

有害事象マニュアル

有害事象の発現率と発現時期[1]

有害事象	発現率（%）		発現時期
	all Grade	≧ Grade 3	
✓ 好中球数減少	76	24	投与7〜10日後
✓ 発熱性好中球減少症		7	投与7〜10日後
☐ 食欲不振			4〜7日後
✓ 下　痢	63	14	コリン作動性：投与直後 遅発性：投与7〜10日後
✓ 悪　心	72	13	投与1〜7日後
✓ 嘔　吐	50	10	急性：投与当日 遅発性：2〜7日後
☐ 口内炎	51	10	投与3〜10日後
☐ 倦怠感	46	4	投与4〜7日後
☐ 脱　毛	60		2コース目開始後，または投 与2〜3週間後

☑：「有害事象マネジメントのポイント」参照。

減量早見表

減量レベル	CPT-11	5-FU（急速静注）	5-FU（持続静注）
初回投与量	150（180）mg/m²	400mg/m²	2,400mg/m²
−1	120（150）mg/m²	300mg/m²	2,000mg/m²
−2	100（120）mg/m²	200mg/m²	1,600mg/m²

有害事象マネジメントのポイント

✓ 好中球数減少・発熱性好中球減少症

- *UGT1A1*6*28* の遺伝子多型がホモ，ダブルヘテロの場合，Grade 3以上の好中球数減少の発現頻度が高くなるため，CPT-11を減量（120〜150mg/m²）している。

治療開始前のマネジメント

有害事象発生時のマネジメント

- 「mFOLFOXIRI」参照（☞ p383）。

減量・再開のポイント

- 通常はGrade 4の好中球数減少，血小板数減少，およびGrade 3の発熱性好中球減

少症を認めた場合は，次コースよりCPT-11，5-FU（急速静注，持続静注）をすべて1レベル減量している。Grade 3の好中球数減少，血小板数減少では感染や輸血が必要な出血を伴わなければ原則減量は行っていない。

■安定して治療が継続できる用量が決まるまで，週に1回程度の採血チェックを行うようにしている。採血チェックは，前コースまでの好中球数減少の出現時期や発熱をきたした時期に合わせて行う。

✓ 下痢・腹痛

■「mFOLFOXIRI」参照（☞ **p385**）。

✓ 悪心・嘔吐

治療開始前のマネジメント

■「mFOLFOXIRI」参照（☞ **p384**）。

有害事象発生時のマネジメント

■投与開始後3～7日目の出現頻度が高い。CPT-11は中等度催吐性リスクに分類されるため，当センターでは初回は投与例（☞ **p416**）の投与順**1**の薬剤を前投与し2，3日目にデキサメタゾンリン酸エステルナトリウム（デキサート®）（8mg/日）の内服を行う。

■遅発性悪心・嘔吐が続く場合はドパミン受容体拮抗薬〔メトクロプラミド（プリンペラン®）5mg，ドンペリドン（ナウゼリン®）10mg，プロクロルペラジン（ノバミン®）5mg〕や5-HT$_3$受容体拮抗制吐薬オンダンセトロン塩酸塩水和物（ゾフラン®ザイディス）などを定時（投与後1週間のみ定時内服など）もしくは頓用で使用する。

■上記で対応できない場合は，高度催吐性リスクへの対応に準じてアプレピタント（イメンド®）を加え（1～3日目），2～4日目にデキサメタゾンリン酸エステルナトリウム（8mg/日）を投与する。場合によっては5日目までのアプレピタントの内服追加およびデキサメタゾンリン酸エステルナトリウム（8mg/日）の投与延長を考慮する。

■治療前から嘔気がするなどの予期性嘔吐の場合は，ベンゾジアゼピン系抗不安薬（アルプラゾラム®）などを治療開始前に内服してもらっている。

減量・再開のポイント

■高度催吐性リスクに準じた制吐薬を使用しても持続するGrade 3以上の悪心・嘔吐が出現した場合は，次コースよりCPT-11，5-FU（急速静注，持続静注）すべてを減量している。

| 症 例 | **65歳男性，大腸癌多発肝転移** |

　身長165cm，体重58kg，PS 0。腸閉塞を契機に診断された大腸癌多発肝転移例に対して，原発巣切除3週間後に一次治療としてFOLFIRI療法（CPT-11 180mg/m^2）を開始した。初回投与時，CPT-11静注開始15分後に突然冷汗と水様性の下痢を伴った腹痛が出現した。腸蠕動亢進を伴ったびまん性の腹痛であり，コリン作動性反応と判断し，投与禁忌となる合併症がないことを確認してアトロピン®0.5A＋生食50mLを10分で静注したところ，速やかに腹痛が改善した。

　1コース目15日目の外来で，発熱もなく全身状態は良好であったが，好中球数が340/m^{2}と好中球数減少（Grade 4）を認めたため，グラン®75μg皮下注を開始した。22日目の外来で3,150/m^{2}と回復したためCPT-11を150mg/m^{2}へ減量し，コリン作動性反応の予防のために前投薬にアトロピン®0.5Aを混注して投与した〔投与例（☞ **p416**）の投与順❶をデキサート®6.6mg＋アロキシ®0.75mg＋アトロピン®0.5A＋生食50mLとして15分で静注〕。以後，コリン作動性反応，好中球数減少（Grade 3以上）の出現はなく，3コース目よりBmabを併用して治療継続中である。

文　献

1) Tournigand C, et al:FOLFIRI followed by FOLFOX6 or the reverse sequence in advanced colorectal cancer:A randomized GERCOR study. J Clin Oncol. 2004;22:229-37.
2) Cutsem EV, et al:Cetuximab and chemotherapy as initial treatment for metastatic colorectal cancer. N Engl J Med. 2009;360:1408-17.
3) Muro K, et al:Irinotecan plus S-1(IRIS)versus fluorouracil and folinic acid plus irinotecan(FOLFIRI)as second-line chemotherapy for metastatic colorectal cancer:a randomised phase 2/3 non-inferiority study(FIRIS study). Lancet Oncol. 2010;11:853-60.
4) Yasui H, et al:A phase 3 non-inferiority study of 5-FU/l-leucovorin/irinotecan(FOLFIRI) versus irinotecan/S-1(IRIS)as second-line chemotherapy for metastatic colorectal cancer:updated results of the FIRIS study. J Cancer Res Clin Oncol. 2015;141:153-60.

〈山﨑健太郎〉

大腸癌

FOLFIRI + Bmab

投与スケジュール

Bmab 5mg/kg，30～90分	↓						
CPT-11 150～180*mg/m², 1.5時間	↓						
l-LV 200mg/m², 2時間	↓						
5-FU 400mg/m², 急速静注5分	↓						
5-FU 2,400mg/m², 46時間持続静注	▬▬▬						
	1	2	3	…	14	（日）	

上記2週を1コースとする。

＊：海外での標準用量は180mg/m²であり当センターも同用量を採用しているが，国内では150mg/m²が汎用されている。

投与例

投与日	投与順	投与量	投与方法
1	1	ベバシズマブ [Bmab]（アバスチン®）5mg/kg ＋ 生食100mL	CVポート（30～90分）
	2	デキサメタゾンリン酸エステルナトリウム（デキサート®）2.0mL（6.6mg）＋ パロノセトロン塩酸塩（アロキシ®）0.75mg ＋ 生食50mL	CVポート（15分）
	3	イリノテカン塩酸塩水和物 [CPT-11]（トポテシン®）180mg/m² ＋ 5%ブドウ糖液 250mL	CVポート（1.5時間）
	4	レボホリナートカルシウム [l-LV]（ア・イソボリン®）200mg/m² ＋ 5%ブドウ糖液 250mL	CVポート（2時間）
	5	フルオロウラシル [5-FU]（5-FU®）400mg/m² ＋ 5%ブドウ糖液 50mL	CVポート（5分）
	6	5-FU 2,400mg/m² ＋ 注射用蒸留水：総量230mLになるよう調製	CVポート（46時間）

適応・治療開始基準

- 組織学的に腺癌と確定診断されている，切除不能結腸（盲腸も含む）・直腸癌。
- 主要臓器機能が保たれている（以下が目安）。

- 好中球数≧1,500/μL
- 血小板数≧10.0×10⁴/μL → $10.0 \times 10^4/\mu$L
- ヘモグロビン≧9.0g/dL
- 総ビリルビン≦施設基準値上限×1.5倍
- AST，ALT≦100U/L（肝転移例は200U/Lを目安とする）
- クレアチニン≦施設基準値上限×1.5倍
- INR 1.5未満
- 尿蛋白1＋以下

慎重投与・禁忌

◉FOLFIRI

	慎重投与	禁　忌
年　齢	高齢者および小児	
骨髄機能		骨髄機能抑制を有する
消化管通過障害		腸管麻痺，腸閉塞を有する
消化管粘膜障害	潰瘍または出血がある	
下　痢		下痢がある
腹水，胸水	腹水，胸水を有する	多量の腹水，胸水を有する
心疾患	心疾患またはその既往歴を有する	
肺疾患		間質性肺炎または肺線維症を有する
腎障害	腎障害を有する	
肝障害	肝障害を有する	黄疸を有する
感　染		感染症を合併している
過敏症		使用薬剤に対して過敏症の既往を有する
その他の併存疾患	糖尿病，消化管潰瘍または出血，水痘を有する	

◉Bmab

	慎重投与	禁　忌
心血管系	心不全，冠動脈疾患の既往を有する	
血液・凝固	出血傾向がある 血栓塞栓症の既往を有する	
創傷治癒	大きな手術の術創が治癒していない	
その他	脳転移，高血圧を有する	喀血の既往を有する

効　果

	切除不能大腸癌に対する初回治療例[1,2]
RR	58〜63.8％
PFS	10.3〜12.0カ月
OS	25〜31.8カ月

FOLFIRI + Bmab

有害事象マニュアル

有害事象の発現率と発現時期[1]

有害事象	発現率（%）		発現時期
	all Grade	Grade 3	
✓ 好中球数減少	88.2	45.2	投与7〜10日後
✓ 発熱性好中球減少症		5.1	投与7〜10日後
食欲不振	73.3	8.2	投与4〜7日後
✓ 下 痢	54.5	8.7	コリン作動性：投与直後 遅発性：投与7〜10日後
✓ 悪 心	73.7	6.7	投与1〜7日後
✓ 嘔 吐	42.4	4.6	急性：投与当日 遅発性：2〜7日後
口内炎	56.1	2.6	投与3〜10日後
倦怠感	75.2	5.6	投与4〜7日後
脱 毛	65.4		2コース目開始後，または投与2〜3週間後
✓ 高血圧	43.0	3.0	
静脈血栓症	8.7	6.1	

☑：「有害事象マネジメントのポイント」参照。

減量早見表

減量レベル	CPT-11	5-FU（急速静注）	5-FU（持続静注）
初回投与量	150（180）mg/m^2	400mg/m^2	2,400mg/m^2
−1	120（150）mg/m^2	300mg/m^2	2,000mg/m^2
−2	100（120）mg/m^2	200mg/m^2	1,600mg/m^2

有害事象マネジメントのポイント

✓ 好中球数減少・発熱性好中球減少症

- 「FOLFIRI」参照（☞ p418）。

有害事象発生時のマネジメント

- 「mFOLFOXIRI」参照（☞ p383）。

減量・再開のポイント

- 「FOLFIRI」参照（☞ p418）。

✓ 下痢・腹痛

- 「mFOLFOXIRI」参照（☞ **p385**）。

✓ 悪心・嘔吐

治療開始前のマネジメント

- 「mFOLFOXIRI」参照（☞ **p384**）。

有害事象発生時のマネジメント

（減量・再開のポイント）

- 「FOLFIRI」参照（☞ **p419**）。

✓ 高血圧（Bmab）

- 「FOLFOXIRI + Bmab」参照（☞ **p393**）。

✓ 尿蛋白

- 「FOLFOXIRI + Bmab」参照（☞ **p394**）。

✓ 消化管穿孔（Bmab）

- 「FOLFOXIRI + Bmab」参照（☞ **p394**）。

✓ 創傷治癒遅延（Bmab）

- 「FOLFOXIRI + Bmab」参照（☞ **p394**）。

症 例	**57歳男性，大腸癌多発肝転移**

　身長169cm，体重58kg，PS 0。腹痛を契機に診断された切除不能の大腸癌多発肝転移例に対して，FOLFIRI（CPT-11 180mg/m^2）＋Bmab併用療法を開始した。1コース目6日目から水様性の下痢が出現し，8日目には日頃の排便回数より10回以上多くなりロペミン®を内服したが改善しなかった。3kgの体重減少とCr上昇を認め悪心（Grade 2）により経口摂取も不十分なため入院とした。理学所見と経過から感染性腸炎は否定的であり，ロペミン®を4時間ごとに2mgずつ内服し9日目に下痢および経口摂取も改善したため10日目に退院とした。1コース目に下痢（Grade 3）を認めたため，2コース目からCPT-11を150mg/m^{2}に減量して投与を行った。4コース終了後のCTで肝転移の著明な縮小を認

め，根治切除可能と判断し手術の方針となった。5コース目はBmabを休止してFOLFIRIのみを投与しBmab最終投与から6週間後に一期的に右半結腸切除術，D3郭清および肝転移切除術を施行した。

文　献

1) Heinemann V, et al:FOLFIRI plus cetuximab versus FOLFIRI plus bevacizumab as first-line treatment for patients with metastatic colorectal cancer(FIRE-3):a randomized, open-label, phase 3 trial. Lancet Oncol. 2014;15:1065-75.
2) Yamazaki K, et al:A randomized phase Ⅲ trial of mFOLFOX6 plus bevacizumab as first-line treatment for metastatic colorectal cancer:WJOG4407G. ASCO2014.

（山﨑健太郎）

大腸癌

FOLFIRI + Rmab

投与スケジュール

Rmab 8mg/kg，1時間	↓					
CPT-11 150〜180*mg/m², 1.5時間	↓					
ℓ-LV 200mg/m²，2時間	↓					
5-FU 400mg/m²，急速静注5分	↓					
5-FU 2,400mg/m²，持続静注46時間	━━━━					
	1	2	3	…	14	（日）

上記2週を1コースとする。

＊：海外での標準用量は180mg/m²であり当センターも同用量を採用しているが，国内では150mg/m²が汎用されている。

投与例

投与日	投与順	投与量	投与方法
1	1	ラムシルマブ[Rmab]（サイラムザ®）8mg/kg ＋ 生食 250mL	CVポート（1時間）
	2	デキサメタゾンリン酸エステルナトリウム（デキサート®）2.0mL（6.6mg）＋ パロノセトロン塩酸塩（アロキシ®）0.75mg ＋ 生食 50mL	CVポート（15分）
	3	イリノテカン塩酸塩水和物[CPT-11]（トポテシン®）180mg/m² ＋ 5％ブドウ糖液 250mL	CVポート（1.5時間）
	4	レボホリナートカルシウム[ℓ-LV]（アイソボリン®）200mg/m² ＋ 5％ブドウ糖液 250mL	CVポート（2時間）
	5	フルオロウラシル[5-FU]（5-FU®）400mg/m² ＋ 5％ブドウ糖液 50mL	CVポート（5分）
	6	5-FU 2,400mg/m² ＋ 注射用蒸留水：総量230mLになるよう調製	CVポート（46時間）

適応・治療開始基準

■一次治療におけるフッ化ピリミジン系製剤 + L-OHP + Bmab療法に不応/不耐となった切除不能進行再発大腸癌。

■PS 0～1

■主要臓器機能が保たれている（以下が目安）。

- 好中球数≧1,500/μL
- 血小板数≧10.0×10^4/μL
- ヘモグロビン≧9.0g/dL
- 総ビリルビン≦施設基準値上限×1.5倍
- AST，ALT≦100U/L（肝転移例は200U/Lを目安とする）
- クレアチニン≦施設基準値上限×1.5倍
- INR1.5未満，APTT≦施設基準値上限×1.5倍
- 尿蛋白1＋以下（2＋以上の場合，24時間蓄尿にて2g/日未満もしくは尿中蛋白/クレアチニン比（UPCR）＜2で投与可とする）

慎重投与・禁忌

● FOLFIRI

	慎重投与	禁　忌
年　齢	高齢者および小児	
骨髄機能		骨髄機能抑制を有する
消化管通過障害		腸管麻痺，腸閉塞を有する
消化管粘膜障害	潰瘍または出血がある	
下　痢		下痢がある
腹水，胸水	腹水，胸水を有する	多量の腹水，胸水を有する
心疾患	心疾患またはその既往を有する	
肺疾患		間質性肺炎または肺線維症を有する
腎障害	腎障害を有する	
肝障害	肝障害を有する	黄疸を有する
感　染		感染症を合併している
過敏症		使用薬剤に対して過敏症の既往を有する
その他の併存症	糖尿病，消化管潰瘍または出血，水痘を有する	

◉Rmab

	慎重投与
心血管系	血栓塞栓症またはその既往を有する
血液・凝固	出血傾向がある 抗凝固薬を投与中である
創傷治癒	大きな手術の術創が治癒していない
その他	高血圧を有する 腹腔内の炎症を有する 胸部における腫瘍の主要血管の浸潤を有する 喀血の既往を有する

効　果

	切除不能進行再発大腸癌に対する 二次治療例[1]
RR	13.4 %
PFS	5.7カ月
OS	13.3カ月

FOLFIRI + Rmab

有害事象マニュアル

有害事象の発現率と発現時期[1]

有害事象	発現率（%）		発現時期
	all Grade	≧ Grade 3	
✓ 好中球数減少	58	38	投与7〜10日後
✓ 発熱性好中球減少症		3	投与7〜10日後
食欲不振	38	3	投与4〜7日後
✓ 下 痢	60	11	コリン作動性：投与直後 遅発性：投与7〜10日後
✓ 悪 心	50	3	投与1〜7日後
✓ 嘔 吐	30	4	急性：投与当日 遅発性：投与2〜7日後
口腔粘膜炎	19	4	投与3〜10日後
倦怠感	58	12	投与4〜7日後
脱毛症	29		2コース目開始後，または投与2〜3週後
✓ 高血圧（Rmab）	27	12	投与3〜4週後
静脈血栓症	9	4	
✓ 蛋白尿	18	4	投与6〜8週後
✓ 消化管穿孔（Rmab）	1.7	1.0	
✓ 創傷治癒遅延（Rmab）	1.1	0.2	

☑：「有害事象マネジメントのポイント」参照。

減量早見表

減量レベル	CPT-11	5-FU（急速静注）	5-FU（持続静注）	Rmab
初回投与量	150（180）mg/m²	400mg/m²	2,400mg/m²	8mg/kg
−1	120（150）mg/m²	300mg/m²	2,000mg/m²	6mg/kg
−2	100（120）mg/m²	200mg/m²	1,600mg/m²	5mg/kg

有害事象マネジメントのポイント

✓ 好中球数減少・発熱性好中球減少症

- 「FOLFIRI」参照（☞ p418）。

治療開始前のマネジメント
有害事象発生時のマネジメント

- 「mFOLFOXIRI」参照（☞**p383**）。

減量・再開のポイント

- 「FOLFIRI」参照（☞**p419**）。

※好中球数減少時の減量・再開基準に関しては，サイラムザ®適正使用ガイドと一部異なる記載があるが，当センターでの減量・再開基準を記載している。

✓ 下痢・腹痛

- 「mFOLFOXIRI」参照（☞**p385**）。

✓ 悪心・嘔吐

治療開始前のマネジメント

- 「mFOLFOXIRI」参照（☞**p384**）。

有害事象発生時のマネジメント
減量・再開のポイント

- 「FOLFIRI」参照（☞**p419**）。

✓ 高血圧（Rmab）

治療開始前のマネジメント

- 治療開始前に，高血圧，腎疾患の既往，尿蛋白，腎機能などを評価しておく。
- Rmabの投与により，血圧が上昇する可能性があることを説明しておく。また，激しい頭痛，悪心，嘔吐，視力障害，意識障害などの高血圧性脳症，高血圧性クリーゼなどを示唆する所見が現れた際には，病院に連絡するように事前に説明しておく。
- Rmabの投与後，多くの症例が4カ月以内に高血圧を発現するが，高血圧の発現頻度は用量依存性であり，それ以降にも出現する可能性がある。したがって，Rmabの投与中は定期的に血圧を測定する必要がある。

有害事象発生時のマネジメント

- Rmabによる高血圧に対しては，レニン-アルドステロン系の関与が示唆されていること，蛋白尿の改善効果が期待されることから，ARBもしくはACE阻害薬を推奨

する報告がある。

- 高血圧の第一選択薬のひとつである，ジヒドロピリジン系のカルシウム拮抗薬は，PTX の代謝を抑制する可能性があるため，積極的には使用しない。
- 悪性高血圧や高血圧性クリーゼなどを呈する Grade 4 の高血圧が出現した際には，Rmab の併用は中止する。

休薬・中止のポイント

- 降圧薬で血圧コントロールが良好であれば，Rmab 投与を継続する。降圧薬を併用してもコントロール不能な場合には，Rmab は中止する。

✓ 蛋白尿 (Rmab)

治療開始前のマネジメント

- 治療開始前に尿蛋白定性検査で 1 ＋以下であることを確認する。2 ＋以上の場合，24 時間蓄尿にて 2g／日未満もしくは尿中蛋白／クレアチニン比（UPCR）＜ 2 で投与可とする。

有害事象発生時のマネジメント

RAISE 試験減量基準

- 1 日尿蛋白量が 2 〜 3g で発現が初回の場合，次コースの投与は 2 週間中断し，1 日尿蛋白量が 2g 未満に回復した場合，Rmab を減量（6mg／kg）して投与を再開する。発現が 2 回目の場合は，次コースの投与は 2 週間中断し，1 日尿蛋白量が 2g 未満に回復した場合，Rmab を減量（5mg／kg）して投与を再開する。発現が 3 回目の場合は Rmab の投与を中止する。2 週間以内に 1 日尿蛋白量が 2g 未満に回復しない場合や 1 日尿蛋白量が 3g 超の場合は Rmab の投与を中止する。なお，24 時間蓄尿を用いた全尿検査が実施困難な場合は UPCR を測定（UPCR は 1 日尿蛋白排泄量とほぼ等しいとされている）。

適正使用ガイド減量基準

- 1 日尿蛋白量が 2 〜 3g で発現が初回の場合，1 日尿蛋白量が 2g 未満に回復するまで休薬し，Rmab を減量（6mg／kg）して投与を再開する。発現が 2 回目以降の場合は，1 日尿蛋白量が 2g 未満に回復するまで休薬し，Rmab を減量（5mg／kg）して投与を再開する。1 日尿蛋白量が 3g 超の場合は Rmab の投与を中止する。

✓ 消化管穿孔 (Rmab)

- 消化管穿孔発現のリスクが懸念されるため，消化管穿孔または瘻孔を有する患者，潰瘍性病変を有する患者，活動性の炎症性腸疾患（クローン病，潰瘍性大腸炎，憩

室炎等）を有する患者，腸閉塞を有する患者への投与は慎重に行う。穿孔時には手術が必要になる可能性があることを説明し，Rmab使用時に発生した急性腹症では消化管穿孔の可能性を念頭に置いて検索を行う。

✓ **創傷治癒遅延（Rmab）**

- 周術期のRmabの併用により創傷治癒遅延による合併症が増えるとされており，術前は6週間以上，術後は約4週間の休薬期間を基本としている。

症 例 **57歳男性，大腸癌多発肺転移，*RAS*変異型**

身長169cm，体重58kg，PS 0。腹痛を契機に診断された切除不能の上行結腸癌多発肺転移例に対して，回盲部切除術後に一次治療としてFOLFOX＋Bmab併用療法を開始した。32コース後のCTにて肺転移巣の増悪を認めPDと判断，二次治療としてFOLFIRI（CPT-11 180mg/m^2）＋Rmab併用療法を開始した。治療前検査にて尿蛋白定性（−）であることを確認した。

1コース投与15日目の採血にて好中球数減少（Grade 4）を認めたため，2コース目開始を延期した。投与29日目の採血で好中球数が回復したことを確認し，CPT-11，5-FU（急速静注），5-FU（持続静注）をそれぞれ1レベル減量して2コース目を開始した。次コースでは好中球数減少を認めなかったが，3コース投与15日目の採血にて好中球数減少（Grade 3）を認めたため，4コース目開始を延期した。投与22日目の採血では好中球数減少（Grade 4）を認め，投与29日目の採血では好中球数の回復を認めたため，CPT-11，5-FU（急速静注），5-FU（持続静注）をそれぞれ1レベル減量して4コース目を開始した。その後，好中球数減少（Grade 2）にて1週間の投与延期を認めることがあったものの，治療中断となる有害事象を認めずSDを維持し，計18コース投与した。

文 献

1) Tabernero J, et al:Ramucirumab versus placebo in combination with second-line FOLFIRI in patients with metastatic colorectal carcinoma that progressed during or after first-line therapy with bevacizumab, oxaliplatin, and a fluoropyrimidine(RAISE):a randomised, double-blind, multicentre, phase 3 study. Lancet Oncol. 2015;16:499-508.

（白数洋充，山﨑健太郎）

Ⅴ 大腸癌

FOLFIRI + AFL

投与スケジュール

AFL 4mg/kg，1時間	↓				
CPT-11 150～180*mg/m², 1.5時間	↓				
l-LV 200mg/m², 2時間	↓				
5-FU 400mg/m²，急速静注5分	↓				
5-FU 2,400mg/m²，持続静注46時間	▬▬▬▬				
	1	2	3	… 14	（日）

上記2週を1コースとする。

*：海外での標準用量は180mg/m²であり当センターも同用量を採用しているが，国内では150mg/m²が汎用されている。

投与例

投与日	投与順	投与量	投与方法
1	1	アフリベルセプト ベータ［AFL］（ザルトラップ®）4mg/kg ＋ 生食 100mL	CVポート（1時間）
	2	デキサメタゾンリン酸エステルナトリウム（デキサート®）2.0mL（6.6mg）＋パロノセトロン塩酸塩（アロキシ®）0.75mg ＋ 生食 50mL	CVポート（15分）
	3	イリノテカン塩酸塩水和物［CPT-11］（トポテシン®）180mg/m² ＋ 5％ブドウ糖液 250mL	CVポート（1.5時間）
	4	レボホリナートカルシウム［l-LV］（アイソボリン®）200mg/m² ＋ 5％ブドウ糖液 250mL	CVポート（2時間）
	5	フルオロウラシル［5-FU］（5-FU®）400mg/m² ＋ 5％ブドウ糖液 50mL	CVポート（5分）
	6	5-FU 2,400mg/m² ＋ 注射用蒸留水：総量230mLになるよう調製	CVポート（46時間）

433

適応・治療開始基準

- 一次治療におけるL-OHPベースの化学療法に不応／不耐となった切除不能進行再発大腸癌。
- PS 0～1
- 主要臓器機能が保たれている（以下が目安）。

- 好中球数≧1,500/μL
- 血小板数≧10.0×10^4/μL
- ヘモグロビン≧9.0g/dL
- 総ビリルビン≦施設基準値上限×1.5倍
- AST，ALT≦100U/L（肝転移例は200U/Lを目安とする）
- クレアチニン≦施設基準値上限×1.5倍
- INR1.5未満
- 尿中蛋白／クレアチニン比（UPCR）≦1，もしくは24時間蓄尿での尿中蛋白 ≦500mg/24時間

慎重投与・禁忌

◉FOLFIRI

	慎重投与	禁　忌
年　齢	高齢者および小児	
骨髄機能		骨髄機能抑制を有する
消化管通過障害		腸管麻痺，腸閉塞を有する
消化管粘膜障害	潰瘍または出血がある	
下　痢		下痢がある
腹水，胸水	腹水，胸水を有する	多量の腹水，胸水を有する
心疾患	心疾患またはその既往を有する	
肺疾患		間質性肺炎または肺線維症を有する
腎障害	腎障害を有する	
肝障害	肝障害を有する	黄疸を有する
感　染		感染症を合併している
過敏症		使用薬剤に対して過敏症の既往を有する
その他の併存症	糖尿病，消化管潰瘍または出血，水痘を有する	

●AFL

	慎重投与
心血管系	血栓塞栓症またはその既往を有する
血液・凝固	出血傾向がある 抗凝固薬を投与中である
創傷治癒	大きな手術の術創が治癒していない
その他	高血圧を有する 腹腔内の炎症を有する 消化管出血等の出血が認められている

効　果

	切除不能進行再発大腸癌に対する 二次治療例[1]
RR	19.8 %
PFS	6.9 カ月
OS	13.5 カ月

FOLFIRI + AFL

有害事象マニュアル

有害事象の発現率と発現時期[1]

有害事象	発現率（%）		発現時期
	all Grade	≧ Grade 3	
✓ 好中球数減少	67.8	36.7	投与7～10日後
✓ 発熱性好中球減少症		3.3	投与7～10日後
食欲不振	31.9	3.4	投与4～7日後
✓ 下 痢	69.2	19.3	コリン作動性：投与直後 遅発性：投与7～10日後
✓ 悪 心	53.4	1.8	投与1～7日後
✓ 嘔 吐	32.9	2.8	急性：投与当日 遅発性：投与2～7日後
口腔粘膜炎	46.8	12.3	投与3～10日後
倦怠感	41.6	11.3	投与4～7日後
脱毛症	26.8		2コース目開始後，または投与2～3週後
✓ 高血圧（AFL）	41.4	19.3	投与3～4週後
静脈血栓症	9.3	7.8	
✓ 蛋白尿（AFL）	62.2	7.8	投与6～8週後
✓ 消化管穿孔（AFL）	2.1	1.6	
✓ 創傷治癒遅延（AFL）	0.7	0.2	

☑：「有害事象マネジメントのポイント」参照。

減量早見表

減量レベル	CPT-11	5-FU（急速静注）	5-FU（持続静注）	AFL
初回投与量	150（180）mg/m^2	400mg/m^2	2,400mg/m^2	4mg/kg
−1	120（150）mg/m^2	300mg/m^2	2,000mg/m^2	2mg/kg
−2	100（120）mg/m^2	200mg/m^2	1,600mg/m^2	

有害事象マネジメントのポイント

✓ 好中球数減少・発熱性好中球減少症

- 「FOLFIRI」参照（☞ p418）。

治療開始前のマネジメント

有害事象発生時のマネジメント

- 「mFOLFOXIRI」参照（☞ p383）。

減量・再開のポイント

- 「FOLFIRI」参照（☞ p418）。

※好中球数減少時の減量・再開基準に関しては，ザルトラップ®適正使用ガイドと一部異なる記載があるが，当センターでの減量・再開基準を記載している。

✓ 下痢・腹痛

- 「mFOLFOXIRI」参照（☞ p385）。

✓ 悪心・嘔吐

治療開始前のマネジメント

- 「mFOLFOXIRI」参照（☞ p384）。

有害事象発生時のマネジメント

減量・再開のポイント

- 「FOLFIRI」参照（☞ p419）。

✓ 高血圧（AFL）

治療開始前のマネジメント

- 治療開始前に，高血圧，腎疾患の既往，尿蛋白，腎機能などを評価しておく。
- AFLの投与により，血圧が上昇する可能性があることを説明しておく。また，激しい頭痛，悪心，嘔吐，視力障害，意識障害などの高血圧性脳症，高血圧性クリーゼなどを示唆する所見が現れた際には，病院に連絡するように事前に説明しておく。
- **注意!** AFLの投与後，多くの症例が4カ月以内に高血圧を発現するが，高血圧の発現頻度は用量依存性であり，それ以降にも出現する可能性がある。したがって，AFLの投与中は定期的に血圧を測定する必要がある。

有害事象発生時のマネジメント

- AFLによる高血圧に対しては，レニン-アルドステロン系の関与が示唆されていること，蛋白尿の改善効果が期待されることから，ARBもしくはACE阻害薬を推奨する報告がある。
- 高血圧の第一選択薬のひとつである，ジヒドロピリジン系のカルシウム拮抗薬は，PTXの代謝を抑制する可能性があるため，積極的には使用しない。
- 悪性高血圧や高血圧性クリーゼなどを呈するGrade 4の高血圧が出現した際には，

AFLの併用は中止する。

減量・再開のポイント

■ Grade 3未満で無症状の場合はAFLの投与を継続し，降圧治療を開始する。Grade 3の場合は150/100mmHg（高血圧を合併する場合は収縮期血圧180mmHg）以下に回復するまでAFLを中断し，降圧薬による治療を行う。2週間以内に回復した場合，1回目であれば減量せず投与，2回目であれば2mg/kgに減量する。2週間を超え4週間以内に回復した場合，2mg/kgに減量する。4週間以内に回復しない場合および2mg/kgに減量しても再発した場合は投与を中止する。Grade 4の高血圧または高血圧に伴う臓器障害が認められた場合はAFLの投与を中止する。

✓ 蛋白尿（AFL）

治療開始前のマネジメント

■ 治療開始前に尿中蛋白／クレアチニン比（UPCR）≦1，もしくは24時間蓄尿での尿中蛋白≦500mg/24時間であることを確認する。

有害事象発生時のマネジメント

■ 下表のように減量・再開・中止を検討する。

			処置	
	今回の投与	今回投与後の尿中蛋白	次回の投与（投与直近値）	次々回の投与（投与直近値）
1＜UPCR≦2で，血尿を認めない場合	投与継続	＜3.5g/日	≦2g/日：投与継続	
			＞2g/日：休薬	≦2g/日：2mg/kgに減量
				＞2g/日：投与中止
		≧3.5g/日	≦2g/日：2mg/kgに減量	
			＞2g/日かつ≦3.5g/日：休薬	≦2g/日：2mg/kgに減量
				＞2g/日：投与中止
			＞3.5g/日：投与中止	
・1＜UPCR≦2で，血尿を認める場合 ・UPCR＞2の場合	休薬		≦2g/日：投与継続	
			＞2g/日かつ≦3.5g/日：休薬	≦2g/日：2mg/kgに減量
				＞2g/日：投与中止
			＞3.5g/日：投与中止	
2mg/kgに減量しても再発した場合	投与中止			

✓ 消化管穿孔（AFL）

- 消化管穿孔発現のリスクが懸念されるため，消化管等腹腔内の炎症を合併している患者への投与は慎重に行う。穿孔時には手術が必要になる可能性があることを説明し，AFL使用時に発生した急性腹症では消化管穿孔の可能性を念頭に置いて検索を行う。

✓ 創傷治癒遅延（AFL）

- 周術期のAFLの併用により創傷治癒遅延による合併症が増えるとされており，術前は6週間以上，術後は約4週間の休薬期間を基本としている。

症例　66歳男性，大腸癌，肝・肺転移，*RAS*変異型

　身長155cm，体重49kg，PS 1。血便を契機に診断された切除不能の直腸癌，肝・肺転移例に対して，横行結腸人工肛門造設術を行った後に，一次治療としてXELOX＋Bmabを開始した。12コース後のCTにて原発巣・肺転移巣の増悪を認めPDと判断，二次治療としてFOLFIRI（CPT-11 180mg/m²）＋AFL併用療法を開始した。治療前検査にてUPCR＜1であることを確認した。

　1コース投与15日目の採血にて好中球数減少（Grade 3）を認めたため，2コース目開始を延期した。また，高血圧（Grade 2）を認め，降圧薬としてアジルサルタン（アジルバ®）の併用を開始した。投与22日目の採血にて好中球数の回復を認め2コース目の投与を開始した。2コース投与15日目の採血にて好中球数減少（Grade 3）を認めたため，3コース目開始を延期した。同時に倦怠感（Grade 2），食欲不振（Grade 2）も伴っていたことからCPT-11を1レベル減量して，投与22日目の採血にて好中球数の回復を確認した後3コース目を開始した。4コース後の治療効果判定はSDであり治療を継続した。10コース施行中に倦怠感（Grade 2），食欲不振（Grade 2），好中球数減少（Grade 3）を認めたため，11コース目以後はCPT-11，5-FU（急速静注），5-FU（持続静注）をそれぞれ1レベル減量し投与を継続，計26コース投与した。

文献

1) Van Cutsem E, et al:Addition of aflibercept to fluorouracil, leucovorin, and irinotecan improves survival in a phase Ⅲ randomized trial in patients with metastatic colorectal cancer previously treated with an oxaliplatin-based regimen. J Clin Oncol. 2012;30:3499-506.

（白数洋充，山﨑健太郎）

大腸癌

FOLFIRI + Cmab/Pmab

投与スケジュール

●FOLFIRI + Cmab

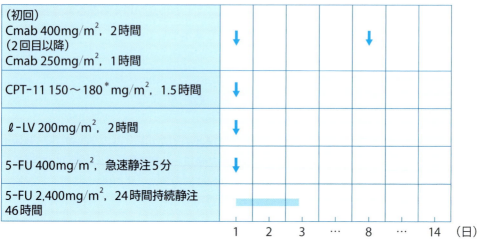

| （初回）
Cmab 400mg/m², 2時間
（2回目以降）
Cmab 250mg/m², 1時間 |
| CPT-11 150〜180*mg/m², 1.5時間 |
| ℓ-LV 200mg/m², 2時間 |
| 5-FU 400mg/m², 急速静注5分 |
| 5-FU 2,400mg/m², 24時間持続静注 46時間 |

上記2週を1コースとする。

＊：海外での標準用量は180mg/m²であり当センターも同用量を採用しているが，国内では150mg/m²が汎用されている。

●FOLFIRI + Pmab

| Pmab 6mg/kg, 1時間 |
| CPT-11 150〜180*mg/m², 1.5時間 |
| ℓ-LV 200mg/m², 2時間 |
| 5-FU 400mg/m², 急速静注5分 |
| 5-FU 2,400mg/m², 46時間持続静注 |

上記2週を1コースとする。

＊：海外での標準用量は180mg/m²であり当センターも同用量を採用しているが，国内では150mg/m²が汎用されている。

投与例：FOLFIRI + Cmab

◉ FOLFIRI + Cmab

投与日	投与順	投与量	投与方法
1	1	デキサメタゾンリン酸エステルナトリウム（デキサート®）2.0mL（6.6mg）+ パロノセトロン塩酸塩（アロキシ®）0.75mg + d-クロルフェニラミンマレイン酸塩（ポララミン®）1.0mL（5mg）+ 生食 50mL	CVポート（15分）
	2	セツキシマブ[Cmab]（アービタックス®）250mg/m² （初回のみ 400mg/m²）+ 生食 100mL	CVポート（初回のみ2時間, 2回目以降1時間）
	3-1	イリノテカン塩酸塩水和物[CPT-11]（トポテシン®）180mg/m² + 5%ブドウ糖液 250mL	CVポート（1.5時間）
	3-2	レボホリナートカルシウム[l-LV]（アイソボリン®）200mg/m² + 5%ブドウ糖液 250mL	CVポート（2時間）
	4	フルオロウラシル[5-FU]（5-FU®）400mg/m² + 5%ブドウ糖液 50mL	CVポート（5分）
	5	5-FU 2,400mg/m² + 注射用蒸留水：総量 230mLになるよう調製	CVポート（46時間）
8	1	d-クロルフェニラミンマレイン酸塩 1.0mL（5mg）+ 生食 50mL	CVポート（15分）
	2	Cmab 250mg/m² + 生食 100mL	CVポート（1時間）
	3	生食 50mL	CVポート（5分）

※ 3-1, 3-2は同時点滴開始。

◉ FOLFIRI + Pmab

投与日	投与順	投与量	投与方法
1	1	デキサメタゾンリン酸エステルナトリウム（デキサート®）2.0mL（6.6mg）+ パロノセトロン塩酸塩（アロキシ®）0.75mg + d-クロルフェニラミンマレイン酸塩（ポララミン®）1.0mL（5mg）+ 生食 50mL	CVポート（15分）
	2	パニツムマブ[Pmab]（ベクティビックス®）6mg/kg + 生食 100mL	CVポート（1時間）
	3-1	イリノテカン塩酸塩水和物[CPT-11]（トポテシン®）180mg/m² + 5%ブドウ糖液 250mL	CVポート（1.5時間）
	3-2	レボホリナートカルシウム[l-LV]（アイソボリン®）200mg/m² + 5%ブドウ糖液 250mL	CVポート（2時間）
	4	フルオロウラシル[5-FU]（5-FU®）400mg/m² + 5%ブドウ糖液 50mL	CVポート（5分）
	5	5-FU 2,400mg/m² + 注射用蒸留水：総量 230mLになるよう調製	CVポート（46時間）

※ 3-1, 3-2は同時点滴開始。

適応・治療開始基準

- 組織学的に腺癌と確定診断されている，切除不能結腸・直腸癌。
- PS 0～1
- *RAS*遺伝子野生型が確認されている。
- 主要臓器機能が保たれている（以下が目安）。

> - 好中球数≧1,500/μL
> - 血小板数≧10.0×10⁴/μL
> - 好中球数≧1,500/μL
> - 血小板数≧$10.0 \times 10^4/\mu$L
> - ヘモグロビン≧9.0g/dL
> - 総ビリルビン≦施設基準値上限×1.5倍
> - AST，ALT≦100U/L（肝転移例は200U/Lを目安とする）
> - クレアチニン≦施設基準値上限×1.5倍

慎重投与・禁忌

●FOLFIRI

	慎重投与	禁　忌
年　齢	高齢者および小児	
骨髄機能		骨髄機能抑制を有する
消化管通過障害		腸管麻痺，腸閉塞を有する
消化管粘膜障害	潰瘍または出血がある	
下　痢		下痢がある
腹水，胸水	腹水，胸水を有する	多量の腹水，胸水を有する
心疾患	心疾患またはその既往歴を有する	
肺疾患		間質性肺炎または肺線維症を有する
腎障害	腎障害を有する	
肝障害	肝障害を有する	黄疸を有する
感　染		感染症を合併している
過敏症		使用薬剤に対して過敏症の既往を有する
その他の併存疾患	糖尿病，消化管潰瘍または出血，水痘を有する	

●Cmab

	慎重投与
肺疾患	間質性肺炎の既往を有する
心疾患	冠動脈疾患，うっ血性心不全，不整脈の既往を有する

◉Pmab

	慎重投与
肺疾患	間質性肺炎，肺線維症またはその既往を有する

効　果

	RAS 野生型の切除不能大腸癌に対する治療例	
	FOLFIRI + Cmab [1, 2] 一次治療	FOLFIRI + Pmab [3] 二次治療
RR	65.5〜66.3 %	35 %
PFS	11.3〜11.4カ月	6.4カ月
OS	28.4〜33.1カ月	16.2カ月

FOLFIRI + Cmab/Pmab

有害事象マニュアル

有害事象の発現率と発現時期

◉一次治療，*KRAS*野生型

有害事象	発現率（%）		発現時期
	FOLFIRI + Cmab[4]		
	all Grade	≧ Grade 3	
✓ 好中球数減少		28.2	投与7〜10日後
☐ 白血球減少		7.2	投与7〜10日後
✓ 下　痢		15.7	投与7〜10日後
☐ 倦怠感		5.3	投与4〜7日後
✓ 嘔　吐		4.7	急性：投与当日 遅発性：2〜7日後
✓ ざ瘡様皮疹		16.2	投与2週間後
✓ 低マグネシウム血症		1.9	約半数が12週未満に発症
✓ infusion reaction （注入に伴う反応）		2.5	投与直後

☑：「有害事象マネジメントのポイント」（☞ p445）参照。

◉二次治療，*KRAS*野生型

有害事象	発現率（%）		発現時期
	FOLFIRI + Pmab[5]		
	all Grade	≧ Grade 3	
☐ 皮膚障害		37	投与2週間後
✓ 好中球数減少		20	投与7〜10日後
✓ 下　痢		14	投与7〜10日後
☐ 粘膜炎		8	投与10〜14日後
☐ 倦怠感		9	投与4〜7日後
☐ 低カリウム血症		7	
☐ 肺塞栓症		5	
✓ 低マグネシウム血症		3	約半数が12週未満に発症
✓ 発熱性好中球減少症		2	投与7〜10日後
✓ infusion reaction （注入に伴う反応）		＜1	投与直後

☑：「有害事象マネジメントのポイント」（☞ p445）参照。

減量早見表

● FOLFIRI

減量レベル	CPT-11	5-FU（急速静注）	5-FU（持続静注）
初回投与量	150（180）mg/m^2	400mg/m^2	2,400mg/m^2
−1	120（150）mg/m^2	300mg/m^2	2,000mg/m^2
−2	100（120）mg/m^2	200mg/m^2	1,600mg/m^2

● Cmab

減量レベル	Cmab
初回投与量	400mg/m^2
2回目以降の投与量	250mg/m^2
−1	200mg/m^2
−2	150mg/m^2

● Pmab

減量レベル	Pmab
初回投与量	6mg/kg
−1	4.8mg/kg
−2	3.6mg/kg

有害事象マネジメントのポイント

✓ 好中球数減少・発熱性好中球減少症

■「FOLFIRI」参照（☞ p418）。

有害事象発生時のマネジメント

■「mFOLFOXIRI」参照（☞ p384）。

減量・再開のポイント

■「FOLFIRI」参照（☞ p418）。

✓ 下痢・腹痛

■「mFOLFOXIRI」参照（☞ p385）。

✓ 悪心・嘔吐

■「mFOLFOXIRI」参照（☞ p384）。

有害事象発生時のマネジメント

減量・再開のポイント

■「FOLFIRI」参照（☞ p419）。

✓ 皮膚障害（抗EGFR抗体）

■「FOLFOX + Cmab/Pmab」参照（☞ p411）。

✓ infusion reaction（抗EGFR抗体）

- 「FOLFOX + Cmab/Pmab」参照（☞ **p413**）。

✓ 低マグネシウム血症（抗EGFR抗体）

- 「FOLFOX + Cmab/Pmab」参照（☞ **p414**）。

症例　60歳女性，大腸癌多発肝転移

　身長160cm，体重47kg，PS 0。腹痛を契機に診断された大腸癌多発肝転移例に対して，FOLFIRI + Cmab併用療法を開始した。初回Cmab投与開始約20分で38.4℃の発熱と顔面の紅潮を認めた。infusion reactionと判断しCmabの投与速度を半分に落としてカロナール®500mgを内服後，速やかに解熱し症状は消失した。1コース目8日目からCmabを半分の速度で投与し，その後infusion reactionは起きていない。2コース目8日目で水様性の下痢を1日約5回（Grade 2）認め，ロペラミド®1錠内服後も改善しなかったため，1回2錠，4時間間隔に増量して内服し下痢は改善した。3コース目からは，早い段階でロペラミド®を使用することとして薬剤の減量はせずに継続し，下痢はコントロールされている。

文　献

1) Mutations within the EGFR signaling pathway:Influence on efficacy in FIRE-3. A randomized phase Ⅲ study of FOLFIRI plus cetuximab or bevacizumab as first-line treatment for wild-type *KRAS*(exon 2)metastatic colorectal cancer patients. ASCO-GI 2015.

2) Van Cutsem E, et al:Fluorouracil, leucovorin, and irinotecan plus cetuximab treatment and RAS mutations in colorectal cancer. J Clin Oncol. 2015;33:692-702.

3) Analysis of *KRAS/NRAS* mutations in phase 3 study 20050181 of panitumumab plus FOLFIRI versus FOLFIRI for second-line treatment of metastatic colorectal cancer. ASCO-GI 2015.

4) Van Cutsem E, et al:Cetuximab and chemotherapy as initial treatment for metastatic colorectal cancer. N Engl J Med. 2009;360:1408-17.

5) Marc P, et al:Randomized phase Ⅲ study of panitumumab with fluorouracil, leucovorin, and irinotecan(FOLFIRI)compared with FOLFIRI alone as second-line treatment in patients with metastatic colorectal cancer. J Clin Oncol. 2010;28:4706-13.

（山﨑健太郎）

Ⅴ 大腸癌

XELOX

投与スケジュール

L-OHP 130mg/m^2, 2時間	↓						
カペシタビン 2,000mg/m^2, 分2 （朝，夕食後）	↓	↓↓	↓↓	↓			
	1	2	…	15	…	21	（日）

上記3週を1コースとする。
カペシタビンは1日2回（朝，夕食後）を2週間連日内服し，1週間休薬する。

投与例

投与日	投与順	投与量	投与方法
1	**1**	デキサメタゾンリン酸エステルナトリウム（デキサート®）3.0mL（9.9mg） ＋ パロノセトロン塩酸塩（アロキシ®）0.75mg ＋ 生食 50mL	点滴末梢本管 （15分）
	2	オキサリプラチン [L-OHP]（エルプラット®）130mg/m^2 ＋ 5％ブドウ 糖液 500mL	点滴末梢本管 （2時間）
	3	5％ブドウ糖液 50mL	点滴末梢本管 （5分）
2 3	**1**	デキサメタゾン（デカドロン®）8mg	経口 （朝食後）
1タ～ 15朝	**1**	カペシタビン（ゼローダ®）2,000mg/m^2/日，分2	経口 （朝，夕食後）

447

適応・治療開始基準

- 組織学的に腺癌と確定診断されている，切除不能結腸（盲腸も含む）・直腸癌。
- 非血液毒性 Grade 1 以下（例外あり）。
- 主要臓器機能が保たれている（以下が目安）。

> - 好中球数 $\geqq 1,200/\mu L$
>
>   （適正使用ガイドでは好中球数 $\geqq 1,500/\mu L$）
> - 血小板数 $\geqq 7.5 \times 10^4/\mu L$
> - 総ビリルビン $\leqq 2.0 mg/dL$
> - AST，ALT $\leqq 100 U/L$（肝転移例は 200U/L を目安とする）
> - クレアチニン $\leqq 1.5 mg/dL$

慎重投与・禁忌

	慎重投与	禁　忌
年　齢	70歳以上	
消化管通過障害		腸閉塞例 明らかな通過障害がある
下　痢	日常生活に支障のない下痢	十分な支持療法下で日常生活に支障のある下痢
腎障害	Ccr $\leqq 50 mL/$分	Ccr $< 30 mL/$分
感　染	感染疑い例	治療を必要とする活動性感染を有する

効　果

	切除不能大腸癌に対する初回治療例[1~3]
RR	46~55％
PFS	7.7~8.0カ月
OS	17.2~19.8カ月

XELOX

有害事象マニュアル

有害事象の発現率と発現時期[4]

有害事象	発現率（%）all Grade	発現率（%）Grade 3	発現時期（範囲）
✓ 末梢神経障害	85.5	18.6	急性症状は投与後2日以内
✓ 悪心・嘔吐	70.5	8.3	
✓ 下痢	62.5	20.6	22.5日（2～282日）
✓ 手足症候群	30.4	5.6	57日（9～225日）
好中球数減少	26.8	7.7	
口内炎	22.4	1.8	41日（5～354日）
出血	22.1	1.8	
静脈血栓塞栓症	6.2	2.7	

☑：「有害事象マネジメントのポイント」参照。

減量早見表

減量レベル	L-OHP	カペシタビン
初回投与量	130mg/m²	2,000mg/m²
-1	100mg/m²	1,500mg/m²
-2	85mg/m²	1,200mg/m²

有害事象マネジメントのポイント

✓ **下痢・腹痛**

治療開始前のマネジメント

- 下痢は最も頻度の高い有害事象である。事前にカペシタビンによる下痢が起こる可能性を患者に十分説明し，初回治療開始前にあらかじめ止痢薬としてのロペラミド塩酸塩（ロペミン®）を処方しておく。ロペラミド塩酸塩内服にてもGrade 2相当の下痢（普段より4回以上の排便回数の増加）が持続する場合は，カペシタビンを休薬するように指導しておく。

- 通常，投与後5～15日頃に発現し，休薬とともに回復するが，症状には個人差があるため，特に最初の1～2コースは10日目前後で外来を受診してもらい，全身状態と採血のチェックを行う。

有害事象発生時のマネジメント

- Grade 3以上の下痢は，薬剤の減量または休薬を考慮する。
- 経口摂取不良による全身状態の悪化や血液検査にて電解質異常を認めた場合は，積極的に入院加療にて十分な補液を行い，全身状態の回復に努める。

減量・再開のポイント

- Grade 3以上の下痢を認めた場合は，患者の体表面積にしたがってカペシタビンの減量を行う。副作用が下痢のみであれば，L-OHPは必ずしも減量する必要はない。
- 減量後は，安定して治療が行える用量が決まるまで週に1回程度の全身状態のチェックが必要である。

✓ 悪心・嘔吐

治療開始前のマネジメント

- L-OHPは中等度催吐性リスク抗癌剤に分類されるため，初回治療開始時に2～3日目にあらかじめ制吐薬としてデキサメタゾンリン酸エステルナトリウム（以下，デキサメタゾン）8mg分1朝（または分2朝昼）を処方した上で，ドパミン受容体拮抗薬などの頓服薬を患者に渡しておく。
- 制吐薬は嘔吐してから飲む薬ではなく，予防として早めに使うのがコツであることを患者に十分説明しておくこと。
- 糖尿病の合併などにより，デキサメタゾンが使用困難な場合は，1日目のデキサメタゾンを3.3mgに減量した上で，アプレピタント（イメンド®）を3～5日間使用する[5]。

有害事象発生時のマネジメント

- 遅発性悪心・嘔吐が続く場合はドパミン受容体拮抗薬〔メトクロプラミド（プリンペラン®）5mg，ドンペリドン（ナウゼリン®）10mg，プロクロルペラジン（ノバミン®）5mg〕や5-HT$_3$受容体拮抗制吐薬〔オンダンセトロン塩酸塩水和物（ゾフラン®）ザイディス錠〕などを定時（投与後1週間のみ定時内服など）もしくは頓用で使用する。
- 上記で対応できない場合は，高度催吐性リスクへの対応に準じてパロノセトロン塩酸塩をアプレピタントに変更し，場合によっては5日目までのアプレピタントの内服追加およびデキサメタゾン（4～8mg/日）の投与期間延長を考慮する[5]。最近ではNCCNで推奨されているオランザピン（ジプレキサ®）ザイディス錠（適応外使用）を使用することもある。
- 治療前から嘔気がするなどの予期性嘔吐の場合は，ベンゾジアゼピン系抗不安薬（アルプラゾラム®）などを治療開始前に内服させるのも有効である。

減量・再開のポイント

■ 高度催吐性リスクに準じた制吐薬を使用しても持続するGrade 3以上の悪心・嘔吐が出現した場合は，L-OHPを減量する。遅発性嘔吐が続く場合には，これに加えてカペシタビンの減量も考慮する。

✓ 手足症候群

治療開始前のマネジメント

■ 事前に手足症候群（hand-foot syndrome：HFS）の特徴を説明し，スキンケアの重要性を理解させる。皮膚を清潔に保ち，保湿を目的として尿素軟膏やヘパリン類似物質製剤，ビタミンA軟膏などを積極的に使用する。

有害事象発生時のマネジメント

■ 日常生活に支障をきたすような腫脹を伴う有痛性皮膚紅斑や爪甲の高度な変形・脱落を認めた場合は，カペシタビンを休薬し，strong以上のステロイド軟膏を塗布し，局所の安静を保つ。除圧も有効である。
■ いったんHFSが起こると，外用薬±内服薬での症状コントロールは困難であることが多いため，予防がきわめて重要となる。HFSの徴候を認めた場合は，早めの休薬や減量が必要となる。

減量・再開のポイント

■ Grade 2のHFSの出現を認めた場合，カペシタビンの休薬を行う。HFSの出現が初回で，かつGrade 1以下まで回復すれば，減量せずに次コースを開始する。Grade 3以上または2回目以降のGrade 2以上のHFSの出現時は，再開時にカペシタビンを1レベル減量する。HFSの徴候を認めた場合，カペシタビンを早めに休薬することが重要である。

✓ 末梢神経障害・知覚過敏

治療開始前のマネジメント

■ L-OHP投与に伴う知覚過敏の特徴を説明し，投与後7〜10日程度，冷たいものに触れることを避けるように指導しておく。
■ コースを重ねてくるとL-OHPの用量依存性に末梢性感覚ニューロパチー（しびれ）が出現してくる可能性を説明しておく。

有害事象発生時のマネジメント

- 書字の動揺やボタン留めの困難など，日常生活に支障をきたすような末梢性感覚ニューロパチー（Grade 2）が投与予定日まで持続する場合，L-OHPを休薬し，次コースからはカペシタビン単剤のみを継続する。
- Grade 1以下まで改善を認めた場合，L-OHPの再開を考慮する。
- N08CB試験の結果，現在では末梢神経障害の軽減目的にカルシウム／マグネシウムを投与することはなくなった。
- デュロキセチン塩酸塩（サインバルタ®）投与により末梢神経障害の改善が得られるという報告[6]があり，2015年3月のUpToDate®にも記載されたため，当センターでもデュロキセチン塩酸塩を投与するようになった。

休薬・減量のポイント

- Grade 3以上の末梢性感覚ニューロパチーは，L-OHPを中止しても10％以上の患者で1年以上持続することがあり，患者のQOLを著しく損なう。このため，Grade 2で1週間以上の持続を認めた時点で，L-OHPの休薬・減量を考慮し，Grade 3まで進行させないことが肝要である。
- 末梢性感覚ニューロパチーによりL-OHPが休薬となった後，PDとなった場合，末梢性感覚ニューロパチーがGrade 1以下まで改善していれば，XELOXの再開を考慮してもよい。

症例　68歳女性，下行結腸癌＋多発肝転移Stage Ⅳ

　身長152cm，体重48kg，PS 1，体表面積1.42m²。高血圧にて近医で内服加療中であったが，当科受診時は血圧170/91mmHgであった。大腸内視鏡検査ではスコープは病変部を通過できなかったが，CT上，口側腸管の拡張は認めなかった。血液検査上，肝機能障害を認めたため，化学療法を先行する方針となり，XELOX療法（カペシタビン3,000mg/日，L-OHP180mg）を開始した。1コースの5日目より悪心（Grade 2）を認め，ナウゼリン®10mgを頓用で使用したものの，悪心が持続したため，8日目よりカペシタビンを休薬した。休薬後，速やかな悪心の改善を認めたため，2コース目は4日目から7日間ナウゼリン®10mgを3錠 分3で定期内服したところ，悪心の出現なく2週間のカペシタビン内服が可能となった。以降，6コースまで有害事象なく投与を継続している。

文 献

1) Cassidy JN, et al:Randomized phase III study of capecitabine plus oxaliplatin compared with fluorouracil／folinic acid plus oxaliplatin as first-line therapy for metastatic colorectal cancer. J Clin Oncol. 2008;26:2006-12.

2) Cao Y, et al:Capecitabine plus oxaliplatin vs fluorouracil plus oxaliplatin as first line treatment for metastatic colorectal cancer-meta-analysis of six randomized trials. Colorectal Dis. 2010;12:16-23.

3) Zhao Z, et al:Capecitabine／oxaliplatin as first-line treatment for metastatic colorectal cancer:a meta-analysis. Colorectal Dis. 2010;12:615-23.

4) ゼローダ® 錠300. 適正使用ガイド. 結腸癌・直腸癌.

5) 日本癌治療学会, 編:制吐薬適正使用ガイドライン 2015年10月(第2版). 金原出版, 2015.

6) Smith EM, et al:Effect of duloxetine on pain, function, and quality of life among patients with chemotherapy-induced painful peripheral neuropathy:A randomized clinical trial. JAMA. 2013;309:1359-67.

（白数洋充）

Ⅴ 大腸癌

XELOX + Bmab

投与スケジュール

Bmab 7.5mg/kg，30〜90分	↓				
L-OHP 130mg/m², 2時間	↓				
カペシタビン 2,000mg/m², 分2（朝，夕食後）	↓	↓↓	↓↓	↓	
	1	2	… 15	…	21 （日）

上記3週を1コースとする。
カペシタビンは1日2回（朝，夕食後）を2週間連日内服し，1週間休薬する。

投与例

投与日	投与順	投与量	投与方法
1	1	デキサメタゾンリン酸エステルナトリウム（デキサート®）3.0mL（9.9mg）＋パロノセトロン塩酸塩（アロキシ®）0.75mg＋生食50mL	点滴末梢本管（15分）
	2	ベバシズマブ [Bmab]（アバスチン®）* 7.5mg/kg＋生食100mL	点滴末梢本管（30〜90分）
	3	オキサリプラチン [L-OHP]（エルプラット®）130mg/m²＋5％ブドウ糖液500mL	点滴末梢本管（2時間）
	4	5％ブドウ糖液 50mL	点滴末梢本管（5分）
2, 3	1	デキサメタゾン（デカドロン®）8mg	経口（朝食後）
1夕〜15朝	1	カペシタビン（ゼローダ®）2,000mg/m²/日，分2	経口（朝，夕食後）

＊：当センターではアバスチン®初回より30分で投与しているが，添付文書上は，初回90分，2回目60分，3回目以降30分で投与することとなっている。

適応・治療開始基準

- 組織学的に腺癌と確定診断されている，切除不能結腸（盲腸も含む）・直腸癌。
- 非血液毒性Grade 1以下（例外あり）。
- 主要臓器機能が保たれている（以下が目安）。

- 好中球数 ≧ 1,200/μL
  （適正使用ガイドでは好中球数 ≧ 1,500/μL）
- 血小板数 ≧ 7.5 × 10⁴/μL
- 総ビリルビン ≦ 2.0mg/dL
- AST，ALT ≦ 100U/L（肝転移例は200U/Lを目安とする）
- クレアチニン ≦ 1.5mg/dL

慎重投与・禁忌

	慎重投与	禁　忌
年　齢	70歳以上	
消化管	腹腔内に炎症を合併している症例	腸閉塞例 明らかな通過障害がある
下　痢	日常生活に支障のない下痢	十分な支持療法下で日常生活に支障のある下痢
腎障害	Ccr ≦ 50mL/分	Ccr < 30mL/分
感　染	感染疑い例	治療を必要とする活動性感染を有する
高血圧	降圧薬治療中の症例	コントロール不良な高血圧症例
その他	脳転移症例，心疾患を有する症例 塞栓症の既往例	

効　果

	切除不能大腸癌に対する初回治療例[1,2]
RR	71.9 %
PFS	9.26カ月
OS	21.36カ月

XELOX + Bmab

有害事象マニュアル

有害事象の発現率と発現時期[2]

有害事象	発現率（%）		発現時期（範囲）
	all Grade	Grade 3	
✓ 末梢神経障害	83.9〜93.1	17.2〜18.1	急性症状は投与後2日以内
✓ 悪心・嘔吐	71.4〜74.1	1.7〜10.8	
✓ 下 痢	55.2〜63.5	3.4〜21.8	22.5日（2〜282日）
✓ 手足症候群	39.9〜77.6	1.7〜11.9	57日（9〜225日）
口内炎	28.9〜56.9	1.7〜2.0	41日（5〜354日）
出 血	23.2	1.7	
好中球数減少	19.8〜51.7	7.1〜15.5	
✓ 高血圧	17.6〜25.9	4.5〜5.2	
静脈血栓塞栓症	9.6	6.2	
✓ 蛋白尿	4.0〜29.3	0.3〜1.7	

☑：「有害事象マネジメントのポイント」参照。

減量早見表

減量レベル	L-OHP	カペシタビン	Bmab
初回投与量	130mg/m²	2,000mg/m²	7.5mg/kg
−1	100mg/m²	1,500mg/m²	5mg/kg
−2	85mg/m²	1,200mg/m²	

有害事象マネジメントのポイント

✓ 下 痢

- 「XELOX」参照（☞ p449）。

✓ 悪心・嘔吐

- 「XELOX」参照（☞ p450）。

✓ 手足症候群

- 「XELOX」参照（☞ p451）。

✓ 末梢神経障害・知覚過敏

- 「XELOX」参照（☞ p451）。

✓ 蛋白尿（Bmab）

有害事象発生時のマネジメント

- ■ 経過中に尿蛋白（2＋）になった時点でBmabの投与は休止する。
- ■ 尿蛋白が（1＋）以下に改善したら，Bmabの再開を考慮する。

✓ 高血圧（Bmab）

- ■「FOLFOXIRI ＋ Bmab」参照（☞ **p393**）。

症例 **52歳男性，直腸癌，骨転移 Stage Ⅳ**

　身長168cm，体重75kg，PS 1，体表面積1.85m²。直腸癌の術前精査中に右腸骨への骨転移を認めたため，全身化学療法の適応となり，XELOX ＋ Bmab療法（カペシタビン3,600mg/日，L-OHP 310mg，Bmab 560mg）が開始された。4コースまでは有害事象の発現なく，経過は良好であった。5コース目より両手指にしびれを自覚し，PC入力作業に違和感を生じたため，末梢神経障害（Grade 2）と診断し，6コース目よりL-OHPを休薬した。8コース後の治療効果判定はSDを維持しており，現在もカペシタビン＋Bmabで治療を継続している。

文　献

1) Cassidy JN, et al:Randomized phase Ⅲ study of capecitabine plus oxaliplatin compared with fluorouracil/folinic acid plus oxaliplatin as first-line therapy for metastatic colorectal cancer. J Clin Oncol. 2008;26:2006-12.
2) ゼローダ® 錠300. 適正使用ガイド. 結腸癌・直腸癌.

（白数洋允）

Ⅴ 大腸癌

SOX + Bmab

投与スケジュール

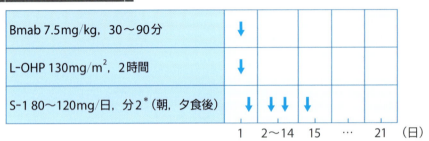

| Bmab 7.5mg/kg，30〜90分 |
| L-OHP 130mg/m², 2時間 |
| S-1 80〜120mg/日，分2*（朝，夕食後） |

上記3週を1コースとする。
S-1は1日2回（朝，夕食後）を2週間連日内服し，1週間休薬する。

*：S-1初回基準投与量

体表面積	S-1投与量
1.25m²未満	80mg/日，分2
1.25m²以上，1.50m²未満	100mg/日，分2
1.50m²以上	120mg/日，分2

投与例

投与日	投与順	投与量	投与方法
1夕〜15朝	1	テガフール・ギメラシル・オテラシルカリウム配合（1：0.4：1）[S-1]（ティーエスワン®）80〜120mg/日，分2	経口（朝，夕食後）
1	1	ベバシズマブ[Bmab]（アバスチン®）7.5mg/kg ＋ 生食100mL	点滴末梢本管（30〜90分）
	2	デキサメタゾンリン酸エステルナトリウム（デキサート®）6.6mg ＋パロノセトロン塩酸塩（アロキシ®）0.75mg 点滴静注バッグ	点滴末梢本管（15分）
	3	オキサリプラチン[L-OHP]（エルプラット®）130mg/m² ＋ 5％ブドウ糖液250〜500mL	点滴末梢本管（2時間）
	4	生食50mL	点滴末梢本管（5分）

適応・治療開始基準

- 切除不能または再発大腸癌。

- 全身状態および主要臓器機能が保たれている（以下が目安）。

> - ECOG PS 0〜2
> - 好中球数≧1,500/μL
> - 血小板数≧10.0×10^4/μL
> - ヘモグロビン≧8.0g/dL
> - 総ビリルビン≦1.5mg/dL
> - AST，ALT≦100U/L
> - クレアチニン≦1.2mg/dL
> - クレアチニンクリアランス（Ccr）≧60mL/分

慎重投与・禁忌

	慎重投与	禁　忌
年　齢	75歳以上	
腎障害	60＞Ccr≧30mL/分 （1レベル以上の減量を考慮）[1]	Ccr＜30mL/分[1]
肝障害	総ビリルビン＞1.5mg/dL，または AST，ALT＞100U/L （減量または中止を考慮）	
感　染	感染を疑う症例	活動性の感染症を合併している症例
薬　剤	フェニトイン（アレビアチン®），ワル ファリンカリウム（ワーファリン®）[2]	フルシトシン（アンコチル®），ほか のフッ化ピリミジン系抗癌剤[2]
合併症	原発巣による高度腸管狭窄，腹腔内の 炎症，非治癒の創傷，重篤な心疾患[3]， 下痢，感覚異常，知覚不全[4]	
既往歴	血栓塞栓症，間質性肺疾患，心疾患[3]， 消化性潰瘍[2]	喀血[3]

効　果

	切除不能/再発大腸癌に対する初回治療例[5]
RR	62％
PFS	11.7カ月
OS	29.6カ月

SOX + Bmab

有害事象マニュアル

有害事象の発現率と発現時期[5]

有害事象	発現率（%）		発現時期
	all Grade	Grade 3/4	
✓ 好中球数減少	59	9	投与7〜10日後
血小板数減少	70	4	多くは治療開始2カ月以降
✓ 末梢性感覚ニューロパチー	91	10	用量依存的に頻度・持続時間・程度ともに増加
下 痢	53	9	投与3〜10日後
食欲不振	64	5	投与4〜7日後
高血圧	26	6	（様々）
疲 労	56	3	投与4〜7日後
悪 心	52	2	投与1〜7日後
口内炎	41	2	投与3〜10日後
✓ 過敏反応	4〜14[6]	0〜2[6]	多くは投与中
腸管穿孔	2	2	（様々）
血栓塞栓症	1	1	（様々）
蛋白尿	46	0	（様々）
涙 目	5	0	投与数週間後

☑：「有害事象マネジメントのポイント」参照。

減量早見表

減量レベル	L-OHP	S-1		
初回投与量	130mg/m²	80mg/日	100mg/日	120mg/日
−1	100mg/m²	60mg/日*	80mg/日	100mg/日
−2	75mg/m²	50mg/日	60mg/日*	80mg/日

＊：1日のS-1投与量が60mgの場合は，朝40mg，夕20mgに分割して投与する。

有害事象マネジメントのポイント

✓ 好中球数減少

治療開始前のマネジメント

- 好中球数減少の発症初期は自覚症状が乏しいため，定期的な血液検査が必要であることを患者に説明する。
- 初回コースでは8〜15日目に少なくとも1回は有害事象の確認を行うことが望ましい。

有害事象発生時のマネジメント

- コース内にGrade 3以上の好中球数減少を認めた場合はS-1を休薬する。
- 次コース開始予定日にGrade 2以上の好中球数減少を認めた場合は，次コース開始を延期し，S-1とL-OHPの減量も考慮する。
- 発熱性好中球減少症は，入院にてG-CSF製剤および静注抗菌薬の投与を行う。好中球数1,000/μL未満で38℃以上の発熱が出現するか，好中球数500/μL未満が確認された時点からG-CSF投与を考慮する。全身状態が良好な低リスク群（MASCCスコア21点以上）に対しては，経口抗菌薬〔レボフロキサシン水和物（クラビット®）など〕による外来治療も選択肢のひとつとなるが，患者に対する十分な教育や理解，近隣病院のサポート体制などを考慮して対応する必要がある。

✓ 末梢神経障害

治療開始前のマネジメント

- 寒冷刺激により末梢性感覚ニューロパチーが誘発されるため，できる限り避けるよう指導する（冷たい飲み物や氷を避ける，低温時には皮膚を露出しないなど）。冷たい空気の吸い込みにより咽頭・喉頭の絞扼感が現れることがある。

有害事象発生時のマネジメント

- 症状はL-OHP投与後しばらく持続し回復することが多いが，L-OHPの使用が長期になると症状の持続期間が長くなり（1週間以上持続するなど），症状の程度も強くなる（痛みを伴う，機能障害を伴うなど）ことが多い。
- Grade 2の症状（身の回りの日常生活動作には支障をきたさない）が2週間以上持続する場合や，Grade 3の症状（機能障害；ボタンを留めにくい，手に持ったものを落としてしまうなど）の出現時には，L-OHPの減量・休薬を積極的に検討する。

✓ 過敏反応

治療開始前のマネジメント

- 過敏反応予防，悪心予防のため前投薬としてデキサメタゾンリン酸エステルナトリウムの投与を行う。
- L-OHPの過敏反応は，FOLFOXでは6コース以降に発現することが多いと報告されている[5]。

有害事象発生時のマネジメント

- 直ちに薬剤投与を中止し，状態に応じて酸素投与や補液などを行う。
- Grade 2（皮疹，潮紅，蕁麻疹，呼吸困難，38℃以上の薬剤熱）までの場合は，ヒドロコルチゾンリン酸エステルナトリウム（水溶性ハイドロコートン®），d-クロルフェニラミンマレイン酸塩（ポララミン®），ラニチジン塩酸塩（ザンタック®）の追加投与を行い，さらなる状態の悪化を防ぐ。
- Grade 3（症状のある気管支痙攣，血管性浮腫，血圧低下）やGrade 4（アナフィラキシー）の場合には，上記に加えてアドレナリン0.3mgを筋注する。
- Grade 2以下で再投与を行うことのメリットがデメリットを上回ると判断された場合には，患者に十分な説明を実施し同意を得た上でアレルギーレジメン（デキサメタゾンリン酸エステルナトリウム20mg，d-クロルフェニラミンマレイン酸塩，ラニチジン塩酸塩を先行投与）を用いるほか，L-OHPの投与時間延長（4時間に延長など）によって再投与を行うことがある。

症 例	**57歳女性，S状結腸癌，多発肝転移，*KRAS*野生型**

　身長148cm，体重52kg，PS 0。便潜血を契機に発見されたS状結腸癌，多発肝転移の患者で，CT所見から化学療法による腫瘍縮小により切除可能（conversion）となる可能性が考えられた。仕事を続けながら治療を行いたいとの希望があり，治療法の選択肢を話したところ，ポート造設が不要で手足症候群や皮疹の頻度の少ないSOX＋Bmabを選択した。

　治療開始後1週間程度持続する悪心（Grade 2）と食欲不振（Grade 2）を認めたため，2コース目からイメンド®を併用した。また，L-OHP投与時の血管痛を認めたため，2コース目から比較的太い肘正中皮静脈から投与を行い，溶解液を5％ブドウ糖液500mLに変更したところ症状の軽減がみられた。2コース目8日目の外来受診時に血小板数減少（Grade 3）を認めた。同日夕からティーエスワン®は休薬とし，29日目に血小板数が10万/μL以上あることを確認しL-OHPを100mg/m²に減量して3コース目を開始した。6コース施行後のCTにて肝転移の縮小を認め，外科と相談し肝切除を行う方針となった。

文 献

1)　ティーエスワン® 適正使用ガイド.
2)　ティーエスワン® 添付文書.
3)　アバスチン® 添付文書.
4)　エルプラット® 添付文書.

5) Yamada Y, et al:Leucovorin, fluorouracil, and oxaliplatin plus bevacizumab versus S-1 and oxaliplatin plus bevacizumab in patients with metastatic colorectal cancer(SOFT):an open-label, non-inferiority, randomised phase 3 trial. Lancet Oncol. 2013;14:1278-86.
6) Shinozaki K, et al:Tolerability study of adjuvant modified FOLFOX6 treatment in curatively resected stage Ⅱ/Ⅲ colon cancer(JFMC41-1001-C2:JOIN trial). J Clin Oncol. 2014;32(suppl): abstr 530.

（白数洋充）

Ⅴ 大腸癌

S-1

投与スケジュール

S-1 80～120mg/日, 分2*(朝, 夕食後)

上記6週を1コースとし，1日2回(朝，夕食後)を4週間連日内服し，2週間休薬する。

＊：S-1初回基準投与量

体表面積	S-1投与量
1.25m² 未満	80mg/日，分2
1.25m² 以上，1.50m² 未満	100mg/日，分2
1.50m² 以上	120mg/日，分2

投与例

投与日	投与量	投与方法
1～28	テガフール・ギメラシル・オテラシルカリウム配合(1：0.4：1)[S-1] (ティーエスワン®) 80～120mg/日，分2	経口 (朝，夕食後)
29～42	休薬	

適応・治療開始基準

- 組織学的に腺癌と確定診断されている，切除不能再発結腸・直腸癌。
- 経口摂取が可能な症例。
- PS 2以下かつ主要臓器機能が保たれている(以下が目安)。

  - 白血球数 ≧3,500/μL，かつ<1万2,000/μL
  - 血小板数≧10.0×10⁴/μL
  - ヘモグロビン≧9.0g/dL
  - 総ビリルビン≦1.5mg/dL
  - AST, ALT≦100U/L(施設基準値の2.5倍以下)
  - クレアチニンクリアランス(Ccr)≧80mL/分

※ただし，実臨床においては上記基準外などで開始することもある。その際は事前の十分な患者説明と，こまめな外来観察を行うなど配慮が必要。

慎重投与・禁忌

	慎重投与	禁忌
年齢，PS	75歳以上，PS 2	PS 3以上 80歳以上の高齢者は，全身状態や理解力，合併症，家族のサポート体制など総合的に判断が必要。
骨髄機能	ヘモグロビン：8.0〜9.0未満 白血球数：2,000〜3,500未満，1万2,000以上 血小板数：7.5〜10万未満	左記以上の骨髄機能低下
腎障害	80＞Ccr≧60mL／分 60＞Ccr≧30mL／分*	Ccr 30mL／分未満
肝障害	AST，ALT：施設基準値の2.5倍を超えて150U／L未満 総ビリルビン：1.5〜3mg／dL未満	左記以上の肝障害
感染	感染疑い	活動性感染を有する
その他（併用薬）	ワルファリンカリウム，フェニトイン使用症例	抗真菌薬フルシトシン使用症例

＊：原則として1レベル減量（30〜40未満は2レベル減量が望ましい）。

効果

	切除不能再発結腸・直腸癌に対する初回治療[1, 2]	フッ化ピリミジン，CPT-11，L-OHPの3剤が不応後に対する治療[3]
RR	35.5〜39.5％	0％
DCR	80.6〜89.5％	17％
PFS	5.2カ月	2.7カ月
OS	11.9〜12.3カ月	4.7カ月

S-1
有害事象マニュアル

有害事象の発現率と発現時期[1, 2]

有害事象	発現率（%） all Grade	発現率（%） Grade 3, 4	発現時期
☐ 白血球数減少	45〜48	0〜5	投与2〜4週目
☐ 好中球数減少	37〜42	5〜13	投与2〜4週目
✓ 食欲不振	34〜50	0〜5	投与2週目以降〜5週目
☐ 貧血	32〜45	6〜8	投与2〜4週目
✓ 悪心・嘔吐	19〜40	0〜2	投与1〜7日後
☐ 腹痛	16〜37	0	投与2〜3週目
✓ 下痢	14〜37	2〜3	投与2〜3週目
☐ 血小板数減少	13〜19	0〜8	投与2〜4週目
☐ 手足症候群	5	0	蓄積毒性
✓ 流涙	頻度不明		3カ月目より好発

☑：「有害事象マネジメントのポイント」参照。

減量早見表

減量レベル		S-1	
初回投与量	120mg/日	100mg/日	80mg/日
−1	100mg/日	80mg/日	(50mg/日)
−2	80mg/日	(50mg/日)	

有害事象マネジメントのポイント

✓ 悪心・嘔吐，食欲不振

治療開始前のマネジメント

- 初回治療開始前にあらかじめ制吐薬を処方しておき，対処法について説明しておく。また，制吐薬は嘔吐してから飲む薬ではなく，予防として早めに使うのがコツであることを患者に十分説明しておくこと。

- 食欲不振でかつ水分摂取もできない場合は必ず病院へ連絡するように説明しておく。S-1内服中の脱水は，副作用が重篤化する可能性があるため十分注意する！

有害事象発生時のマネジメント

- 悪心・嘔吐，食欲不振が続く場合は，ドパミン受容体拮抗薬〔メトクロプラミド（プ

リンペラン®）5mg，ドンペリドン（ナウゼリン®）10mg，プロクロルペラジン（ノバミン®）5mg〕や5-HT$_3$受容体拮抗制吐薬〔オンダンセトロン塩酸塩水和物（ゾフラン®）ザイディス錠〕などを頓用または副作用発現時期の定期内服（投与後1週間のみ定時内服など）で対応する。

■治療前から嘔気がするなどの予期性嘔吐の場合は，ベンゾジアゼピン系抗不安薬（アルプラゾラム®）などを治療開始前に内服させるのも有効である。

減量・再開のポイント

■制吐薬を使用しても持続するGrade 2以上の悪心・嘔吐が出現した場合は，減量を考慮する。

✓ 下 痢

治療開始前のマネジメント

■治療開始前にS-1による腸管粘膜障害として下痢が起こる可能性を説明し，止痢薬としてロペラミド塩酸塩（ロペミン®）を頓服として処方しておく。ロペラミド塩酸塩を内服しても改善を認めない場合は，S-1を休薬し，病院へ連絡をする。

有害事象発生時のマネジメント

■止痢薬を頓用で使用しても改善を認めない場合は，便培養を提出し，感染性腸炎を必ず除外した上で，止痢薬の定期内服を行う。

■水分摂取が困難なほか，血液検査上，電解質異常や腎機能障害を認める場合は，入院の上，補液を行う必要がある。

減量・再開のポイント

■止痢薬を使用してもGrade 2以上の下痢を認めた場合，原則として次コースより1レベル減量する。

✓ 流 涙[4]

治療開始前のマネジメント

■治療開始前にS-1による流涙が起こる可能性を説明し，目やにが多い，涙目や視力低下などの出現があれば担当医へ申し出るように説明しておく。

有害事象発生時のマネジメント

■Grade 2の流涙が出現した場合は，眼科受診ならびに非防腐剤ドライアイ用点眼薬

（ソフトサンティア®）を1日5～6回点眼するように指導する。水道水（未滅菌で塩素も入っている）で目を洗うことは決してしないこと！

- Grade 3の流涙が出現した場合は，可能であれば眼科にて涙道の狭窄の有無を調べ，狭窄がある場合には涙道チューブの挿入などを検討する。

減量・再開のポイント

- Grade 3以上の流涙を認めた場合，原則としてGrade 2以下に改善するまで休薬し，改善後は1レベル減量して再開する。ただし，改善しない場合や視力低下，角膜障害を認める場合は原則中止を検討する。

- フッ化ピリミジン，CPT-11塩酸塩水和物，L-OHPの3剤が不応となった後のS-1単剤療法においては，当センターの後ろ向きの検討[3]で治療効果より有害事象のマイナス面が大きいことから，当センターでは基本的に推奨しない方針としている。

症例　22歳男性，上行結腸癌術後，腹膜転移再発，*KRAS*野生型

　初回治療としてFOLFIRI＋Bmab併用療法，二次治療としてFOLFOX＋Bmabを施行するも，それぞれ腹膜転移増悪にてPDと判定。三次治療としてPmabを使用するもPD判定。三次治療終了後はPS 2。四次治療としてBSCを勧めるも，本人，家族の強い希望がありS-1治療を開始。1コース目より食欲不振と悪心（Grade 3）出現あり，休薬後に1レベル減量し再開。食欲不振（Grade 2程度）と悪心（Grade 2程度）を認めるも制吐薬の頓用，定期使用にて2コースをなんとか終了したが，2コース後のCT評価で腹膜転移の明らかな増大にてPDと判定。以後S-1は中止し，緩和治療に移行した。

文献

1) Ohtsu A, et al:Phase II study of S-1, a novel oral fluoropyrimidine derivative, in patients with metastatic colorectal carcinoma. Br J Cancer. 2000;83:141-5.
2) Shirao K, et al:Phase II study of oral S-1 for treatment of metastatic colorectal carcinoma. Cancer. 2004;100:2355-61.
3) Yasui H, et al:Retrospective analysis of S-1 monotherapy in patients with metastatic colorectal cancer after failure to fluoropyrimidine and irinotecan or to fluoropyrimidine, irinotecan and oxaliplatin. Jpn J Clin Oncol. 2009;39:315-20.
4) Tabuse H, et al:Excessive watering eyes in gastric cancer patients receiving S-1 chemotherapy. Gastric Cancer. 2016;19:894-901.

〔安井博史〕

Ⅴ 大腸癌

Capecitabine

投与スケジュール

カペシタビン 2,000～2,500mg/m²/日*, 分2

| | 1 | 2 | … | 15 | … | 21 | （日） |

上記3週を1コースとし，1日2回（朝，夕食後）を2週間連日内服し，1週間休薬する。

カペシタビンは1日2回（朝，夕食後）を2週間連日内服し，1週間休薬する。

＊：70歳未満：原則2,500mg/m²/日，70歳以上75歳未満：全身状態により2,000mg/m²/日も考慮，75歳以上：原則2,000mg/m²/日。

投与例

投与日	投与量	投与方法
1夕～15朝	カペシタビン（ゼローダ®）2,000～2,500mg/m²/日，分2	経口（朝，夕食後）

適応・治療開始基準

■ 治癒切除不能進行結腸・直腸癌。

■ 全身状態および主要臓器機能が保たれている（以下が目安）。

- PS 0～1
- 好中球数≧1,500/μL
- 血小板数≧10.0×10⁴/μL
- 総ビリルビン≦2.0mg/dL
- AST，ALT≦100U/L
- クレアチニン≦1.5mg/dL

慎重投与・禁忌

	慎重投与	禁 忌
年 齢	80歳以上	
腎障害	クレアチニンクリアランス（Ccr）30～50mL/分	Ccr 30mL/分未満
肝障害	肝障害のある患者	
感 染	感染疑い例	治療を必要とする活動性感染を有する場合

効 果

	切除不能進行・再発大腸癌に対する初回投与治療成績[1,2]
RR	18.9～25.8％
OS	12.5～13.2カ月
TTP	4.3～5.2カ月

Capecitabine

有害事象マニュアル

有害事象の発現率と発現時期

有害事象	発現率（%） Grade 3以上[1,2]	発現時期中央値（範囲）
✓ 手足症候群	16～18	30日（5～122日）
✓ 下 痢	11～15	22日（1～194日）
✓ 嘔 吐	3.6	31日（1～184日）
□ 口内炎	1.3～3	32日（4～197日）
✓ ビリルビン値増加	28	
□ 貧 血	2.7	
□ 好中球数減少	2	
□ 血小板数減少	1	
✓ AST増加	0.7	
✓ ALT増加	0.7	

☑：「有害事象マネジメントのポイント」参照。

減量早見表

減量レベル	カペシタビン2,500mg/m²/日 で開始した場合	カペシタビン2,000mg/m²/日 で開始した場合
−1	2,000mg/m²/日	1,500mg/m²/日
−2	1,500mg/m²/日	1,000mg/m²/日
−3	1,000mg/m²/日	中止
−4	中止	

有害事象マネジメントのポイント

■有害事象に伴うカペシタビンの休薬・減量・再開は次頁のフローチャートを参考に行っている[3]。ただし，Grade 2の有害事象が複数事象，同じコースに発現した場合（例：手足症候群，下痢，疲労など）や，適切な支持療法によってもGrade 2の有害事象が持続する場合は，1回目の発現でも次のコースより減量することを考慮している。

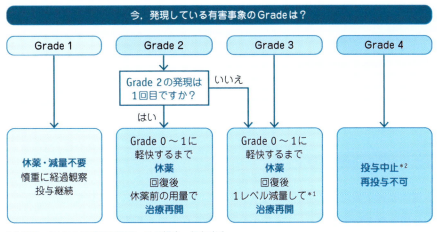

＊1：3レベル以上の減量は不可。その場合，投与中止。
＊2：治療継続が患者にとって望ましいと判断された場合はGrade 0～1に軽快後，減量レベル2で治療再開。
（文献3をもとに作成）

✓ 手足症候群

治療開始前のマネジメント

- 手足症候群（hand-foot syndrome：HFS）はカペシタビンを投与した際に最も頻度の高い有害事象であるが，発現機序は不明であり，確実な治療法はなく，休薬と対症療法が主体となる。予防に関しても確立された治療法はないが，日常臨床では保湿剤の予防的塗布が実施されている。HFSの好発部位は手，足，爪の四肢末端部位であり，同部位に過度の荷重や物理的刺激を避けるようにし，1日に2～3回（朝，入浴後など）手足に，保湿剤を外用するように指導する。当センターでは投与開始時からヘパリン類似物質含有軟膏（ヒルドイドソフト®軟膏0.3％）の予防的外用を実施している。

有害事象発生時のマネジメント

- 当センターではGrade 1以上のHFSが出現した場合には，症状のある部位にジフルプレドナート軟膏（マイザー®軟膏）を上塗りするように指導している。

✓ 下痢

有害事象発生時のマネジメント

- 治療の第一選択薬はロペラミド塩酸塩（ロペミン®）であり，1～2mgを頓用で使用することが多い。Grade 2以上の下痢を認めた場合は，Grade 1以下まで改善した時点で再開する。下痢による脱水，電解質異常，腹痛，経口摂取不能などの随伴症状がある場合は，入院管理の上，適宜輸液を行う。

✓ 悪心・嘔吐

治療開始前のマネジメント

- 制吐薬は嘔吐してから飲むのではなく，悪心出現時に早めに使うのが有効であることを患者に十分説明しておくこと。

有害事象発生時のマネジメント

- 制吐薬適正使用ガイドライン2015によれば，カペシタビンは軽度催吐リスク薬剤に分類されている。このクラスの薬剤によるGrade 2相当の悪心・嘔吐の出現時には休薬するか，明らかなエビデンスはないものの，日常臨床ではドパミン受容体拮抗薬〔メトクロプラミド（プリンペラン®）5mg，ドンペリドン（ナウゼリン®）10mg，プロクロルペラジン（ノバミン®）5mg〕や5-HT$_3$受容体拮抗制吐薬〔オンダンセトロン塩酸塩水和物（ゾフラン®）ザイディス錠〕などを頓用もしくは定期で使用することが多い。Grade 3以上の悪心・嘔吐を発生させないようにマネジメントすることが重要である。

✓ 肝障害

治療開始前のマネジメント

- 治療開始前の肝障害が軽度～中等度であれば，基本的にカペシタビンの用量調整は不要と考えられている[4]。

有害事象発生時のマネジメント

- 治療中に肝障害が出現した場合，以下のように休薬・再開を実施する。

項　目	休止基準	コース内再開基準	再開時の用量レベル
総ビリルビン	≧3.0mg/dL	＜3.0mg/dL	≧3.0mg/dL（初回）：減量なし ≧3.0mg/dL（2回目）：1レベル減量
AST	＞100U/L	≦100U/L	＞100U/L（初回）：減量なし
ALT	＞100U/L	≦100U/L	＞100U/L（2回目）：1レベル減量

（国内第Ⅲ相試験の規準より抜粋）

| 症例 | **70歳女性，切除不能大腸癌** |

身長163cm，体重47.8kg，PS 1。治癒切除不能上行結腸癌（T4aN2aM1b，Stage ⅣB）に対して，出血コントロール目的に原発巣切除を行った後，一次治療として，患者の希望によりカペシタビン単剤療法（2,500mg/m^2/日）を行う方針となった。8コース目22日目にHFS（Grade 2）を認め，カペシタビンの投与を延期したが，症状は持続しGrade 1まで改善するのに2週間の延期が必要であったため，次コースは1レベル減量（2,000mg/m^2/日）して再開した。以後はHFSの増悪なく経過し，計18コースの投与を行った。

文　献

1) Hoff PM, et al:Comparison of oral capecitabine versus intravenous fluorouracil plus leucovorin as first-line treatment in 605 patients with metastatic colorectal cancer:results of a randomized phase Ⅲ study. J Clin Oncol. 2001;19:2282-92.

2) Van Cutsem E, et al:Oral capecitabine compared with intravenous fluorouracil plus leucovorin in patients with metastatic colorectal cancer:results of a large phase Ⅲ study. J Clin Oncol. 2001;19:4097-106.

3) ゼローダ®錠300. 適正使用ガイド. 結腸・直腸癌.

4) Twelves C, et al:Effect of hepatic dysfunction due to liver metastases on the pharmacokinetics of capecitabine and its metabolites. Clin Cancer Res. 1999;5:1696-702.

（川上武志，濵内　諭）

Ⅴ 大腸癌

Capecitabine + Bmab

投与スケジュール

Bmab 7.5mg/kg，30〜90分	
カペシタビン 2,000〜2,500mg/m²/日*，分2	

上記3週を1コースとする。
カペシタビンは1日2回（朝，夕食後）を2週間連日内服し，1週間休薬する。

＊：70歳未満：原則2,500 mg/m²/日，70歳以上75歳未満：全身状態により 2,000mg/m²/日も考慮，75歳以上：原則2,000 mg/m²/日。

投与例

投与日	投与順	投与量	投与方法
1	①	ベバシズマブ[Bmab]（アバスチン®）7.5mg/kg ＋ 生食 100mL	点滴末梢本管（30〜90分）
1夕〜15朝	②	カペシタビン（ゼローダ®）2,000〜2,500mg/m²/日，分2	経口（朝，夕食後）

適応・治療開始基準

- 治癒切除不能進行結腸・直腸癌。
- 全身状態および主要臓器機能が保たれている（以下が目安）。

  - PS 0〜1
  - 好中球数≧1,500/μL
  - 血小板数≧10.0×10⁴/μL
  - 総ビリルビン≦2.0mg/dL
  - AST，ALT≦100U/L
  - 血清クレアチニン≦1.5mg/dL

■Bmabの投与基準

- 蛋白尿1＋以下
- 静脈系の血栓塞栓症Grade 1以下（抗血栓療法により状態が安定していればGrade 2でも投与を検討）
- 高血圧Grade 2以下
- 中枢神経系出血，消化管出血，泌尿器生殖器出血，肺・上気道出血，その他，Grade 1以下

慎重投与・禁忌

◉カペシタビン

	慎重投与	禁　忌
年　齢	80歳以上	
腎障害	クレアチニンクリアランス（Ccr）30〜50mL／分	Ccr 30mL／分未満
肝障害	肝障害のある患者	
感　染	感染疑い例	治療を必要とする活動性感染を有する

◉Bmab

	慎重投与	禁　忌
心血管系	心不全，冠動脈疾患の既往がある	
血液・凝固	出血傾向を有する	
その他	脳転移を有する 手術後28日以内，または手術を予定している	喀血の既往がある

効　果

	切除不能大腸癌に対する初回治療例[1]	高齢者（70歳以上）の切除不能進行大腸癌に対する初回治療例[2]
RR	38.1％	19.0％
PFS	8.5カ月	9.1カ月
OS	18.9カ月	20.7カ月

Capecitabine + Bmab

有害事象マニュアル

有害事象の発現率と発現時期

有害事象	発現率（%）[1]		発現時期中央値（範囲）
	all Grade	Grade 3以上	
✓ 手足症候群	77	26	30日（5〜122日）
✓ 下 痢	65	17	22日（1〜194日）
□ 口内炎	48	1.3	32日（4〜197日）
✓ 嘔 吐	38	5.1	31日（1〜184日）
□ 嘔 気	67	5.1	13日（1〜166日）
□ 倦怠感	78	9.6	
□ 感染症 （発熱性好中球減少症を除く）	36	10	
□ 発熱性好中球減少症 （感染症を除く）	12	0	
□ 好中球数減少	5.0	1.0	
□ 高ビリルビン血症	6.4	0.6	
✓ 蛋白尿	31	3.2	＊
✓ 高血圧	29	3.8	＊
□ 静脈血栓症または塞栓症	10	8.9	＊
□ 動脈血栓症	4.5	3.2	＊
□ 消化管穿孔	1.9	1.9	＊
□ 出 血	12	1.3	＊

有害事象	発現率（%） （70歳以上の高齢者）[2]		発現時期中央値（範囲）
	all Grade	Grade 3以上	
✓ 手足症候群	49	16	Grade 1以上：57日（9〜225日） Grade 2以上：113日（39〜379日）
✓ 下 痢	40	9	23日（2〜282日）
□ 口内炎	15	0	41日（5〜354日）
✓ 嘔 吐	21	2	14日（2〜304日）
□ 嘔 気	24	1	4日（1〜155日）
□ 倦怠感	24	4	
✓ 蛋白尿	7	1	＊
✓ 高血圧	19	2	＊
□ 静脈血栓症または塞栓症	12	11	＊
□ 動脈血栓症	4	3	＊
□ 消化管穿孔	1	0	＊
□ 出 血	1	0	＊

☑：「有害事象マネジメントのポイント」（☞ p477）参照。

＊：Bmab関連の有害事象の発現時期には一定の傾向がみられなかった。

減量早見表

減量レベル	カペシタビン2,500mg/m²/日で開始した場合	カペシタビン2,000mg/m²/日で開始した場合
−1	2,000mg/m²/日	1,500mg/m²/日
−2	1,500mg/m²/日	1,000mg/m²/日
−3	1,000mg/m²/日	中　止
−4	中　止	

※Bmabは原則減量しない。

有害事象マネジメントのポイント

■「Capecitabine」参照（☞ **p470**）。

✓ 手足症候群（カペシタビン）

■「Capecitabine」参照（☞ **p471**）。

✓ 下痢（カペシタビン）

■「Capecitabine」参照（☞ **p471**）。

✓ 悪心・嘔吐（カペシタビン）

■「Capecitabine」参照（☞ **p472**）。

✓ 肝障害（カペシタビン）

■「Capecitabine」参照（☞ **p472**）。

✓ 高血圧（Bmab）

■「FOLFOXIRI + Bmab」参照（☞ **p393**）。

✓ 尿蛋白（Bmab）

■「FOLFOXIRI + Bmab」参照（☞ **p394**）。

| 症 例 | **69歳女性，腹膜播種で再発した進行大腸癌** |

身長158.5cm，体重49.6kg，PS 0。腹膜播種で再発した進行大腸癌に対して，一次治療としてカペシタビン（2,500mg/m^2/日）＋Bmab療法を施行した。既往に高血圧があり，カルシウム拮抗薬を内服していた。1コース目5日目に高血圧（Grade 3）（190/110mmHg）を認め，ARBを併用したところ，Grade 1程度までコントロール可能となった。16日目より口内炎（Grade 3），HFS（Grade 3）を認め，カペシタビンを休薬した。1週間後の外来受診時にはHFS（Grade 1），口内炎（Grade 1）まで改善しており，カペシタビンのみ2,000mg/m^2/日に減量して再開した。その後，口内炎は発現せず，HFS（Grade 2）が持続したため，3コース目よりカペシタビンを1,500mg/m^2/日へと減量した。以後はHFSの増悪を認めず治療を継続することができた。

文 献

1) Tebbutt NC, et al:Capecitabine, bevacizumab, and mitomycin in first-line treatment of metastatic colorectal cancer:results of the Australasian gastrointestinal trials group randomized phase Ⅲ MAX study. J Clin Oncol. 2010;28:3191-8.
2) Cunningham D, et al:Bevacizumab plus capecitabine versus capecitabine alone in elderly patients with previously untreated metastatic colorectal cancer(AVEX):an open-label, randomised phase 3 trial. Lancet Oncol. 2013;14:1077-85.
3) Izzedine H, et al:Management of hypertension in angiogenesis inhibitor-treated patients. Ann Oncol. 2009;20:807-15.
4) Izzedine H, et al:VEGF signalling inhibition-induced proteinuria:Mechanisms, significance and management. Eur J Cancer. 2010;46:439-48.

（川上武志，濵内　諭）

Ⅴ 大腸癌

Trifluridine + Bmab

投与スケジュール

トリフルリジン70〜150mg/日，分2	↓	↓	↓		↓	↓	↓			
Bmab 5mg/kg，30分	↓							↓		

| | 1 | … | 5 | … | 8 | … | 12 | … | 15 | … | 28 | （日） |

上記4週を1コースとする。

投与例

投与日	投与順	投与量	投与方法
1 15	1	ベバシズマブ［Bmab］（アバスチン®）5mg/kg ＋ 生食 100mL	点滴末梢本管 （30分）
	2	生食 50mL	点滴末梢側管 （5分）
1〜5， 8〜12	1	トリフルリジン・チピラシル塩酸塩配合（ロンサーフ®）70〜150mg/日*，分2	経口 （朝，夕食後）

＊：ロンサーフ®投与量

体表面積	初回基準量
1.07m²未満	70mg／日
1.07m²以上1.23m²未満	80mg／日
1.23m²以上1.38m²未満	90mg／日
1.38m²以上1.53m²未満	100mg／日
1.53m²以上1.69m²未満	110mg／日
1.69m²以上1.84m²未満	120mg／日
1.84m²以上1.99m²未満	130mg／日
1.99m²以上2.15m²未満	140mg／日
2.15m²以上	150mg／日

適応・治療開始基準

- 治癒切除不能な進行・再発の結腸・直腸癌。

- 三次治療以降の症例。

- 全身状態および主要臓器機能が保たれている（以下が目安）。

> - ECOG PS 0〜1
> - 好中球数 ≧ 1,500/μL
> - 血小板数 ≧ 7.5 × 10^4/μL
> - 総ビリルビン ≦ 1.5mg/dL
> - AST，ALT ≦ 100IU/L（ただし肝転移がある場合は ≦ 200IU/L）
> - クレアチニン ≦ 1.5mg/dL

慎重投与・禁忌

	慎重投与	禁　忌
既往歴	腹腔内に炎症がある 脳転移を有する 凝固異常がある 血栓塞栓症の既往がある 糖尿病 高血圧 うっ血性心不全または虚血性心疾患などの重篤な心疾患がある	喀血
アレルギー	65歳以上	本剤の成分に対し過敏症の既往歴がある
骨　髄	骨髄抑制を有する	
腎機能障害	重度の腎機能障害患者に対しては，投与開始基準を参考に本剤投与の可否を検討し，投与する際は減量を考慮するとともに，患者の状態をより慎重に観察し副作用の発現に十分注意する	
肝機能障害	肝機能障害	
感染症	感染症を有する	

効　果

	前治療歴のある再発／切除不能大腸癌[1]
RR	5.0％
PFS	3.7カ月
OS	8.6カ月

Trifluridine + Bmab

有害事象マニュアル

有害事象の発現率と発現時期

有害事象	発現率（%）		発現時期
	all Grade	Grade 3/4	
☐ 白血球減少	81.7	38.3	
✓ 好中球数減少	68.3	50.0	
☐ 貧　血	86.7	15.0	
✓ 発熱性好中球減少症	3.3	3.3	
✓ 蛋白尿	41.7	6.7	
✓ 高血圧	38.3	6.7	
☐ 消化管穿孔	3.3	2.9	
☐ 倦怠感	50.0	0	
☐ 食欲不振	41.7	0	
✓ 悪　心	16.7	0	
✓ 嘔　吐	3.3	0	
✓ 下　痢	8.3	0	

☑：「有害事象マネジメントのポイント」参照。

減量方法

■ トリフルリジン：前コース（休薬期間を含む）中に減量基準に該当する有害事象が発現した場合には，コース単位で10mg/日ずつ減量する。ただし，最低投与量は30mg/日までとする。

■ 主な臨床試験において，Bmabの減量については検討されていない。

有害事象マネジメントのポイント

■ トリフルリジン＋Bmab併用とトリフルリジン単剤を比較したこれまでの臨床研究では，Bmab併用で多くみられた有害事象は好中球数減少であり，ほかはBmabに起因すると思われる蛋白尿，高血圧，消化管穿孔であった[4, 5]。Bmab併用により緊急入院や死亡率が上昇したとの報告はなく，有害事象の発現に注意しながらも投与可能な症例には併用療法が推奨される。

✓ 好中球数減少・発熱性好中球減少症

■ 「Trifluridine」参照（☞ p517）。

✓ 悪心・嘔吐

■ 「Trifluridine」参照（☞ p518）。

✓ 下 痢

- 「Trifluridine」参照（☞ **p517**）。

✓ 蛋白尿（Bmab）

- 「XELOX + Bmab」参照（☞ **p457**）。

✓ 高血圧（Bmab）

- 「FOLFOXIRI + Bmab」参照（☞ **p393**）。

| 症例 | **66歳男性，横行結腸癌術後再発** |

　身長165cm，体重70kg，ECOG PS 0。腹痛精査目的に下部消化管内視鏡検査を施行したところ横行結腸に腫瘤を認めた。精査にて，横行結腸癌cT3N2aM0 Stage Ⅲ B（UICC 8th）と診断し，腹腔鏡下拡大右半結腸切除＋D3郭清術を施行した。病理診断は低分化腺癌ypT3N2aM0 Stage Ⅲ BでR0切除であった。術後補助化学療法としてCapeOX（カペシタビン＋L-OHP）を開始した。有害事象はGrade 2（CTCAEv5.0）の末梢性感覚ニューロパチーを認め，7コース目からL-OHPを中止し，補助化学療法は完遂した。術後9カ月後のCTにて腹膜転移再発を認めた。*UGT1A1*遺伝子多型検査は*6ホモ接合体であったため，CPT-11を120mg/m²に減量してFOLFIRI＋Bmabを開始した。4コース目でGrade 3の好中球数減少が生じたため，次コースからCPT-11を100mg/m²に減量した。10コース目を終えたところでCTを行い，PDであったためFOLFIRI＋Bmabの投与を中止した。好中球数減少のほかに有害事象は認めなかった。二次治療としてトリフルリジン＋Bmabを開始した（トリフルリジン110mg/日）。1コース目の22日目で腸閉塞を併発したが，1週間の保存的加療で軽快した。腸閉塞の主因は腹膜播種と考え，予定の1週間後に通過障害がないことを確認し，同量にて2コース目を開始した。しかし，2コース目の12日目に再度腸閉塞を発症した。CTではSDであったが，トリフルリジン＋Bmab不耐と判断し投与を中止した。そのほかにトリフルリジン＋Bmabが原因と思われる有害事象はみられなかった。三次治療としてレゴラフェニブを選択したが，開始1週間後に腸閉塞が再燃した。それを契機にBSCの方針となり，化学療法終了の2カ月後に永眠された。

文　献

1) Kotani D, et al:RRetrospective cohort study of trifluridine/tipiracil (TAS-102) plus bevacizumab versus trifluridine/tipiracil monotherapy for metastatic colorectal cancer. BMC Cancer. 2019;19:1253.
2) アバスチン®添付文書.
3) アバスチン®適正使用ガイド.
4) ロンサーフ®添付文書.
5) Kuboki Y, et al:TAS-102 plus bevacizumab for patients with metastatic colorectal cancer refractory to standard therapies (C-TASK FORCE): an investigator-initiated, open-label, single-arm, multicentre, phase 1/2 study. Lancet Oncol. 2017;18:1172-81.

（森町将司，戸髙明子）

V 大腸癌

CPT-11

投与スケジュール

CPT-11 150mg/m², 1.5時間

上記2週を1コースとする。

投与例

投与日	投与順	投与量	投与方法
1	1	デキサメタゾンリン酸エステルナトリウム（デキサート®）6.6mg ＋ パロノセトロン塩酸塩（アロキシ®）0.75mg（50mL）	点滴末梢本管（15分）
	2	イリノテカン塩酸塩水和物［CPT-11］（トポテシン®）150mg/m² ＋ 5％ブドウ糖液 250mL	点滴末梢本管（1.5時間）
	3	生食 50mL	点滴末梢本管（5分）

適応・治療開始基準

- 切除不能または再発大腸癌。
- 全身状態および主要臓器機能が保たれている（以下が目安）。

  - ECOG PS 0〜2
  - 好中球数≧1,500/μL
  - 血小板数≧10.0×10⁴/μL
  - ヘモグロビン≧9.0g/dL
  - 総ビリルビン≦1.5mg/dL
  - AST，ALT≦100U/L
  - クレアチニン≦1.5mg/dL

慎重投与・禁忌

	慎重投与[1]	禁忌[1]
年齢	75歳以上	
腎障害	クレアチニン>1.5mg/dL	
肝障害		総ビリルビン>1.5mg/dL
消化管通過障害		腸管麻痺, 腸閉塞
下痢	日常生活に支障のない下痢	十分な支持療法下で日常生活に支障のある下痢
腹水	少量〜中等量の腹水	大量腹水（穿刺を必要とする）
感染	感染を疑う症例	活動性の感染症を合併している症例
その他の合併症	糖尿病, Gilbert症候群	間質性肺疾患
既往歴	間質性肺疾患, 胆管閉塞, 胆管ステント留置術, 腸閉塞の既往	
内服薬	アゾール系抗真菌薬, マクロライド系抗菌薬, ジルチアゼム塩酸塩, フェニトインなど	アタザナビル硫酸塩
UGT1A1	*6, *28のホモ接合体または複合ヘテロ接合体	

効果

	遠隔転移を有する大腸癌に対する二次治療以降（フッ化ピリミジン系とL−OHPに不応例）[2]
RR	4.2%
PFS	2.6カ月
OS	10.0カ月

CPT-11
有害事象マニュアル

有害事象の発現率と発現時期

有害事象	発現率(%)[2] all Grade	Grade 3/4	発現時期
✓ 好中球数減少	56	25	投与7〜10日後
✓ 下痢	72	16	コリン作動性:投与直後 遅発性:投与7〜10日後
✓ 嘔吐	34	5	急性:投与当日 遅発性:2〜7日後
✓ 悪心	53	4	投与1〜7日後
☐ 疲労	35	3	投与4〜7日後
☐ 食欲不振	19	2	投与4〜7日後

☑:「有害事象マネジメントのポイント」参照。

減量早見表

減量レベル	CPT-11
初回投与量	150mg/m²
−1	120mg/m²
−2	100mg/m²

有害事象マネジメントのポイント

✓ 好中球数減少

治療開始前のマネジメント

注意!

- 好中球数減少の発症初期は自覚症状が乏しいため,定期的な血液検査が必要であることを患者に説明する。
- *UGT1A1*6と*28のいずれかをホモ接合体として持つ場合(*6/*6あるいは*28/*28),または複合ヘテロ接合体として持つ場合(*6/*28)には,CPT-11の活性代謝物(SN-38)を不活化する酵素であるUGT(UDP-グルクロン酸転移酵素)の著しい活性低下を認めるため,重篤な好中球数減少が高頻度に現れることが報告されており[3],注意が必要である。*

有害事象発生時のマネジメント

- 投与予定日に好中球数減少(Grade 2以上)を認めた場合は休薬を考慮する。

- Grade 4もしくは繰り返すGrade 3の好中球数減少では，次回からの減量を行う。
- 発熱性好中球減少症は，入院にてG-CSF製剤および静注抗菌薬の投与を行う。好中球数1,000/μL未満で38℃以上の発熱が出現するか，好中球数500/μL未満が確認された時点からG-CSF投与を考慮する。全身状態が良好な低リスク群（MASCCスコア21点以上）に対しては，経口抗菌薬〔レボフロキサシン水和物（クラビット®など）〕による外来治療も選択肢のひとつとなるが，患者に対する十分な教育や理解，近隣病院のサポート体制などを考慮して対応する必要がある。

✓ 悪心・嘔吐

治療開始前のマネジメント

- 前投薬としてパロノセトロン塩酸塩，デキサメタゾンリン酸エステルナトリウムの予防的投与を行う。2～3日目のデキサメタゾンリン酸エステルナトリウム（4～8mg/日）の内服については，症例に応じて判断を行う。
- 初回治療開始前に，あらかじめ悪心時に内服できるよう制吐薬〔ドンペリドン（ナウゼリン®），プロクロルペラジン（ノバミン®）など〕を処方しておく。

有害事象発生時のマネジメント

- Grade 2以上の悪心・嘔吐では，制吐薬の投与や必要に応じて補液を行う。次回より制吐薬の定期内服や，アプレピタント（イメンド®）の併用を考慮する。
- 予期性嘔吐の場合は，ベンゾジアゼピン系抗不安薬（アルプラゾラムなど）を治療開始前に内服させるのも有効である。
- 悪心・嘔吐（Grade 3以上）では次回から減量を行う。また，十分な制吐療法を行っても Grade 2の症状が出現する場合にも減量を考慮すべきである。

✓ 下 痢

治療開始前のマネジメント

- CPT-11の投与により下痢や腸蠕動亢進による腹痛が起こる可能性を患者に説明する。
- 初回治療開始前に，あらかじめ下痢時に内服できるようロペラミド塩酸塩（ロペミン®）（2錠/回）を処方しておく。

有害事象発生時のマネジメント

- 高度な下痢の持続により，脱水，電解質異常，ショックを併発し死亡例も報告されているため注意が必要である。
- 投与後早期（24時間以内）に発現するのはCPT-11によるコリン作動性の下痢であ

り，抗コリン薬〔アトロピン硫酸塩水和物（硫酸アトロピン®など）〕の投与が有効である。次回より前投薬としてアトロピン硫酸塩水和物（0.5～1A）の投与などを行う。

■遅発性の下痢に対しては，症状が改善するまでロペラミド塩酸塩（2錠/回）の内服を行う。Grade 3以上では，次コースからの薬剤減量を行う。

症例 56歳男性，直腸癌，多発肝転移，*KRAS*変異型

　身長166cm，体重75kg，PS 1。切除不能な多発肝転移を有する直腸癌に対して一次治療としてXELOX＋Bmabを5コース行ったが，肝・肺に新規病変の出現を認めたため，PDと判断し治療を中止した。中心静脈ポート造設を拒否されたこと，治療開始時に尿蛋白が2＋であったことから，FOLFIRIやBmabの継続投与は選択せず，CPT-11単剤で二次化学療法を開始した。なお，治療開始前に*UGT1A1*が*6と*28のホモ接合体もしくは複合ヘテロ接合体でないことを確認した。

　1コース3，4日目に食欲不振（Grade 2），疲労（Grade 2），悪心（Grade 1）を認めた。コントロールが不良の糖尿病を合併していたためデカドロン®の追加内服は行わず，2コース目から1～3日目のイメンド®内服を追加した。5コース終了後のCTでは肝・肺転移はやや増大傾向であったがSD範疇であり，1カ月半後に次回のCT画像評価を行う予定とした上で治療を継続した。8コース終了後のCTにて肝転移の増大を認めたため，PDと判断し治療を中止した。

文献

1) トポテシン®添付文書.

2) Sobrero AF, et al:EPIC:Phase Ⅲ trial of cetuximab plus irinotecan after fluoropyrimidine and oxaliplatin failure in patients with metastatic colorectal cancer. J Clin Oncol. 2008;26:2311-9.

3) Ando Y, et al:Polymorphisms of UDP-glucuronosyltransferase gene and irinotecan toxicity:a pharmacogenetic analysis. Cancer Res. 2000;60:6921-6.

（伏木邦博）

V 大腸癌

CPT-11 + Cmab

投与スケジュール

（初回） Cmab 400mg/m², 2時間 （2回目以降） Cmab 250mg/m², 1時間	↓	↓	
CPT-11 150mg/m², 1.5時間	↓		
	1 …	8 …	14（日）

上記2週を1コースとする。

投与例

投与日	投与順	投与量	投与方法
1	1	デキサメタゾンリン酸エステルナトリウム（デキサート®）6.6mg ＋ パロノセトロン塩酸塩（アロキシ®）0.75mg/50mL ＋ d-クロルフェニラミンマレイン酸塩（ポララミン®）5mg	点滴末梢本管（15分）
	2	セツキシマブ[Cmab]（アービタックス®）初回 400mg/m² ＋ 生食 250mL、2回目以降 250mg/m² ＋ 生食 100mL	点滴末梢本管（初回2時間、2回目以降1時間）
	3	生食 50mL	点滴末梢本管（5分）
	4	イリノテカン塩酸塩水和物[CPT-11]（トポテシン®）150mg/m² ＋ 5％ブドウ糖液 250mL	点滴末梢本管（1.5時間）
	5	生食 50mL	点滴末梢本管（5分）
8	1	d-クロルフェニラミンマレイン酸塩 1.0mL（5mg）＋ 生食 50mL	点滴末梢本管（15分）
	2	Cmab 250mg/m² ＋ 生食 100mL	点滴末梢本管（1時間）
	3	生食 50mL	点滴末梢側管（5分）

適応・治療開始基準

- *RAS*野生型の切除不能または再発大腸癌。

- 全身状態および主要臓器機能が保たれている（以下が目安）。

> - ECOG PS 0〜2
> - 好中球数≧1,500/μL
> - 血小板数≧10.0×10^4/μL
> - ヘモグロビン≧9.0g/dL
> - 総ビリルビン≦1.5mg/dL
> - AST，ALT≦100U/L
> - クレアチニン≦1.5mg/dL

慎重投与・禁忌

	慎重投与[1]	禁忌[1]
年　齢	75歳以上	
腎障害	クレアチニン＞1.5mg/dL	
肝障害		総ビリルビン＞1.5mg/dL
消化管通過障害		腸管麻痺，腸閉塞
下　痢	日常生活に支障のない下痢	十分な支持療法下で日常生活に支障のある下痢
腹　水	少量〜中等量の腹水	大量腹水（穿刺を必要とする）
感　染	感染を疑う症例	活動性の感染症を合併している
その他の合併症	糖尿病，Gilbert症候群	間質性肺疾患
既往歴	間質性肺疾患，胆管閉塞，胆管ステント留置術，腸閉塞の既往	
内服薬	アゾール系抗真菌薬，マクロライド系抗菌薬，ジルチアゼム塩酸塩，フェニトインなど	アタザナビル硫酸塩
UGT1A1	*6，*28のホモ接合体または複合ヘテロ接合体	

効　果

	遠隔転移を有する大腸癌に対する二次治療以降[2〜4]
RR	16.4〜30.0％*
PFS	4.0〜5.8カ月*
OS	8.6カ月

＊：*KRAS*野生型

CPT-11 + Cmab

有害事象マニュアル

有害事象の発現率と発現時期

有害事象	発現率(%)[2,3]		発現時期
	all Grade	Grade 3/4	
✓ 好中球数減少	57〜62	32〜33	投与7〜10日後
発熱性好中球減少症		7〜8	投与7〜10日後
✓ 下 痢	47〜81	13〜28	コリン作動性：投与直後 遅発性：投与7〜10日後
✓ ざ瘡様皮疹	76〜97	0〜9	投与1〜3週後
食欲不振	25〜67	3〜7	投与4〜7日後
疲 労	40〜60	0〜8	投与4〜7日後
✓ 嘔 吐	7〜38	0〜5	投与1〜7日後
✓ 悪 心	37〜54	0〜4	急性：投与当日 遅発性：2〜7日後
✓ 過敏反応	6*	0〜2*	ほとんどが投与後1時間以内
間質性肺疾患	1.2*	1.2*	投与1カ月以降

☑：「有害事象マネジメントのポイント」参照。
＊：国内使用成績調査 (2,006例) の頻度。

減量早見表

減量レベル	CPT-11	Cmab*
初回投与量	150mg/m²	250mg/m²
−1	120mg/m²	200mg/m²
−2	100mg/m²	150mg/m²

＊：2回目以降の用量。

有害事象マネジメントのポイント

✓ 好中球数減少

■「CPT-11」参照 (☞ p486)。

✓ 下 痢

■「CPT-11」参照 (☞ p487)。

✓ 悪心・嘔吐

■「CPT-11」参照 (☞ p487)。

✓ 皮膚障害

治療開始前のマネジメント

- 投与後1週間程度でざ瘡様皮疹が生じることが多く，その数週間後より皮脂欠乏性皮膚炎，さらに遅れて爪囲炎が生じる。
- 皮膚障害に対してはスキンケアの有効性が報告されている。具体的には，低刺激性の石鹸や洗浄剤を使用し皮膚を清潔に保つ，ヘパリン類似物質（ヒルドイド®ソフト軟膏）などの保湿剤を1日に5回以上塗布する，外出時には日焼け止めを使用する，爪は深く切り過ぎないなどの指導を行う。
- 皮疹出現時にすぐに使用できるようあらかじめジフルプレドナート（マイザー®軟膏）などのステロイド外用薬を処方しておく。

有害事象発生時のマネジメント

- 皮疹出現時は発生部位に合わせたステロイド外用薬の塗布を行う。顔にはmedium〔ヒドロコルチゾン酪酸エステル（ロコイド®軟膏など）〕，頭部にはローション〔ベタメタゾン（リンデロン®ローションなど）〕，それ以外の手足・体幹にはvery strong〔ジフルプレドナート（マイザー®軟膏など）〕やstrongest〔クロベタゾールプロピオン酸エステル（デルモベート®軟膏など）〕のステロイド外用薬を用いる。
- 重症例では皮膚科医と連携して治療を行い，Cmabの減量・休薬を検討する。

✓ 過敏反応

治療開始前のマネジメント

- 予防的にデキサメタゾンリン酸エステルナトリウム，d-クロルフェニラミンマレイン酸塩，ラニチジン塩酸塩（ザンタック®）の投与を行う。
- 前投薬として抗ヒスタミン薬が投与されることから，投与当日は自動車の運転などを行わないことを患者に説明する。
- 輸注反応はほとんどが投与終了後1時間以内に発現するため，それまではバイタルサインの測定などの経過観察を行う。投与後24時間までは輸注反応が発現する可能性があるため，患者にその旨の説明を行う。

有害事象発生時のマネジメント

- 直ちに薬剤投与を中止し，状態に応じて酸素投与や補液などを行う。
- Grade 2（皮疹，潮紅，蕁麻疹，呼吸困難，38℃以上の薬剤熱）までの場合は，症状に応じて解熱鎮痛薬の投与や，ヒドロコルチゾンリン酸エステルナトリウム（水溶

性ハイドロコートン®），*d*-クロルフェニラミンマレイン酸塩，ラニチジン塩酸塩の追加投与を行い，点滴速度を減速しての投与再開を考慮する。

- ■Grade 3（症状のある気管支痙攣，血管性浮腫，血圧低下）やGrade 4（アナフィラキシー）の場合には，上記に加えてアドレナリン0.3mgを筋注する。

症例　58歳男性，大腸癌，多発肝転移，*KRAS*野生型

　身長168cm，体重64kg，ECOG PS 1。腹痛，嘔吐を契機に発見された横行結腸癌の症例で，イレウス解除目的に姑息的原発巣切除を行った。その後，一次治療としてXELOX＋Bmab，二次治療としてFOLFIRI＋Bmabを施行したが，CTにて肝転移の増悪を認めPDと判断した。*KRAS*野生型であり，三次治療としてCPT-11＋Cmabを開始した。

　皮疹出現前から予防的にヒルドイド®ソフト軟膏の塗布を行っていたが，1コース8日目の外来受診時に顔面にざ瘡様皮疹（Grade 2）を認めた。ロコイド®クリームの塗布，ミノマイシン®200mg（分2）の内服を開始し，治療を継続した。その後，顔面のざ瘡様皮疹は徐々に改善がみられ，胸部に出現した皮疹に対してはマイザー®軟膏にて対応した。好中球数減少は認めなかった。5コース終了後のCTでは肝転移は縮小傾向で，総合評価はSDと判断し治療を継続した。8コース目（治療開始後約3カ月）には指先に裂創が出現したため，同じくマイザー®軟膏の塗布を開始し，現在も治療を継続中である。

文　献

1) トポテシン®添付文書.
2) Cunningham D, et al:Cetuximab monotherapy and cetuximab plus irinotecan in irinotecan-refractory metastatic colorectal cancer. N Eng J Med. 2004;351:337-45.
3) Sobrero AF, et al:EPIC:Phase Ⅲ trial of cetuximab plus irinotecan after fluoropyrimidine and oxaliplatin failure in patients with metastatic colorectal cancer. J Clin Oncol. 2008;26:2311-9.
4) Shitara K, et al:Phase Ⅱ study of combination chemotherapy with irinotecan and cetuximab for pretreated metastatic colorectal cancer harboring wild-type *KRAS*. Inest New Drugs. 2011;29:688-93.

（伏木邦博）

Ⅴ 大腸癌

IRIS

投与スケジュール

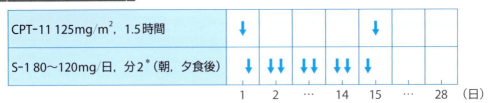

上記4週を1コースとする。
S-1は1日2回(朝，夕食後)を2週間連日内服し，2週間休薬する。

＊：S-1初回基準投与量

体表面積	S-1投与量
1.25m² 未満	80mg/日，分2
1.25m² 以上，1.50m² 未満	100mg/日，分2
1.50m² 以上	120mg/日，分2

クレアチニンクリアランス（Ccr）による投与量調整

	S-1減量レベル
Ccr ≧ 80mL/分	0
60 > Ccr ≧ 50mL/分	−1
50 > Ccr > 30mL/分	−2

Ccrは，実測値もしくはCockcroft-Gault式による推定値。

投与例

投与日	投与順	投与量	投与方法
1 15	1	デキサメタゾンリン酸エステルナトリウム（デキサート®）6.6mg ＋パロノセトロン塩酸塩（アロキシ®）点滴静注バッグ 0.75mg/50mL	点滴末梢本管 （15分）
	2	イリノテカン塩酸塩水和物 [CPT-11]（トポテシン®）125mg/m² ＋5％ブドウ糖液 250mL	点滴末梢本管 （1.5時間）
2 3 16 17	1	デキサメタゾン（デカドロン®）8mg	朝食後内服
1夕〜 15朝	1	テガフール・ギメラシル・オテラシルカリウム配合（1：0.4：1）[S-1]（ティーエスワン®）80〜120mg/日，分2	経口 （朝，夕食後）

適応・治療開始基準

- 組織学的に腺癌と確定診断されている，切除不能結腸・直腸癌。
- 主要臓器機能が保たれている（以下が目安）。

> - 白血球数3,500/μL以上，かつ1万2,000/μL未満
> - 好中球数2,000/μL以上
> - ヘモグロビン≧9.0g/dL
> - 血小板数≧10.0×10^4/μL
> - 総ビリルビン≦1.5mg/dL
> - AST，ALT≦100U/L
> - Ccr≧80mL/分

※ただし，実臨床においては上記基準外などで開始することもある。その際は事前の十分な患者説明と，こまめな外来観察を行うなど配慮が必要。

慎重投与・禁忌

	慎重投与	禁忌
年齢，PS	75歳以上例，PS 2	PS 3以上 80歳以上の高齢者は，全身状態や理解力，合併症，家族のサポート体制など総合的に判断が必要
消化管通過障害	通過障害をきたす可能性がある病態	腸管麻痺，腸閉塞を有する
間質性肺疾患		間質性肺炎，肺線維症を有する
胸水，腹水	腹膜転移による腹水を有する	多量の胸水，腹水を有する
下痢	Grade 1の下痢を認める	Grade 2以上の下痢を有する
腎障害	80＞Ccr≧60mL/分 60＞Ccr≧30mL/分	Ccr 30mL/分未満
肝障害	AST，ALT：施設基準値の2.5倍を超えて150U/L未満	左記以上の肝障害
	総ビリルビン：1.5～3mg/dL未満	
感染症	繰り返す感染既往がある	活動性感染を有する

効果

	切除不能大腸癌に対する 一次治療例[1]	切除不能大腸癌に対する 二次治療例[2, 3]
RR	52.5％	18.8％
PFS	8.6カ月	5.8カ月
OS	23.4カ月	17.8カ月

IRIS

有害事象マニュアル

有害事象の発現率と発現時期[1, 3]

有害事象	発現率(%) all Grade	発現率(%) Grade 3, 4	発現時期
□ 白血球減少	68〜73	18〜28	15〜22日目（15日目のCPT-11開始〜投与後1週間が低下しやすい時期）
☑ 好中球数減少	66〜78	36〜45	15〜22日目（15日目のCPT-11開始〜投与後1週間が低下しやすい時期）
□ 貧血	70〜74	10〜28	
□ 血小板数減少	30〜35	0〜3	
☑ 下痢	60〜80	15〜21	コリン作動性：CPT-11投与中〜投与直後　遅発性：CPT-11投与後2〜10日目
☑ 悪心	47〜85	1.9〜13	CPT-11点滴後2〜3日目
□ 食欲不振	67	11	CPT-11点滴後2〜3日目
□ 疲労	73	8.6	CPT-11点滴後2〜3日目
☑ 発熱性好中球減少症	4.8〜8	4.8〜8	15〜22日目（15日目のCPT-11開始〜投与後1週間が低下しやすい時期）
□ 粘膜炎／口腔粘膜炎	25〜49	2.9〜3	10〜15日目

☑：「有害事象マネジメントのポイント」参照。

減量早見表

減量レベル	CPT-11		S-1		
初回投与量	125mg/m²	60mg/回	50mg/回	40mg/回	
-1	100mg/m²	50mg/回	40mg/回	(25mg/回)	
-2	75mg/m²	40mg/回	(25mg/回)		

有害事象マネジメントのポイント

☑ 好中球数減少・発熱性好中球減少症

治療開始前のマネジメント

- 38℃以上の急な発熱，または37.5℃以上の持続する発熱がある時には，必ず病院へ連絡するように説明しておく。

- 通常，開始後8日頃に発現し，多くは次コース開始までに回復するが，骨髄抑制には個人差があるため，最初の1〜2コースはCPT-11投与1週間後の採血チェックを行う。特に肝機能悪化やイレウスになる可能性がある病態の場合は，頻回の外来チェックを行うなど配慮を要する。

有害事象発生時のマネジメント

- Grade 3以上の好中球数減少は，薬剤の休薬を考慮する。
- 発熱性好中球減少症は，入院にてG-CSF製剤および静注抗菌薬の投与を行う。好中球数1,000/μL未満で38℃以上の発熱が出現するか，好中球数500/μL未満が確認された時点からG-CSF投与を考慮する。全身状態が良好な低リスク群（MASCCスコア21点以上）に対しては，経口抗菌薬〔シプロフロキサシン（シプロキサン®）200～500mg＋アモキシシリン水和物・クラブラン酸カリウム配合（2：1）（オーグメンチン®）125/250～125/500mgを8時間ごと〕による外来治療も選択肢のひとつとなるが，患者に対する十分な教育や理解，近隣病院のサポート体制などを考慮して対応する必要がある。

注意！ ☞
- 順調に数コース経過していたにもかかわらず，急に好中球数減少などの骨髄抑制を起こした場合には，CPT-11の代謝を遅延させるような病態，すなわち肝転移や腹膜転移の増悪による肝機能低下やイレウス，閉塞性黄疸などを起こしていないか確認する。

減量・再開のポイント

- 前コースでGrade 4以上の好中球数減少または発熱性好中球減少症を認めた場合にはCPT-11を，またはCPT-11とS-1の両者を1レベル減量して施行する。
- 減量後は，安定して治療が行える用量が決まるまで頻回に採血チェックを行う必要がある。採血チェックは，前コースまでの好中球数減少の出現時期や発熱をきたした時期に合わせて行う。

✓ 下 痢

治療開始前のマネジメント

注意！ ☞
- 本治療は下痢のマネジメントが非常に重要である。下痢により脱水など生じると，S-1の副作用も増強するため，事前に下痢や腸蠕動亢進による腹痛が起こる可能性を患者に十分説明すること。
- 初回治療開始前にあらかじめ止痢薬としてロペラミド塩酸塩（ロペミン®）を処方しておき，下痢時の対処法について説明しておく。

有害事象発生時のマネジメント

- 投与中～投与直後に発現する腹痛や下痢に対しては，抗コリン薬を前投薬に入れて点滴する。たとえば，前投薬としてデキサメタゾンリン酸エステルナトリウム〔以下，デキサメタゾン（デキサート®）〕6.6mg＋パロノセトロン塩酸塩（アロキシ®）

0.75mg/50mL点滴静注に硫酸アトロピン0.5mgを混注して点滴する。
- 帰宅後のS-1内服中に下痢が出現した際にはロペラミド塩酸塩1〜2mgを内服し，その後も2〜3時間ごとに下痢が改善するまで頓用で内服する（計16mg/日まで）。
- 上記のマネジメントを行っても下痢が止まらない場合や，十分な経口摂取ができない場合は外来受診を促し，入院加療，補液による速やかな脱水・電解質補正を考慮する。

減量・再開のポイント

- 止痢薬の増量や使用方法で改善が見込めない場合には以下の減量を考慮する。まずは，下痢の対処方法が適切かチェックすること。
- Grade 2以上の下痢が出現した場合は，原則として次コースよりCPT-11を，またはCPT-11とS-1の両者の減量を行う。
- S-1かCPT-11の副作用で迷った場合は，CPT-11を優先して減量！
- CPT-11投与後7日以内に出現する下痢，S-1休薬中も増悪する下痢はCPT-11による下痢である可能性が高いため，CPT-11を優先して減量する。
- S-1内服休止により数日〜7日程度で速やかに改善する下痢の場合は，S-1による下痢が考えられるため，S-1を優先して減量する。
- Grade 4の下痢が出現した場合は，CPT-11とS-1の両者とも減量を基本とし，必ずCPT-11，S-1のいずれかは減量する。その後は前コースまでの下痢の出現時期に合わせた外来チェックを行って慎重に経過を追うようにする。

✓ 悪心・嘔吐

治療開始前のマネジメント

- 初回治療開始前にあらかじめ制吐薬を処方しておき，対処法について説明しておく。また，制吐薬は嘔吐してから飲む薬ではなく，予防として早めに使うのがコツであることを患者に十分説明しておくこと。

有害事象発生時のマネジメント

- 投与開始後3〜7日目の出現頻度が高い。頓用としてドパミン受容体拮抗薬〔メトクロプラミド（プリンペラン®）5mg，ドンペリドン（ナウゼリン®）10mg，プロクロルペラジン（ノバミン®）5mgなど〕，5-HT$_3$受容体拮抗制吐薬〔オンダンセトロン塩酸塩水和物（ゾフラン® ザイディス錠）〕の頓服や副作用発現時期の定期内服などで対応する。
- 上記で対応できない場合や2〜3日目に悪心，嘔吐が起こる場合は，高度催吐性リスクへの対応に準じてアプレピタント（イメンド®）とデキサメタゾン（デカドロン®）（4〜

8mg/日）の内服追加を考慮する。また，悪心が5日目まで遷延する場合においては，5日目までのデキサメタゾンの投与延長を考慮する。

- 悪心が強い場合や，治療前から悪心があるなどの予期性嘔吐の場合は，ベンゾジアゼピン系抗不安薬（アルプラゾラム®，ロラゼパム®）の事前内服を試してみる。また，オランザピン（ジプレキサ®）の追加内服も有効な場合がある。ただし，オランザピンを使用する場合は，糖尿病がないことを必ずチェックすること。

> **症例** 73歳男性，大腸癌術後肺・リンパ節転移，くも膜下出血・高血圧の既往あり
>
> 　身長156.3cm，体重60.25kg，PS 0。検診を契機に診断された上行結腸癌に対して右半結腸切除後，術後補助化学療法中に肺・リンパ節転移を指摘され，IRIS療法（CPT-11 125mg/m²，S-1 120mg/日）を開始した。1コース目18日目より下痢（Grade 3）が出現し，20日目に38℃台の発熱が出現したため外来受診，好中球数678/μLで，発熱性好中球減少（Grade 3）と診断。全身状態良好でMASCCスコア24点（低リスク）であったため，レボフロキサシン®の内服を開始したが，38℃台の発熱および下痢が持続していたため，22日目に再受診。好中球数減少はGrade 2に改善していたが，下痢はGrade 3が継続していたため補液および抗菌薬点滴による入院加療を行った。下痢がGrade 0に改善し，経口摂取良好となった後，35日目より2コース目をCPT-11とS-1を両者とも1レベル減量（CPT-11 100mg/m²，S-1 100mg/日）し，前回下痢と発熱を認めた20日目付近で外来にて採血，有害事象チェックを行った。下痢（Grade 1〜2）を時折認めたものの，ロペミン®の頓用でコントロール可能であり，好中球数減少もGrade 2までで発熱も認めず，8コースでPDとなるまでIRIS療法が継続可能であった。

文献

1) Komatsu Y, et al：Phase Ⅱ study of combined treatment with irinotecan and S-1(IRIS)in patients with inoperable or recurrent advanced colorectal cancer(HGCSG0302). Oncology. 2011;80:70-5.
2) Yasui H, et al：A phase 3 non-inferiority study of 5-FU/l-leucovorin/irinotecan(FOLFIRI) versus irinotecan/S-1(IRIS)as second-line chemotherapy for metastatic colorectal cancer:updated results of the FIRIS study. J Cancer Res Clin Oncol. 2015;141:153-60.
3) Muro K, et al：Irinotecan plus S-1(IRIS)versus fluorouracil and folinic acid plus irinotecan(FOLFIRI)as second-line chemotherapy for metastatic colorectal cancer:a randomised phase 2/3 non-inferiority study(FIRIS study). Lancet Oncol. 2010;11:853-60.

〔安井博史〕

Ⅴ 大腸癌

IRIS + Bmab

投与スケジュール

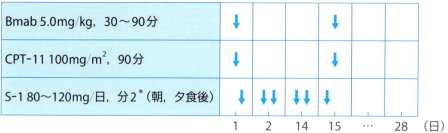

上記4週を1コースとする。

＊：S-1初回基準投与量

体表面積	S-1投与量
1.25m^{2}未満	80mg/日，分2
1.25m^{2}以上，1.50m^{2}未満	100mg/日，分2
1.50m^{2}以上	120mg/日，分2

投与例

投与日	投与順	投与量	投与方法
1 15	1	ベバシズマブ［Bmab］（アバスチン®）＊5.0mg/kg ＋ 生食100mL	点滴末梢本管 （30〜90分）
	2	デキサメタゾンリン酸エステルナトリウム（デキサート®）6.6mg ＋ パロノセトロン塩酸塩（アロキシ®）0.75mg点滴静注バッグ	点滴末梢本管 （15分）
	3	イリノテカン塩酸塩水和物［CPT-11］（カンプト®）100mg/m^2 ＋ 5％ブドウ糖液250mL	点滴末梢本管 （90分）
	4	生食50mL	点滴末梢本管 （5分）
1夕〜 15朝	1	テガフール・ギメラシル・オテラシルカリウム配合（1：0.4：1）［S-1］（ティーエスワン®）80〜120mg/日，分2	経口 （朝，夕食後）

＊：当センターではアバスチン®初回より30分で投与しているが，添付文書上は，初回90分，2回目60分，3回目以降30分で投与することとなっている。

適応・治療開始基準

■ 切除不能大腸癌。

■ 全身状態および主要臓器機能が保たれている（以下が目安）。

- ECOG PS 0〜2
- 好中球数 $\geq 1,500 / \mu L$
- 血小板数 $\geq 10.0 \times 10^4 / \mu L$
- ヘモグロビン $\geq 9.0 g / dL$
- 総ビリルビン $\leq 1.5 mg / dL$
- AST，ALT $\leq 100 U / L$（ただし肝転移がある場合は $150 U / L$ 以下）
- クレアチニン $\leq 1.2 mg / dL$
- クレアチニンクリアランス（Ccr）$\geq 60 mL / 分$
- 尿蛋白1+以下

慎重投与・禁忌[1〜3]

◉ IRIS

	慎重投与[1]	禁忌[1]
年　齢	75歳以上	
腎障害	80 > Ccr $\geq$ 60mL/分 60 > Ccr $\geq$ 30mL/分*	Ccr < 30mL/分
肝障害	肝障害を有する	黄疸を有する
消化管通過障害		腸管麻痺，腸閉塞
下　痢	日常生活に支障のない下痢	十分な支持療法下で日常生活に支障のある下痢
腹　水	少量〜中等量の腹水	大量腹水（穿刺を必要とする）
感　染	感染を疑う症例	活動性の感染症を合併している症例
その他の合併症	糖尿病，Gilbert症候群	間質性肺疾患
UG1 1A1	*6，*28のホモ接合体または複合ヘテロ接合体	

＊：原則として1レベル減量（30〜40未満は2レベル減量が望ましい）

◉ Bmab

	慎重投与[1]	禁忌[1]
心血管系	心不全・冠動脈の既往を有する	
血液・凝固	出血傾向がある 血栓塞栓症の既往を有する	
創傷治癒	大きな手術の術創が治癒していない	
その他	脳転移，高血圧を有する	喀血の既往を有する

501

効　果

	切除不能進行・再発大腸癌に対する一次治療[4]
RR	66.4％
PFS	14.0カ月
OS	34.9カ月

IRIS + Bmab

有害事象マニュアル

有害事象の発現率と発現時期[1, 3]

有害事象	発現率（%）		発現時期
	all Grade	Grade 3/4	
✓ 好中球数減少	62.8	24.3	投与7〜10日後
血小板数減少	31.0	0.8	投与7〜10日後
✓ 発熱性好中球数減少症		3.3	投与7〜10日後
✓ 下 痢	62.3	13.4	コリン作動性：投与直後 遅発性：投与7〜10日後
食欲不振	59.8	6.7	投与4〜7日後
悪 心	56.9	3.3	投与1〜7日後
嘔 吐	24.7	2.1	急性：投与当日 遅発性：2〜7日後
口腔粘膜炎	53.6	2.9	投与3〜10日後
疲労	59.4	3.8	投与4〜7日後
✓ 高血圧	31.8	8.4	投与3〜4週後
✓ 蛋白尿	43.1	2.5	投与6〜8週後
血栓塞栓症	4.2	3.8	

☑：「有害事象マネジメントのポイント」参照。

減量早見表

減量レベル	S-1			CPT-11	Bmab
初回投与量	120mg/回	100mg/回	80mg/回	100mg/m²	5.0mg/kg
−1	100mg/回	80mg/回	60mg/回	80mg/m²	
−2	80mg/回	60mg/回	50mg/回	60mg/m²	

有害事象マネジメントのポイント

✓ 好中球数減少・発熱性好中球減少症

- 「IRIS」参照（☞ p496）。

✓ 下 痢

- 「IRIS」参照（☞ p497）。

✓ 高血圧（Bmab）

- 「FOLFOXIRI + Bmab」参照（☞ p393）。

✓ 蛋白尿

- 「FOLFOXIRI + Bmab」参照（☞ **p394**）。

症例 **46歳男性，直腸癌肺転移**

　身長163cm，体重70kg，ECOG PS 0。血便を契機に診断された直腸癌に対して，腹腔鏡下腹会陰式直腸切断術を施行。術後補助療法としてadj XELOX療法を8コース施行した。術後1年の時点で多発肺転移再発を認めた。*RAS*変異型であること，術後補助療法による末梢神経障害の残存があること，中心静脈ポート造設不要のレジメンを希望されたことから，IRIS + Bmabによる緩和的化学療法を開始した。

　治療中Grade 1程度の下痢をしばしば認めたものの，ロペラミド塩酸塩の使用でコントロール可能であった。3コース中のCTでは多発肺転移はいずれも縮小傾向で，総合評価はPRと判断し治療を継続した。以降，10コースまで大きな有害事象なく，縮小を維持し投与を継続している。

文　献

1) ティーエスワン®添付文書.
2) カンプト®添付文書.
3) アバスチン®添付文書.
4) Yamada Y, et al:S-1 and irinotecan plus bevacizumab versus mFOLFOX6 or CapeOX plus bevacizumab as first-line treatment in patients with metastatic colorectal cancer(TRICOLORE): a randomized, open-label, phase Ⅲ, noninferiority trial. Ann Oncol. 2018;29:624-31.

（森町将司，伏木邦博）

V 大腸癌

CAPIRI + Bmab

投与スケジュール

Bmab 7.5mg/kg，30〜90分	↓						
CPT-11[※] 200mg/m^2，90分	↓						
カペシタビン 1,600mg/日，分2[*] （朝，夕食後）	↓	↓↓	↓↓	↓			
	1	2	…	15	…	21	（日）

上記3週を1コースとする。カペシタビンは1日2回（朝，夕食後）を2週間連日内服し，1週間休薬する。
※ *UGT1A1*6* と *UGT1A1*28* のいずれかをホモ接合体として持つ場合，または複合ヘテロ接合体として持つ場合，CPT-11の開始用量は150mg/m^{2}とする。

＊：カペシタビン初回基準投与量

体表面積	カペシタビン投与量
1.31m^{2}未満	1,800mg/日，分2
1.31m^{2}以上，1.69m^{2}未満	2,400mg/日，分2
1.69m^{2}以上，2.07m^{2}未満	3,000mg/日，分2
2.07m^{2}以上	3,600mg/日，分2

注意！ 通常の大腸癌では使用しない用量であることに注意する。

投与例

投与日	投与順	投与量	投与方法
1	1	ベバシズマブ [Bmab]（アバスチン®）[*] 7.5mg/kg ＋ 生食 100mL	点滴末梢本管 （30〜90分）
	2	デキサメタゾンリン酸エステルナトリウム（デキサート®）6.6mg ＋ パロノセトロン塩酸塩（アロキシ®）0.75mg（50mL）＋ 生食 100mL	点滴末梢本管 （30分）
	3	イリノテカン塩酸塩水和物 [CPT-11]（カンプト®）200mg/m^2 ＋ 5％ブドウ糖 250mL	点滴末梢本管 （90分）
	4	生食 50mL	点滴末梢本管 （5分）
2 3	1	デキサメタゾン（デカドロン®）8mg	経口 （朝食後）
1夕〜 15朝	1	カペシタビン（ゼローダ®）2,000mg/m^2/日，分2	経口 （朝，夕食後）

＊：当センターではアバスチン®初回より30分で投与しているが，添付文書上は，初回90分，2回目60分，3回目以降30分で投与することとなっている。

適応・治療開始基準

■ 一次治療におけるL-OHPベースの化学療法に不応・不耐となった切除不能大腸癌。

■ 全身状態および主要臓器機能が保たれている（以下が目安）。

- ECOG PS 0～2
- 好中球数≧1,500/μL
- 血小板数≧10.0×10⁴/μL
- ヘモグロビン≧9.0g/dL
- 総ビリルビン≦1.5mg/dL
- AST，ALT≦100U/L（ただし，肝転移がある場合は200U/L以下）
- クレアチニン≦1.5mg/dL
- 尿蛋白1+以下

慎重投与・禁忌 [1～3)]

● IRIS

	慎重投与 [1)]	禁　忌 [1)]
年　齢	75歳以上	
腎障害	Ccr≦50mL/分	Ccr＜30mL/分
肝障害	肝障害を有する	黄疸を有する
消化管通過障害		腸管麻痺，腸閉塞
下　痢	日常生活に支障のない下痢	十分な支持療法下で日常生活に支障のある下痢
腹　水	少量～中等量の腹水	大量腹水（穿刺を必要とする）
感　染	感染を疑う症例	活動性の感染症を合併している症例
その他の合併症	糖尿病，Gilbert症候群	間質性肺疾患
UGT1A1	*6，*28のホモ接合体または複合ヘテロ接合体	

● Bmab

	慎重投与 [1)]	禁　忌 [1)]
心血管系	心不全・冠動脈の既往を有する	
血液・凝固	出血傾向がある 血栓塞栓症の既往を有する	
創傷治癒	大きな手術の術創が治癒していない	
その他	脳転移，高血圧を有する	喀血の既往を有する

効　果

	切除不能な進行・再発大腸癌に対する二次治療 [4, 5)]
RR	18.1～24.2％
PFS	8.0～8.4カ月
OS	16.8カ月

CAPIRI + Bmab

有害事象マニュアル

有害事象の発現率と発現時期

有害事象	発現率（%）		発現時期
	all Grade	Grade 3，4	
✓ 好中球数減少	55.4	1.9	投与7〜10日後
✓ 発熱性好中球減少症		3.2	投与7〜10日後
✓ 下 痢	50.0	7.1	コリン作動性：投与直後 遅発性：投与7〜10日後
嘔 吐	27.4	1.9	急性：投与当日 遅発性：2〜7日後
悪 心	51.9	4.2	投与1〜7日後
食欲不振	46.4	5.5	投与4〜7日後
✓ 手足症候群	34.1	1.9	
疲 労	42.6	3.2	投与4〜7日後
口腔粘膜炎	26.7	1.6	投与3〜10日後
✓ 高血圧	25.6	7.1	投与3〜4週後
✓ 蛋白尿	42.0	5.9	投与6〜8週後
塞栓症	3.0	1.1	
✓ 消化管穿孔	1.9	1.5	

☑：「有害事象マネジメントのポイント」（☞ p508）参照。

減量早見表

減量レベル	カペシタビン	CPT-11		Bmab
初回投与量	1,600mg／m²	200mg／m²	150mg／m²	7.5mg／kg
−1	1,200mg／m²	150mg／m²	125mg／m²	
−2	800mg／m²	125mg／m²	100mg／m²	

カペシタビンの減量は2段階まで，最小でも1,200mg／日は投与する。

有害事象マネジメントのポイント

✓ 好中球数減少・発熱性好中球減少症

- *UGT1A1*6*と*UGT1A1*28*のいずれかをホモ接合体として持つ場合，または複合ヘテロ接合体として持つ場合，Grade 3以上の好中球数減少の発現頻度が高くなるため，CPT-11を減量（150mg/m²）している。
- 「mFOLFOXIRI」参照（☞ **p382**）。

✓ 下 痢

治療開始前のマネジメント

- 事前にCPT-11およびカペシタビンの投与により下痢や腸蠕動亢進による腹痛が起こる可能性を患者に説明する。
- 初回治療開始前に，あらかじめ下痢時に内服できるようロペラミド塩酸塩（ロペミン®）（2錠/回）を処方しておく。ロペラミド塩酸塩内服にてもGrade 2相当の下痢が持続する場合は，カペシタビンを休薬するように指導しておく。

有害事象発生時のマネジメント

- 高度な下痢の持続により，脱水，電解質異常，ショックを併発し死亡例も報告されているため注意が必要である。
- 投与後早期（24時間以内）に発現するのはCPT-11によるコリン作動性の下痢であり，抗コリン薬〔アトロピン硫酸塩水和物（硫酸アトロピン®など）〕の投与が有効である。次回より前投薬としてアトロピン硫酸塩水和物（0.5～1A）の投与などを行う。
- 遅発性の下痢に対しては，症状が改善するまでロペラミド塩酸塩（2錠/回）の内服を行う。Grade 3以上では，次コースからの薬剤減量を行う。

✓ 手足症候群

- 「Capecitabine」参照（☞ **p471**）。

✓ 高血圧（Bmab）

- 「FOLFOXIRI + Bmab」参照（☞ **p393**）。

✓ 尿蛋白

- 「FOLFOXIRI + Bmab」参照（☞ **p394**）。

✓ 消化管穿孔

- 「FOLFOXIRI + Bmab」参照（☞ **p394**）。

症例 71歳男性，上行結腸癌多発リンパ節転移

身長166cm，体重75kg，ECOG PS 0。便潜血陽性を契機に診断された切除不能の上行結腸癌多発リンパ節転移例に対して，一次治療としてXELOX + Bmabを10コース行ったが，鎖骨上リンパ節転移の増大を認めたため，PDと判断し治療を中止した。カペシタビンの忍容性は良好で，引き続き中心静脈ポート造設不要のレジメンを希望されたことから，CAPIRI + Bmabで二次化学療法を開始した。なお，治療開始前にUGT1A1が*6と*28のホモ接合体もしくは複合ヘテロ接合体でないことを確認した。

1コース目13日に発熱性好中球数減少症（Grade 3）を認めた。入院の上，セフェピムによる抗菌薬治療を行い，速やかに解熱を得られた。2コース目からカペシタビンおよびCPT-11を1レベルずつ減量し投与を継続した。以降，8コースまで大きな有害事象なく投与を継続している。

文 献

1) ゼローダ®添付文書.

2) カンプト®添付文書.

3) アバスチン®添付文書.

4) Xu RH, et al:Modified XELIRI (capecitabine plus irinotecan) versus FOLFIRI (leucovorin, fluorouracil, and irinotecan), both either with or without bevacizumab, as second-line therapy for metastatic colorectal cancer (AXEPT): a multicentre, open-label, randomised, non-inferiority, phase 3 trial. Lancet Oncol. 2018:660-71.

5) Hamamoto Y, et al:A phase Ⅰ/Ⅱ study of XELIRI plus bevacizumab as second-line chemotherapy for Japanese patients with metastatic colorectal cancer (BIX study). Oncologist. 2014;19:1131-2.

（森町将司，伏木邦博）

V 大腸癌

Cmab/Pmab

投与スケジュール

● Cmab

| （初回）
Cmab 400mg/m², 2時間
（2回目以降）
Cmab 250mg/m², 1時間 | ↓　　　↓　　　
1 … 8 … 14（日） |

上記2週を1コースとする。

● Pmab

| Pmab 6mg/kg, 1時間 | ↓　　　　
1 … 14（日） |

上記2週を1コースとする。

投与例

● Cmab

投与日	投与順	投与量	投与方法
1*	1	デキサメタゾンリン酸エステルナトリウム（デキサート®）2.0mL（6.6mg）＋ d-クロルフェニラミンマレイン酸塩（ポララミン®）1.0mL（5mg）＋ 生食 50mL	点滴末梢本管（15分）
	2	セツキシマブ [Cmab]（アービタックス®）400mg/m² ＋ 生食 100mL	点滴末梢本管（2時間）
	3	生食 50mL	点滴末梢側管（5分）
8	1	d-クロルフェニラミンマレイン酸塩 1.0mL（5mg）＋ 生食 50mL	点滴末梢本管（15分）
	2	Cmab 250mg/m² ＋ 生食 100mL	点滴末梢本管（1時間）
	3	生食 50mL	点滴末梢側管（5分）

＊：初回（1コース目1日目）のみ

● Pmab

投与日	投与順	投与量	投与方法
1	**1**	パニツムマブ [Pmab] (ベクティビックス®) 6mg/kg ＋ 生食 100mL	点滴末梢本管 (1時間)
	2	生食 50mL	点滴末梢側管 (5分)

適応・治療開始基準

- 組織学的に腺癌と確定診断されている切除不能結腸・直腸癌。
- *RAS*遺伝子野生型が確認されている。
- フッ化ピリミジン系薬剤，L-OHPおよびCPT-11に不応もしくは不耐。
- 主要臓器機能が保たれている（以下が目安）。

> - 好中球数≧ 1,500/μL
> - 血小板数≧ $7.5 \times 10^4/\mu$L
> - ヘモグロビン≧ 8.0g/dL
> - クレアチニン≦施設基準値上限×1.5倍
> - 総ビリルビン≦施設基準値上限×1.5倍
> - AST，ALT≦施設基準値上限×3倍（肝転移例は施設基準値上限×5倍以下）

慎重投与

● Cmab

	慎重投与
肺疾患	間質性肺炎の既往を有する
心疾患	冠動脈疾患，うっ血性心不全，不整脈の既往を有する

● Pmab

	慎重投与
肺疾患	間質性肺炎，肺線維症またはその既往を有する

効 果

	*KRAS*野生型でフッ化ピリミジン，L-OHPおよびCPT-11不応・不耐の切除不能大腸癌に対する治療[1]	
	Cmab	Pmab
RR	20％	22％
PFS	4.4カ月	4.1カ月
OS	10.0カ月	10.4カ月

Cmab/Pmab

有害事象マニュアル

有害事象の発現率と発現時期[1]

有害事象	発現率（%）				発現時期
	Cmab		Pmab		
	all Grade	Grade 3以上	all Grade	Grade 3以上	
✓ 皮膚障害	88	10	86	12	
☐ ざ瘡様皮疹	27	3	27	3	投与1～4週後
☐ 皮膚乾燥	16	0	17	0	投与4～5週後
☐ そう痒症	17	0	16	0	投与3～4週後
☐ 倦怠感	17	3	14	2	投与3～10日後
✓ 低マグネシウム血症	17	2	27	7	約半数が12週未満に発症
✓ infusion reaction（注入に伴う反応）	15	2	4	1	投与直後

☑：「有害事象マネジメントのポイント」参照。

減量早見表

減量レベル	Cmab
初回投与量	400mg/m²
2回目以降の投与量	250mg/m²
−1	200mg/m²
−2	150mg/m²

減量レベル	Pmab
初回投与量	6mg/kg
−1	4.8mg/kg
−2	3.6mg/kg

有害事象マネジメントのポイント

✓ 皮膚障害[2, 3]

- 「FOLFOX + Cmab/Pmab」参照（☞ **p411**）。

✓ infusion reaction（注入に伴う反応）

- 「FOLFOX + Cmab/Pmab」参照（☞ **p413**）。

✓ 低マグネシウム血症

- 「FOLFOX + Cmab/Pmab」参照（☞ **p414**）。

| 症 例 | **68歳男性，直腸癌，肝・肺・リンパ節転移** |

　身長165cm，体重58kg，PS 2。直腸癌の同時性肝転移，*KRAS*野生型に対してmFOLFOX6＋Bmab療法を開始し，10コースで肝転移増悪によりPDとなった。二次治療としてFOLFIRI＋Bmab療法を開始したが，8コースで腹膜播種出現によりPDとなった。この際，中等量の腹水を認めていたため，三次治療としてCmab単剤療法を開始した。治療開始前から皮膚障害の予防としてヒルドイド®軟膏塗布，ミノマイシン®200mg/日の内服を開始した。2コース目1日目に顔面にざ瘡様皮疹（Grade 1）と体幹に皮膚そう痒症（Grade 1）を認めるのみで，現在，顔面にはロコイド®クリームを塗布，体幹にマイザー®軟膏を塗布し治療を継続している。

文 献

1) Price TJ, et al:Panitumumab versus cetuximab in patient with chemotherapy-refractory wild-type *KRAS* exon 2 metastatic colorectal cancer(ASPECCT):a randomized, multicentre, open-label, non-inferiority phase 3 study. Lancet Oncol. 2014;15:569-79.

2) Lacouture ME, et al:Skin toxicity evaluation protocol with panitumumab(STEPP), a phase Ⅱ, open-label, randomized trial evaluating the impact of a pre-emptive skin treatment regimen on skin toxicities and quality of life in patients with metastatic colorectal cancer. J Clin Oncol. 2010;28:1351-7.

3) Kobayashi Y, et al:Randomized controlled trial on the skin toxicity of panitumumab in Japaneses patients with metastatic colorectal cancer:HGCSG1001 study;J-STEPP. Future Oncol. 2015;1:617-27.

（山﨑健太郎）

Trifluridine

投与スケジュール

トリフルリジン 35mg/m^2/回, 1日2回*	↓↓		↓↓		
	1〜5	6, 7	8〜12	13, 14	15〜28 (日)

上記4週を1コースとする。

＊：トリフルリジン初回基準投与量

体表面積	トリフルリジン投与量
1.07m^{2}未満	35mg/回(70mg/日)
1.07m^{2}以上〜1.23m^{2}未満	40mg/回(80mg/日)
1.23m^{2}以上〜1.38m^{2}未満	45mg/回(90mg/日)
1.38m^{2}以上〜1.53m^{2}未満	50mg/回(100mg/日)
1.53m^{2}以上〜1.69m^{2}未満	55mg/回(110mg/日)
1.69m^{2}以上〜1.84m^{2}未満	60mg/回(120mg/日)
1.84m^{2}以上〜1.99m^{2}未満	65mg/回(130mg/日)
1.99m^{2}以上〜2.15m^{2}未満	70mg/回(140mg/日)
2.15m^{2}未満	75mg/回(150mg/日)

投与例

投与日	投与量	投与方法
1〜5, 8〜12	トリフルリジン・チピラシル塩酸塩配合(ロンサーフ®)35mg/m^2/回, 1日2回	経口 (朝, 夕食後)

適応・治療開始基準 [1]

- 治癒切除不能な進行・再発の結腸・直腸癌。
- 主要臓器機能が保たれている（以下が目安）。

- ECOG PS 0～1
- 好中球数 ≧ 1,500/μL
- 血小板数 ≧ 7.5 × 10^4/μL
- ヘモグロビン ≧ 8.0g/dL
- 総ビリルビン ≦ 1.5mg/dL
- AST，ALT ≦ 100IU/L（肝転移例では200IU/L以下）
- クレアチニン ≦ 1.5mg/dL
- 感染症活動性の感染症が疑われない
- 末梢神経障害 Grade 2以下
- 下痢 Grade 1以下
- その他の非血液毒性（脱毛，味覚異常，色素沈着，原疾患に伴う症状は除く）

慎重投与

	慎重投与
年　齢	高齢者
骨髄抑制	骨髄抑制を有する
感　染	重度の腎機能障害患者に対しては，投与開始基準を参考に本剤投与の可否を検討し，投与する際は減量を考慮するとともに，患者の状態をより慎重に観察し有害事象の発現に十分注意する
肝障害	中等度および重度の肝機能障害を有する
感　染	感染症を合併している

効　果

	標準治療不応の切除不能大腸癌に対する治療例 [1]
RR	1.6％
PFS	2.0カ月
OS	7.1カ月

Trifluridine

有害事象マニュアル

有害事象の発現率と発現時期[1]

有害事象	発現率（%）		発現時期[1]
	all Grade	Grade 3 以上	
✓ 好中球数減少	67	38	投与2〜4週後頃
✓ 発熱性好中球減少症		4	投与2〜4週後頃
血小板数減少	42	5	投与2〜4週後頃
貧 血	77	18	投与2〜4週後頃
食欲不振	39	4	投与直後〜3週後
✓ 下 痢	32	3	投与直後〜3週後
✓ 悪 心	48	2	投与直後〜2週後
✓ 嘔 吐	28	2	投与直後〜3週後
倦怠感	35	4	投与直後〜4週後

☑：「有害事象マネジメントのポイント」（☞ p517）参照。

休薬・投与再開の目安

　休薬の目安に該当する有害事象が認められた場合にはロンサーフ®を休薬し，投与再開の目安に回復するまで投与を延期する。

項　目		休薬の目安	投与再開の目安
ECOG PS		2以上	0〜1
骨髄機能	好中球数	＜1,000/μL	≧1,500/μL
	血小板数	＜5.0×10^4/μL	≧7.5×10^4/μL
	ヘモグロビン	＜7.0g/dL	≧8.0g/dL
肝機能	総ビリルビン	＞2.0mg/dL	≦1.5mg/dL
	AST，ALT	＞100IU/L（肝転移患者では＞200IU/L）	≦100IU/L（肝転移患者では≦200IU/L）
腎機能	クレアチニン	＞1.5mg/dL	≦1.5mg/dL
感染症		活動性の感染症の発症	活動性の感染症の回復
末梢神経障害		Grade 3以上	Grade 2以下
下痢		Grade 3以上	Grade 1以下
その他の非血液毒性（脱毛，味覚異常，色素沈着，原疾患に伴う症状は除く）		Grade 3以上	Grade 1以下

減量早見表

前コース(休薬期間を含む)中に，減量基準に該当する有害事象が発現した場合には，本剤の投与再開時において，コース単位で1日単位量として10mg/日単位で減量する。ただし，最低投与量は30mg/日までとする。

	減量基準
好中球数	<500/μL
血小板数	<5.0×10^4/μL

減量レベル	トリフルリジン
初回投与量	35mg/m^2/回
減量	10mg/日ずつ減量

有害事象マネジメントのポイント

✓ 好中球数減少・発熱性好中球減少症

治療開始前のマネジメント

- 好中球数減少が最も注意の必要な有害事象である。感染を合併すると重篤化するため，38℃以上の急な発熱，または悪寒戦慄を伴う場合や持続する発熱を認めた時は必ず病院へ連絡するように指導しておく。
- 通常，投与2週後頃に発現し3～4週後にnadirとなるため，当センターでは少なくとも2コース目までは週1回の診察，血液検査を実施している。

有害事象発生時のマネジメント

- Grade 2以上の好中球数減少では原則的には休薬を考慮する。
- 発熱性好中球減少症は，入院にてG-CSF製剤および静注抗菌薬の投与を行う。好中球数1,000/μL未満で38℃以上の発熱が出現するか，好中球数500/μL未満が確認された時点からG-CSF投与を考慮する。全身状態が良好な低リスク群（MASCCスコア21点以上）に対しては，経口抗菌薬〔レボフロキサシン水和物（クラビット®）など〕による外来治療も選択肢のひとつとなるが，患者に対する十分な教育や理解，近隣病院のサポート体制などを考慮して対応する必要がある。

減量・再開のポイント

- Grade 4の好中球数減少では次コースから10mg/日減量する。

✓ 下痢・腹痛

治療開始前のマネジメント

- 投与1～2週での発現が多く，あらかじめ止痢薬としてのロペラミド塩酸塩（ロペミン®）を処方しておく。

- Grade 3の下痢はほとんどが3コースまでに発現したと報告されている。

有害事象発生時のマネジメント

- 感染性腸炎を除外した上で，ロペラミド塩酸塩1〜2mgを症状が改善するまで頓用にて投与する。
- Grade 3以上の下痢，もしくは十分な支持療法を行っても持続するGrade 2の下痢が発現した場合は休薬して，Grade 1以下に回復した後に再開する。

減量・再開のポイント

- 十分な支持療法を行ってもGrade 3以上の下痢が発現した場合は，原則として次コースから10mg/日減量する。

✓ 悪心・嘔吐

治療開始前のマネジメント

- 悪心は内服開始1週目の発症頻度が高く，治療開始前にあらかじめ制吐薬を処方しておく。
- 制吐薬は嘔吐してから飲む薬ではなく，予防として早めに使うのがコツであることを患者に十分説明しておくこと。

有害事象発生時のマネジメント

- 初回開始時に予防的な制吐薬の投与は行わないが，急性および遅発性悪心・嘔吐が続く場合はドパミン受容体拮抗薬〔メトクロプラミド（プリンペラン®）5mg，ドンペリドン（ナウゼリン®）10mg，プロクロルペラジン（ノバミン®）5mg〕やオンダンセトロン塩酸塩水和物などを定時（投与後1週間のみ定時内服など）もしくは頓用で使用する。
- 治療前から嘔気がするなどの予期性嘔吐の場合は，ベンゾジアゼピン系抗不安薬〔アルプラゾラム（アルプラゾラム®）〕などを治療開始前に内服させるのも有効である。

減量・再開のポイント

- 十分な支持療法を行ってもGrade 3以上の悪心・嘔吐が出現した場合は，原則として次コースから10mg/日減量する。

| 症 例 | **67歳女性，大腸癌多発肝転移** |

　身長162cm，体重61kg，ECOG PS 1。下腹部痛を契機に診断された*KRAS*変異型の大腸癌多発肝転移例に対してFOLFIRI＋Bmab，FOLFOX＋Bmab，レゴラフェニブ水和物施行後，四次治療としてロンサーフ®（110mg/日）を開始した。3日目より悪心（Grade 2）があり，事前に処方していたゾフラン®ザイディス錠4mgを3日間内服し，6日目より症状が改善した。29日目に好中球数450/m^2と好中球数減少（Grade 4）を認めたためグラン®75μgを皮下注し，発熱時は病院に連絡するように説明し，発熱時用としてクラビット®を処方して帰宅させた。36日目に好中球数3,520/m^2と骨髄機能の回復を認め，ロンサーフ®を100mg/日に減量して2コース目を開始した。4コース終了後，肝転移増大にて不応と判断しBSCとなった。

文 献

1) 　ロンサーフ®配合錠. 適正使用情報.
2) 　Mayer RJ, et al:Randomized trial of TAS-102 for refractory metastatic colorectal cancer. N Engl J Med. 2015;372:1909-19.

（戸髙明子）

Ⅴ 大腸癌

Regorafenib

投与スケジュール

レゴラフェニブ水和物 160mg/日，1日1回

上記4週を1コースとする。

投与例

投与日	投与量	投与方法
1～21	レゴラフェニブ水和物（スチバーガ®）160mg/日	1日1回朝食後内服

適応・治療開始基準

- 組織学的に腺癌と確定診断されている，治癒切除不能な結腸・直腸癌。
- 主要臓器機能が保たれている（以下が目安）。

  - 好中球数 $\geq 1,500/\mu L$
  - 血小板数 $\geq 10.0 \times 10^4/\mu L$
  - 総ビリルビン $< 2.0 mg/dL$
  - AST，ALT $< 100 U/L$

慎重投与

	慎重投与
肝機能障害	肝機能障害を有する
高血圧症	高血圧を有する
脳転移	脳転移を有する
血栓塞栓症	血栓塞栓症またはその既往を有する

効 果

	切除不能大腸癌に対する三次治療以降での治療成績[1,2]
RR	1.0～4.4％
PFS	1.9～3.2カ月
OS	6.4～8.8カ月

Regorafenib
有害事象マニュアル

有害事象の発現率と発現時期[1, 2)]

有害事象	発現率（%）all Grade	発現率（%）Grade＞3	発現時期
貧血	3〜7	1〜3	
血小板数減少	10〜13	3	10日目以降
✓ 手足皮膚反応	47〜74	16〜17	数日以降
✓ 高血圧	23〜28	7〜11	
✓ 高ビリルビン血症	9〜37	2〜7	
✓ 疲労	17〜47	3〜10	
ALT増加	5〜24	2〜7	
AST増加	7〜24	3〜6	
下痢	18〜34	1〜7	
皮疹	8〜26	4〜6	
蛋白尿	7〜9	1	

☑：「有害事象マネジメントのポイント」参照。

減量早見表

減量レベル	レゴラフェニブ水和物
0	160mg
−1	120mg
−2	80mg

有害事象マネジメントのポイント

✓ 手足皮膚反応

治療開始前のマネジメント

- 重篤化すると日常生活を著しく損なうため，予防の方法と，症状出現時の対応の方法をあらかじめ患者に説明しておく。当センターでは薬剤師もしくは看護師による指導のほか，皮膚科医師とも連携し，投与前に必ず皮膚科を受診して皮膚処置を行い，投与開始後の皮膚症状のフォローを依頼している。
- 皮膚症状は，普段から圧力や摩擦のかかりやすいところ，皮膚が厚く，硬くなっているところ（指先やかかと）に出現しやすい。
- 投与前の皮膚科受診で手足の皮膚の状態をチェックし，胼胝（たこ），鶏眼（うおの

め）などの角質病変や白癬（みずむし）があれば治療してもらう。

- 圧迫・摩擦を防ぐため，激しい運動や，締め付けの強い靴下・靴を避ける。
- 保湿することが皮膚反応予防に効果的と言われている。定期的に1日2回（朝と入浴後など），手足に尿素（ケラチナミン®）クリーム20％を塗った上に，ジフルプレドナート（マイザー®）0.05％軟膏を重ねて塗る。その他，手洗い後などのクリームが流れてしまった後にも，速やかに尿素クリームを塗るようにする。
- その他，直射日光に当たらないようにする，手足を温めすぎない（入浴時のお湯の温度は40℃未満にする），手足の清潔を心がけるなど，皮膚への刺激を少なくするように指導を行う。

有害事象発生時のマネジメント

- レゴラフェニブ水和物（以下，レゴラフェニブ）開始後数日〜1週間前後で，症状が出現することが多い。
- Grade 1（しびれ感，異常感覚，知覚過敏，痛みのない紅斑や腫脹）：痛みがない，日常生活には支障がない程度の症状がある状態である。尿素クリームとジフルプレドナート0.05％軟膏の重ね塗りを1日3回に増やして対応する。
- Grade 2（有痛性の紅斑・腫脹・亀裂，不快感）：明確な痛みがある，日常生活に支障をきたす症状がある状態である。レゴラフェニブを1レベル減量して，尿素クリームとジフルプレドナート0.05％軟膏の重ね塗りを1日4回に増やして対応する。この対応で1週間経過しても症状が改善しない場合には，レゴラフェニブの内服を休止する。
- Grade 3（湿性落屑，潰瘍形成，水疱形成）：強い痛みがあり，日常生活が不可能となる状態である。この状態になることを避けるように管理すべきであるが，Grade 3に至った際には直ちにレゴラフェニブの内服を休止する。

- 内服を休止した際には7日間以上の期間を空け，Grade 0〜1に改善するまでは内服再開しない。休止期間にも症状が増悪する際には，適宜，皮膚科に診察を依頼する。

減量・再開のポイント

- 前コースで休止した際には，次コースからは1レベル減量して投与する。
- 前コースでGrade 2となり，1レベル減量で投与継続できた際には，次コースも1レベル減量したまま施行する。

✓ 高血圧[3]

治療開始前のマネジメント

- 治療開始前に，高血圧，腎疾患の既往，尿蛋白，腎機能などを評価しておく。

- レゴラフェニブの投与により，血圧が上昇する可能性があることを説明しておく。また，激しい頭痛，悪心，嘔吐，視力障害，意識障害などの高血圧性脳症，高血圧性クリーゼなどを示唆する所見が現れた際には，病院に連絡するように事前に説明しておく。
- レゴラフェニブの投与後，多くの症例が4カ月以内に高血圧を発現するが，高血圧の発現頻度は用量依存性であり，それ以降にも出現する可能性がある。したがって，レゴラフェニブの投与中は定期的に血圧を測定する必要がある。

有害事象発生時のマネジメント

- 悪性高血圧や高血圧性クリーゼなどを呈するGrade 4の高血圧が出現した際には，レゴラフェニブを中止する。

✓ 肝逸脱酵素上昇・高ビリルビン血症[3]

治療開始前のマネジメント

- 肝不全で死亡に至るケースが報告されている。
- 肝不全の初発時は症状がないことが多いため，投与開始前から肝機能検査を定期的に行い，重症化する前に適切に対処する必要があることを患者に説明しておく。

有害事象発生時のマネジメント

- ASTまたはALTが正常基準値上限（ULN）の5倍以下の上昇の時（≦Grade 2），レゴラフェニブは投与継続可能であるが，肝機能検査を頻回に行う。ULNの5倍以下のASTまたはALT値上昇であっても，短期間で倍以上の上昇を認めるなど，急な経過である場合には休薬を検討する。
- ASTもしくはALTが，ULNの5倍を超えて，ULNの20倍以下の上昇の時（Grade 3），レゴラフェニブは休薬する。投与開始前程度，もしくはULNの3倍未満にまで回復したら，1レベル減量で再開を検討する。減量して再開後，少なくとも4週間は肝機能検査を頻回に行う。
- ASTもしくはALTが，ULNの20倍を超える時（Grade 4），レゴラフェニブの投与を中止する。
- ASTもしくはALTが，ULNの3倍を超えて（Grade 1），かつ総ビリルビン値がULNの2倍を超える時，レゴラフェニブの投与を中止する。

| 症 例 | **62歳男性，横行結腸癌術後多発肺転移　*KRAS* exon 2野生型** |

　身長155.3cm，体重72.2kg，PS 2。貧血を契機に診断された横行結腸癌に対して，腹腔鏡下結腸右半切除術を施行し，術後補助化学療法としてのFOLFOX完遂直後に多発肺転移再発を認めた。その後FOLFIRI＋Bmab療法，CPT-11＋Pmab療法でPDとなったため，スチバーガ®160mg/日を開始した。ケラチナミン®クリームとマイザー®0.05％軟膏を1日2回予防的に塗布していたが，1コース8日目に手足皮膚反応（Grade 2）が出現したため，同外用薬を1日4回に増やし，本人希望もありスチバーガ®を休止した。しかし，14日目には手足皮膚反応（Grade 3）に進行を認め，スチバーガ®を休止したまま，外用薬を継続した。1コース35日目には手足皮膚反応（Grade 0）に改善したため，スチバーガ®120mg/日で2コース目を開始した。2コース7日目にASTおよびALT増加（Grade 1）とともにビリルビン増加（Grade 3）（総ビリルビン4.5mg/dL）を認めたため，スチバーガ®を休止した。同日腹部エコーで原因を特定しうる所見を認めず，薬剤性肝障害と診断した。14日目にASTおよびALT増加はGrade 3まで増悪した。ウルソ®300mg/日内服を開始し，24日目にAST・ALT増加（Grade 1），ビリルビン増加（Grade 0）に改善したことを確認し，スチバーガ®80mg/日で3コース目を開始したところ，有害事象を認めず3コース目内服は終了した。以後，6コース後にPDとなるまで継続した。

文　献

1) Grothey A, et al:Regorafenib monotherapy for previously treated metastatic colorectal cancer(CORRECT):an international, multicentre, randomised, placebo-controlled, phase 3 trial. Lancet. 2013;381:303-12.

2) Li J, et al:Regorafenib plus best supportive care versus placebo plus best supportive care in Asian patients with previously treated metastatic colorectal cancer (CONCUR): a randomised, double-blind, placebo-controlled, phase 3 trial. Lancet Oncol. 2015;16:619-29.

3) スチバーガ®適正使用ガイド.

（對馬隆浩）

Ⅴ 大腸癌

adj Capecitabine

投与スケジュール

カペシタビン 2,000〜2,500mg/m^2/日*，分2

上記3週を1コースとして，8コース施行する。
カペシタビンは1日2回（朝，夕食後）を2週間連日内服し，1週間休薬する。

*：70歳未満：原則2,500mg/m^2/日，70歳以上75歳未満：全身状態により2,000mg/m^2/日も考慮，75歳以上：原則2,000mg/m^2/日。

投与例

投与日	投与量	投与方法
1夕〜15朝	カペシタビン（ゼローダ®）2,000〜2,500mg/m^2/日，分2	経口（朝，夕食後）

適応・治療開始基準

- 結腸癌における術後補助化学療法。
- 全身状態および主要臓器機能が保たれている（以下が目安）。

  - PS 0〜1
  - 好中球数≧1,500/μL
  - 血小板数≧10.0×10^4/μL
  - 総ビリルビン≦2.0mg/dL
  - AST，ALT≦100U/L
  - クレアチニン≦1.5mg/dL

- 補助化学療法は，一部の人にのみ有効な治療であり，臓器機能や全身状態が悪く抗癌剤が安全に使用できない場合には無理して行わないこと！

慎重投与・禁忌

	慎重投与	禁　忌
年　齢	80歳以上	
腎障害	Ccr 30〜50mL／分	Ccr 30mL／分未満
肝障害	肝障害	
感　染	感染疑い例	治療を必要とする活動性感染を有する

効　果

	Stage Ⅲ治癒切除結腸癌に対する術後補助化学療法[1]
5年無病生存割合	60.8％
5年無再発生存割合	63.2％
5年全生存割合	71.4％

adj Capecitabine

有害事象マニュアル

有害事象の発現率と発現時期

有害事象	発現率（%）[2]		発現時期中央値（範囲）
	all Grade	Grade 3以上	
✓ 手足症候群	60	17	30日（5〜122日）
✓ 下　痢	46	11	22日（1〜194日）
□ 血中ビリルビン増加	50	20	
✓ 悪心・嘔吐	36	3	悪心：13日（1〜166日） 嘔吐：31日（1〜184日）
□ 口内炎	22	2	32日（4〜197日）
□ 倦怠感	23	1	
□ 腹　痛	10	2	
□ 脱　毛	6	0	
□ 嗜　眠	10	<1	
□ 食欲不振	9	<1	
□ 好中球数減少	32	2	

☑：「有害事象マネジメントのポイント」参照。

減量早見表

減量レベル	カペシタビン2,500mg/m²/日 で開始した場合	カペシタビン2,000mg/m²/日 で開始した場合
−1	2,000mg/m²/日	1,500mg/m²/日
−2	1,500mg/m²/日	1,000mg/m²/日
−3	1,000mg/m²/日	中止
−4	中止	

有害事象マネジメントのポイント

■「Capecitabine」参照（☞ p470）。

✓ 手足症候群

■「Capecitabine」参照（☞ p471）。

✓ 下　痢

有害事象発生時のマネジメント

■「Capecitabine」参照（☞ p471）。

> **減量・再開のポイント**

- Grade 3以上の下痢が出現した場合や，Grade 2の下痢が1週間以上持続した場合は，原則として次コースよりカペシタビンを1レベル減量する。

✓ 悪心・嘔吐

- 「Capecitabine」参照（☞ **p472**）。

✓ 肝障害

- 「Capecitabine」参照（☞ **p472**）。

症例　74歳女性，大腸癌術後

　身長149cm，体重38kg，PS 1。S状結腸癌（T4aN1M0，Stage ⅢB）に対して，腹腔鏡下S状結腸切除術が施行され，術後補助化学療法としてカペシタビン単剤療法が開始された。高齢でありカペシタビンの用量は2,000mg/m²/日とした。3コース目22日目に手掌・足底の発赤，疼痛を認め，HFS（Grade 2）と診断し，治療を延期した。1週間後の外来でHFS（Grade 1）に回復したことを確認し，同用量でカペシタビンを再開したが，5コース目22日目に再びHFS（Grade 2）が出現したため休薬しGrade 1まで改善後，1,500mg/m²/日に減量して再開した。7コース目21日目に再びHFS（Grade 2）が出現したが，休薬・減量（1,000mg/m²/日）により継続し，全8コースを完遂した。2レベルの減量を要したが，適切な休薬・減量により治療を完遂することが可能であった。

文　献

1) Twelves C, et al:Capecitabine versus 5-fluorouracil/folinic acid as adjuvant therapy for stage Ⅲ colon cancer:final results from the X-ACT trial with analysis by age and preliminary evidence of a pharmacodynamic marker of efficacy. Annals of oncology. ESMO. 2012;23:1190-7.

2) Twelves C, et al:Capecitabine as adjuvant treatment for stage Ⅲ colon cancer. N Engl J Med. 2005;352:2696-704.

（川上武志，濵内　諭）

大腸癌

adj UFT/LV

投与スケジュール

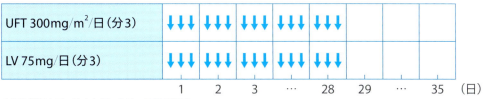

上記5週を1コースとして，5コース繰り返す。
本薬剤は食事の影響を受けるので，食事の前後1時間を避けて投与すること。

※UFTの投与量は下記を参考にして体表面積により決定する。

体表面積	投与量 UFT	投与量 LV	投与スケジュール（UFT/LV）朝	昼	夕
＜1.17 m^2	300mg/日	75mg/日	100/25mg	100/25mg	100/25mg
1.17〜1.49 m^2	400mg/日	75mg/日	200/25mg	100/25mg	100/25mg
1.50〜1.83 m^2	500mg/日	75mg/日	200/25mg	200/25mg	100/25mg
＞1.83 m^2	600mg/日	75mg/日	200/25mg	200/25mg	200/25mg

投与例

投与日	投与順	投与量	投与方法
1〜28	1	テガフール・ウラシル配合［UFT］（ユーエフティ®）300mg/m^2/日，分3	経口（分3：食事の前後1時間を避ける）
	1	ホリナートカルシウム［LV］（ユーゼル®）75mg/日，分3	経口（分3：食事の前後1時間を避ける）

適応・治療開始基準

- 大腸癌における術後補助化学療法。
- 全身状態および主要臓器機能が保たれている（以下が目安）。

- PS 0〜1
- 白血球数≧3,000/μL
- 血小板数≧10.0×10⁴/μL
- 総ビリルビン≦2.0mg/dL
- AST，ALT≦100U/L
- クレアチニン≦1.5mg/dL

- 補助化学療法は，一部の人にのみ有効な治療であり，臓器機能や全身状態が悪く抗癌剤が安全に使用できない場合には無理して行わないこと！

慎重投与・禁忌

	慎重投与	禁忌
年齢	76歳以上	
肝障害	肝障害またはその既往歴がある	
腎障害	腎障害	
心疾患	心疾患またはその既往歴がある	
消化管	消化管潰瘍または出血がある	
耐糖能	耐糖能異常を有する	
下痢		重篤な下痢
感染	感染症を合併している	重篤な感染症を合併している

効果

	Stage Ⅲ 治癒切除結腸癌に対する術後補助化学療法[1, 2]			
	Stage Ⅲ全体	Stage ⅢA*	Stage ⅢB*	Stage ⅢC*
DFS	3年72.5〜77.8％	3年87.9％	3年74.2％	3年46.4％
OS	3年92.7〜93.9％ 5年87.5％			

＊：UICC第7版

adj UFT/LV

有害事象マニュアル

有害事象の発現率と発現時期

有害事象	発現率(%)[1, 3]		発現時期
	all Grade	≧ Grade 3	
白血球減少	12.4	0.2〜0.4	1コース目に多い
好中球数減少		1.5	
貧　血	26.6	0.1	
血小板数減少	7.4	0.4	
✓ ALT 増加	21.4	3.3〜8.7	1〜2コース目に多い
✓ 下　痢	23.8	5.5〜8.5	1〜2コース目に多い
✓ AST 増加	20.3	2.1〜5.6	1〜2コース目に多い
食欲不振	25	3.5〜3.7	
✓ 悪　心	19	1.2〜3.1	
✓ 総ビリルビン上昇	23.1	1.1〜1.5	1〜2コース目に多い
疲　労	24.9	1.5	
✓ 嘔　吐	7.8	0.8〜1.3	
皮疹，落屑	10	0.5	
クレアチニン増加	4.5	0.5	
口内炎	13.8	0.4	
手足皮膚反応		0.2	

☑：「有害事象マネジメントのポイント」参照。

減量早見表

減量レベル	UFT			
0	600mg／日	500mg／日	400mg／日	300mg／日
−1	500mg／日	400mg／日	300mg／日	
−2	400mg／日	300mg／日		

※LVの減量は実施しない。

有害事象マネジメントのポイント

✓ 下　痢

治療開始前のマネジメント

- 事前に下痢が起こる可能性を患者に十分説明し，下痢時の対処法について説明しておく。

有害事象発生時のマネジメント

- 「Capecitabine」参照（☞ **p471**）。

減量・再開のポイント

- Grade 3以上の下痢が出現した場合は原則として次コースよりUFTを1レベル減量する。もしくはGrade 2の下痢が1週間以上持続した場合には，1レベル減量することも考慮している。

✓ 悪心・嘔吐

治療開始前のマネジメント

- 制吐薬は嘔吐してから飲むのではなく，悪心出現時に早めに使うのが有効であることを患者に十分説明しておくこと。

有害事象発生時のマネジメント

- 制吐薬適正使用ガイドライン2015によれば，UFTは軽度催吐リスク薬剤に分類されている。このクラスの薬剤によるGrade 2相当の悪心・嘔吐の出現時には休薬するか，明らかなエビデンスはないものの，日常臨床ではドパミン受容体拮抗薬〔メトクロプラミド（プリンペラン®）5mg，ドンペリドン（ナウゼリン®）10mg，プロクロルペラジン（ノバミン®）5mg〕や5-HT$_3$受容体拮抗制吐薬〔オンダンセトロン塩酸塩水和物（ゾフラン®）ザイディス錠〕などを頓用もしくは定期で使用する。Grade 3以上の悪心・嘔吐を発生させないようにマネジメントすることが重要である。
- Grade 2以上の悪心・嘔吐を認めた場合は休薬し，Grade 1以下まで改善した時点で再開する。

減量・再開のポイント

- Grade 3以上の悪心・嘔吐が認められた際には，次コースではUFTを1レベル減量して投与する。

✓ 肝機能障害

治療開始前のマネジメント

- 肝機能障害の多くは2コース目までに出現するため，2コース目までは各コース開始前と，コース途中に1回以上の血液検査で肝機能障害の有無を確認する。

有害事象発生時のマネジメント

■投与中にAST＞100U/L, ALT＞100U/L, 総ビリルビン＞2.0mg/dLのいずれか
の肝機能障害を認めた際には，UFT/LVの休薬を実施する[4]。

減量・再開のポイント

■Grade 3以上の肝機能障害が認められた際には，次コースではUFTを1レベル減量
して投与する。

症例 ## 39歳男性，上行結腸癌術後

　身長178cm，体重63.1kg，PS 0。検診での便潜血陽性を契機に診断された上行結腸
癌に対して，腹腔鏡下右結腸切除術を施行し，pT1N1aM0, Stage ⅢAであった。経口
抗癌剤による治療を希望しており，また細かい手作業を要する製造業勤務であることか
ら，術後補助化学療法としてUFT/UZEL療法（ユーエフティ® 500mg/body/日）を開始
した。1コース7日目に下痢（Grade 1）が出現したが，ロペミン®の頓用で症状をコント
ロールし継続可能であった。3コース7日目から15日目まで下痢（Grade 2）が持続したた
め，15日目よりユーエフティ® 400mg/body/日に減量し化学療法を継続したところ，下
痢はGrade 1に改善した。4コース36日目に総ビリルビン2.0mg/dL（Grade 2）を認めたた
め，5コース開始を延期とした。4コース50日目の血液検査では総ビリルビン1.4mg/dL
（Grade 1）への改善を認めたため，5コースを開始し，その後は特に問題なく治療継続可
能であった。

文献

1) Shimada Y, et al:Randomised phase Ⅲ trial of adjuvant chemotherapy with oral uracil and tegafur plus leucovorin versus intravenous fluorouracil and levofolinate in patients with stage Ⅲ colorectal cancer who have undergone Japanese D2/D3 lymph node dissection:final results of JCOG0205. Eur J Cancer. 2014;50:2231-40.

2) Yoshida M, et al:S-1 as adjuvant chemotherapy for stage Ⅲ colon cancer:a randomized phase Ⅲ study(ACTS-CC trial). Annals of oncology. ESMO. 2014;25:1743-9.

3) Mochizuki I, et al:Safety of UFT/LV and S-1 as adjuvant therapy for stage Ⅲ colon cancer in phase Ⅲ trial:ACTS-CC trial. Br J Cancer. 2012;106:1268-73.

4) 国内第Ⅲ相試験の規準.

（濵内　諭）

V 大腸癌

5-FU + LV, adj 5-FU + LV

投与スケジュール

● sLV5FU2レジメン

| LV 200mg/m², 2時間 |
| 5-FU 400mg/m², 急速静注5分 |
| 5-FU 2,400mg/m², 持続静注46時間 |

1　2　3　…　14　（日）

切除不能進行大腸癌の場合，上記2週を1コースとして，明らかな病状の進行や継続不能な有害事象がない限り繰り返す．
術後補助化学療法の場合，上記2週を1コースとして12コース行う．

● RPMI (Rosewell Park Memorial Institute) レジメン

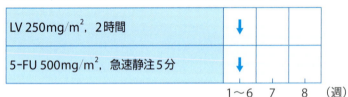

| LV 250mg/m², 2時間 |
| 5-FU 500mg/m², 急速静注5分 |

1〜6　7　8　（週）

術後補助化学療法の場合，上記のように毎週1回投与し，6週連続2週休薬を1コースとして，3コース行う．

投与例：切除不能進行大腸癌

● sLV5FU2レジメン

投与日	投与順	投与量	投与方法
1	1	デキサメタゾンリン酸エステルナトリウム（デキサート®）6.6mg ＋ 生食50mL	点滴末梢本管（30分）
	2	ホリナートカルシウム [LV]（ロイコボリン®）200mg/m² ＋ 5％ブドウ糖液 250mL	点滴末梢本管（2時間）
	3	フルオロウラシル [5-FU]（5-FU®）400mg/m² ＋ 5％ブドウ糖液 50mL	点滴末梢側管（5分）
	4	5-FU 2,400mg/m² ＋ 生食 225mL	点滴末梢本管（46時間）

投与例：術後補助化学療法

◉ sLV5FU2レジメン

■ 上記，切除不能進行大腸癌の項を参照。

◉ RPMIレジメン

投与日	投与順	投与量	投与方法
1	**1**	デキサメタゾン 6.6mg ＋生食 50mL	点滴末梢本管（30分）
	2	LV 250mg/m^2 ＋ 5％ブドウ糖液 250mL	点滴末梢本管（2時間）
	3	5-FU 500mg/m^2 ＋ 5％ブドウ糖液 50mL	点滴末梢本管（5分）

適応・治療開始基準

■ 切除不能進行大腸癌。実臨床ではCPT-11やL-OHP不耐例に対する治療オプションとして認識されている。

■ Stage Ⅲの結腸癌に対する術後補助化学療法。

■ 全身状態および主要臓器機能が保たれていること（以下が目安）。

- PS 0～1
- 好中球数≧1,500/μL
- 血小板数≧10.0×10^4/μL
- 総ビリルビン≦2.0mg/dL
- AST，ALT≦100U/L
- 血清クレアチニン≦2.0mg/dL

慎重投与

	慎重投与
腎障害	腎障害
肝障害	肝障害
感 染	感染疑い例

効　果

	切除不能・転移性大腸癌・前治療歴なしの症例に対する効果[1]
無増悪生存期間	6.4カ月
全生存期間中央値	14.5カ月
奏効率	32.6 %
5年無病生存率	
6年全生存率	

	Stage Ⅲ の結腸癌術後症例に対する効果（MOSAIC試験）[2]	Stage Ⅱ，Ⅲ の結腸癌術後症例に対する効果（NSABP C−06）[3]
5年全生存率		71.5 %（Stage Ⅲ）
6年全生存率	68.7 %	
3年無病生存率	65.3 %	74.5 %
5年無病生存率	58.9 %	68.2 %

5-FU + LV, adj 5-FU + LV

有害事象マニュアル

有害事象の発現率と発現時期

有害事象	発現率（%）[1]		発現率（%）[2, 3]		発現時期
	切除不能・転移性大腸癌・前治療歴なしの症例に対して		術後補助化学療法として		
	all Grade	Grade 3 以上	all Grade	Grade 3 以上	
✓ 好中球数減少	12	1.9	27～40	1.3～4.7	
血小板数減少	1.5	1.0	19	0.4	
貧 血			67	0.3	
感染症	5.3	1.0	12	2.4	
発熱性好中球減少症			0.2	0.2	
嘔 気	39	3.9	61～65	1.8～7.4	
✓ 下 痢	28	2.9	48～79	6.6～28.5	
嘔 吐			24～30	1.4～6.7	
✓ 口内炎	20	1.9	24～40	0.5～2.2	
皮膚および皮下組織障害	15	1.0	20～36	1.1～2.4	
脱 毛	12	0.5	15～28	0.4	
鼻出血	3.4	0			
結膜炎	14	0			
神経系障害	3.4	0.5			
アレルギー反応			1.9	0.2	
血栓塞栓症または静脈炎	6.5	1.8	6.5	1.8	
急性冠動脈症候群	3.8	0			

☑：「有害事象マネジメントのポイント」（☞ p538）参照。

減量早見表

減量レベル	5-FU（急速静注）[*1]	5-FU（持続静注）[*1]	5-FU（急速静注）[*2]
初回投与量	400mg/m²/日	2,400mg/m²	500mg/m²/日
−1	300mg/m²/日	2,000mg/m²	400mg/m²/日
−2	200mg/m²/日	1,600mg/m²	300mg/m²/日

＊1：sLV5FU2レジメン
＊2：RPMIレジメン

有害事象マネジメントのポイント

✓ 下 痢

有害事象発生時のマネジメント

- Grade 3以上の有害事象で最も頻度が高いのは下痢である。感染性腸炎を除外した上で，以下のように対応する。下痢を認めた場合には，排便回数，腹痛，脱水，食欲不振などの随伴症状，投薬歴などを確認し，重症度を評価する。Grade 1～2で合併症がなければ，食事を少量頻回に分けて摂取し，十分な水分の摂取を促す。合併症がある場合には，改善するまで化学療法を中止する。
- 治療の第一選択薬はロペラミド塩酸塩（ロペミン®）で，ガイドラインでは初回4mgでその後4時間ごと，もしくは下痢のたびに2mg内服とされている[4]。しかし，国内承認用量は2mgまでであり，実際は1～2mgを頓用で使用することが多い。ロペラミド塩酸塩が無効もしくは重篤な下痢の場合は，オクトレオチド酢酸塩を投与する。ただし，化学療法における有害事象としての下痢に対しては保険承認されておらず，「進行・再発がん患者の緩和医療における消化管閉塞に伴う消化器症状の改善」の用法・用量に準じて使用することが多い。
- 下痢による脱水，電解質異常，腹痛，経口摂取不能などの随伴症状がある場合は，入院管理の上，適宜輸液を行う。

減量・再開のポイント

- Grade 3の下痢が出現した場合は，原則として次コースより5-FUの減量を行う。

✓ 好中球数減少

治療開始前のマネジメント

- 好中球数減少は自覚症状に乏しく，38℃以上の急な発熱，または37.5℃以上の持続する発熱がある時には必ず病院へ連絡するように指導しておく。
- 通常，投与後7～10日頃に発症し，多くの例で次コース開始までに回復するが，個人差があるため，投与前に必ず採血チェックを行う。

有害事象発生時のマネジメント

- Grade 3以上の好中球数減少を認めた場合には，薬剤の減量または休薬を考慮する。
- 発熱を伴わない好中球数減少に対しては，ルーチンなG-CSF製剤の投与は推奨されない。発熱性好中球減少症に対しては，入院にてG-CSFおよび静注抗菌薬の投与を行う。好中球数1,000/μL未満で38℃以上の発熱が出現するか，好中球数500/μL

未満が確認された時点からG-CSF投与を考慮する。全身状態が良好な低リスク群（MASCCスコア21点以上）に対しては，経口抗菌薬〔NCCNガイドラインではシプロフロキサシン（シプロキサン®）500mg 8時間ごと＋アモキシシリン水和物・クラブラン酸カリウム配合（2：1）（オーグメンチン®）125／500mg 8時間ごと経口投与を推奨[5, 6]〕による外来治療も選択肢のひとつとなるが，患者に対する十分な説明や理解，近隣病院のサポート体制などを考慮して対応する必要がある[7]。

減量・再開のポイント

■ 急速静注の5-FUにより骨髄抑制をきたすため，減量の対象とする。

✓ 口腔粘膜炎

治療開始前のマネジメント

■ 口腔粘膜炎予防の基本は口腔ケアであり，MASCC/ISOOのガイドラインでも推奨されている[8]。具体的には含嗽の励行やブラッシングなどによる口腔内衛生の保持，治療前の齲歯や歯周病の治療である。

有害事象発生時のマネジメント

■ 1回につきアズレンスルホン酸ナトリウム水和物$NaHCO_3$配合（含嗽用ハチアズレ®）顆粒2gを常温水100mLに溶解したもので口腔内含嗽を行い，これを1日4～5回行う。

■ 口腔内乾燥や，口腔内潰瘍が出現した際には，アズレンスルホン酸ナトリウム水和物$NaHCO_3$配合2gにつきグリセリン液12mLを併用するほか，疼痛がある際にはキシロカイン液4％ 1～2mLを併用する。

■ 口腔内潰瘍や口角炎のびらんには，0.033％アズレン（アズノール®）軟膏を塗布する。

■ 口腔粘膜炎が重症化，難治性である場合には，カンジダなどの感染を合併していることもある。適宜，歯科口腔外科に診察を依頼する〔歯科口腔外科診察が困難な場合にはミコナゾール（フロリード®）ゲル2％ 1日4回口内塗布・含嗽を考慮する〕。

■ 口腔粘膜炎（Grade 3）の際には化学療法を休止する。Grade 1以下に改善した際に再開を検討する。

減量・再開のポイント

■ 遅発性の場合には，5-FUの減量も考慮する。

症例　62歳女性，Stage Ⅲ大腸癌，術後補助化学療法

　身長159.3cm，体重54.6kg，PS 0。上行結腸癌（cT3N2bM0，Stage ⅢC）に対して腹腔鏡下右半結腸切除術が施行され，術後補助化学療法目的に当科紹介となった。L-OHP併用拒否のため，5-FU＋LV療法（RPMIレジメン）を施行された。3コース目14日目に好中球数減少（Grade 2）を認めたが，その他にGrade 2以上の有害事象は認めず，3コースの補助化学療法を完遂した。

文献

1) de Gramont A, et al:Randomized trial comparing monthly low-dose leucovorin and fluorouracil bolus with bimonthly high-dose leucovorin and fluorouracil bolus plus continuous infusion for advanced colorectal cancer:a French intergroup study. J Clin Oncol. 1997;15:808-15.
2) Andre T, et al:Oxaliplatin, fluorouracil, and leucovorin as adjuvant treatment for colon cancer. N Engl J Med. 2004;350:2343-51.
3) Lembersky BC, et al:Oral uracil and tegafur plus leucovorin compared with intravenous fluorouracil and leucovorin in stage Ⅱ and Ⅲ carcinoma of the colon:results from National Surgical Adjuvant Breast and Bowel Project Protocol C-06. J Clin Oncol. 2006;24:2059-64.
4) Andreyev J, et al: Guidance on the management of diarrhoea during cancer chemotherapy. Lancet Oncol. 2014;15:447-60.
5) Freifeld A, et al:A double-blind comparison of empirical oral and intravenous antibiotic therapy for low-risk febrile patients with neutropenia during cancer chemotherapy. N Engl J Med. 1999;341:305-11.
6) Teuffel O, et al:Outpatient management of cancer patients with febrile neutropenia:a systematic review and meta-analysis. Ann Oncol. 2011;22:2358-65.
7) 日本臨床腫瘍学会，編：発熱性好中球減少症（FN）ガイドライン改訂第2版．南江堂，2017．
8) Elad S, et al:MASCC/ISOO Clinical Practice Guidelines for the Management of Mucositis Secondary to Cancer Therapy. Cancer. 2020;126:4423-31.

（對馬隆浩）

Ⅴ 大腸癌

5-FU + LV + Bmab

投与スケジュール

● RPMIレジメン+Bmab

| Bmab 5mg/kg，30〜90分 |
| LV 200mg/m², 2時間 |
| 5-FU 500mg/m²，急速静注5分 |

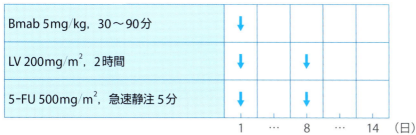

5-FU/LVは毎週，6週連続投与，2週休薬，Bmabは2週ごとに投与する。明らかな病状の進行や継続不能な有害事象がない限り繰り返す。

● sLV5FU2レジメン+Bmab

| Bmab 5mg/kg，30〜90分 |
| LV 200mg/m², 2時間 |
| 5-FU 400mg/m²，急速静注5分 |
| 5-FU 2,400mg/m²，持続静注46時間 |

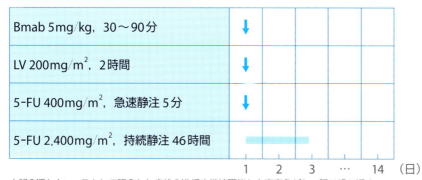

上記2週を1コースとして明らかな病状の進行や継続不能な有害事象がない限り繰り返す。

投与例

● RPMIレジメン＋Bmab

投与日	投与順	投与量	投与方法
1	**1**	ベバシズマブ [Bmab] (アバスチン®) 5mg/kg ＋ 生食 100mL	点滴末梢本管 （30〜90分）
	2	ホリナートカルシウム [LV] (ロイコボリン®) 200mg/m² ＋ 生食 500mL	点滴末梢本管 （2時間）
	3	フルオロウラシル [5-FU] (5-FU®) 500mg/m² ＋ 生食 50mL	点滴末梢側管 （急速静注5分）

5-FU/LVは毎週，6週連続投与，2週休薬，Bmabは2週ごとに投与する。 明らかな病状の進行や継続不能な有害事象がない限り繰り返す。

● sLV5FU2レジメン＋Bmab

投与日	投与順	投与量	投与方法
1	**1**	Bmab 5mg/kg ＋ 生食 100mL	点滴静注 （30〜90分）
	2	デキサメタゾンリン酸エステルナトリウム（デキサート®）6.6mg ＋ 生食 50mL	点滴静注 （30分）
	3	LV 200mg/m² ＋ 5％ブドウ糖液 250mL	点滴静注 （2時間）
	4	5-FU 400mg/m² ＋ 5％ブドウ糖液 50mL	急速静注 （5分）
	5	5-FU 2,400mg/m² ＋ 生食 225mL	点滴静注 （46時間）

適応・治療開始基準

■ 切除不能進行大腸癌。実臨床ではCPT-11やL-OHP不耐例に対する治療オプションとして認識されている。

■ 全身状態および主要臓器機能が保たれている（以下が目安）。

> ・PS 0〜1
>
> ・好中球数 $\geq 1,500/\mu L$
>
> ・血小板数 $\geq 10.0 \times 10^4/\mu L$
>
> ・総ビリルビン $\leq 2.0 mg/dL$
>
> ・AST，ALT $\leq 100 U/L$
>
> ・血清クレアチニン $\leq 2.0 mg/dL$

慎重投与・禁忌

	慎重投与	禁 忌
年 齢	70歳以上	
腎障害	腎障害	
肝障害	肝障害	
消化器	胃潰瘍の既往がある	
心・血管系	高血圧, 心不全の既往がある	
血液・凝固	出血傾向がある 血栓症の既往がある	
感 染	感染疑い例	治療を必要とする活動性感染を有する
その他	脳転移を有する 手術後28日以内の患者, または, 手術を予定している患者	喀血の既往がある

効 果

	前治療歴のない, 転移性大腸癌 治療成績[1]
無増悪生存期間	8.8カ月
全生存期間	17.9カ月
奏効率	34.1％

5-FU＋LV＋Bmab

有害事象マニュアル

有害事象の発現率と発現時期

有害事象	発現率(%)[2]		発現時期
	all Grade	Grade 3 以上	
✓ 高血圧	34	18	7〜14日目
白血球減少	11	5.5	7〜14日目
鼻出血	32		
脱 毛	5.5		
皮膚乾燥	20		
紅皮症	19		
色素沈着	16		
味覚異常	19		
流 涙	18		
出 血		6	
血栓症	14	12	
深部静脈血栓症	6.4		
肺動脈塞栓症	3.8		
動脈血栓症	4.6		
✓ 下 痢		38	10日目以降
✓ 蛋白尿	35	1.8	
消化管穿孔		0	

☑：「有害事象マネジメントのポイント」参照。

減量早見表

減量レベル	5-FU（急速静注）	5-FU（持続静注）
初回投与量	400mg/m²/日	2,400mg/m²
−1	300mg/m²/日	2,000mg/m²
−2	200mg/m²/日	1,600mg/m²

有害事象マネジメントのポイント

✓ 下 痢

■「5-FU＋LV，adj 5-FU＋LV」参照（☞ p538）。

✓ 高血圧 (Bmab)

■「FOLFOXIRI＋Bmab」参照（☞ p393）。

✓ 尿蛋白（Bmab）

■「FOLFOXIRI + Bmab」参照（☞ p394）。

| 症 例 | **71歳男性，切除不能直腸癌，全身状態不良** |

　身長154cm，体重48kg，PS 2。切除不能進行直腸癌（cT4bN2bM1b，Stage Ⅳ）に対して，通過障害改善目的に横行結腸双孔式人工肛門造設術が施行された。当科受診時，PS 2，経口摂取不良であった。これらを考慮し，一次治療は5-FU + LV + Bmab療法を選択した。2コース終了時でPS 1まで改善しており，その後はFOLFOX + Bmab療法へと変更し，治療を継続した。PS不良例に5-FU + LV + Bmab療法を開始したところPSが改善し，標準治療が可能となった症例である。

文　献

1) Kabbinavar FF, et al:Combined analysis of efficacy:the addition of bevacizumab to fluorouracil/leucovorin improves survival for patients with metastatic colorectal cancer. J Clin Oncol. 2005;23:3706-12.

2) Hurwitz HI, et al:Bevacizumab in combination with fluorouracil and leucovorin:an active regimen for first-line metastatic colorectal cancer. J Clin Oncol. 2005;23:3502-8.

（川上武志，對馬隆浩）

Ⅴ 大腸癌

adj FOLFOX

投与スケジュール

● mFOLFOX6

L-OHP 85mg/m², 2時間	↓					
ℓ-LV 200mg/m², 2時間	↓					
5-FU 400mg/m², 急速静注5分	↓					
5-FU 2,400mg/m², 24時間持続静注46時間	━━━					
	1	2	3	…	14	(日)

上記2週を1コースとし12コース行う。

投与例

投与日	投与順	投与量	投与方法
1	1	デキサメタゾンリン酸エステルナトリウム（デキサート®）2.0mL（6.6mg）＋ パロノセトロン塩酸塩（アロキシ®）0.75mg ＋ 生食 50mL	CVポート（15分）
	2-1	オキサリプラチン [L-OHP]（エルプラット®）85mg/m² ＋ 5％ブドウ糖液 250 mL	CVポート（2時間）
	2-2	レボホリナートカルシウム [ℓ-LV]（アイソボリン®）200mg/m² ＋ 5％ブドウ糖液 250mL	CVポート（2時間）
	3	フルオロウラシル [5-FU]（5-FU®）400mg/m² ＋ 5％ブドウ糖液 50mL	CVポート（5分）
	4	5-FU 2,400mg/m² ＋ 注射用蒸留水：総量230mLになるよう調製	CVポート（46時間）

適応・治療開始基準

- Stage Ⅲ の結腸・直腸S状部癌治癒切除例。
- PS 0〜1
- 主要臓器機能が保たれている（以下が目安）。

- 好中球数≧1,500/μL
- 血小板数≧$10.0 \times 10^4/\mu$L
- 総ビリルビン≦2.0mg/dL
- AST，ALT≦100U/L
- クレアチニン≦施設基準値上限×1.5倍

注意！ ■補助化学療法は必ず全員に有効な治療ではないため，臓器機能や全身状態が悪く抗癌剤の減量やスケジュール変更など工夫しても安全に継続して使用できない場合は，無理せず，中止することも検討すること！

慎重投与・禁忌

	慎重投与	禁　忌
年齢，PS	75歳以上，PS 2	PS 3以上， 80歳以上の高齢者は，全身状態や理解力，合併症，家族のサポート体制など総合的に判断が必要。
骨髄機能	骨髄機能抑制を有する	
末梢神経障害	末梢神経障害を有する	Grade 3以上
心疾患	心疾患またはその既往を有する	
腎障害	腎障害を有する	
肝障害	肝障害を有する	
感　染	感染症を合併している	
過敏症		併用薬剤，または他のプラチノを含む薬剤に対して過敏症の既往を有する
その他の併存症	消化管潰瘍または出血，水痘を有する	

効　果

	Stage Ⅱ，Ⅲ の結腸・直腸S状部癌治癒切除例に対する術後補助化学療法[1,2]		
	全　体	Stage Ⅱ	Stage Ⅲ
3年DFS	75.1%	85.4%	71.7%
OS	80.7%	90.3%	77.6%

adj FOLFOX

有害事象マニュアル

有害事象の発現率と発現時期[3]

有害事象	発現率（%）		発現時期
	all Grade	Grade 3 以上	
✓ 好中球数減少	55.3	28.7	投与7〜10日後
☐ 血小板数減少	31.9	1.7	投与7〜10日後
✓ 悪　心	37.6	1.7	投与1〜7日後
✓ 嘔　吐	10.9	0.7	急性：投与直後 遅発性：2〜7日後
☐ 下　痢	18.5	2.1	投与7〜10日後
☐ 倦怠感	24.8	1.2	投与4〜7日後
✓ 末梢神経障害	83.8	5.8	急性：投与直後〜14日 慢性：持続性
✓ アレルギー	14.3	1.7	投与直後

☑：「有害事象マネジメントのポイント」参照。

減量早見表

減量レベル	L-OHP	5-FU（急速静注）	5-FU（持続静注）
初回投与量	85mg/m^2	400mg/m^2/日	2,400mg/m^2
−1	65mg/m^2	300mg/m^2/日	2,000mg/m^2
−2	50mg/m^2	200mg/m^2/日	1,600mg/m^2

※FOLFOXレジメンのエビデンスの多くがFOLFOX4で証明されてきたが，現在はほとんどがmFOLFOX6レジメンで行われている。

有害事象マネジメントのポイント

✓ 末梢神経障害

- 「mFOLFOXIRI」参照（☞ p386）。

✓ アレルギー

- 「FOLFOX」参照（☞ p397）。

治療開始前のマネジメント

有害事象発生時のマネジメント

- 「mFOLFOXIRI」参照（☞ p387）。

✓ 悪心・嘔吐

治療開始前のマネジメント

- 「mFOLFOXIRI」参照（☞ **p384**）。

有害事象発生時のマネジメント

減量・再開のポイント

- 「FOLFOX」参照（☞ **p398**）。

✓ 好中球数減少・発熱性好中球減少症

治療開始前のマネジメント

- 「mFOLFOXIRI」参照（☞ **p383**）。

有害事象発生時のマネジメント

減量・再開のポイント

- 「FOLFOX」参照（☞ **p399**）。

症例 63歳男性，大腸癌

　身長164cm，体重55kg，PS 0。便潜血を契機に診断されたS状結腸癌に対して，S状結腸切除術＋D3郭清を行った。病理診断はpT3N1M0，Stage ⅢBであり術後補助化学療法としてmFOLFOX6療法を開始した。1コース15日目で好中球数1,140/μLと好中球数減少症（Grade 2）を認めたため投与を延期し，22日目に好中球数2,200μLに回復したことを確認して，薬剤の減量を行わず2コース目を開始した。7コース目のL-OHP投与開始直後に発汗，気分不良の訴えがあり，血圧80/50mmHgと低下を認めたためアレルギー反応（Grade 3）と判断しL-OHPの投与を中止し，水溶性ハイドロコートン®100mg＋ザンタック®50mg＋ポララミン®5mgを投与した。補液を開始して徐々に血圧は回復し，自覚症状も消失したが，経過観察目的に入院してアレルギー反応の再燃がないことを確認して翌日帰宅した。8コース目からはL-OHPは不耐と判断し5-FU/LVによる治療を継続し12コースを完遂した。

文 献

1) André T, et al:Oxaliplatin, fluorouracil, and leucovorin as adjuvant treatment for colon cancer. N Engl J Med. 2004;350:2343−51.

2) André T, et al:Oxaliplatin, fluorouracil, and leucovorin as adjuvant treatment for colon cancer. Improved overall survival with oxaliplatin, fluorouracil, and leucovorin as adjuvant treatment in stage Ⅱ or Ⅲ colon cancer in the MOSAIC trial. J Clin Oncol. 2009;27:3109−16.

3) Kotaka M, et al:Initial safety report on the tolerability of modified FOLFOX6 as adjuvant therapy in patients with curatively resected stage Ⅱ or Ⅲ colon cancer(JFMC41−1001−C2:JOIN trial). Cancer Chemother Pharmacol 2015;76:75−84.

（安井博史）

adj XELOX

投与スケジュール

| L-OHP 130mg/m², 2時間 | | | | | | | |
| カペシタビン 2,000mg/m², 分2 内服（朝, 夕食後） | | | | | | | |

上記3週を1コースとし，計8コース（約6カ月間）継続する※。
術後8週目までに開始することが望ましい。
カペシタビンは1日2回（朝, 夕食後）を2週間連日内服し，1週間休薬する。

※術後補助化学療法としてのXELOXの投与期間は6カ月を原則とするが，StageⅢ結腸癌を対象とした術後補助化学療法におけるL-OHP併用療法の投与期間が，わが国のランダム化比較試験（ACHIEVE試験）を含む6つのランダム化比較試験の統合解析で比較され，3カ月投与群は，全対象では6カ月投与群に対する非劣性が示されなかったが（IDEA collaboration），XELOX投与例では，特に再発低リスク例（T1～3かつN1）において6カ月投与群と同程度の再発抑制効果を示した[1]。また，ACHIEVE試験でも，3カ月投与群と6カ月投与群の3年無病生存率は同程度であり，感覚性末梢神経障害の発現は3カ月投与群で有意に少なかった[2]。本結果より，術後補助化学療法としてのXELOXの投与期間は3カ月も選択肢となりうる（投与期間の検討の際には最新のガイドラインを参照）。

投与例

投与日	投与順	投与量	投与方法
1	1	デキサメタゾンリン酸エステルナトリウム（デキサート®）3.0mL（9.9mg）＋パロノセトロン塩酸塩（アロキシ®）0.75mg＋生食50mL	点滴末梢本管（15分）
	2	オキサリプラチン[L-OHP]（エルプラット®）130mg/m²＋5％ブドウ糖液500mL	点滴末梢本管（2時間）
	3	5％ブドウ糖液50mL	点滴末梢本管（5分）
2 3	1	デキサメタゾン（デカドロン®）8mg	経口（朝食後）
1夕～15朝	1	カペシタビン（ゼローダ®）2,000mg/m²/日，分2	経口（朝, 夕食後）

適応・治療開始基準

- R0切除が施行されたStage IIIの結腸・直腸癌の患者。
- 術後の合併症から回復している。
- 非血液毒性Grade 1以下（例外あり）。
- 主要臓器機能が保たれている（以下が目安）。

> - 好中球数≧1,200/μL
>   （適正使用ガイドでは好中球数≧1,500/μL）
> - 血小板数≧7.5×10^4/μL
> - 総ビリルビン≦2.0mg/dL
> - AST，ALT≦100U/L
>   （肝転移例は200U/Lを目安とする）
> - クレアチニン≦1.5mg/dL

- 補助化学療法は，一部の人にのみ有効な治療であり，臓器機能や全身状態が悪く抗癌剤が安全に使用できない場合には無理に行わないこと！

慎重投与・禁忌

	慎重投与	禁　忌
年　齢	70歳以上	
消化管通過障害		腸閉塞例 明らかな通過障害がある
下　痢	日常生活に支障のない下痢	十分な支持療法下で日常生活に支障のある下痢
腎障害	Ccr≦50mL/分	Ccr＜30mL/分
感　染	感染疑い例	治療を必要とする活動性感染を有する

効　果

	Stage III 結腸癌治癒切除例[3]	観察期間中央値
3年DFS	70.9%	55カ月
5年OS	77.6%	57カ月

adj XELOX

有害事象マニュアル

有害事象の発現率と発現時期[4]

有害事象	発現率（%）		発現までの日数，中央値（範囲）
	all Grade	Grade 3	
✓ 末梢神経障害	78	11	急性症状は投与後2日以内
✓ 悪　心	66	5	4日（1〜155日）
✓ 下　痢	60	19	22.5日（2〜282日）
✓ 嘔　吐	43	6	14日（2〜304日）
疲　労	35	0	
✓ 手足症候群	29	5	57日（9〜225日）
好中球数減少	27	9	
食欲不振	24	0	4日（1〜382日）
口内炎	21	＜1	41日（5〜354日）

☑：「有害事象マネジメントのポイント」参照。

減量早見表

減量レベル	L-OHP	カペシタビン
初回投与量	130mg/m^2	2,000mg/m^2
−1	100mg/m^2	1,500mg/m^2
−2	85mg/m^2	1,200mg/m^2

有害事象マネジメントのポイント

✓ 下　痢

治療開始前のマネジメント

- 下痢は最も頻度の高い有害事象である。事前にカペシタビンによる下痢が起こる可能性を患者に十分説明し，初回治療開始前にあらかじめ止痢薬としてのロペラミド塩酸塩（ロペミン®）を処方しておく。ロペラミド塩酸塩内服にてもGrade 2相当の下痢（普段より4回以上の排便回数の増加）が持続する場合は，カペシタビンを休薬するように指導しておく。
- 回腸人工肛門造設後の場合は，便の水分量増加に注意するように指導する。
- 通常，投与後5〜15日頃に発現し，休薬とともに回復するが，症状には個人差があるため，特に最初の1〜2コースは10日目前後で外来を受診し，全身状態と採血のチェックを行う。

有害事象発生時のマネジメント

- 上記のようにカペシタビンの休薬が必要とされる場合には患者が下痢の程度や経口摂取状況，腹痛の程度を病院に連絡し，必要時には受診を勧める。
- 経口摂取不良による全身状態の悪化，強い腹痛を伴う場合，血液検査にて電解質異常を認めた場合は，積極的に入院加療にて絶食による腸管安静のもと，十分な補液を行い，全身状態の回復に努める。
- 重篤な下痢からの回復の場合，抗癌剤投与再開による再燃を懸念して便性状や便回数が正常化するまで可能な限り延期することを考慮する。
- Grade 3以上の下痢は，次回投与時に薬剤の減量を考慮する。

減量・再開のポイント

- Grade 3以上の下痢を認めた場合は，患者の体表面積に従ってカペシタビンの減量を行う。有害事象が下痢のみであれば，L-OHPは必ずしも減量する必要はない。
- Grade 2の下痢が遷延する場合も投与延期と減量を検討する。
- Grade 3以上の下痢から回復した後に，減量して再開する場合は慎重な経過観察が必要である。

✓ 悪心・嘔吐

- 「XELOX」参照（☞ p450）。

✓ 手足症候群

- 「XELOX」参照（☞ p451）。

✓ 末梢神経障害・知覚過敏

- 「XELOX」参照（☞ p451）。

| 症例 | **65歳女性，上行結腸癌術後Stage ⅢB** |

　身長151cm，体重44kg，PS 0，体表面積1.36m²。術後6週目よりXELOX療法（カペシタビン2,400mg/日，L-OHP170mg）を開始した。1コース目の10日目より下痢（Grade 2）が出現したため，ロペラミド塩酸塩内服を開始した。12日目でも水様便が持続したため，13日目以降カペシタビンを休薬した。15日目に当科を受診したが，経口摂取は保たれており，血液検査上も異常所見を認めなかったため，経過観察とした。22日目の時点でも下痢が持続していたため，休薬期間を1週間延長した。29日目には下痢の改善を認めたため，カペシタビンのみを2,400mg/日から1,800mg/日へ1レベル減量し，2コース目を開始したところ，以降，下痢（Grade 2以上）を認めることなく，8コースの治療を完遂できた。

文　献

1)　Grothey A, et al:uration of adjuvant chemotherapy for stage Ⅲ colon cancer. N Engl J Med. 2018;378:1177-88.

2)　Yoshino T, et al:Efficacy and long-term peripheral sensory neuropathy of 3 vs 6 months of oxaliplatin-based adjuvant chemotherapy for colon cancer The ACHIEVE phase 3 randomized clinical trial. JAMA Oncol. 2019;5:1574-81.

3)　Haller DG, et al:Capecitabine plus oxaliplatin compared with fluorouracil and folinic acid as adjuvant therapy for stage Ⅲ colon cancer. J Clin Oncol. 2011;29:1465-71.

4)　ゼローダ®錠300．適正使用ガイド．結腸癌・直腸癌．

（白数洋充）

Ⅴ 大腸癌

Pembrolizumab

投与スケジュール

■免疫チェックポイント阻害薬の投与を開始する前には，p27の補足資料に従って必ずチェックを行うこと。

● 3週ごと投与法

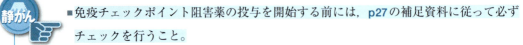

上記3週を1コースとする。
投与においてはインラインフィルター（0.2〜5μm）を使用する。

● 6週ごと投与法

上記6週を1コースとする。
投与においてはインラインフィルター（0.2〜5μm）を使用する。

投与例

● 3週ごと投与法

投与日	投与順	投与量	投与方法
1	1	ペムブロリズマブ（キイトルーダ®）200mg/body ＋ 生食100mL	点滴末梢本管（30分）
	2	生食50mL	点滴末梢本管（10分）

● 6週ごと投与法

投与日	投与順	投与量	投与方法
1	1	ペムブロリズマブ400mg/body ＋ 生食100mL	点滴末梢本管（30分）
	2	生食50mL	点滴末梢本管（10分）

適応・治療開始基準 [1~3]

- 化学療法歴のない治癒切除不能な進行・再発の高頻度マイクロサテライト不安定性（MSI-High[※]）を有する結腸・直腸癌。
- ECOG PS 0～2
- 主要臓器機能が保たれている。

※ MSI-Highを有する患者とは，PCR法によりMSI-High，または免疫組織化学染色（IHC）法によりミスマッチ修復機構の欠損（dMMR）と判定された患者のことを指す。KEYNOTE-177試験では，腫瘍組織中においてIHC法によりミスマッチタンパク質修復タンパク質であるMLH1，MSH2，MSH6またはPMS2のいずれかの発現が認められない場合にdMMR，またPCR法により2つ以上のマイクロサテライトマーカーで対立遺伝子座のサイズの変化が検出された場合にMSI-Highと判定された[1, 3]。

慎重投与・禁忌 [2, 3]

	慎重投与
年　齢	高齢者
間質性肺疾患	間質性肺疾患またはその既往を有する
自己免疫性疾患	自己免疫性疾患またはその既往を有する
過敏症	

効　果 [1]

	KEYNOTE-177試験
ORR	43.8 %
PFS	中央値16.5カ月 12カ月生存割合55.3 %
OS	中央値未到達 12カ月生存割合77.8 %

Pembrolizumab

有害事象マニュアル

有害事象の発現率と発現時期[1,2]

免疫関連有害事象	発現率（%）		発現日中央値（範囲）
	all Grade	≧ Grade 3	
☐ 貧 血	18	5	
☐ 肺臓炎	1.6	0	125（105〜190）
✓ 甲状腺機能低下	5.3〜8.5		76（22〜385）
☐ 便 秘	17	0	
✓ 下痢（腸炎）	44	6	167（9〜298）
☐ 悪 心	31	3	
☐ 嘔 吐	22	1	
☐ 倦怠感	38	4	
☐ 粘膜炎	7	0	
☐ 発 熱	18	1	
☐ 食欲不振	24	0	
☐ 皮膚炎	16	0	177*

☑：「有害事象マネジメントのポイント」参照。
＊：1例のみ。

減量・休薬・中止基準

■ 有害事象の発現頻度や重篤度には，免疫チェックポイント阻害薬（ペムブロリズマブ）の用量依存性が認められない。したがって有害事象発生時は減量ではなく，有害事象の対処法アルゴリズムに従い，休薬，中止を判断する。

■ 有害事象の対処法アルゴリズムは発生した有害事象により休薬・中止基準が異なることに注意が必要である。

■ 免疫関連有害事象（irAE）はステロイドに対する治療効果が高いので，重症度に応じて速やかにステロイドによる治療を開始することで，多くのirAEがコントロール可能である。しかし症状が重篤化すると死亡に至るケースも報告されており，早期診断，早期治療開始が重要である。

有害事象マネジメントのポイント[4〜6]

✓ 内分泌障害（甲状腺機能異常・下垂体機能異常・副腎障害）

治療開始前のマネジメント

■ 問診にて甲状腺機能障害の既往の有無を確認する。

- スクリーニング時にTSH，FT$_3$，FT$_4$，コルチゾール・ACTH（いずれも早朝空腹時）を測定する。

有害事象発生時のマネジメント

- 倦怠感，浮腫，悪寒，動作緩慢，発汗過多，体重減少，眼球突出，動悸，振戦，不眠などの症状を認めた場合は，速やかにTSH，FT$_3$，FT$_4$，コルチゾール，ACTH，また必要に応じてT-Chol，抗甲状腺サイログロブリン抗体，抗甲状腺マイクロゾーム抗体やその他の下垂体ホルモン（LH，FSH，GH，プロラクチン）も測定する。

内分泌障害の対処法アルゴリズム

無症候性のTSH増加	・ペムブロリズマブ投与を継続する。
症候性の内分泌障害	・内分泌機能の評価を行う。 ・下垂体炎，下垂体機能低下が疑われる場合は，頭部MRI検査による下垂体撮影を検討する。 ・症候性であり，臨床検査値あるいは頭部MRI検査で下垂体に異常を認めた場合は，ペムブロリズマブ投与を中止し，ステロイド投与*1，ホルモン補充*2を行う。 ・臨床検査値および頭部MRI検査で異常は認めないが症状が持続する場合は，1〜3週ごとの臨床検査または1カ月ごとに頭部MRI検査を継続する。
症状が改善した場合（ホルモン補充療法の有無は問わない）	・ホルモン補充療法を継続しながらペムブロリズマブ投与を継続する*2。 ・副腎不全を有する患者は鉱質コルチコイド作用を有するステロイド投与継続を必要とする場合がある。
副腎クリーゼ疑い（原疾患および合併症から想定しにくい程度の重度の脱水，低血圧，ショックなど）	・ペムブロリズマブ投与は中止し，輸液，ストレス用量の鉱質ステロイド作用を有するステロイド静注を開始する。 ・内分泌専門医に相談する。

＊1：1mg/kg/日の静注メチルプレドニゾロンコハク酸エステルナトリウムまたはその等価量の経口薬。
＊2：ホルモン補充に際して甲状腺・副腎機能がともに障害されている場合に甲状腺ホルモンの補充のみを行うとかえって副腎不全が悪化するため，ステロイド投与を先行させる。

✓ 大腸炎・重度の下痢

治療開始前のマネジメント

- 治療開始前に，制酸薬，エリスロマイシンやペニシリン系薬剤などの抗菌薬，鉄剤，メフェナム酸，NSAIDs，ビグアナイド系薬剤やスルホニル尿素系薬剤などの血糖降下薬といった，下痢の原因となりうる薬剤の使用状況を把握しておく。
- 下痢が生じることで電解質バランスが崩れたり，腸管粘膜が傷害され感染が起こりうるため，排便回数や便の性状などを患者自身で観察し，早期に下痢を認識できるよう指導しておく。また，下痢が持続する際には必ず病院に連絡するように指導する。
- 感染源となりうるため，肛門周囲の清潔を保つように指導する。

- 下痢が出現した際には，乳製品や香辛料の強い食べ物，アルコール，カフェイン，高脂肪食などの下痢をきたしやすい食物を避け，電解質が含まれた糖液を摂取するように指導する。

有害事象発生時のマネジメント

- Grade 1の下痢が出現した場合には，整腸薬などの対症療法を行いながらペムブロリズマブの投与を継続する。ロペラミド塩酸塩（ロペミン®）などの止痢薬を投与することで，治療開始が遅れ，重症化する可能性があるため，当センターでは，基本的に止痢薬は使用していない。
- Grade 2以上となった場合には，ペムブロリズマブの投与を中止し，全身性副腎皮質ホルモンの投与を検討する。また，便中白血球検査や便培養検査などの便検査，血算や電解質などの血液検査，腹部単純X線検査や腹部造影CT検査，下部内視鏡検査などの画像検査を行い，偽膜性腸炎や大腸菌感染などの細菌感染やノロウイルスなどのウイルス感染，虚血性腸炎，炎症性腸疾患など下痢をきたしうる疾患の評価も同時に行い，必要に応じて消化器専門医への相談を行う。
- Grade 2の下痢では，0.5～1.0mg/kg/日のプレドニン®の投与，Grade 3～4の下痢では，1.0～2.0mg/kg/日の静注メチルプレドニゾロンの投与を行い，症状がGrade 1に改善した後に1カ月以上かけてステロイドの漸減を行う。ニボルマブの投与は，プレドニン®が10mg/日以下まで減量した後に検討する。

胃腸関連有害事象の対処法アルゴリズム

下痢または大腸炎のGrade （CTCAE v5.0）	対処法とフォローアップ
Grade 1 下痢：ベースラインと比べて4回未満/日の排便回数の増加 大腸炎：無症状	・ペムブロリズマブ投与を継続し，対症療法を行う。 ・症状が悪化した場合は直ちに連絡するように患者に伝え，悪化した場合はGrade 2～4の対処法で治療する。
Grade 2 下痢：ベースラインと比べて4～6回/日の排便回数の増加，身の回り以外の日常生活動作の制限 大腸炎：腹痛，血便	・ペムブロリズマブ投与を中止し，対症療法を行う。 ・症状が5～7日間を超えて持続あるいは再発した場合はステロイド内服[*1]を開始する。 ・症状がGrade 1まで改善した場合は，1カ月以上かけてステロイドを漸減し，ペムブロリズマブ投与再開を検討する。 ・症状が悪化した場合は，Grade 3～4の対処法で治療する。
Grade 3～4 下痢：ベースラインと比べて7回以上/日の排便回数の増加 大腸炎Grade 3：重度の腹痛；腹膜刺激症状あり 大腸炎Grade 4：生命を脅かす，穿孔	・ペムブロリズマブ投与を中止し，入院の上ステロイドパルス[*2]療法を行う。 ・症状がGrade 1に改善するまでステロイド投与を継続した後，1カ月以上かけてステロイドを漸減する。 ・症状が改善しない場合は免疫抑制薬[*3]を追加投与する。

[*1]：0.5～1mg/kg/日の経口メチルプレドニゾロンまたはその等価量の経口薬。
[*2]：1～2mg/kg/日の静注メチルプレドニゾロンまたはその等価量の副腎皮質ステロイドを静注する。
[*3]：インフリキシマブ5mg/kg（注：インフリキシマブは消化管穿孔または敗血症の症例へは使用すべきではない）
　　　（保険未収載）

| 症例 | **49歳男性，上行-横行結腸癌術後，腹膜播種，腹腔内リンパ節転移** |

　身長161.4cm，体重72.95kg，PS 1。多発上行-横行結腸癌（上行結腸2病変，右結腸曲1病変，左結腸曲1病変，いずれもcT1bN0M0，StageⅠb）に対し，腹腔鏡補助下右結腸切除術および横行結腸部分切除術を施行した。術後27カ月後に腹膜播種および腹腔内リンパ節転移を認めた。手術検体では*RAS*変異（K：G13D，K：K117N），dMMR（MLH1とPMS2のタンパク質欠損）であった。一次治療としてFOLFOX＋Bmab療法を98コース行ったが，腹膜播種，腹腔内リンパ節の増大を認めPDと判断した。二次治療としてペムブロリズマブ療法を行う方針とした。現在も治療は継続中であり，病変は縮小を維持している。なお，本症例では現時点で免疫関連有害事象を認めていない。

文　献

1) T Amdré, et al:Pembrolizumab in Microsatellite-Instability-High Advanced Colorectal Cancer. N Engl J Med. 2020;383:2207-18.
2) MSD製薬：キイトルーダ®irAEナビ.
3) 厚生労働省：最適使用推進ガイドライン ペムブロリズマブ（遺伝子組換え）～頭頸部癌～, 2020.
4) オプジーボ®・ヤーボイ®適正使用ガイド.
5) キイトルーダ®適正使用ガイド.
6) 日本臨床腫瘍学会, 編：がん免疫療法ガイドライン. 第2版. 金原出版, 2019.

（西村　在，横田知哉）

Ⅴ 大腸癌

Nivolumab

┤ 投与スケジュール ├

- 免疫チェックポイント阻害薬の投与を開始する前には，**p27**の補足資料に従って必ずチェックを行うこと。

◉ 2週ごと投与法

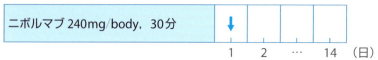

上記2週を1コースとする。
投与においてはインラインフィルター（0.2または0.22μm）を使用する。

◉ 4週ごと投与法

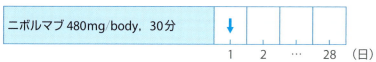

上記4週を1コースとする。
投与においてはインラインフィルター（0.2または0.22μm）を使用する。

┤ 投与例 ├

◉ 2週ごと投与法

投与日	投与順	投与量	投与方法
1	1	ニボルマブ（オプジーボ®）240mg/body ＋ 生食100mL	点滴末梢本管（30分）
	2	生食 50mL	点滴末梢本管（5分）

◉ 4週ごと投与法

投与日	投与順	投与量	投与方法
1	1	ニボルマブ（オプジーボ®）480mg/body ＋ 生食100mL	点滴末梢本管（30分）
	2	生食 50mL	点滴末梢本管（5分）

適応・治療開始基準[1~3]

- ミスマッチ修復機能欠損(dMMR/MSI-high[※])を有する大腸癌。
- ECOG PS 0~1
- フッ化ピリミジン,CPT-11もしくはL-OHPを含む一次治療に不応・不耐。
- 主要臓器機能が保たれている。
- 3週ごと200mg投与法と6週ごと400mg投与法に関しては明確な選択基準はない。当院では治療開始時には3週ごと投与法で開始し,有害事象や治療効果が安定している場合には,6週ごと投与法への切り替えを考慮している。

※MSI-Highを有する患者とは,PCR法によりMSI-High,または免疫組織化学染色(IHC)法によりミスマッチ修復機構の欠損(dMMR)と判定された患者のことを指す。KEYNOTE-177試験では,腫瘍組織中においてIHC法によりミスマッチタンパク質修復タンパク質であるMLH1,MSH2,MSH6またはPMS2のいずれかの発現が認められない場合にdMMR,またPCR法により2つ以上のマイクロサテライトマーカーで対立遺伝子座のサイズの変化が検出された場合にMSI-Highと判定された[1,3]。

慎重投与[2]

	慎重投与
年　齢	高齢者
間質性肺疾患	間質性肺疾患またはその既往を有する患者
自己免疫性疾患	自己免疫性疾患またはその既往を有する患者
過敏症	
相互作用	生ワクチン,弱毒化ワクチン,不活化ワクチン(摂取したワクチンに対する過度の免疫反応を生じる可能性がある)

効　果[1,3]

	CheckMate142試験[1]
ORR	36.0%
PFS	14.3カ月 (12カ月生存割合50.0%)
OS	未到達 (12カ月生存割合73.0%)

Nivolumab

有害事象マニュアル

有害事象の発現率と発現時期[1]

免疫関連有害事象	発現率（%）		発現日中央値（範囲）
	all Grade	≧ Grade 3	
倦怠感	23.0	1.4*	
✓ 下　痢	20.3	1.4*	
そう痒感	13.5	0	
発　疹	10.8	0	
悪　心	9.5	0	
✓ 甲状腺機能低下	9.5	0	
脱　力	6.8	0	
AST 上昇	6.8	0	
ALT 上昇	4.1	1.4*	
関節炎	5.4	0	
発　熱	5.4	0	
皮膚乾燥	5.4	0	
斑状丘疹状皮疹	4.1	1.4*	
リパーゼ増加	4.1	8.1	
アミラーゼ増加	2.8	2.8	
口内炎	2.8	1.4*	
腹　痛	1.4*	1.4*	
クレアチニン上昇	1.4*	1.4*	
リンパ球減少	1.4*	1.4*	
✓ 大腸炎	0	1.4*	
急性腎障害	0	1.4*	
副腎機能障害	0	1.4*	
食道炎	0	1.4*	
γ-GTP 上昇	0	1.4*	
胃　炎	0	1.4*	

☑：「有害事象マネジメントのポイント」（☞ p565）参照。
＊：1例のみ。

減量・休薬・中止基準

■有害事象の発現頻度や重篤度には，免疫チェックポイント阻害薬（ニボルマブ）の用量依存性が認められない。したがって有害事象発生時は減量ではなく，有害事象の対処法アルゴリズムに従い，休薬，中止を判断する。

■有害事象の対処法アルゴリズムは発生した有害事象により休薬・中止基準が異なることに注意が必要である。

- 免疫関連有害事象（irAE）はステロイドに対する治療効果が高いので，重症度に応じて速やかにステロイドによる治療を開始することで，多くのirAEがコントロール可能である。しかし症状が重篤化すると死亡に至るケースも報告されており，早期診断，早期治療開始が重要である。

有害事象マネジメントのポイント

✓ 内分泌障害（甲状腺機能異常・下垂体機能異常・副腎障害）

治療開始前のマネジメント

- 問診にて甲状腺機能障害の既往の有無を確認する。
- スクリーニング時にTSH，FT_3，FT_4，コルチゾール・ACTH（いずれも早朝空腹時）を測定する。

有害事象発生時のマネジメント

- 倦怠感，浮腫，悪寒，動作緩慢，発汗過多，体重減少，眼球突出，動悸，振戦，不眠などの症状を認めた場合は，速やかにTSH，FT_3，FT_4，コルチゾール，ACTH，また必要に応じてT-Chol，抗甲状腺サイログロブリン抗体，抗甲状腺マイクロゾーム抗体やその他の下垂体ホルモン（LH，FSH，GH，プロラクチン）も測定する。

内分泌障害の対処法アルゴリズム

無症候性のTSH増加	・ニボルマブ投与を継続する。
症候性の内分泌障害	・内分泌機能の評価を行う。 ・下垂体炎，下垂体機能低下が疑われる場合は，頭部MRI検査による下垂体撮影を検討する。 ・症候性であり，臨床検査値あるいは頭部MRI検査で下垂体に異常を認めた場合は，ニボルマブ投与を中止し，ステロイド投与[*1]，ホルモン補充[*2]を行う。 ・臨床検査値および頭部MRI検査で異常は認めないが症状が持続する場合は，1〜3週ごとの臨床検査または1カ月ごとに頭部MRI検査を継続する。
症状が改善した場合（ホルモン補充療法の有無は問わない）	・ホルモン補充療法を継続しながらニボルマブ投与を継続する[*2]。 ・副腎不全を有する患者は鉱質コルチコイド作用を有するステロイド投与継続を必要とする場合がある。
副腎クリーゼ疑い（原疾患および合併症から想定しにくい程度の重度の脱水，低血圧，ショックなど）	・ニボルマブ投与は中止し，輸液，ストレス用量の鉱質ステロイド作用を有するステロイド静注を開始する。 ・内分泌専門医に相談する。

＊1：1mg/kg/日の静注メチルプレドニゾロンまたはその等価量の経口薬。

＊2：ホルモン補充に際して甲状腺・副腎機能がともに障害されている場合に甲状腺ホルモンの補充のみを行うとかえって副腎不全が悪化するため，ステロイド投与を先行させる。

✓ 大腸炎・重度の下痢

治療開始前のマネジメント

- 治療開始前に，制酸薬，エリスロマイシンやペニシリン系薬剤などの抗菌薬，鉄剤，メフェナム酸，NSAIDs，ビグアナイド系薬剤やスルホニル尿素系薬剤などの血糖降下薬といった，下痢の原因となりうる薬剤の使用状況を把握しておく。
- 下痢が生じることで，電解質バランスが崩れたり，腸管粘膜が傷害され感染が起こりうるため，排便回数や便の性状などを患者自身で観察し，早期に下痢を認識できるように指導しておく。また，下痢が持続する際には，必ず病院に連絡するように指導しておく。
- 感染源となりうるため，肛門周囲の清潔を保つように指導する。
- 下痢が出現した際には，乳製品や香辛料の強い食べ物，アルコール，カフェイン，高脂肪食などの下痢をきたしやすい食物を避け，電解質が含まれた糖液を摂取するように指導する。

有害事象発生時のマネジメント

- Grade 1の下痢が出現した場合には，整腸薬などの対症療法を行いながらニボルマブの投与を継続する。ロペラミド塩酸塩（ロペミン®）などの止痢薬を投与することで，治療開始が遅れ，重症化する可能性があるため，当センターでは，基本的に止痢薬は使用していない。
- Grade 2以上となった場合には，ニボルマブの投与を中止し，全身性副腎皮質ホルモンの投与を検討する。また，便中白血球検査や便培養検査などの便検査，血算や電解質などの血液検査，腹部単純X線検査や腹部造影CT検査，下部内視鏡検査などの画像検査を行い，偽膜性腸炎や大腸菌感染などの細菌感染やノロウイルスなどのウイルス感染，虚血性腸炎，炎症性腸疾患など下痢をきたしうる疾患の評価も同時に行い，必要に応じて消化器専門医への相談を行う。
- Grade 2の下痢では，0.5～1.0mg/kg/日のプレドニン®の投与，Grade 3～4の下痢では，1.0～2.0mg/kg/日の静注メチルプレドニゾロンの投与を行い，症状がGrade 1に改善した後に1カ月以上かけてステロイドの漸減を行う。ニボルマブの投与は，プレドニン®が10mg/日以下まで減量した後に検討する。

胃腸関連有害事象の対処法アルゴリズム

下痢または大腸炎のGrade （CTCAE v5.0）	対処法とフォローアップ
Grade 1 下痢：ベースラインと比べて4回未満／日の排便回数の増加 大腸炎：無症状	・ニボルマブ投与を継続し，対症療法を行う。 ・症状が悪化した場合は直ちに連絡するように患者に伝え，悪化した場合はGrade 2〜4の対処法で治療する。
Grade 2 下痢：ベースラインと比べて4〜6回／日の排便回数の増加，身の回り以外の日常生活動作の制限 大腸炎：腹痛，血便	・ニボルマブ投与を中止し，対症療法を行う。 ・症状が5〜7日間を超えて持続あるいは再発した場合はステロイド内服[*1]を開始する。 ・症状がGrade 1まで改善した場合は，1カ月以上かけてステロイドを漸減し，ニボルマブ投与再開を検討する。 ・症状が悪化した場合は，Grade 3〜4の対処法で治療する。
Grade 3〜4 下痢：ベースラインと比べて7回以上／日の排便回数の増加 大腸炎 Grade 3：重度の腹痛；腹膜刺激症状あり 大腸炎 Grade 4：生命を脅かす，穿孔	・ニボルマブ投与を中止し，入院の上ステロイドパルス[*2]療法を行う。 ・症状がGrade 1に改善するまでステロイド投与を継続した後，1カ月以上かけてステロイドを漸減する。 ・症状が改善しない場合は免疫抑制薬[*3]を追加投与する。

＊1：0.5〜1mg/kg/日の経口メチルプレドニゾロンまたはその等価量の経口薬。
＊2：1〜2mg/kg/日の静注メチルプレドニゾロンまたはその等価量の副腎皮質ステロイドを静注する。
＊3：インフリキシマブ5mg/kg（注：インフリキシマブは消化管穿孔または敗血症の症例へは使用すべきではない）（保険未収載）

- 免疫関連有害事象（irAE）はステロイドに対する治療効果が高いので，重症度に応じて速やかにステロイドによる治療を開始することで，多くのirAEがコントロール可能である。しかし症状が重篤化すると死亡に至るケースも報告されており，早期診断，早期治療開始が重要である。

- 免疫関連有害事象（irAE）はステロイドに対する治療効果が高いので，重症度に応じて速やかにステロイドによる治療を開始することで，多くのirAEがコントロール可能である。しかし症状が重篤化すると死亡に至るケースも報告されており，早期診断，早期治療開始が重要である。

文 献

1) Overman MJ, et al:Nivolumab in patients with metastatic DNA mismatch repair-deficient or microsatellite instability-high colorectal cancer (CheckMate 142):an open-label, multicentre, phase 2 study. Lancet Oncol .2017;18:1182-91.
2) 小野薬品工業:irAEアトラス.
3) 厚生労働省:最適使用推進ガイドライン ニボルマブ（遺伝子組換え）（販売名：オプジーボ点滴静注20mg，オプジーボ点滴静注100mg，オプジーボ点滴静注240mg）〜高頻度マイクロサテライト不安定性（MSI-High）を有する結腸・直腸癌〜, 2020.

（西村　在，川上武志）

Ⅴ 大腸癌

Nivolumab + Ipilimumab

投与スケジュール

- 免疫チェックポイント阻害薬の投与を開始する前には，p27の補足資料に従って必ずチェックを行うこと。

● ニボルマブ＋イピリムマブ併用パート

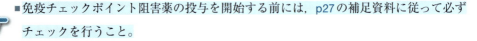

上記3週を4コース投与後，以下のニボルマブ単独療法（2週ごとまたは4週ごと）を継続。

▶ニボルマブ単独パート2週ごと投与法

▶ニボルマブ単独パート4週ごと投与法

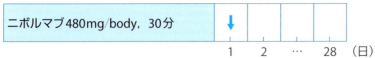

いずれも，投与においてはインラインフィルター（0.2または0.22μm）を使用する。

投与例

● ニボルマブ＋イピリムマブ併用パート

投与日	投与順	投与量	投与方法
1	1	生食50mL	点滴末梢本管（10分）
	2	ニボルマブ（オプジーボ®）240mg/body ＋ 生食100mL	点滴末梢本管（30分）
	3	生食100mL	点滴末梢本管（30分）
	4	イピリムマブ（ヤーボイ®）1mg/kg ＋ 生食20mL	点滴末梢本管（30分）
	5	生食50mL	点滴末梢本管（10分）

568

▶ニボルマブ単独パート2週ごと投与法

投与日	投与順	投与量	投与方法
1	1	ニボルマブ（オプジーボ®）240mg／body ＋ 生食100mL	点滴末梢本管（30分）
	2	生食50mL	点滴末梢本管（10分）

▶ニボルマブ単独パート4週ごと投与法

投与日	投与順	投与量	投与方法
1	1	ニボルマブ（オプジーボ®）480mg／body ＋ 生食100mL	点滴末梢本管（30分）
	2	生食50mL	点滴末梢本管（10分）

適応・治療開始基準 [1～3]

- がん化学療法後に増悪した治癒切除不能な進行・再発の高頻度マイクロサテライト不安定性（MSI-High※）を有する結腸・直腸癌。
- ECOG PS 0～1
- 主要臓器機能が保たれている。

※ MSI-Highを有する患者とは，PCR法によりMSI-High，または免疫組織化学染色（IHC）法によりミスマッチ修復機構の欠損（dMMR）と判定された患者のことを指す。KEYNOTE-177試験では，腫瘍組織中においてIHC法によりミスマッチタンパク質修復タンパク質であるMLH1，MSH2，MSH6またはPMS2のいずれかの発現が認められない場合にdMMR，またPCR法により2つ以上のマイクロサテライトマーカーで対立遺伝子座のサイズの変化が検出された場合にMSI-Highと判定された[1, 3]。

慎重投与 [2]

	慎重投与
年　齢	高齢者
間質性肺疾患	間質性肺疾患またはその既往を有する患者
自己免疫性疾患	自己免疫性疾患またはその既往を有する患者
過敏症	
相互作用	生ワクチン，弱毒化ワクチン，不活化ワクチン（摂取したワクチンに対する過度の免疫反応を生じる可能性がある）

効 果[1, 3)]

	CheckMate142試験[1)] 化学療法歴のある治癒切除不能な進行・再発のdMMR またはMSH-Highを有する結腸・直腸癌[*]
ORR	55 %
OS	中央値未到達 9カ月87 % 12カ月85 %
PFS	中央値未到達 9カ月76 % 12カ月71 %

＊：CheckMate142試験のニボルマブ＋イピリムマブ併用群におけるそれぞれの投
　　与量は，ニボルマブ3mg/kg，イピリムマブ1mg/kgであった。

Nivolumab + Ipilimumab

有害事象マニュアル

有害事象の発現率と発現時期 [1, 2]

免疫関連有害事象	発現率(%)		発現日中央値(範囲)
	all Grade	≧ Grade 3	
✓ 間質性肺疾患	7.1	1.6	74(3〜727)
重症筋力症, 心筋炎, 筋炎, 横紋筋融解症	0.8	0.6	37(16〜586)
腸炎(下痢, 穿孔)	27.6	5.9	43(1〜751)
✓ 1型糖尿病	0.5	0.4	146(22〜415)
✓ 劇症肝炎, 肝不全, 硬化性胆管炎	19.4	10.0	50(1〜1,062)
甲状腺機能障害	22.4	0.8	54(1〜855)
下垂体機能障害	7.2	2.3	83(1〜469)
副腎障害	4.1	1.8	132(31〜766)
神経障害	17.0	1.9	54(1〜841)
腎障害	5.8	1.1	79(1〜665)
infusion reaction (注入に伴う反応)	5.1	0.2	16(1〜687)
膵 炎	1.1	0.4	150(6〜729)

☑:「有害事象マネジメントのポイント」(☞ p572)参照。

※ニボルマブ＋イピリムマブ併用療法の臨床試験では, 上記のほかに, 低頻度ではあるが, 脳炎, 皮膚障害, 静脈血栓塞栓症の発現が認められている。

減量・休薬・中止基準

- 有害事象の発現頻度や重篤度には, 免疫チェックポイント阻害薬(ニボルマブ, イピリムマブ)の用量依存性が認められない。したがって有害事象発生時は減量ではなく, 有害事象の対処法アルゴリズムに従い, 休薬, 中止を判断する。

- 有害事象の対処法アルゴリズムは発生した有害事象により休薬・中止基準が異なることに注意が必要である。

- 免疫関連有害事象(irAE)はステロイドに対する治療効果が高いので, 重症度に応じて速やかにステロイドによる治療を開始することで, 多くのirAEがコントロール可能である。しかし症状が重篤化すると死亡に至るケースも報告されており, 早期診断, 早期治療開始が重要である。

有害事象マネジメントのポイント[2, 4, 5]

- 以下のirAEのほかに，稀ではあるが，重症筋無力症，心筋炎，筋炎，横紋筋融解症，ニューロパチー，腎障害，脳炎，重度の皮膚障害，静脈血栓塞栓症などにも留意する。
  ※irAEに対する薬剤，対処法については，ガイドラインや適正使用ガイドにより常に最新の情報を確認することが望ましい。

✓ 間質性肺疾患

治療開始前のマネジメント

- 呼吸器疾患の有無を問診で確認しておく。
- 投与開始前に咳嗽や呼吸困難感の有無，胸部聴診（ラ音の聴取），胸部単純X線検査，SpO_2のモニタリングチェックを行う。
- 投薬前の診察時には，少なくともSpO_2の確認を必ず行うようにする。

有害事象発生時のマネジメント

- 乾性咳嗽，息切れ，呼吸困難感，ラ音の聴取等の臨床症状が出現し，間質性肺疾患が疑われた場合は，速やかに胸部単純X線検査，胸部CT検査，血液検査（血算，血液像，CRP，KL-6，SP-D）等の検査を実施し，必要に応じて呼吸器内科医へ相談する。
- 感染症との鑑別（喀痰，β-Dグルカン，サイトメガロウイルス抗原など）も同時に行う。

肺関連有害事象の対処法アルゴリズム

肺臓炎のGrade （CTCAE v5.0）	対処法とフォローアップ
Grade 1 （画像的変化のみ）	・ニボルマブ，イピリムマブの投与を中止し3週ごとに画像評価を行う。 ・回復した場合はニボルマブ，イピリムマブの投与再開を検討する。 ・症状が悪化した場合はGrade 2～4の対処法で治療を行う。
Grade 2 （軽度～中等度の新たな症状）	・ニボルマブ，イピリムマブ投与を中止し，入院，ステロイド投与[*1]，1～3日ごとの画像評価を行う。 ・症状が改善した場合は1カ月以上かけてステロイドを漸減する。 ・症状が改善しない場合はGrade 3～4の対処法で治療する。
Grade 3～4 （重度の新たな症状；生命を脅かす）	・ニボルマブ，イピリムマブ投与を中止し，入院，ステロイドパルス[*2]療法を行う。 ・症状が改善した場合は6週間以上かけてステロイドを漸減する。 ・症状が改善しない場合は免疫抑制薬[*3]を追加投与する。

＊1：1mg/kg/日の静注メチルプレドニゾロンまたはその等価量の経口薬。

＊2：2～4mg/kg/日の静注メチルプレドニゾロンまたはその等価量の副腎皮質ステロイドを静注する。

＊3：インフリキシマブ，シクロホスファミド，静注免疫グロブリン，ミコフェノール酸モフェチル等（いずれも保険未収載）

✓ 1型糖尿病（劇症1型糖尿病を含む）

治療開始前のマネジメント

■ スクリーニング時にHbA1c，毎回投与時に血糖値や尿糖の有無を確認する。治療中に随時血糖値が200mg/dL以上の時は，入院にて経過観察を考慮する。

有害事象発生時のマネジメント

■ 投与後に，口渇，多飲，多尿，倦怠感，悪心，嘔吐，急な体重減少，意識混濁等の臨床症状や血糖値の上昇を認めた場合は，血清Cペプチドや抗GAD抗体などの膵島関連自己抗体検査，尿ケトン体検査等を行う。

■ 劇症1型糖尿病はケトアシドーシス（DKA）を伴って数日単位で非常に急激に進行し，またインスリンの枯渇により急激に高血糖となるため発症時のHbA1cはあまり上昇しないこと，糖尿病関連自己抗体（抗GAD抗体など）が陰性であるため注意が必要である。

■ 劇症1型糖尿病が疑われる場合は，早急に内分泌科専門医に相談し治療を開始する。治療はDKAに準じてインスリンの持続静注と補液（脱水と電解質の補正）を中心に行い，血糖値，電解質などを頻回に測定する。臨床症状や血糖が安定した後のニボルマブ，イピリムマブ投与再開の報告は限られており，その安全性は不明である[3]。

✓ 肝機能障害・肝炎

治療開始前のマネジメント

■ 定期受診の際に毎回血液検査で肝機能を確認する。

■ 問診にて倦怠感の有無，嘔気，嘔吐，食欲不振の有無を確認する。

有害事象発生時のマネジメント

■ 肝機能障害の除外診断として，HBV・HCV関連の検査，抗核抗体，抗ミトコンドリア抗体，腹部超音波検査，腹部CT検査などを行っておく。

肝関連有害事象の対処法アルゴリズム

肝機能検査値上昇のGrade （CTCAE v4.0）	対処法とフォローアップ
Grade 1 ASTまたはALTが施設正常値上限～3倍以下，総ビリルビンが施設正常値上限～1.5倍以下，またはその両方	・ニボルマブ，イピリムマブ投与および肝機能検査を継続する。 ・肝機能が悪化した場合はGrade 2～4の対処法で治療する。
Grade 2 ASTまたはALTが施設正常値上限値の3～5倍以下，総ビリルビンが施設正常値の1.5～3倍以下，またはその両方	・ニボルマブ，イピリムマブ投与を中止し，肝機能検査を3日ごとに行う。 ・肝機能が改善した場合はニボルマブ，イピリムマブ投与再開を検討する。 ・肝障害が5～7日間を超えて持続または悪化した場合はステロイド内服[*1]を開始する。 ・肝障害がGrade 1まで改善した場合は，1カ月以上かけてステロイドを漸減し，ニボルマブ，イピリムマブ投与再開を検討する。
Grade 3～4 ASTまたはALTが施設正常値上限値の5倍超，総ビリルビンが施設正常値の3倍超，またはその両方	・ニボルマブ，イピリムマブ投与を中止し，入院の上ステロイドパルス[*2]療法，1～2日ごとの肝機能検査を行う。 ・肝機能がGrade 2に改善した場合は1カ月以上かけてステロイドを漸減する。 ・肝障害が3～5日間を超えて改善しない場合は免疫抑制薬[*3]を追加投与する。

＊1：0.5～1mg/kg/日の経口メチルプレドニゾロンまたはその等価量の経口薬。

＊2：1～2mg/kg/日の静注メチルプレドニゾロンまたはその等価量の副腎皮質ステロイドを静注する。

＊3：ミコフェノール酸モフェチル1gを1日2回投与（注：インフリキシマブによる肝障害のため，薬剤性肝炎に対してはインフリキシマブを使用しない）（本剤に起因する肝機能障害に対してはいずれも保険未収載）。

（文献2をもとに作成）

文献

1) Overman MJ, et al:Nivolumab in patients with metastatic DNA mismatch repair-deficient or microsatellite instability-high colorectal cancer (CheckMate 142): an open-label, multicentre, Phase 2 study. J Clin Oncol. 2018;36:773-9.

2) オプジーボ®・ヤーボイ®適正使用ガイド.

3) 厚生労働省：最適使用推進ガイドライン ニボルマブ（遺伝子組換え）（販売名：オプジーボ点滴静注20mg，オプジーボ点滴静注100mg，オプジーボ点滴静注240mg）～高頻度マイクロサテライト不安定性（MSI-High）を有する結腸・直腸癌～, 2020.

4) キイトルーダ®適正使用ガイド.

5) 日本臨床腫瘍学会, 編：がん免疫療法ガイドライン. 第2版. 金原出版, 2016.

（西村　在，横田知哉）

V 大腸癌

ENCO + Cmab

投与スケジュール

上記2週を1コースとする。

投与例

● 1日目：初回のみ（1コース目1日目のみ）

投与日	投与順	投与量	投与方法
1	1	デキサメタゾンリン酸エステルナトリウム（デキサート®）2.0mL（6.6mg）+ d-クロルフェニラミンマレイン酸塩（ポララミン®）1.0mL（5mg）+ 生食 50mL	点滴末梢本管（15分）
	2	セツキシマブ [Cmab]（アービタックス®）400mg/m² + 生食 100mL	点滴末梢本管（2時間）
	3	生食 50mL	点滴末梢側管（5分）
1〜	1	エンコラフェニブ [ENCO]（ビラフトビ®）300mg/日，分1（朝食後）	経口

● 8日目：初回以降のCmab

投与日	投与順	投与量	投与方法
8	1	d-クロルフェニラミンマレイン酸塩 1.0mL（5mg）+ 生食 50mL	点滴末梢本管（15分）
	2	Cmab 250mg/m² + 生食 100mL	点滴末梢本管（1時間）
	3	生食 50mL	点滴末梢側管（5分）

適応・治療開始基準

- 組織学的に腺癌と確定診断されている切除不能結腸・直腸癌。
- ECOG PS 0〜1
- *BRAF*遺伝子変異型が確認されている。
- 切除不能結腸・直腸癌に対して化学療法歴がある。
- 主要臓器機能が保たれている（以下が目安）。

- 好中球数≧1,500/μL
- 血小板数≧10×10^4/μL
- ヘモグロビン≧9.0g/dL
- クレアチニン≦施設基準値上限×1.5倍
- 総ビリルビン≦施設基準値上限×1.5倍
- AST，ALT≦施設基準値上限×2.5倍（肝転移例は施設基準値上限×5倍以下）
- 心機能LVEF≧50％，QTcF≦480msec

慎重投与

● Cmab

	慎重投与
肺疾患	間質性肺炎の既往を有する
心疾患	冠動脈疾患，うっ血性心不全，不整脈の既往を有する

● ENCO

	慎重投与
年　齢	高齢者
心疾患	冠動脈疾患，うっ血性心不全，不整脈の既往を有する
肝障害	総ビリルビン>1.5mg/dL， またはAST，ALT>施設基準値上限×2.5倍 （減量または中止を考慮）

効　果

	BRAF V600E変異型でフッ化ピリミジン， L-OHPに不応・不耐の切除不能大腸癌に対する治療[1]
RR	20％
PFS	4.2カ月
OS	8.4カ月

ENCO + Cmab

有害事象マニュアル

有害事象の発現率[1]

有害事象	発現率（%）		発現時期
	all Grade	Grade 3 以上	
下 痢	33	2	
✓ ざ瘡様皮疹	29	< 1	
嘔 気	34	< 1	
嘔 吐	21	1	
疲 労	30	4	
食欲不振	27	1	
無力症	21	3	
便 秘	15	0	
✓ 皮膚乾燥	11	0	
発 熱	16	1	
✓ 皮 疹	12	0	
手掌・足底発赤知覚不全症候群	4	< 1	
✓ 霧 視	4	0	
関節痛	19	1	
頭 痛	19	0	
AST上昇	17	0	
ALT上昇	14	1	
CK上昇	3	0	
Cre上昇	50	2	

☑：「有害事象マネジメントのポイント」（☞ p578）参照。

減量早見表

減量レベル	Cmab	ENCO
初回投与量	400mg／m^2	300mg／日
2回目以降の投与量	250mg／m^2	
−1	200mg／m^2	225mg／日
−2	150mg／m^2	150mg／日

┤ 有害事象マネジメントのポイント ├

■Cmabについては「FOLFOX + Cmab/Pmab」参照（☞**p411**）。

✓ 眼障害

■「ENCO + BINI + Cmab」参照（☞**p581**）。

✓ 皮膚障害

■「ENCO + BINI + Cmab」参照（☞**p582**）。

症 例 **84歳男性，上行結腸癌術後，肝転移再発**

　身長160cm，体重55kg，ECOG PS 1。上行結腸癌術後の肝転移再発，*BRAF* V600E変異型，*RAS*野生型に対して，一次治療としてカペシタビン＋Bmab療法を開始し，6コースで肝転移増悪によりPDとなった。二次治療としてENCO＋Cmab療法を開始した（ENCOは高齢のため1レベル減量）。1コース目7日目頃に悪心（Grade 1）を認め，ドンペリドンの頓用にて対症可能であった。2コース目開始時に霧視（Grade 1）を認めた。その後，8日目に食欲不振（Grade 3），疲労（Grade 3），悪心（Grade 2），AST/ALT上昇（Grade 3）を認めたため休薬とし，入院にて補液を施行した。休薬後は速やかに自覚症状の改善，肝障害の改善を認め，ENCOをさらに1レベル減量し再開したが，疲労（Grade3）のため不耐中止とした。

文 献

1) Kopetz R, et al:Encorafenib, Binimetinib, and Cetuximab in *BRAF* V600E-Mutated Colorectal Cancer. N Engl J Med. 2019;381:1632-43.

（大嶋琴絵，山﨑健太郎）

大腸癌

ENCO + BINI + Cmab

投与スケジュール

(初回) Cmab 400mg/m², 2時間 (2回目以降) Cmab 250mg/m², 1時間	↓		↓		
ENCO 300mg/日, 分1(朝食後)	↓	↓	↓	↓	↓
BINI 90mg/日, 分2(朝夕食後)	↓↓	↓↓	↓↓	↓↓	↓↓
	1	…	8	…	14 (日)

上記2週を1コースとする。

投与例

● 1日目：初回のみ（1コース目1日目のみ）

投与日	投与順	投与量	投与方法
1	1	デキサメタゾンリン酸エステルナトリウム（デキサート®）2.0mL（6.6mg） ＋d-クロルフェニラミンマレイン酸塩（ポララミン®）1.0mL（5mg） ＋生食 50mL	点滴末梢本管 （15分）
1	2	セツキシマブ[Cmab]（アービタックス®）400mg/m² ＋生食 100mL	点滴末梢本管 （2時間）
1	3	生食 50mL	点滴末梢側管 （5分）
1〜	1	エンコラフェニブ[ENCO]（ビラフトビ®）300mg/日, 分1（朝食後）	経口
1〜	1	ビニメチニブ[BINI]（メクトビ®）90mg/日, 分2（朝夕食後）	経口

● 8日目：初回以降のCmab

投与日	投与順	投与量	投与方法
8	1	d-クロルフェニラミンマレイン酸塩 1.0mL（5mg）＋生食 50mL	点滴末梢本管 （15分）
8	2	Cmab 250mg/m² ＋生食 100mL	点滴末梢本管 （1時間）
8	3	生食 50mL	点滴末梢側管 （5分）

適応・治療開始基準

- 組織学的に腺癌と確定診断されている切除不能結腸・直腸癌。
- ECOG PS 0～1
- *BRAF* 遺伝子変異型が確認されている。
- 切除不能結腸・直腸癌に対して化学療法歴がある。
- 主要臓器機能が保たれている（以下が目安）。

- 好中球数 $\geqq 1,500/\mu$L
- 血小板数 $\geqq 10 \times 10^4/\mu$L
- ヘモグロビン $\geqq 9.0$g/dL
- クレアチニン $\leqq$ 施設基準値上限 × 1.5 倍
- 総ビリルビン $\leqq$ 施設基準値上限 × 1.5 倍
- AST，ALT $\leqq$ 施設基準値上限 × 2.5 倍（肝転移例は施設基準値上限 × 5 倍以下）
- 心機能 LVEF $\geqq 50$ %，QTcF $\leqq 480$msec

慎重投与

● Cmab

	慎重投与
肺疾患	間質性肺炎の既往を有する
心疾患	冠動脈疾患，うっ血性心不全，不整脈の既往を有する

● ENCO，BINI

	慎重投与
年 齢	高齢者
心疾患	冠動脈疾患，うっ血性心不全，不整脈の既往を有する
肝障害	総ビリルビン > 1.5mg/dL， または AST，ALT > 施設基準値上限 × 2.5 倍 （減量または中止を考慮）

効 果

	BRAF V600E 変異型でフッ化ピリミジン， L−OHP に不応・不耐の切除不能大腸癌に対する治療[1]
RR	26 %
PFS	4.3 カ月
OS	9.0 カ月

ENCO + BINI + Cmab

有害事象マニュアル

有害事象の発現率[1]

有害事象	発現率（%）		発現時期
	all Grade	Grade 3 以上	
☐ 下　痢	62	10	
✓ ざ瘡様皮疹	49	29	
☐ 嘔　気	45	5	
☐ 嘔　吐	38	4	
☐ 疲　労	33	2	
☐ 食欲不振	28	2	
☐ 無力症	25	3	
☐ 便　秘	25	0	
✓ 皮膚乾燥	21	1	
☐ 発　熱	20	2	
✓ 皮　疹	19	＜1	
☐ 手掌・足底発赤知覚不全症候群	13	0	
✓ 霧　視	11	0	
☐ 関節痛	10	0	
☐ 頭　痛	7	0	
☐ AST上昇	23	2	
☐ ALT上昇	23	2	
☐ CK上昇	23	3	
☐ Cre上昇	75	5	

☑：「有害事象マネジメントのポイント」参照。

減量早見表

減量レベル	Cmab	ENCO	BINI
初回投与量	400mg／m²	300mg／日	90mg／日
2回目以降の投与量	250mg／m²		
−1	200mg／m²	225mg／日	60mg／日
−2	150mg／m²	150mg／日	30mg／日

有害事象マネジメントのポイント

- Cmabについては「FOLFOX + Cmab／Pmab」参照（☞ **p411**）。

✓ 眼障害

- 頻度としては霧視が多く，大部分の症例は治療開始後比較的早期（1カ月以内）に出

現する。Grade 3の霧視が出現した場合には休薬を行い，Grade 1に回復後にENCOおよびBINIを1レベル減量の上，投与を再開する。3週間以上にわたって回復がみられない場合には中止を考慮する。

- 網膜障害，ぶどう膜炎を認めることがあるため，必要に応じて眼科医と相談の上，減量，休薬又は投与を中止する必要がある。
- 膜静脈閉塞が発現した場合は失明の恐れがあるため，ENCOおよびBINIの投与を中止する必要がある。

✓ 皮膚障害

- 皮膚障害はCmabだけによらず，ENCOやBINIによっても生じうる。皮膚の状態を注意深く観察し，異常が認められた場合には，減量，休薬，場合によっては中止も検討する。
- 原則としてGrade 1であれば継続するが，Grade 2が継続する場合にはENCOおよびBINIの休薬を行う。Grade 4の場合にはENCOおよびBINIの投与を中止する。
- 約1％の患者に，基底細胞癌，ケラトアカントーマ，悪性黒色腫等の皮膚悪性腫瘍が現れることが報告されているため，必要に応じて皮膚科専門医と連携する必要がある。

症例 **41歳女性，下行結腸癌，腹膜播種・卵巣・リンパ節転移**

　身長145cm，体重50kg，ECOG PS 1。下行結腸癌の同時性腹膜播種・卵巣・リンパ節転移，*BRAF* V600E変異型，*RAS*野生型に対してFOLFOXIRI＋Bmab療法を開始し，11コースで腹膜播種増悪によりPDとなった。二次治療として，ENCO＋BINI＋Cmab療法を開始した。6日目に尿路感染症（Grade 2）にてENCO，BINIを休薬。内服抗菌薬で経過をみるも，熱型増悪するため8日目より入院にて点滴抗菌薬加療を行い，改善を認め退院。2コース目4日目に再度発熱あり，ENCO，BINIを休薬し，入院にて抗菌薬加療を行い，敗血症性ショックに対し一時的にノルアドレナリン投与も要したが改善した。3コース目からは疲労のためBINIは中止し，ENCO＋Cmab療法にて継続した。4コース目は爪囲炎（Grade 2）のため治療開始を延期し，皮膚科コンサルトの上，抜爪の処置を行い改善後，Cmabを1レベル減量にて再開した。その後，悪心（Grade 2）を認めたため，5コース目はENCOを1レベル減量とした。治療開始後CA19-9の低下を認め，腫瘍縮小効果はSDで治療を継続中である。

文 献

1) Kopetz R, et al:Encorafenib, Binimetinib, and Cetuximab in *BRAF* V600E-Mutated Colorectal Cancer. N Engl J Med. 2019;381:1632-43.

（大嶋琴絵，山﨑健太郎）

索 引

英 数

数字

1型糖尿病（劇症1型糖尿病を含む）
112, 573

5-FU *60, 83, 99, 158, 169, 213,
253, 307, 315, 381, 389, 395,
401, 406, 421, 426, 433, 440,
534, 541*

5-FU + CDGP *169*

5-FU + ℓ-LV *253*

5-FU + LV *534*

5-FU + LV + Bmab *541*

A

adj 5-FU + LV *534*

adj Capecitabine *525*

adj FOLFOX *546*

adj GEM（膵） *363*

adj S-1 *298*

adj S-1（膵） *368*

adj S-1 + DTX *302*

adj UFT／LV *529*

adj XELOX *551*

AFL *433*

ALT上昇 *353, 370*

AST上昇 *353, 370*

B

BINI *579*

Bmab *389, 401, 421, 458, 474,
479, 505, 541*

C

Capecitabine *206, 220, 233,
469, 474, 505, 525, 551*

Capecitabine + Bmab *474*

CAPIRI + Bmab *505*

CBDCA *47, 76, 83, 99*

CBDCA + PTX + Cmab *76*

CBDCA + RT *47*

CDDP *30, 39, 43, 60, 68, 83, 99,
158, 195, 220, 227, 326, 332*

CDDP + RT *30*

CDGP *169*

Cmab *52, 68, 76, 83, 121, 406,
440, 489, 575, 579*

Cmab + DTX + CDDP *68*

Cmab + RT *52*

Cmab／Pmab *510*

CPT-11 *280, 307, 381, 389,
421, 426, 433, 440, 484, 489,
494, 505*

CPT-11 + Cmab *489*

D

DTX *60, 68, 126, 152, 302*

DTX + Tmab *152*

E

ENCO *575, 579*

ENCO + BINI + Cmab *579*

ENCO + Cmab *575*

ESD後再発 *19*

F

FOLFIRI *416*

FOLFIRI + AFL *433*

FOLFIRI + Bmab *421*

FOLFIRI + Cmab／Pmab *440*

FOLFIRI + Rmab *426*

FOLFOX *395*

FOLFOX + Bmab *401*

FOLFOX + Cmab／Pmab *406*

FOLFOXIRI *381*

FOLFOXIRI + Bmab *389*

FP，FP + RT *158*

FP（or 5-FU+CBDCA）
+Pembrolizumab *99*

FP（or 5-FU + CBDCA）± Cmab
83

G

GEM *326, 332, 341, 346, 363*

GEM + CDDP（胆） *326*

GEM + CDDP + S-1 *332*

GEM + nab-PTX（膵） *320*

GEM + S-1 *337*

Gemcitabine（胆・膵） *346*

I

infusion reaction（注入に伴う反応）
54, 73, 225, 231, 244, 413

infusion reaction 発現時の対応
245

Ipilimumab *568*

IRIS *494*

IRIS + Bmab *500*

L

ℓ-LV *213, 253, 307, 315, 381,
389, 395, 401, 406, 421, 426,
433, 440*

Lenvatinib *139*

L-OHP *200, 206, 213, 233, 237,
307, 381, 389, 395, 401, 406,
458, 551*

LV *529, 534, 541*

LVEF値 *157*

M

mFOLFIRINOX（膵） *307*

mFOLFOX6 *213, 546*

N

nab-PTX *264, 269*

nal-IRI *315*

nal-IRI + 5-FU／LV *315*

Nivolumab *107, 181, 285, 562, 568*

Nivolumab + Ipilimumab *568*

O

Olaparib *372*

P

Pembrolizumab *92, 99, 188, 556*

Pemigatinib *376*

Pmab *406, 440*

PTX *76, 116, 121, 176, 259, 274*

583

R

Regorafenib *520*
Rmab *274, 426*
RPMI *534*
RPMI + Bmab *541*

S

S-1 *133, 195, 200, 227, 237, 247, 298, 302, 332, 341, 351, 368, 458, 464, 494*
S-1（胆・膵） *351*
S-1 + CDDP *195*
S-1 + CDDP + Tmab *227*
S-1 + RT（膵） *357*
sLV5FU2 *534*
sLV5FU2 + Bmab *541*
split CDDP + RT *43*
Sorafenib（根治切除不能甲状腺癌） *146*
SOX *200*
SOX + Bmab *458*
SOX + Tmab *237*
S状結腸癌 *462, 504*

T

Tmab *152, 220, 227, 233, 237, 269*
TPF *60*
Trastuzumab Deruxtecan *241*
Trifluridine *292, 479, 514*
Trifluridine + Bmab *479*

U

UFT *529*

V

Vandetanib（根治切除不能な甲状腺髄様癌） *149*

W

weekly CBDCA投与法 *50*
weekly CDDP + RT（毎週，術後） *39*
weekly nab-PTX *264*
weekly PTX *116, 176, 259*

weekly PTX + Cmab *121*
weekly PTX + Rmab *274*
weekly PTX + Tmab *269*

X

XELOX *206, 447*
XELOX + Bmab *454*
XELOX + Tmab *233*
XP + Tmab *220*

和　文

あ

アフリベルセプト ベータ ☞ AFL
アレルギー *55, 73, 216, 387, 397, 403*
アレルギー反応発現時の対応 *217*

い

イピリムマブ ☞ Ipilimumab
イリノテカン ☞ CPT-11
胃癌 *20*
胃腸関連有害事象の対処法 *97, 112, 186, 193, 560, 567*

え

エンコラフェニブ ☞ ENCO
腋窩リンパ節転移 *25*
嚥下困難 *34, 42*

お

オキサリプラチン ☞ L-OHP
オラパリブ ☞ Olaparib
オランザピン *209*
悪心・嘔吐（食欲不振を含む） *34, 41, 66, 87, 135, 165, 172, 198, 204, 208, 217, 223, 250, 283, 296, 312, 330, 354, 360, 384, 398, 419, 450, 466, 472, 487, 498, 518, 532*
横行結腸癌 *482, 509, 524*
黄斑浮腫 *267*

か

カペシタビン ☞ Capecitabine
カルボプラチン ☞ CBDCA
下咽頭癌 *8, 37, 46, 59, 59, 115, 120, 138*
下行結腸癌 *452, 582*
化学療法開始前 *27*
過敏反応 *80, 119, 124, 179, 262, 277, 262, 461, 492*
肝逸脱酵素上昇・高ビリルビン血症 *523*
肝関連有害事象の対処法 *113, 574*
肝機能障害・肝炎 *113, 164, 289, 532, 573*
肝障害 *472*
肝内胆管癌 *336*
肝不全 *523*
間質性肺疾患（間質性肺炎） *58, 95, 131, 184, 190, 243, 267, 349, 572*
乾性咳嗽 *58*
感染 *136*
眼症状 *151*

き

筋肉痛 *305*

く

クレアチニンクリアランス *199*
クレアチニン増加 *198*

け

ゲムシタビン ☞ GEM, Gemcitabine
下痢・腹痛 *87, 104, 136, 144, 173, 211, 251, 256, 283, 295, 301, 306, 312, 318, 355, 361, 385, 449, 467, 471, 487, 497, 508, 517, 531, 538, 553*
頸動静脈・腫瘍出血 *143*
頸部リンパ節転移 *25*
血小板数減少 *50, 90, 165, 203*
原発不明癌 *25*

こ

抗EGFR抗体 *411*

口腔癌 *2*

口腔粘膜炎・咽頭粘膜炎 *36, 65, 88, 105, 130, 137, 174, 257, 335*

高血圧 *142, 522*

　——AFL *437*

　——Bmab *393*

　——Rmab *430*

高リン血症 *379*

甲状腺癌 *145, 148*

　——髄様癌 *14*

　——乳頭癌 *14*

　——未分化癌 *15*

好中球数減少・発熱性好中球減少症 *64, 72, 118, 124, 178, 197, 218, 202, 230, 255, 261, 266, 277, 282, 295, 304, 311, 324, 344, 348, 365, 383, 392, 398, 418, 429, 460, 486, 496, 508, 517, 538*

喉頭癌 *10, 42, 67*

骨髄毒性 *344*

骨髄抑制 *318, 324, 374*

骨転移 *25*

混合型肝癌 *380*

さ

左室駆出率（LVEF）低下 *245*

鎖骨上LN転移 *18*

再発・転移頭頸部扁平上皮癌 *16*

殺細胞性抗癌剤 *104*

し

シスプラチン ☞ CDDP

耳下腺癌 *15*

術前GEM＋S-1 *341*

初回化学療法 *27*

消化管出血 *319*

消化管穿孔

　——AFL *439*

　——Bmab *394*

　——Rmab *431*

消化器毒性 *156, 349, 366*

上咽頭癌 *5*

上顎洞癌 *3, 132*

上行-横行結腸癌 *561*

上行結腸癌 *468, 533, 555, 578*

食道癌 *17*

心機能障害 *156, 272*

心障害 *224*

心電図QT補正間隔延長（心室性不整脈，Torsade de pointesを含む） *150*

神経内分泌細胞癌 *25*

神経内分泌腫瘍 *25*

腎障害 *354*

腎保護 *35, 63, 330*

す

膵癌 *22*

膵頭部癌 *313, 355, 362*

膵尾部癌 *375*

せ

セツキシマブ ☞ Cmab

舌癌 *2, 90, 98, 106*

そ

ソラフェニブトシル酸塩 ☞ Sorafenib（根治切除不能甲状腺癌）

爪障害 *305, 380*

創傷治癒遅延

　——AFL *439*

　——Bmab *394*

　——Rmab *432*

た

唾液腺癌 *15*

大腸炎・重度の下痢 *96, 111, 185, 192, 288, 559, 566*

大腸癌 *23*

脱水 *135, 354, 361*

胆管癌 *340*

胆道癌 *22*

蛋白尿 *142, 278, 394*

　——Bmab *457*

　——Rmab *431*

ち

中咽頭癌 *6, 50, 74, 81, 125*

腸炎 *319*

腸閉塞 *319*

直腸癌 *457, 488, 513, 545*

て

テガフール・ウラシル配合 ☞ UFT

テガフール・ギメラシル・オテラシルカリウム配合 ☞ S-1

デュロキセチン *210*

手足症候群 *143, 209, 451, 471*

手足皮膚反応 *521*

低分化癌・未分化癌 *25*

低マグネシウム血症 *72*

低マグネシウム血症（抗EGFR抗体） *414*

電解質異常 *58*

と

トラスツズマブ ☞ Tmab

トラスツズマブ デルクステカン ☞ Trastuzumab Deruxtecan

トリアージ対応 *28*

トリフルリジン ☞ Trifluridine

ドセタキセル水和物 ☞ DTX

頭頸部癌 *2*

糖尿病 *66*

な

内分泌障害（甲状腺機能異常・下垂体機能異常・副腎障害） *95, 114, 184, 191, 290, 558, 565*

内分泌障害の対処法 *114, 185, 192, 565*

に

ニボルマブ ☞ Nivolumab

尿蛋白 ☞ 蛋白尿

ね

ネダプラチン ☞ CDGP

の

脳神経麻痺 *267*

は

パクリタキセル ☞ PTX
パニツムマブ ☞ Pmab
バンデタニブ ☞ Vandetanib
 （根治切除不能な甲状腺髄様癌）
肺関連有害事象の対処法 *184,
 244, 572*
肺臓炎 *110*
白血球減少・好中球数減少 *89,
 129, 154, 163, 171*
発熱 *58*
発熱性好中球減少症 ☞ 好中球
 数減少・発熱性好中球減少症

ひ

ビニメチニブ ☞ BINI
ビリルビン上昇 *353, 370*
皮疹・落屑 *147*
皮膚障害 *56, 123, 335, 344, 492,
 582*
皮膚障害（抗EGFR抗体） *411*
皮膚症状 *147*
貧血 *89, 129, 155, 172*

ふ

フルオロウラシル ☞ 5-FU
浮腫 *131*

腹膜転移（腺癌） *25*

へ

ペミガチニブ ☞ Pemigatinib
ペムブロリズマブ ☞
 Pembrolizumab
ベバシズマブ ☞ Bmab
閉塞性黄疸 *355*

ほ

ホリナートカルシウム ☞ LV
放射線性皮膚炎 *57*

ま

マグネシウム製剤 *330*
末梢神経障害・知覚過敏 *80,
 119, 179, 203, 210, 215, 262,
 386, 451, 461*
末梢性運動・感覚ニューロパチー
 267, 324

む

霧視 *151*

め

免疫化学療法 *28*
免疫チェックポイント阻害薬
 *28, 92, 99, 107, 181, 188, 285,
 562, 568*

も

網膜剥離 *379*

や

夜間救急 *28*

ら

ラムシルマブ ☞ Rmab

り

硫酸マグネシウム *198*
流涙 *249, 467*

る

涙道障害 *157*

れ

レゴラフェニブ水和物 ☞
 Regorafenib
レボホリナートカルシウム ☞
 ℓ-LV
レンバチニブメシル酸塩 ☞
 Lenvatinib

ろ

労作時呼吸苦 *58*

■編者紹介

編著／シリーズ監修

安井博史 （やすいひろふみ）
静岡県立静岡がんセンター 副院長

1997年	滋賀医科大学医学部卒業
1997年	滋賀医大付属病院第二内科（消化器・血液内科）入局
2004年	静岡県立静岡がんセンター消化器内科 レジデント
2007年	静岡県立静岡がんセンター消化器内科 医長
2010年	静岡県立静岡がんセンター消化器内科 部長
2013年	静岡県立静岡がんセンター副院長兼消化器内科部長，治験管理室長
2015年	緩和ケアセンター長兼任
2018年	静岡県立静岡がんセンターゲノム医療推進室 室長兼任
2021年	静岡県立静岡がんセンター副院長，緩和ケアセンター長，ゲノム医療推進室長

〈専門〉
消化器がんにおける化学療法

編著

小野澤祐輔 （おのざわゆうすけ）
静岡県立静岡がんセンター原発不明科 部長

1992年	弘前大学医学部卒業
1992年	都立駒込病院内科臨床研修医
1994年	都立駒込病院化学療法科（血液腫瘍内科）専門研修医
1997年	国立がんセンター東病院 血液化学療法科レジデント
2000年	横浜赤十字病院（現横浜みなと赤十字病院）内科（血液）
2002年	静岡県立静岡がんセンター 消化器内科
2004年	静岡県立静岡がんセンター 消化器内科医長
2010年	静岡県立静岡がんセンター 原発不明科部長

〈専門〉
抗癌剤治療，新規抗癌剤の開発
現在は原発不明癌の治療，希少癌の治療

〈学会〉
米国腫瘍学会，日本臨床腫瘍学会（評議員・がん薬物療法専門医・指導医），日本癌治療学会，日本内科学会（専門医・指導医），日本消化器病学会（専門医），日本血液学会，日本頭頸部癌学会，日本消化器内視鏡学会，日本輸血細胞治療学会，日本造血細胞移植学会

静がんメソッド
静岡がんセンターから学ぶ最新化学療法＆有害事象マネジメント

消化器癌・頭頸部癌編

定価（本体6,800円＋税）

2016年2月12日	第1版
2018年3月12日	改題改訂第2版
2022年4月30日	第3版

- ■ 編 者　安井博史，小野澤祐輔
- ■ 発行者　梅澤俊彦
- ■ 発行所　日本医事新報社
  〒101-8718東京都千代田区神田駿河台2-9
  電話　03 3292 1555（販売）・1557（編集）
  www.jmedj.co.jp
  振替口座　00100-3-25171
- ■ 印 刷　日経印刷株式会社
- ■ デザイン　吉田ひろ美

© 安井博史，小野澤祐輔 2022 Printed in Japan

ISBN978-4-7849-5612-8 C3047 ￥6800E

- ・本書の複製権・翻訳権・上映権・譲渡権・公衆送信権（送信可能化権を含む）は(株)日本医事新報社が保有します。
- ・**JCOPY** <（社）出版者著作権管理機構 委託出版物>
  本書の無断複写は著作権法上での例外を除き禁じられています。複写される場合は，そのつど事前に，（社）出版者著作権管理機構（電話 03-5244-5088，FAX 03-5244-5089，e-mail:info@jcopy.or.jp）の許諾を得てください。

電子版のご利用方法

巻末袋とじに記載されたシリアルナンバーを下記手順にしたがい登録することで，本書の電子版を利用することができます。

1 日本医事新報社Webサイトより会員登録（無料）をお願いいたします。

会員登録の手順は弊社Webサイトの
Web医事新報かんたん登録ガイドを
ご覧ください。
https://www.jmedj.co.jp/files/news/20191001_guide.pdf

（既に会員登録をしている方は**2**にお進みください）

2 ログインして「マイページ」に移動してください。
https://www.jmedj.co.jp/files/news/20191001_guide.pdf

3 「未読タイトル（SN登録）」をクリック。

4 該当する書籍名を検索窓に入力し検索。

5 該当書籍名の右横にある「SN登録・確認」ボタンをクリック。

6 袋とじに記載されたシリアルナンバーを入力の上，送信。

7 「閉じる」ボタンをクリック。

8 登録作業が完了し，**4**の検索画面に戻ります。

【該当書籍の閲覧画面への遷移方法】
① 上記画面右上の「マイページに戻る」をクリック
　➡ **3**の画面で「登録済みタイトル（閲覧）」を選択
　➡ 検索画面で書名検索 ➡ 該当書籍右横「閲覧する」
　ボタンをクリック
　または
② 「**書籍連動電子版一覧・検索**」*ページに移動して，
　書名検索で該当書籍を検索 ➡ 書影下の
　「**電子版を読む**」ボタンをクリック
　https://www.jmedj.co.jp/premium/page6606/

＊「電子コンテンツ」Topページの「電子版付きの書籍を
　購入・利用される方はコチラ」からも遷移できます。

電子版のシリアルナンバーが記載されています

静がんメソッド
消化器癌・頭頸部癌編 第3版

シリアルナンバーは書籍購入者のみに電子版閲覧権を付与する特典です。シリアルナンバーのみを他人に販売・譲渡すること，または，購入・譲り受けることはできません。フリマサイト等でのシリアルナンバーの売買が疑われる場合，フリマサイト運営者に対し，当該出品者・購入者の情報開示請求を行うとともに，該当者の電子版閲覧を停止致します。